개미

개미

2

베르나르 베르베르 장편소설

이세욱 옮김

카트린에게

제2부 개미의 날

모든 것은 하나 안에 있다. ─ 아브라함

모든 것은 사랑이다. ─ 예수 그리스도

모든 것은 경제적이다. ─ 카를 마르크스

모든 것은 성적이다. ─ 지크문트 프로이트

모든 것은 상대적이다. ─ 알베르트 아인슈타인

그리고 그다음엔……?

에드몽 웰스, 『상대적이며 절대적인 지식의 백과사전』

첫 번째 비밀　　　**새벽의 주인들**

1. 전경(全景)

어둠

1년이 지났다. 8월의 어둑새벽, 달 없는 하늘에 별들이 까물거린다. 이윽고 어둠살이 설핏해지면서 빛살이 스며든다. 안개가 너울처럼 퐁텐블로 숲을 휘감고 있다. 붉은 햇덩이가 솟아오르자 안개가 스러지고 모든 것 위에 이슬이 반짝인다. 거미그물은 오렌지빛 구슬을 꿴 천연의 레이스로 변한다. 햇살의 열기가 서서히 대지를 덥히고 있다.

나뭇가지 아래, 풀잎 위, 풀과 풀 사이 어디에서건 미물들이 꼼지락거린다. 종류도 갖가지이고 수도 헤아릴 수 없이 많다. 맑은 이슬을 받아 말쑥하게 단장한 대지 위에서 곧 무슨 일인가가 벌어지려 한다. 더할 나위 없이 기이한 사건이⋯⋯.

2. 도시 한가운데로 잠입한 세 접자

《빨리 나아가자.》

페로몬에 담긴 명령이 단호하다. 한가롭게 이것저것 구경하고 있을 겨를이 없다는 뜻을 담고 있다. 거뭇한 세 형체가 비밀 통로를 따라 서둘러 나아간다. 그중 하나는 천장에 붙어서 더듬이를 바닥 쪽으로 축 늘어뜨린 채 가고 있다. 동료들이 내려오라고 이르건만 그는 그렇게 머리를 아래로 두는 것이 더 좋다고 고집을 부린다. 그는 사물의 모습을 거꾸로 보고 싶어 한다.

두 동료는 더 이상 말리지 않는다. 따지고 보면 세상을 거꾸로 본다고 해서 나쁠 것도 없다. 갈림목에서 세 개미는 더 좁은 통로 쪽으로 들어간다. 통로의 구석구석을 살피고 나서야 조심스레 발걸음을 옮긴다. 지금까지는 모든 게 너무 순조로워서 오히려 불안한 느낌을 준다.

세 개미가 도시 한가운데에 다다랐다. 필시 경계가 아주 삼엄한 지역일 것이다. 그들의 걸음걸이가 더욱 조심스러워진다. 나아갈수록 통로의 벽이 점점 더 반드르르해진다. 낙엽 조각들이 깔려 있는 곳을 지난다. 붉은 갈색 몸뚱이의 핏줄 속으로 어렴풋한 불안감이 밀려든다.

마침내 그들이 찾던 방이 나타난다. 나뭇진 냄새, 고수풀 냄새, 숯 냄새가 끼쳐 온다. 이 방은 아주 최근에 고안된 것이다. 다른 개미 도시에도 이런 은밀한 방이 있지만 그것은 먹이나 알을 저장하는 데만 쓰인다. 그런데 여기 이 방의 용도는 특별하다. 작년 겨울잠에 들어가기 직전에 어떤 개미가 다음과 같은 제안을 내놓았다.

《겨레의 지력이 너무 빠르게 발전하고 있어서, 우리의 지식이 후대에까지 이어지지 않고 소실될 염려가 있다. 선조들의 지혜를 우리 후손들이 활용할 수 있게 해야 한다.》

개미 세계에서 지식을 축적하자는 제안은 완전히 생소한 것이었다. 그럼에도 대다수의 벨로캉 개미들이 그 제안에 열광적인 지지를 보냈다. 지식을 축적하기 위한 그릇이 고안되었고 모든 개미들이 와서 저마다 자기 지식이 담긴 페로몬을 그 그릇에 쏟아부었다. 그런 다음, 그 그릇들을 주제별로 배열하였다.

그때부터 겨레의 모든 지식을 이 커다란 방에 모아 둘 수 있게 되었고, 이 방을 〈화학 정보실〉이라 명명하였다.

세 개미는 바짝 긴장해 있는 경황에도 찬탄을 느끼며 방 안으로 들어선다. 조마조마한 마음에 더듬이가 떨리는 것을 억누를 수가 없다.

주위를 둘러보니 형광을 발하는 알들이 여섯 줄로 배열되어 있고, 그 둘레에 암모니아 증기가 서려 알들을 덮혀 주고 있다. 그러나 흙으로 싸인 채 고정되어 있는 그 투명한 껍질 속에는 생명의 씨앗이 들어 있는 것이 아니다. 거기에는 수백 가지 주제로 정리된 후각 정보들이 들어 있다. 즉, 〈니〉 왕조 여왕개미들의 역사, 일반 생물학, 동물학(동물학 관련 정보가 특히 많다), 유기 화학, 지상 지리학, 지하 지층 지질학, 아주 유명한 대규모 전투에서 사용된 전략, 최근 1만 년간의 영토 정책 등에 관한 정보들이 담겨 있고, 심지어는 요리법이나 도시 내의 비위생 구역에 관한 정보도 들어 있다.

더듬이들이 움직인다.

《자, 빨리 해치우자.》

세 개미는 앞다리에 난 털을 솔로 삼아 재빨리 더듬이를 닦고 기억 페로몬이 담겨 있는 캡슐들을 조사하기 시작한다. 더듬이의 예민한 끄트머리로 알들을 문질러 내용물을 가려낸다.

세 개미 가운데 하나가 갑자기 동작을 멈춘다. 무슨 소리를 들은 듯하다. 무슨 소리일까? 세 개미는 들킨 것이 아닐까 하고 가슴을 졸이며 기다린다. 누굴까?

3. 살타 형제의 집

「가서 문 열어. 노가르 씨일 거야.」

세바스티앵 살타가 훤칠한 허우대를 구부려 손잡이를 비틀었다.

「안녕하세요!」

그가 인사말을 건넸다.

「안녕하세요. 다 됐어요?」

「그래요. 다 됐어요.」

살타 삼 형제는 일제히 안으로 들어가서 스티롤 수지로 된 커다란 통을 가지고 나오더니, 거기에서 윗부분이 열려 있는 공 모양의 유리그릇을 꺼냈다. 유리그릇 안에는 갈색의 작은 알약들이 가득 들어 있었다.

네 사람은 모두 그 유리그릇 위로 몸을 구부렸다. 카롤린 노가르는 더 이상 못 참겠다는 듯이 유리그릇 안에 오른손을 집어넣었다. 노가르의 손가락 사이로 짙은 흙빛의 알갱이들이 흘러내렸다. 노가르는 향기 좋은 커피 알갱이의 냄새를 즐기듯 그것들의 냄새를 맡았다.

「이거 만드느라고 고생 많으셨죠?」

「말도 마십시오.」

살타 삼 형제가 이구동성으로 대답했다. 그중 하나가 덧붙였다.

「그래도 보람 있는 일이었습니다.」

살타 삼 형제, 즉 세바스티앵, 피에르, 앙투안은 모두 신장이 2미터 가까이나 되는 거구들이었다. 그들은 무릎을 꿇고 앉아 노가르가 한 것처럼 자기들의 기다란 손가락을 유리그릇 안에 집어넣었다.

높은 촛대에 꽂힌 촛불 세 개가 주황색 불빛으로 그 기이한 무대를 비추고 있었다.

카롤린 노가르는 유리그릇을 여러 겹의 나일론 망사로 감싼 다음 여행 가방 안에 넣었다. 노가르는 세 거인을 올려다보며 미소로 작별 인사를 대신했다.

피에르 살타가 안도의 한숨을 내쉬며 말했다.

「이제 우리가 할 일은 다 한 거야.」

4. 도주와 추격

공연히 겁을 먹었다. 낙엽이 바스락거린 것뿐이다. 세 개미는 탐색 작업을 계속한다.

액체 상태의 정보가 가득 들어 있는 캡슐들의 냄새를 하나하나 맡아 나가던 세 개미가 마침내 원하던 것을 찾아낸다.

다행히 별로 힘들이지 않고 찾아낼 수 있었다. 세 개미는 그 보물을 들어내어 다리에서 다리로 건네 가며 살펴본다. 페로몬이 가득 담겨 있는 그 알은 송진 방울로 단단히 봉해져 있다. 개미들이 마개를 떼어 내자 더듬이 열한 마디로 첫 번째 냄새가 훅 끼쳐 온다.

《해독 금지.》

옳거니. 특급 비밀 정보임을 알리는 표시로는 그보다 나은 것이 없다. 세 개미는 알을 내려놓고 걸신이라도 들린 것처럼 그 속에 더듬이를 허겁지겁 집어넣는다. 정보를 담은 냄새가 뇌 속의 구불구불한 신경계로 전해진다.

해독 금지

기억 페로몬 번호 : 81

주제 : 자서전

《내 이름은 클리푸니. 벨로키우키우니의 딸이며, 〈니〉 왕조의 333번째 여왕으로서 불개미 도시 벨로캉의 유일한 산란자이다.

여왕이 되기 전에는 암개미 56호라 불렸다. 계급이 암개미이고 산란 번호가 춘계 56번이기에 그렇게 불린 것이다.

나는 어렸을 때 우리 도시 벨로캉이 세계의 중심이라고 믿었으며, 우리 개미들이 세계에서 유일하게 문명을 이룬 생물이라고 믿었다. 흰개미와 꿀벌과 말벌은 무지몽매한 탓에 우리의 관습을 받아들이지 않는 미개한 족속이라고 생각했다.

또 우리 불개미와 종이 다른 개미들을 퇴화한 자들로 여겼고 난쟁이개미들은 너무 작아서 우리의 근심거리가 되지 못할 것으로 생각했다.

당시에 나는 줄곧 궁궐 안 암개미들의 방에 틀어박혀 지냈다. 나의 유일한 소망은 어머니 같은 여왕이 되어, 어머니가 하신 것처럼 말 그대로 영원히 존재하게 될 강력한 연방을 건설하는 것이었다.

그러던 어느 날 젊은 수개미 327호가 상처를 입고 내 방으로 뛰어 들어와 이상한 이야기를 들려줌으로써 내 생각에 커다란 변화가 일어났다. 그는 사냥을 나갔던 원정대가 새로운 살상 무기 때문에 전멸당했다고 단언했다.

처음에 우리는 난쟁이개미들의 소행일 것으로 생각했다. 그들이 우리의 가장 강력한 경쟁자들이었기에 그 의심은 자연스러운 것이었다. 그러던 중 그들과 대규모 전투를 치렀다. 그것이 이른바 개양귀비 전투이다. 수백만의 병정개미들이 목숨을 잃긴 했지만 우리는 그 전투를 승리로 이끌었다. 그 승리를 통해서 난쟁이개미들에 대한 우리의 의심이 그릇된 것이었음을 깨달았다. 난쟁이개미들은 고성능 비밀 무기를 전혀 가지고 있지 않았다.

그다음에 우리가 혐의를 둔 쪽은 대대로 내려오는 적인 흰개미들이었다. 그것 역시 오판이었다. 동쪽의 거대한 흰개미 도시가 유령 도시로 변해 있었다. 그 도시의 모든 거주자들이 염소 가스에 독살되었다. 참으로 기이한 일이었다.

결국 우리는 우리 도시 내부를 조사하게 되었고, 그 과정에서 한 비밀 군대와 대결하게 되었다. 그 비밀 군대의 임무는 사회에 지나친 불안감을 조성하는 정보들을 차단함으로써 공공의 안녕을 유지하는 것이었다. 비밀 군대에 속한 암살자들은 바위 냄새를 풍기고 다녔으며 자기들이 세균을 잡아먹는 백혈구와 같은 구실을 한다고 주장했다. 그들은 우리 사회 구성원들의 알 권리를 억압했다. 하나의 유기체와도 같은 우리 공동체 안에 독소가 스며드는 것을 막는다는 구실 아래 그들은 위험한 정보를 차단하기 위해서라면 수단과 방법을 가리지 않았다.

그러나 비생식 병정개미 103683호의 기상천외한 모험담을 듣고 나서 우리는 마침내 모든 것을 이해하게 되었다.

세계의 동쪽 끝에 어마어마하게 큰……》

세 개미 가운데 하나가 읽기를 중단한다. 누군가가 있는 것 같다. 세 첩보 개미가 몸을 숨기고 주위를 살핀다. 아무것도 움직이지 않는다. 더듬이 하나가 은신처 위로 쭈뼛거리며 올라오더니 이내 나머지 다섯 더듬이가 그 뒤를 따른다.

여섯 개의 감각기가 레이더로 바뀌어 초당 진동수 1만 8천으로 떨린다. 주위에 떠도는 모든 냄새가 즉시 감지된다.

이번에도 공연히 겁을 먹었다. 주위에는 아무도 없다. 세 개미는 다시 페로몬을 해독하기 시작한다.

《세계의 동쪽 끝에 어마어마하게 큰 동물들이 떼 지어 살고 있다.

개미 세계의 전설에 그 동물들을 시적인 언어로 묘사한 대목이 있기는 하다. 그러나 그 동물들은 어떠한 시로도 형상화해 낼 수 없는 것들이다.

유모 개미들은 무서운 얘기로 우리를 오싹하게 만들고 싶을 때 그 동물들 얘기를 들려주곤 했다. 그러나 그들은 무시무시한 옛날이야기에 등장하는 상상의 동물이 아니었다.

전에 나는 다섯 마리씩 떼를 지어 다니면서 세계의 끝을 지키고 있다는 그 거대한 괴물들에 관한 이야기를 그다지 믿지 않았다. 나는 그것을 순진한 암개미들을 놀리려는 객쩍은 이야기로만 여겼다.

이제 나는 〈그들〉이 정말로 존재한다는 것을 알고 있다.

사냥을 나간 첫 원정대를 몰살한 것이 〈그들〉 짓이었다.

흰개미 도시에 독가스를 뿌린 것도 〈그들〉 짓이었다.

벨로캉을 유린하고 어머니를 죽인 불의 재앙도 〈그들〉 짓이었다.

〈그들〉, 바로 〈손가락들〉이었다.

나는 그들에 대해 알고 싶어 하지 않았다. 그러나 이젠 그럴 수 없게 되었다.

숲속 어디에서나 그들을 발견할 수 있다.

첩보 개미들의 보고를 접하고 판단하건대, 분명히 그들은 나날이 우리 세계 가까이로 다가오고 있으며 우리의 생존을 심각하게 위협하고 있다.

사정이 그러하기에 나는 이제 우리 벨로캉 개미들을 설득하여 〈손가락들〉을 상대로 성전(聖戰)을 벌이기로 결심했다. 더 늦기 전에 이 세계에서 〈손가락들〉을 몰아내기 위하여 대규모 원정군을 파견할 생각이다.》

페로몬에 담긴 정보가 너무나 황당해서 세 개미는 잠시 어리둥절해 있다가 늦게야 그 내용을 이해한다. 비로소 세 첩보 개미는 알고 싶어 하던 것을 알게 되었다.

손가락들을 응징하기 위한 원정군!

이 사실을 어떠한 일이 있어도 다른 동료들에게 알려야 한다. 그러기 전에 이 정보의 내용을 좀 더 자세히 알 필요가 있다. 세 개미는 일제히 더듬이를 캡슐에 다시 담근다.

《이 괴물들을 없애 버리자면 예상컨대 원정군의 규모가 23개의 돌격 보병 군단, 14개의 경포병 군단, 45개의 백병전 군단, 29개의…….》

다시 무슨 소리가 들렸다. 이번엔 의심의 여지가 없다. 누군가가 마른 흙을 밟는 소리가 들렸다. 세 잠입자는 극비 정보가 묻은 너듬이를 다시 빼낸다. 어쩐지 모든 게 너무 쉽게 이루어진다 싶더니 함정에 빠진 것이다. 경비 개미들은 그들이 침투한 것을 알면서도 정체를 더 잘 알기 위해 화학 정보실에 잠입하도록 내버려 두었던 것이리라.

세 개미는 다리를 오그리며 뛰어오를 채비를 한다. 그러나 너무 늦었다. 병정개미들이 벌써 와 있다. 반체제 진영에 속한 세 개미는 가까스로 소중한 기억 페로몬이 들어 있는 알을 챙겨서 옆쪽으로 나 있는 작은 통로로 달아난다.

벨로캉 특유의 냄새 언어로 된 경보가 울린다. 화학식으로 나타내면 〈C_8-H_{18}-O〉가 되는 경보 페로몬이다. 즉각 반응이 나타난다. 벌써 병정개미 다리 수백 개의 움직이는 소리가 들린다.

세 잠입자가 전속력으로 달아난다. 반체제 개미 가운데 화학 정보실에 잠입해서 클리푸니 여왕의 가장 중요한 기억 페로몬을 해독하는 데 성공한 것은 자기들뿐인데 여기서 허망하게 죽는다는 건 안 될 말이다.

벨로캉의 통로들을 오가며 숨 막히는 추격전이 벌어진다. 개미들은 아주 빨리 내닫기 때문에 통로의 굽이를 돌 때는 봅슬레이 경주에서처럼 바닥과 수직을 이룬 벽면을 타고 유연하게 돈다.

때로는 바닥으로 다시 내려가지 않고 천장에 붙어서 계속 나아간다. 사실 개미 도시에서는 위와 아래라는 개념이 명확히 구분되지 않는다. 발톱이 있기에 개미들은 어디에서나 걷고 달릴 수 있다.

여섯 개의 다리가 달린 봅슬레이들은 현기증이 날 정도로 빠르게 달아나고 있다. 벽들이 와락와락 덤벼드는 느낌이 든다.

올라가고 내려가고 이리저리 돌아간다. 벼랑이 나타나자 도망자와 추격자가 모두 아슬아슬하게 뛰어넘는데 잠입자 하나가 벼랑에 떨어진다. 그 개미 앞에 번들거리는 딱지를 가진 병정개미 하나가 나타나더니 무슨 일이 벌어지는지 깨달을 사이도 없이 개미산이 가득 들어 있는 배 끝을 들어 올린다. 뜨거운 개미산을 맞은 첩보 개미가 금세 물렁물렁한 반죽이 되어 버린다. 겁에 질린 두 번째 첩보 개미는 몸을 돌려 옆의 통로로 재빨리 달아난다.

《흩어지자!》

그가 냄새 언어로 부르짖고 다리 여섯 개로 땅바닥을 깊이 판다. 기력이 빠진다. 병정개미 하나가 그의 왼쪽에 나타난다. 너무 빨리 달려온 탓에 그 병정개미는 희생물을 바로 앞에 두고도 위턱으로 잡지 못하고 개미산 포를 겨누지도 못한다. 그 틈을 놓칠세라 첩보 개미는 그 병정개미를 벽에 부딪치게 하려고 힘껏 떼민다.

딱지들이 둔탁한 소리를 내면서 서로 부딪친다. 벨로캉의 비좁은 통로에서 두 개미는 시속 0.1킬로미터 이상으로 움직이며 강타를 주고받는다. 상대에게 딴죽을 걸어 보기도 하고 위턱의 뾰족한 끝으로 상대를 찌르기도 한다.

두 개미는 너무 빨리 움직이느라고 통로가 점점 좁아지고 있음을 깨닫지 못하다가 급기야는 깔때기 모양의 통로 속으로 빨려 들어가 서로 충돌하고 만다. 봅슬레이처럼 질주하던 두 개미의 몸뚱이가 터지면서 키틴질 조각이 주위에 널리 흩어진다.

세 번째 반체제 개미는 다리를 천장에 대고 머리를 아래로 둔 채 재빨리 달아난다. 포수 개미 하나가 그를 겨누더니 정확한 사격으로 오른쪽 뒷다리를 으깨어 버린다. 그것에 충격을 받은 첩보 개미가 여왕의 기억 페로몬이 담긴 알을 놓친다.

경비 개미가 그 보물을 회수해 간다.

다른 포수 개미가 개미산 열 방울을 연달아 쏘아 마지막으로 살아남은 첩보 개미의 더듬이 하나를 녹여 버린다. 빗나간 개미산 방울들이 천장에 구멍을 내면서 그 파편들이 쌓여 일시적으로 추격자들의 앞길을 막는다.

첩보 개미가 잠시 한숨을 돌린다. 그러나 이제 더 이상 멀리 나아갈 수가 없다. 더듬이 하나와 다리 하나가 없어진 데다 길목마다 경비 개미들이 지키고 있을 것이기 때문이다.

벌써 병정개미들이 뒤에 와 있다. 개미산이 분출한다. 다시 다리 하나가 잘린다. 이번에는 앞쪽이다. 그래도 첩보 개미는 남아 있는 네 다리로 힘껏 달아나 통로의 어떤 우묵한 곳에 들어가 웅크린다.

경비 개미 하나가 그에게 개미산 포를 겨눈다. 그러나 그에게도 개미산은 있다. 그는 배를 흔들어 재빨리 사격 자세를 취한 다음 경비 개미를 겨눈다. 명중이다. 경비 개미는 그만큼 노련하지 못해서 겨우 왼쪽 가운뎃다리를 잘랐을 뿐이다. 이제 다리가 세 개뿐이다. 첩보 개미는 가쁜 숨을 쉬면서 절뚝절뚝 나아간다. 어떠한 일이 있어도 이 함정에서 빠져나가 다른 반체제 개미들에게 손가락들을 상대로 원정이 준비되고 있음을 알려야 한다.

《그자가 저쪽으로 갔다. 저쪽이다!》

첩보 개미의 개미산에 타 죽은 시체를 발견한 한 병정개미가 페로몬을 발한다.

여기서 어떻게 빠져나가지? 살아남은 첩보 개미는 있는 힘을 다하여 천장을 파고 들어간다. 천장 속에 들어가면 추격자들이 눈치를 못 챌 것이다. 천장은 확실히 임시변통의 은신처로 이상적인 곳이다.

경비 개미들은 처음에는 그냥 지나쳤다가, 두 번째 지나갈 때 한 경비 개미가 위에서 액체 한 방울이 떨어지는 것을 보고 첩보 개미가 숨어 있음을 알아차렸다. 첩보 개미의 투명한 핏방울이 떨어진 것이다.

중력 법칙은 어디에서나 가차 없이 작용한다. 빌어먹을 중력!

반체제 개미는 천장에서 뛰어내리더니 마지막 남은 다리와 더듬이를 마구 휘두르기 시작한다. 병정개미 하나가 그의 다리 하나를 낚아채어 부러질 때까지 비튼다. 다른 병정개미가 뾰족한 위턱으로 그의 가슴을 꿰뚫는다. 그 상황에서도 그는 달아난다. 남은 두 다리로 절뚝거리며 기어간다. 그러나 더 이상 빠져나갈 구멍이 없다. 기다란 위턱 하나가 벽을 뚫고 나오더니 그의 머리를 싹둑 잘라 버린다. 머리가 바닥에서 되튀어 비탈진 통로를 따라 데구루루 굴러간다.

남은 몸뚱이는 열 걸음 정도를 더 가다가 차츰 움직임이 둔해지더니 마침내 움직임을 멈추고 풀썩 무너진다. 경비 개미들은 토막 난 몸뚱이들을 모아 다른 두 첩보 개미의 시체와 함께 도시의 쓰레기터에 버린다. 너무 호기심이 많은 자들의 최후는 이러한 것이다.

운수 사납게도 인형극이 시작되기도 전에 박살 난 꼭두각시들처럼 세 시체가 버려진 채 누워 있다.

5. 수사 착수

『일요 메아리』의 기사.

프장드리가에서 의문의 삼중 살인
지난 목요일 퐁텐블로시 프장드리가에 있는 어떤 집에서

세 형제가 변시체로 발견되었다. 같은 집에 살고 있던 세바스티앵, 피에르, 앙투안 살타 삼 형제가 변을 당한 것인데, 사망 원인은 아직 밝혀지지 않았다.

그 구역은 범죄가 없기로 유명한 곳이다. 돈이나 귀중품은 그대로 있었고, 가택 침입은 물론 범행에 사용되었을 법한 어떠한 흉기도 현장에서 발견되지 않았다.

까다로운 점이 많을 것으로 보이는 이 사건의 수사는 퐁텐블로 형사대 소속의 유명한 형사 자크 멜리에스 경정에게 맡겨졌다. 이 기이한 사건은 추리 소설의 수수께끼를 좋아하는 사람들에게 여름의 더위를 잊게 하는 납량 스릴러가 되어 줄 것이다. 이제 살인범이 잡히는 건 시간문제다. L.W.

6. 백과사전

또 당신인가?

그렇다면 당신이 『상대적이며 절대적인 지식의 백과사전』이라는 내 책의 두 번째 권을 발견했다는 얘기가 된다.

첫 번째 권은 지하 사원의 보면대 위에 눈에 잘 띄게 놓여 있었을 테지만, 이 두 번째 권을 발견하기는 그보다 더 어려웠을 것이다. 그렇지 않은가?

어쨌든 경하할 일이다.

당신은 정확히 누구인가? 내 조카 조나탕인가? 내 딸인가? 아니면 그도 저도 아닌가?

미지의 독자인 그대에게 먼저 인사를 보낸다.

나는 당신을 더 잘 알고 싶다. 이 책장들을 넘기기에 앞서 당신의 이름과 나이, 직업, 국적을 말해 주기 바란다.

당신이 살아가면서 가장 흥미를 느끼는 것은 무엇인가?

당신의 강점은 무엇이고 약점은 무엇인가?

이런, 그런 게 무슨 소용인가! 그런 건 아무래도 좋다. 나는 당신이 누구인지를 알고 있다.

나는 내 책장에 닿는 당신의 손길을 느끼고 있다. 그것도 기분 좋은 손길을 말이다. 당신 손가락 끝의 지문에서 나는 당신의 가장 내밀한 특성을 알아낸다.

지문은 당신 몸의 아주 작은 일부분에 불과하지만 그 안에 모든 정보가 들어 있다. 거기에서 나는 당신 조상들의 유전자까지도 알아낼 수 있다.

수천 명의 사람들이 너무 어린 나이에 죽어 버렸더라면 당신은 태어나지 못했을 것이다. 그들이 서로 사랑하고 짝짓기를 한 끝에 당신이 태어난 것이다.

이 글을 쓰는 지금 당신이 내 앞에 보이는 듯하다. 아니, 웃지 말고 그냥 그대로 있어 주기 바란다. 당신을 더욱 깊이 이해하고 싶다. 당신은 스스로가 상상하는 것보다 훨씬 대단한 존재다.

당신에겐 하나의 사회사가 담긴 성과 이름이 있지만 그게 당신의 전부일 수는 없다.

당신은 71퍼센트의 물과 18퍼센트의 탄소, 4퍼센트의 질소, 2퍼센트의 칼슘, 2퍼센트의 인, 1퍼센트의 칼륨, 0.5퍼센트의 황, 0.5퍼센트의 나트륨, 0.4퍼센트의 염소로 이루어져 있다. 거기에다 큰 숟가락 한 술 분량의 여러 가지 희유원소, 즉 마그네슘, 아연, 망가니즈, 구리, 아이오딘, 니켈, 브로민, 플루오린, 규소를 함유하고 있다. 또 소량의 코발트, 알루미늄, 몰리브데넘, 바나듐, 납, 주석, 타이타늄, 붕소도 가지고 있다.

이상이 당신의 생명을 구성하고 있는 물질들이다.

이 모든 물질들은 별들이 연소하면서 생겨나는 것으로 당신 몸 안이 아닌 다른 곳에서도 얼마든지 찾아볼 수 있는 것들이다. 당신의 물은 흔하디흔한 바닷물과 다를 바 없고, 당신의 인은 성냥개비의 인과 한가지이며, 당신의 염소는 수영장 물을 소독하는 데 쓰이는 염소와 같은 것이다.

그러나 당신은 단순히 그런 물질들을 합쳐 놓은 존재가 아니다.

당신은 하나의 화학적 구조물이며 훌륭한 건축물이다. 구성 물질들이 적절히 배합되고 안정되게 평형을 이루면서 완벽하게 기능하고 있다. 그 복잡함은 이루 말할 수가 없다. 당신을 이루는 분자들은 다시 원자, 미립자, 쿼크, 진공으로 이루어져 있고, 그 모든 것들은 전자기적인 힘과 인력과 전자의 힘에 의해 결합되어 있다. 그 절묘함은 우리의 상상을 초월한다.

각설하고, 당신이 이 두 번째 권을 찾아냈다는 것은 당신이 꾀바른 사람임을 말해 주는 것이고 당신이 벌써 나의 세계에 대해서 많은 것을 알고 있음을 말해 주는 것이다. 첫 번째 권에서 당신이 얻은 지식을 어떻게 활용했는지 궁금하다. 혁명이 일어났는가? 개혁이 일어났는가? 물론 아무것도 달라진 게 없을 것이다.

그러면 이제 이 책을 더 잘 읽기 위해서 편안한 자세를 취하기 바란다. 등을 곧게 펴고 호흡을 잔잔하게 고른 다음 입의 긴장을 풀고 내 말에 귀를 기울여 주기 바란다.

당신을 둘러싸고 있는 시공간의 모든 것 중에서 쓸모없는 것이라고는 아무것도 없다. 당신도 물론 쓸모없는 존재가 아니다. 하루살이 같은 당신의 삶에도 어떤 의미가 있다. 당신의 삶은 막다른 골목으로 통하지 않는다. 모든 것은 저마다 의미를 지니고 있다.

당신이 내 글을 읽고 있을 때쯤이면, 이 말을 하고 있는 나는 구더기들의 밥이 되어 있을 것이다. 아니, 풀의 새싹을 무성하게 키워 줄 비료가 되어 있을지도 모르겠다. 내 세대의 사람들은 내가 이루고자 했던 것이 무엇인지 이해하지 못했다.

나에겐 시간이 너무 부족하고 내가 남길 수 있는 것은 보잘것없는 자취인 이 책뿐이다.

나에겐 시간이 너무 부족하지만 당신에겐 시간이 있다. 편하게 자리를 잡았으면 근육의 긴장을 풀고 오로지 우주만 생각하라. 그 속에서 당신은 그저 하나의 티끌일 뿐이다.

시간이 아주 빠르게 흘러간다고 상상해 보라. 응애, 하고 당신이 태어난다. 흔해 빠진 하나의 버찌 씨처럼 어머니 몸에서 빠져나온 것이다. 쩝쩝거리면서 당신은 수천 끼의 갖가지 음식을 먹어 치운다. 수천 톤의 식물과 동물이 이내 똥으로 변한다. 억, 하고 당신이 죽는다.

당신의 삶이 그런 것이라면 그 삶은 얼마나 덧없는 것이랴.

물론 당신은 그런 삶을 바라지 않을 것이다.

행동하라! 무엇인가를 행하라! 하찮은 것이라도 상관없다. 죽음이 찾아오기 전에 당신의 생명을 의미 있는 뭔가로 만들라. 당신은 쓸데없이 태어난 것이 아니다. 당신이 무엇을 위하여 태어났는지를 발견하라. 당신의 최소한의 임무는 무엇인가?

당신은 우연히 태어난 것이 아니다.

명심하라.

에드몽 웰스, 『상대적이며 절대적인 지식의 백과사전』 제2권

7. 탈바꿈

그 애벌레는 누가 이래라저래라 간섭하는 것을 달가워하지 않는다.

개미들을 조심하라는 잠자리의 충고를 아랑곳하지 않고 통통한 나비 애벌레가 잠자리 곁을 떠나 물푸레나무 가지 끝

으로 간다. 풀빛과 검정과 하양이 어우러져 있고 털이 나 있는 애벌레다.

그 애벌레는 물결이 굽이치듯 기어간다. 먼저 앞다리 여섯 개를 앞으로 내민다. 그다음 몸을 고리처럼 둥글게 만들면서 뒷다리 열 개를 앞다리가 있는 자리로 옮긴다.

나뭇가지 끝에 다다르자 애벌레는 끈끈한 침을 뱉어 꽁무니를 붙인 다음 머리를 아래쪽으로 두고 대롱대롱 매달린다.

애벌레는 아주 지쳐 있다. 애벌레의 삶이 끝나 간다. 허물 벗기의 고통을 마감하고 이제 고치를 지으려는 것이다. 그것은 탈바꿈이기도 하고 하나의 죽음이기도 하다.

침묵이 흐른다.

애벌레는 수정같이 맑고 단단한 실로 된 고치로 몸을 감싼다. 애벌레의 몸뚱이가 마법의 냄비로 변한다.

애벌레는 이날을 오래오래 기다려 왔다. 너무나 오랜 기다림이었다.

고치가 단단해지고 뽀얘진다. 산들바람이 그 이상하게 생긴 하양 열매를 가만가만 흔든다.

며칠 후 고치는 크게 부풀어 오른다. 금방이라도 긴 숨을 한바탕 내쉴 기세다. 호흡이 점점 고르게 되어 간다. 고치가 바르르 떤다. 고치 안에서 바야흐로 연금술처럼 신비로운 일이 벌어진다. 여러 가지 색과 희유원소, 옅고 진한 갖가지 냄새, 체액과 호르몬, 래커 같은 진, 지방, 산, 살과 껍질이 뒤섞인다.

하나의 새로운 생명을 만들기 위하여 더할 나위 없이 정확하게 모든 것이 조절되고 배합된다. 그러고 나자 고치 꼭대기가 갈라지면서 나선 모양으로 감겨 있던 더듬이 하나가 풀어지며 은색 껍질을 뚫고 쭈뼛쭈뼛 나온다.

요람이기도 하고 관이기도 한 고치를 뚫고 나오는 그 곤충의 모습은 예전의 애벌레와 전혀 닮은 구석이 없다.

근처를 지나던 개미 한 마리가 그 놀라운 장면을 목격했다. 그 황홀한 탈바꿈 장면에 매료되어 있던 개미는 이내 정신을 가다듬고 그게 하나의 사냥감에 불과하다는 사실을 상기한다. 개미는 그 곤충이 도망가기 전에 죽이려고 가지 위로 달려 올라간다.

박각시나방이 촉촉한 몸뚱이를 완전히 고치에서 빼내고, 날개를 편다. 화려한 빛깔이다. 가볍고 연약하고 뾰족한 날개가 아롱아롱 반짝인다. 톱니 모양을 한 날개 가장자리의 거뭇한 색조에 대비되어 번쩍이는 노란색, 광택 없는 검정색, 광택 있는 오렌지색, 진홍색, 주홍색, 자갯빛이 도는 석탄색이 뒤섞인 묘한 색조가 더욱 도드라져 보인다.

병정개미가 배를 가슴 아래로 움직이면서 사격 자세를 취한다. 시각과 후각을 사용하는 그의 조준점 안에 박각시나방이 들어온다.

박각시나방이 개미를 발견한다. 자기를 겨누고 있는 개미의 뾰족한 배 끝에 잠시 넋을 잃고 있던 나방이 그 배 끝에서 치명적인 무기가 발사될 수도 있다는 사실을 깨닫는다. 그러나 나방은 죽음을 맞이할 마음의 준비가 전혀 되어 있지 않다. 지금은 안 된다. 지금 죽는 건 너무나 허망한 노릇이다.

두 곤충이 서로를 응시한다. 개미는 나방을 찬찬히 살펴보면서 정말 매력적이라고 생각한다. 그러나 애벌레들에게 싱싱한 살코기를 먹이기 위해선 어쩔 수 없다. 개미들은 풀만 먹고는 살 수가 없다. 개미는 나방이 곧 날아오르리라는 것을 알아채고 나방의 움직임을 감안하면서 배 끝을 들어 올린다. 나방은 그 순간을 놓칠세라 얼른 날아오른다. 발사된 개미산이 나방의 몸뚱이를 맞추지 못하고 빗나가면서 날개를 뚫고 나간다. 날개에 아주 동그란 작은 구멍이 생겼다.

나방이 조금 가라앉는다. 오른쪽 날개에 뚫린 구멍으로 바람이 빠져나가는 소리가 들린다. 노련한 사수인 그 개미는 나방이 자기가 쏜 개미산에 맞았다고 확신한다. 그런데도 여전히 나방은 날갯짓을 계속하고 있다. 날갯짓을 한 번 할 때마다 축축하던 날개가 점점 건조해진다. 나방은 다시 고도를 높이면서 아래에 있는 자기 고치를 바라본다. 서운한 감회가 한 가닥 스치고 지나간다.

병정개미는 여전히 나방의 목숨을 노리면서 개미산을 다시 쏜다. 하늘이 돕느라고 그러는지 산들바람에 밀린 나뭇잎 하나가 그 치명적인 발사물을 막아 준다. 나방은 방향을 틀어 경쾌하게 날개를 저으며 멀어져 간다.

벨로캉의 병정개미 103683호가 사냥감을 놓친 것이다. 그의 사냥감은 이제 사정권 밖에 있다. 103683호는 날아가는 나방을 멍하니 바라보며 한순간 나방을 부러워한다. 어디로 가는 걸까? 동쪽으로 사라지는 것으로 보아 세계의 끝을 향해 가는 듯하다.

박각시나방은 몇 시간 동안을 내처 날아가다가, 하늘이 어둑어둑해질 무렵 먼 곳에 불빛이 있음을 발견하자 그쪽으로 서둘러 날아간다.

불빛에 홀린 박각시나방은 그 황홀한 빛에 다가가야겠다는 일념으로 진동한동 나아간다. 불빛이 가까워지자 나방은 한시라도 빨리 황홀경을 맛보려고 더욱 속도를 낸다.

이제 불빛이 바로 눈앞에 있다. 날개 끝에 불이 붙으려는 순간이다. 그러거나 말거나 나방은 불 속으로 뛰어들어 그 뜨거운 힘을 즐기려 한다. 태양과도 같은 그 불 속에서 녹아 버리고 싶은 것이다. 그 박각시나방은 그렇게 불 속에서 자기 몸을 불사르고 말게 될 것인가?

8. 멜리에스 경정, 살타 형제 살인 사건의 수수께끼를 풀다

「안 되겠지요?」

그는 주머니에서 껌을 꺼내어 깨물면서 대답했다.

「안 돼. 몇 번 말해야 알아듣겠나. 기자들은 들여보내지 말게. 내가 시체를 차분하게 조사하고 난 다음에 보자고. 그리고 저 촛대에 꽂힌 촛불들 좀 꺼주게. 그런데 촛불은 왜 켜놓은 거지? 아, 이 집 전기가 나갔군. 하지만 이제 전기가 다시 들어왔지 않는가, 안 그래? 그러니 촛불을 끄게. 화재가 발생할 염려도 있고 하니 말일세.」

누군가가 촛불을 불어 껐다. 날개 끝에 이미 불이 붙어 있던 나방 한 마리가 아슬아슬하게 불에 타 죽는 것을 면했다.

멜리에스 경정은 껌을 요란하게 씹으면서 프장드리가의 그 집을 조사하고 있었다.

21세기 초가 되었는데도 지난 세기에 비해 별로 달라진 게 없었다. 그래도 범죄 수사 기술에는 약간의 진보가 있었다. 살해당한 시체를 처리하는 방법이 개선된 것도 그중의 하나였다. 이제는 시체를 사망하던 순간과 똑같은 모습으로 보존하기 위해 포르말린과 투명한 밀랍을 입힐 수 있게 되었다. 그럼으로써 경찰은 여유를 갖고 마음껏 범죄 현장을 조

사할 수 있게 되었다. 그 방법은 옛날에 분필로 시체가 있던
자리를 표시하는 방식보다 훨씬 더 효율적이었다.

시체의 끔찍한 모습을 생생하게 보게 된다는 점이 약간 곤
혹스럽기는 했지만 수사관들은 이내 그런 것에 익숙해져서,
죽을 당시의 모습 그대로 눈을 뜬 채 살갗이며 의복에 온통
투명한 밀랍을 뒤집어쓰고 있는 피살자들을 아무렇지 않게
대할 수 있게 되었다.

「여기에 가장 먼저 온 사람이 누구지?」

「카위자크 형사입니다.」

「에밀 카위자크 말인가? 에밀 형사 어디 있지? 아, 아래 있
지. 좋아, 에밀 형사 좀 오라고 하게.」

한 젊은 경관이 머뭇거리며 말한다.

「저, 경정님……『일요 메아리』에서 한 여성 기자가 와서
이런 얘기를…….」

「누가 뭔 얘기를 한다는 거야? 안 돼! 나중엔 몰라도 지금
은 기자들 사절이야. 가서 에밀 형사나 데려오라고.」

멜리에스는 거실 안을 이리저리 거닐다가 세바스티앵 살
타의 시체 위로 몸을 구부렸다. 멜리에스는 자기 얼굴을 일
그러진 시체의 안면에 거의 닿을 정도로 바싹 갖다 대고, 휘
둥그레진 눈이며 치켜 올라간 눈썹, 벌름하게 벌어진 콧구
멍, 딱 벌린 입과 늘어진 혀를 살펴보았다. 그는 피살자의 이
가 튼튼하라는 것과 마지막 간식으로 먹은 것이 무엇인지를 알
아냈다. 피살자는 땅콩과 건포도를 먹었음에 틀림없었다.

멜리에스가 이번엔 다른 두 형제의 시체 쪽으로 몸을 돌렸
다. 피에르 역시 눈을 회동그랗게 뜨고 입을 벌리고 있었다.
투명 밀랍이 그의 살갗에 돋은 닭살을 그대로 보존해 주고

있었다. 앙투안의 얼굴 역시 공포에 짓눌린 듯 험상궂게 일
그러져 있었다.

경정은 주머니에서 조명 돋보기를 꺼내 세바스티앵 살타
의 살갗을 살펴보았다. 털이 빳빳하게 일어서 있고 그에게도
역시 닭살이 돋아 있었다.

눈에 익은 윤곽이 멜리에스 앞에 나타났다. 에밀 카위자
크 형사다. 퐁텐블로 형사대에서 40년 동안을 충실하게 봉
직해 온 사람이다. 살쩍이 희끗희끗하고 콧수염을 뾰족하게
길렀으며 배가 두두룩하다. 카위자크는 분수를 지키며 사는
조용한 사람이었다. 그의 유일한 소망은 퇴직할 때까지 별다
른 풍파 없이 평온하게 지내는 것이었다.

「여기에 가장 먼저 온 사람이 에밀 형사요?」

「그렇습니다.」

「뭐 본 거 있어요?」

「경정님이 본 것과 똑같은 걸 보았습니다. 오자마자 시체
에 밀랍을 입히라고 지시했습니다.」

「잘했어요. 이 사건에 대해 어떻게 생각하세요?」

「상처도 없고, 지문도 없고, 흉기도 없고, 들어오고 나간
흔적도 없고…… 한마디로 골치 아픈 사건 같은데요.」

「의견 잘 들었어요. 고마워요.」

자크 멜리에스 경정은 젊은 사람이었다. 이제 겨우 서른
두 살이었다. 그러나 벌써 명민한 수사관이라는 명성을 얻고
있었다. 그는 틀에 박힌 수사 방법을 경멸하면서 아주 복잡
한 사건도 독창적인 방법으로 해결해 내곤 했다.

자크 멜리에스는 자연 과학 공부에 충실했던 사람인데,
그 공부를 마치고 나서는 과학자로서 남부럽지 않게 사는 길

을 포기하고 자기가 줄곧 관심을 가져 왔던 범죄 연구에 몰두하게 되었다. 맨 처음 멜리에스가 의문 부호투성이의 그 세계에 발을 들여 놓게 된 것은 소설을 통해서였다. 그는 티 판사에서 매그레, 에르퀼 푸아로, 뒤팽, 릭 데커드를 거쳐, 셜록 홈스 등에 이르기까지 갖가지 명탐정이 등장하는 추리 소설을 탐독했다. 그리고 3천 년에 걸친 범죄 수사의 기록을 섭렵했다.

그가 특히 관심을 가졌던 것은 완전 범죄였다. 언제나 이루어질 뻔하다가 한 번도 실현된 적이 없는 것이 그 완전 범죄였다. 그는 범죄학에 대한 조예를 더 깊이 하기 위하여 파리 범죄학 연구소에 등록했다. 거기에서 그는 처음으로 시체 해부를 경험했다(그 과정에서 처음으로 졸도를 경험하기도 했다). 그는 또 거기에서 머리핀으로 자물쇠 따는 법과 사제 폭탄을 만들거나 그 뇌관을 제거하는 법을 배웠다. 그리고 수없이 많은 인간 고유의 사망 원인을 탐구했다.

그러나 교육을 받는 과정에서 그를 실망시키는 것이 있었다. 1차적인 연구 소재가 적절치 않다는 점이었다. 거기에서는 체포된 범인들만 연구하고 있었다. 그러니까 바보들만 연구하고 있는 셈이었다. 다른 자들, 즉 영리한 자들은 잡힌 적이 없기 때문에 그들에 대해서는 전혀 아는 게 없었다. 벌받지 않은 자들 가운데 어떤 자들은 완전 범죄를 실행하는 방법을 찾아냈을지도 모르는 일이었다.

그런 것을 알 수 있는 방법은 경찰에 투신해서 스스로 범인들을 추적해 보는 것밖에 없었다. 그래서 멜리에스는 경찰에 몸을 담았다. 그는 순조롭게 승진을 거듭했다. 그가 처음으로 개가를 올린 것은, 테러 집단의 두목임을 감쪽같이 속이고 범죄학 연구소에서 폭발물 제거법을 가르치던 자기 교수를 체포하게 한 일이었다.

멜리에스 경정은 거실 구석구석을 샅샅이 살피기 시작했다. 이윽고 그의 눈길이 천장에 머물렀다.

「이봐요, 에밀 형사. 당신이 여기 왔을 때 파리가 있던가요?」

에밀 형사는 거기까지는 신경을 못 썼다고 대답했다. 그가 와서 닫혀 있던 문이며 창문을 열었으니까, 파리들이 있었더라도 그동안에 열린 창문으로 날아가 버렸을 가능성은 충분히 있었다.

「그게 중요한가요?」

에밀 형사가 걱정스러워하며 물었다.

「중요하지요. 하지만 이제 와선 별 의미가 없게 되었어요. 그건 그렇고 피살자들에 관한 서류 가지고 있지요?」

카위자크는 어깨에 둘러메고 있는 가방에서 판지로 된 서류철을 꺼냈다. 경정은 서류철에 담긴 서류 몇 장을 들여다보았다.

「이거 어떻게 생각해요?」

「뭔가 흥미로운 구석이 있습니다……. 형제가 모두 화학자인데, 셋 중의 한 사람 세바스티앵은 언뜻 생각하기와는 달리 좀 특이한 인물입니다. 그는 이중적인 삶을 살았더군요.」

「아 그래요……?」

「이 세바스티앵이라는 친구, 도박에 홀딱 빠져 있었어요. 특히 포커를 잘해서 〈포커의 거인〉이라는 별명을 가지고 있었어요. 키가 크기 때문이기도 하지만 무엇보다도 돈을 어마어마하게 걸기 때문에 생긴 별명입니다. 최근에 그는 큰돈을 잃고 빚에 쪼들리고 있었어요. 그런 상황을 타개하기 위해서 점점 더 많은 돈을 걸 수밖에 없게 되었던 거고요.」

「그런 사실을 다 어떻게 아셨어요?」

「조금 전에 도박장에서 조사를 하고 오는 길입니다. 그 친구 빚더미에서 헤어나질 못하고 있었어요. 빨리 돈을 갚지 않으면 죽여 버리겠다고 누군가가 위협한 적도 있었던 모양입니다.」

멜리에스는 껌 씹기를 멈추고 생각에 잠겼다.

「그렇다면 세바스티앵에게는 죽을 만한 충분한 이유가 있었던 셈이군…….」

카위자크가 머리를 끄덕였다.

「그 친구 지레 겁먹고 자살해 버린 걸까요?」

경정은 그 질문을 못 들은 체하고 다시 문 쪽으로 몸을 돌렸다.

「여기에 처음 왔을 때 문이 안쪽에서 잠겨 있었지요. 안 그래요?」

「맞습니다.」

「창문도요?」

「창문도 전부 다요.」

멜리에스는 다시 껌을 요란하게 씹기 시작했다.

「뭔가 집히는 게 있으신가요?」

「자살 가능성을 생각하고 있어요. 물론 너무 단순하게 생각하는 것처럼 보일 수도 있지만, 자살이라고 가정하면 모든 것의 아귀가 맞아요. 밖에서 침입하지 않았기 때문에 외부인의 자취가 없는 거지요. 모든 게 내부에서 이루어졌어요. 세바스티앵이 두 형제를 죽이고 자기도 죽은 겁니다.」

「그렇다면 어떤 흉기를 사용했을까요?」

멜리에스는 영감을 더욱 잘 떠올리려고 눈을 감고 있다가 이윽고 입을 열었다.

「독입니다. 효과가 늦게 나타나는 강력한 독이지요. 캐러멜을 입힌 시안화물 같은 것입니다. 위 속에서 캐러멜이 녹으면 내용물이 흘러나오면서 목숨을 앗아가는 것이지요. 화학적인 시한폭탄이라고나 할까요. 그 친구가 화학자라고 하지 않았던가요?」

「맞습니다. 종합 화학 회사 즉, CCG에서 일했습니다.」

「그렇다면 세바스티앵 살타가 자기 무기를 만들기는 식은 죽 먹기였겠군요.」

카위자크는 아직 미심쩍어하는 눈치였다.

「그런데 피살자들의 얼굴이 왜 저렇게 공포에 짓눌려 있는 걸까요?」

「고통 때문이지요. 시안화물이 위벽을 뚫으면 고통이 엄청나지요. 위궤양 정도는 새 발의 피라고요.」

「세바스티앵 살타가 자살했다는 건 이해가 갑니다. 그러나 그가 왜 애먼 형제들을 죽였을까요?」

여전히 의혹을 떨치지 못한 카위자크가 물었다.

「형제들이 알거지로 전락하도록 내버려 둘 수가 없었던 거겠지요. 죽으면서 자기 가족들을 함께 죽음에 끌어들이는 인간의 반사적 행위는 오랜 역사를 가지고 있어요. 고대 이집트에서는 파라오가 죽으면 아내와 시종, 동물, 가구 들을 매장하지 않았습니까! 혼자 저승으로 가기가 무서워서 가까운 사람들을 데려가는 거지요……」

에밀 형사는 그제야 경정의 확신에 동조하는 빛을 보였다.

살타 형제들이 자살했을 거라는 가정은 너무 단순하고 천박해 보이는 점이 없지 않았지만 그래도 외부에서 침입한 흔적이 전혀 없다는 사실을 설명할 수 있는 유일한 가설이었다. 멜리에스가 말을 이었다.

「요약하면 이렇습니다. 문이며 창문이 왜 모두 잠겨 있었는가! 모든 일이 안에서 일어났기 때문이다. 누가 죽였는가? 세바스티앵 살타가 죽었다. 사용된 무기는 무엇인가? 그가 만든 시한 독약이다. 동기는 무엇인가? 바로 도박 때문에 걸머진 거대한 부채를 감당할 수 없었기 때문이다.」

에밀 카위자크는 수수께끼가 너무 쉽게 풀려 나가는 바람에 어리둥절했다. 이렇게 간단히 해결될 걸 가지고 신문에서는 〈납량 스릴러〉 운운하며 호들갑을 떨었던 것이다. 물론 가설을 입증하고 증인을 찾고 증거를 수집하는 일이 남아 있기는 했다. 그러나 그런 것들은 한마디로 직업상의 자질구레한 절차에 불과한 것이었다. 멜리에스 경정의 명성이 거저 생긴 것은 아니었다. 여하튼 그의 추리가 논리적으로 유일한 가능성이었다.

경찰관 하나가 다가와서 말했다.

「『일요 메아리』의 그 기자가 또 왔습니다. 인터뷰를 하고 싶다는데요. 한 시간 넘게 기다리고 있습니다. 한사코…….」

「예뻐?」

경찰관은 고개를 끄덕이며 말했다.

「예. 그냥 예쁜 게 아니라 아주 예쁩니다. 유럽인과 아시아인의 혼혈인 것 같습니다.」

「그래? 이름이 뭐야?」

「레티시아 우엘인가 뭔가 하는 이름입니다.」

자크 멜리에스는 어쩔까 망설이다가 손목시계를 흘끗 들여다보고 나서 결정을 내렸다.

「그 기자한테 시간이 없어서 미안하게 됐다고 전해 주게. 내가 가장 좋아하는 텔레비전 프로, 〈알쏭알쏭 함정 퀴즈〉가 나올 시간이야. 에밀 형사 그 프로 알아요?」

「얘기는 들었지만 한 번도 본 적은 없습니다.」

「저런, 그런 걸 안 보다니요! 두뇌 훈련을 위해서 형사들이 꼭 봐야 되는 건데.」

「이 나이에 뭐 새삼스럽게.」

경관이 헛기침을 하며 끼어들었다.

「『일요 메아리』의 기자에게 더 하실 말씀은 없으신가요?」

「통신사를 통해 수사 결과를 발표할 거라고 해. 그 기자는 그걸 받아서 그대로 기사를 쓰면 될 거야.」

경관은 의아한 생각이 들어서 한 가지 더 물었다.

「그럼 벌써 이 사건을 종결하신 건가요?」

자크 멜리에스가 피식 웃었다. 너무 쉬운 수수께끼에 실망한 전문가의 웃음이었다.

「둘은 타살이고 하나는 자살이야. 모두 독극물 때문에 죽은 거지. 세바스티앵 살타가 빚더미에 깔려 미쳐 버렸어. 그래서 모두를 위해 일거에 끝내 버린 거지.」

말을 마치고 경정은 모두 현장에서 나가라고 지시한 다음 전등을 끄고 문을 닫았다.

범죄 현장이 다시 텅 비었다.

거리의 빨갛고 파란 네온 불빛이 밀랍을 입혀 번들거리는 시체에 반사되고 있었다. 멜리에스 경정의 뛰어난 활약으로 시체들이 풍기던 비극적인 분위기가 사라져 버렸다. 그저 독극물 때문에 죽은 세 구의 시체일 뿐이었다.

멜리에스가 가는 곳에 불가사의란 없었다. 그저 하나의 사건이 있을 뿐이었다.

오색 불빛에 번쩍이는 시체들은 하이퍼리얼리즘 기법으로 그린 형상 같았다. 폼페이 대재난[1]의 희생자들처럼 미라가 되어 버린 세 형상. 그러나 어마어마한 공포로 일그러진 그 얼굴들은 베수비오 화산 폭발보다 더 무시무시한 어떤 것을 보았음을 말해 주고 있는 듯했다.

9. 쓰레기터에 버려진 개미 머리

사냥감이 나타나기를 기다리면서 잠복하고 있던 103683호가 긴장을 푼다. 아름다운 박각시나방은 다시 돌아오지 않았다. 103683호는 털 달린 다리로 배 끝을 닦고 가지 끝으로 나아간다. 나방이 버리고 간 고치라도 주우려는 것이다. 그런 것도 개미 둥지에서는 쓸모가 있다. 꿀단지개미처럼 분비꿀을 담는 단지로 활용할 수가 있는 것이다.

103683호는 더듬이를 닦고 주위에 뭐 쓸 만한 다른 것이 없는지 알아보려고 더듬이를 초당 진동수 1만 2천 회로 떤다. 사냥감이 움직이는 낌새가 없다. 하는 수 없다.

103683호는 벨로캉의 불개미로서 나이는 한 살 반인데, 그 나이는 인간 세계의 나이로는 마흔 살에 해당한다. 그의 계급은 비생식 병정개미 중에서도 탐험 개미이다. 새의 도가머리 같은 더듬이가 높이 솟아 있고 목과 가슴의 생김새가

1 이탈리아의 남부 도시 폼페이에서 서기 79년에 베수비오 화산이 폭발하여 2만의 인구 중에 2천 명이 죽었다. 이하 모든 주는 옮긴이 주이다.

갈수록 늠름해지고 있다. 솔처럼 털이 나 있고 박차 같은 톱니가 달려 있는 종아리 마디 가운데 하나가 부러지기는 했지만 몸 전체가 아직 하나의 완벽한 기계처럼 작동하고 있다. 여러 전투를 겪으면서 생겨난 딱지의 줄무늬도 흠이 되지 않는다.

103683호는 다리 끝에 달린 부착반을 사용해서 관목에서 내려온다. 작은 섬유질 덩어리인 그 부착반에서 끈끈한 물질이 나오기 때문에 아주 미끈미끈한 표면도 수직으로 오르내릴 수 있다.

103683호는 자취 페로몬이 뿌려진 길을 따라 자기 도시 쪽으로 간다. 주위에 풀들이 울창하게 솟아 있다. 똑같은 냄새길을 따라 달려오는 많은 벨로캉 일개미들과 마주친다. 길닦는 일개미들이 곳곳에서 땅속으로 길을 내고 있다. 길을 이용하는 개미들이 햇빛에 방해를 받지 않게 하려는 것이다.

민달팽이 한 마리가 경솔하게 개미들이 다니는 길로 지나간다. 병정개미들이 뾰족한 위턱 끝으로 민달팽이를 찔러 곧바로 잡아 버린다. 그런 다음 길에 남아 있는 민달팽이의 끈끈물을 닦아 낸다.

103683호가 이상하게 생긴 곤충과 마주쳤다. 날개가 하나뿐이고 땅바닥에 닿을 듯이 기어가고 있다. 가까이 가서 보니 다름이 아니라 개미 하나가 잠자리 날개를 옮기고 있는 것이다. 두 개미가 인사를 나눈다. 그 사냥 개미는 103683호보다 운이 좋았다. 사실 나방 고치 하나를 가지고 들어가는 것은 허탕치고 들어가는 것이나 크게 다를 게 없다.

도시의 그늘이 펼쳐지더니 하늘이 사라지고 나뭇가지로 이은 지붕만이 보인다. 벨로캉이다.

길 잃은 여왕개미가 세웠다고 해서 벨로캉이라 이름 지어진 도시다. 개미들끼리의 전쟁과 회오리바람, 흰개미, 말벌, 새의 위협을 받으면서 벨로캉은 5천 년 이상을 꿋꿋하게 버텨 왔다.

벨로캉, 퐁텐블로 불개미들의 중심 도시로서 이 지역에서 가장 강력한 정치력을 가진 도시.

벨로캉, 개미들의 혁신적인 운동이 꽃핀 도시.

위협이 있을 때마다 벨로캉은 더욱 공고해진다. 전쟁을 겪을 때마다 벨로캉은 더욱 사기가 높아진다. 패배할 때마다 벨로캉은 더욱 슬기로워진다.

벨로캉, 3천6백만 개의 눈과 1억 8백만 개의 다리와 1천 8백만 개의 뇌를 가진 도시. 활기가 넘치고 찬란히 빛나는 도시.

103683호는 벨로캉의 모든 교차로와 모든 다리를 알고 있다. 그는 어렸을 때 하얀 팡이들을 재배하는 방들과 진딧물 떼를 사육하는 방들, 꿀단지개미들이 천장에 붙어서 꼼짝 않고 있는 방들을 둘러보았다. 옛날에 흰개미들이 소나무 그루터기 속에 파놓았다는 금단 구역의 통로들을 달려 보기도 했다. 그는 새 여왕 클리푸니와 모험을 함께 했던 옛 동료로서 클리푸니가 행한 모든 개혁의 증인이었다.

〈혁신 운동〉을 일으킨 것이 바로 클리푸니다. 클리푸니는 자신의 왕조를 세우기 위해 신(新)벨로키우키우니라는 호칭을 버렸다. 클리푸니는 공간을 재는 단위를 머리(3밀리미터)에서 걸음(1센티미터)으로 바꾸었다. 벨로캉 개미들의 활동 영역이 넓어짐에 따라 더 큰 단위가 필요했던 것이다.

혁신 운동의 일환으로 클리푸니는 화학 정보실을 만들었

고 특히 동물학 정보를 풍부하게 하기 위하여 개미와 공생하는 갖가지 동물들을 모아 연구하였다. 날아다니는 곤충과 수영하는 곤충을 길들이려는 시도가 특히 주목할 만하다. 풍뎅이와 물방개 등이 그 예이다.

103683호와 클리푸니가 서로 만나지 못한 지도 오래되었다. 알 낳고 도시 개혁하느라고 너무나 바쁜 젊은 여왕에게 다가가기가 쉽지 않았다. 그래도 병정개미는 도시 지하에서 그들이 함께 했던 모험, 즉 비밀 무기를 찾으려고 함께 조사했던 일, 그들을 마약으로 중독시키려고 했던 로메쿠사, 바위 냄새를 풍기는 병정개미들과의 싸움 등을 잊지 않았다.

103683호는 동쪽으로 대탐험을 떠났던 일이며, 세계의 끝에 다다랐던 일, 살아 있는 모든 것을 죽여 버리는 손가락들의 나라도 잊지 않고 있다.

병정개미는 새로운 탐험대를 구성하자고 몇 차례 제안을 했으나 그때마다 다른 개미들은 여기에 할 일이 너무 많아서 세계의 끝에 자살 행위나 다름없는 탐험대를 보낼 수 없다고 대답했다.

모든 게 과거지사가 되어 버렸다.

개미는 대개 과거를 생각하는 일이 없다. 미래도 생각하지 않는다. 개미는 개체로서의 자기 존재도 생각하지 않는다. 〈나〉라는 개념도 〈내 것〉 〈네 것〉이라는 개념도 없이, 공동체를 통해서만 그리고 공동체를 위해서만 자아를 실현한다. 자아에 대한 의식이 없기에 자기 죽음에 대한 두려움도 없다. 개미는 실존적인 고뇌를 모른다.

그런데 103683호에게 한 가지 변화가 일어났다. 세계의 끝을 다녀오고 난 뒤에 그의 내부에 희미하나마 〈나〉에 대한 의식이 생겨난 것이다. 물론 아직 맹아에 불과하지만 수용하기에 너무나 고통스러운 의식이다. 자아를 생각하기 시작하면 〈추상적인〉 문제가 생겨난다. 개미 세계에서는 그것을 〈마음의 병〉이라고 부른다. 그 병은 대개 생식 개미들에게 생긴다. 〈내가 마음의 병에 걸린 게 아닐까?〉라고 자문하는 것 자체가 벌써 심각한 병에 걸렸음을 의미하는 것이라고 개미 사회의 격언이 가르치고 있다.

그래서 103683호는 스스로에게 그런 질문을 던지지 않으려고 애쓴다. 그러나 쉽지 않은 일이다…….

그의 주위에 있는 길들이 이제 넓어졌다. 교통이 상당히 번잡하다. 그는 군중 속에서 부대끼며 자기가 커다란 집단 속의 자그마한 티끌에 불과하다는 사실을 일깨우려고 노력한다. 다른 개미들이 있다는 것, 다른 개미들과 더불어 산다는 것, 자기를 둘러싸고 있는 다른 개미들 때문에 자기 발걸음이 느려지고 있음을 깨닫는 것, 그런 것보다 더 기분 좋은 일이 무엇이 있겠는가?

그는 개미들이 북적거리는 넓은 길로 경쾌하게 나아간다. 도시의 네 번째 문이 나타난다. 여느 때처럼 개미들이 혼잡을 이루고 있다. 개미들이 너무 많아서 헤쳐 나갈 수가 없다. 4번 출입구를 넓히고 통행 규칙을 만들어야 할 듯하다. 예를 들면 부피가 작은 사냥감을 운반하는 자가 길을 비켜야 한다든가, 들어가는 자가 나오는 자보다 통행에 우선권이 있다는 식의 규칙 말이다. 그런 게 없으니까 모든 대도시들이 교통 체증으로 골치를 앓는 것이 아닌가?

초라하게 텅 빈 고치 하나를 운반하고 있는 103683호로서는 그렇게 서둘 계제가 아니다. 통행이 원활해지기를 기다리다가 그는 쓰레기터를 한 바퀴 돌아보기로 작정한다. 그는 어렸을 때 쓰레기 속에서 놀기를 아주 좋아했다. 같은 병정 개미 계급의 동료들과 함께 그는 쓰레기터에 있는 개미 머리를 공중에 던져서 개미산을 쏴 맞히는 놀이를 하곤 했다. 그것을 하려면 개미산 주머니에 압력을 넣는 속도가 빨라야 했다. 103683호가 명사수가 된 것도 어쩌면 그 덕분인지도 모른다. 쓰레기터에서 그는 위턱 다루는 법도 배웠다.

아, 쓰레기터다……. 개미들은 언제나 도시 앞에 쓰레기터를 만든다. 한번은 다른 도시에서 처음으로 벨로캉에 온 어떤 용병 개미가 〈쓰레기터는 보이는데 도시는 안 보이니 이거 어떻게 된 거요?〉라고 페로몬을 발한 적이 있었다. 시체와 곡물 껍질과 갖가지 배설물이 쌓여 높은 둔덕을 이루고 있는 바람에 도시 입구가 가려져 버렸던 것이다. 몇몇 입구는 완전히 쓰레기에 막혀 버려서 그것을 치우느니 차라리 새로 통로를 하나 파는 게 나을 정도가 되었다.

《살려줘요!》

103683호가 몸을 돌린다. 방금 누군가가 어떤 냄새를 토해 낸 듯했다.

《살려줘요!》

틀림없다. 오불 더미에서 분명히 대화 페로몬이 날아오고 있다. 뭔가를 이야기하고 싶어 하는 냄새다. 103683호는 냄새가 날아온 쪽으로 다가가 더듬이 끝으로 시체 더미를 뒤진다.

《살려줘요!》

세 개의 머리 중에서 하나가 페로몬을 발하고 있다. 무당벌레 머리, 메뚜기 머리, 불개미 머리가 나란히 놓여 있다.

103683호는 세 머리를 더듬어 보다가 불개미 더듬이에 미미한 생명의 냄새가 있음을 감지한다. 그러자 103683호는 앞의 두 다리 사이에 그 머리통을 끼우고 자기 머리 정면으로 들어 올린다.

《꼭 알아야 할 게 있소.》

하나 남은 왼쪽 더듬이로 때가 덕지덕지한 불개미 머리가 페로몬을 발한다.

별 해괴한 일이 다 있다! 몸뚱이에서 잘려 나온 머리가 아직도 페로몬을 발하고 싶어 하다니! 그렇다면 이 개미는 구차스럽게도 죽음의 휴식을 받아들이지 못하고 있는 것이다. 103683호 한순간 옛날에 즐겨 했던 것처럼 그 머리를 공중에 던져서 개미산으로 박살 내고 싶은 충동이 일었으나 그것을 억누른다. 단지 호기심 때문이 아니라 〈페로몬을 발하고 싶어 하는 자들의 메시지를 거부해선 안 된다〉는 것이 개미 사회의 오랜 가르침이기 때문이었다.

103683호는 그 가르침에 따라 더듬이를 움직여 정체를 알 수 없는 그 불개미 머리가 발하고 싶어 하는 페로몬을 모두 수용하겠다는 뜻을 나타낸다.

머리뿐인 그 개미는 생각하는 데 점점 더 어려움을 느끼면서 자기가 알아낸 중요한 정보를 기억해 내려고 한다. 몸뚱이가 붙어 있던 한 개미로서의 자기 삶이 헛되지 않게 하기 위해서 하나 남은 더듬이에 자기의 생각을 모아야 한다는 것을 알고 있는 것이다.

그러나 몸뚱이가 붙어 있지 않기 때문에 그 머리에는 이제 혈액이 공급되지 않아 뇌의 주름이 약간 건조해져 있다. 그래도 전기적인 작용은 여전히 일어날 수가 있다. 뇌수 속에 아직 신경 전달 물질이 남아 있다. 그 미미한 습기를 이용해서 신경 세포들이 서로 연결되고 소량의 전기가 흐른다. 두 개미의 생각이 교환될 수 있음을 보여 주는 것이다.

본격적으로 대화가 시작된다.

우리는 셋이었다. 어떤 종의 개미인가? 불개미. 반체제 불개미. 어느 도시에서 왔는가? 벨로캉. 우리는 〈화학 정보실〉에 잠입했었다. 거기에서 아주 놀라운 기억 페로몬을 해독했다. 무엇에 관한 페로몬인가? 아주 중요한 것이다. 그래서 경비 개미들이 우리를 잡으려고 쫓아왔다. 나의 두 동료는 병정개미들에게 죽임을 당했다. 머리의 습기가 말라 가고 있다. 기억이 소실되면 세 개미의 죽음이 부질없게 된다. 정보를 다시 모아야 하는데, 다시 모아야 하는데…….

103683호는 전달하려는 게 뭐냐고 여러 번 되묻는다.

머리만 남은 개미의 뇌 속에 다시 피가 조금 모인다. 그걸 사용해서 좀 더 생각을 계속해야 한다.

뇌 속의 기억 장치와 더듬이의 송수신 체계가 전기적으로 화학적으로 결합된다. 전두엽을 이루고 있는 단백질과 당분으로 에너지를 공급받은 뇌가 마침내 정보를 전달한다.

《클리푸니가 그들을 모두 죽이기 위해 원정군을 보내고 싶어 한다. 한시라도 빨리 다른 반체제 개미들에게 알려야 한다.》

103683호는 그 개미, 이니 개미 머리가 발하는 페로몬을 이해하지 못한다. 〈원정군〉은 무엇이고 〈반체제 개미들〉은 또 무엇인가? 도시 내에 반체제 개미들이 있단 말인가? 그런 건 금시초문이다. 그러나 한가로운 질문으로 냄새 분자를 허비해서는 안 된다. 그 개미 머리는 오랫동안 대화를 나눌 수 있는 형편이 못 된다. 그렇게 황당한 페로몬 정보를 접하고 보니 뭘 물어보아야 할지 갈피를 잡을 수가 없다. 103683호의 더듬이에서 저절로 페로몬이 튀어 나간다.

《그 반체제 개미들에게 알려 주려면 어디 가서 그들을 만날 수 있는가?》

개미 머리가 다시 힘을 내어 바르르 떤다.

《새로 지은 뿔풍뎅이 축사 위에 천장처럼 교묘하게 위장해 놓은 곳이 있다…….》

103683호가 마지막 질문을 던진다.

《그 원정군은 누구를 상대로 싸우려는 것인가?》

개미 머리가 진저리를 치고 103683호도 더듬이를 떤다. 개미 머리가 마지막 페로몬을 발할 듯 말 듯 하며 조바심을 갖게 한다.

더듬이로 겨우 감지할 만한 옅은 냄새가 풍긴다. 거기에는 단 하나의 페로몬 단어만 담겨 있다. 103683호가 더듬이의 끝 마디로 그것을 받아 냄새를 맡는다. 그가 알고 있는 단어다. 그것도 너무나 잘 알고 있는 단어다.

《손가락들.》

머리만 남은 개미의 더듬이가 이제 완전히 말라 버렸다.

머리가 경련을 일으킨다. 이제 그 검은 머리 안에는 정보 페로몬이 조금도 남아 있지 않다. 103683호는 그저 놀라울 뿐이다. 손가락들을 전멸시키기 위한 원정대라니.

10. 돌아온 박각시나방

왜 갑자기 불빛이 꺼진 걸까? 나방은 불길이 자기 날개를 갉아 먹고 있음을 분명히 느꼈다. 그럼에도 나방은 빛의 황홀경을 맛보기 위해서라면 무엇이든지 할 각오가 되어 있었다. 그 뜨거운 기운이 막 몸에 스며들던 찰나였는데……

실망한 박각시나방은 퐁텐블로 숲으로 돌아갈 생각을 하고 하늘 높이 올라간다. 한참을 날아서 자기가 탈바꿈을 끝냈던 장소에 다다른다.

수천 개의 낱눈이 있는 덕분에, 나방은 공중에서 그 지역의 지리를 훤히 분별할 수 있다. 가운데 있는 것이 개미 도시 벨로캉이다. 그 주위에 불개미 여왕들이 분가해서 세운 작은 도시들과 마을들이 있다. 그 전체를 개미들은 〈벨로캉 연방〉이라고 부른다. 연방은 하나의 제국이라고 할 만한 정치적 영향력을 행사하고 있다. 이 숲에서 누가 감히 불개미들의 헤게모니에 이의를 제기할 수 있으랴.

불개미들은 가장 영리하고 가장 잘 조직되어 있다. 그들은 도구를 사용할 줄 알며 흰개미들과 난쟁이개미들을 정복한 바 있고, 자기들보다 1백 배나 더 큰 동물들과도 싸웠다. 이 숲속에서 그들만이 세계의 주인임을 부정할 자는 아무도 없다.

벨로캉 서쪽에는 거미와 사마귀가 우글거리는 위험한 영토들이 펼쳐져 있다. 나방들이 몸조심을 해야 할 지역이다.

남서쪽은 거기보다 조금 덜 살벌한 고장이긴 하지만 말벌과 뱀과 거북이 득실거리기 때문에 위험하긴 마찬가지다.

동쪽에는 다리가 넷이나 여섯 또는 여덟 개이고 그만한 수의 입과 이빨과 독침을 가진 갖가지 괴물들이 독을 뿜고, 으깨고, 부수고 녹여 버린다.

북동쪽에는 갓 건설된 꿀벌 도시 아스콜레인이 있다. 사나온 꿀벌들이 거기에 살고 있는데, 꿀과 꽃가루를 채집하는 지역을 넓힌다는 구실 아래 벌써 말벌 둥지 여러 개를 파괴한 바 있다.

훨씬 더 동쪽에는 〈아귀〉라 불리는 강이 있다. 그 수면에 닿는 족족 뭐든지 먹어 치우기 때문에 그런 이름이 붙어 있다. 조심해야 할 곳이다.

그 강둑에 새로운 도시 하나가 생겨났다. 박각시나방이 그 도시로 접근한다.

흰개미들이 아주 최근에 그 도시를 세운 모양이다. 아주 높이 솟은 망루 위에 자리 잡은 포수 흰개미들이 침입자인 박각시나방을 공격하려고 한다. 그러나 나방이 너무 높이 날아가고 있어서 흰개미들의 공격은 전혀 힘을 발휘하지 못한다.

박각시나방은 방향을 틀어 커다란 떡갈나무를 에워싸고 있는 북쪽의 가파른 둔덕 위를 날아 남쪽으로 내려온다. 대벌레와 빨간 버섯이 많은 지역이다.

문득 그 높이까지 강렬한 성 페로몬을 발하는 암나방 하나가 눈에 들어온다. 박각시나방은 암나방을 더 가까이에서 보려고 다가간다. 암나방의 빛깔은 그의 것보다 훨씬 더 현란하다. 아름다운지고! 그런데 이상하게도 암나방이 꼼짝을 안 하고 있다. 기이하다. 분명히 냄새며 생김새는 암나방과 비슷한데⋯⋯. 이런 낭패가 있나! 이건 나방이 아니라 꽃이다. 꽃이 아닌 것처럼 보이려고 짐짓 나방을 흉내 내고 있던 것이다. 이 나비난초의 꽃이 가지고 있는 것은 모든 게 거짓이다. 냄새도 빛깔도. 식물의 감쪽같은 속임수다. 애석하게도 박각시나방은 너무 늦게 그 사실을 깨달았다. 그의 다리가 끈끈물에 붙어 버렸다. 이제 거기에서 빠져나올 수 없다. 박각시나방이 너무 세게 날갯짓을 하는 바람에 근처에 있던 민들레 꽃씨가 떨어져 나온다. 박각시나방이 대야처럼 생긴 꽃부리 가장자리로 미끄러진다. 그 꽃부리는 하나의 위(胃)가 쩍 벌어져 있는 거나 다름이 없다. 그 밑바닥에 소화작용을 하는 산이 감추어져 있어서 꽃이 나방을 잡아먹을 수 있게 한다.

이렇게 끝나고 마는 것인가? 아니다. 죽으라는 법은 없다. 집게처럼 휘어진 손가락 두 개가 나타나서 박각시나방의 날개를 잡고 위험에서 구출하여 투명한 단지 안에 던져 넣는다.

단지가 먼 거리를 이동하여 노란 박각시나방을 불빛이 환한 지역으로 데려간다. 손가락들은 단지에서 나방을 꺼내더니 냄새가 아주 독한 노란 물질을 발라 나방의 날개를 단단하게 만든다. 더 이상 날아오를 수가 없다. 그런데 손가락들이 크로뮴을 입힌 거대한 말뚝을 잡더니 빨간 공으로 위를 감싸고 심장에 잽싸게 찔러 넣는다. 그러더니 묘비명 대신에 〈파필리오 불가리스〉[2]라는 학명이 적힌 꼬리표를 나방의 머리 위쪽에 붙인다.

11. 백과사전

문명의 충돌

두 문명이 만나는 순간은 언제나 미묘하다. 중앙아메리카에 유럽인들이 처음 왔을 때 아즈텍인들은 유럽인들을 아주 엉뚱하게 오해했다. 당

2 Papilio vulgaris. 〈속된 나방〉이라는 뜻의 가짜 학명.

시 아즈텍인들은 깃털 달린 뱀의 형상을 가졌다는 케찰코아틀이라는 신을 숭배하고 있었는데, 아즈텍 신앙은 장차 그 신의 사자들이 지상에 도래할 것이라고 가르치고 있었다. 그 사자들의 살갗은 깨끗할 것이고 네발 달린 커다란 동물들을 타고 올 것이며 우레를 통하여 경건하지 못한 자들을 벌할 것이라고 믿고 있었다.

그래서 1519년 스페인의 기병대가 멕시코 해안에 상륙했다는 소식이 전해졌을 때 아즈텍인들은 〈툴(중미 원주민들의 언어인 나우아틀 말로 신을 뜻함)〉이 재림한 것으로 생각했다.

그런데 그 일이 있기 몇 년 전인 1511년에, 그런 일이 있을 것을 미리 일깨워 준 사람이 있었다. 게레로라는 스페인 선원이 그 사람이었다. 그는 코르테스[3]의 군대가 아직 산토도밍고섬과 쿠바섬에 주둔하고 있던 때에 유카탄 해안에서 난파를 당하여 멕시코에 상륙하게 되었다.

게레로는 멕시코 원주민들과 쉽게 친해졌고 원주민 여자와 혼인하였다. 그는 스페인의 정복자들이 곧 상륙할 것임을 알리는 한편 그들은 신도 아니고 신의 사자들도 아님을 역설하면서 원주민들에게 그들을 믿어선 안 된다고 일러 주었다. 또 원주민들이 스스로를 방어할 수 있도록 쇠뇌 만드는 법을 가르쳤다(그때까지 원주민들은 화살과 흑요석 날이 달린 손도끼만을 사용하고 있었다. 그러나 코르테스 군대의 갑옷을 뚫을 수 있는 무기는 쇠뇌밖에 없었다).

게레로는 스페인 사람들이 타고 올 말들을 두려워해선 안 된다고 신신당부했고 특히 불을 뿜는 무기에 겁먹지 말라고 충고했다. 그것은 마법의 무기도 아니고 우레도 아니라고 일깨웠다. 그는 〈스페인 사람들도 당신들과 똑같이 피와 살을 가진 사람이다〉라고 거듭거듭 말하곤 했

---

3 Hernán Cortés(1485~1547). 스페인의 모험가. 디에고 벨라스케스와 함께 쿠바 정복에 참여했으며, 1519년에 멕시코의 유카탄반도에 상륙하여 아즈텍인들과 싸웠다.

다. 그리고 그 사실을 증명해 보이기 위해서 그는 스스로 자기 몸에 상처를 내어 모든 원주민들과 똑같은 빨간 피가 흐르는 것을 보여 주었다. 게레로가 자기 마을의 원주민들을 지성으로 가르친 덕분에 코르테스 군대의 정복자들이 그 마을을 공격했을 때 정복자들은 아메리카 대륙에서 처음으로 군대다운 원주민 군대와 맞닥뜨리고 크게 놀랐다. 마을 원주민들은 몇 주 동안 스페인 군대에 저항했다.

그러나 게레로의 가르침이 그 마을 이외의 곳까지 널리 퍼져 있는 상황은 아니었다. 1519년 9월 아즈텍 왕 목테수마는 공물로 보석을 가득 실은 수레들을 이끌고 스페인 군대를 맞으러 떠났다. 바로 그날 저녁에 왕은 스페인 사람들에게 살해당했다. 1년 후에 코르테스는 대포로 아즈텍의 수도 테노치티틀란을 파괴했다. 3개월 동안 그 도시를 포위하여 주민들을 기아 상태에 빠뜨린 다음의 일이었다. 게레로는 스페인의 어떤 요새에 대한 야간 공격을 준비하던 중에 죽었다.

에드몽 웰스, 『상대적이며 절대적인 지식의 백과사전』 제2권

12. 레티시아는 아직 나타나지 않는다

살타 형제 사건을 신속하게 해결하고 나서 자크 멜리에스 경정은 샤를 뒤페롱 경찰국장의 호출을 받았다. 경찰 책임자는 친히 그를 치하하고 싶어 했다.

화려하게 장식된 거실 안에 들어서자 국장은 대뜸 그 〈살타 형제 사건〉이 〈윗분들〉에게 강렬한 인상을 심어 주었다고 털어놓았다. 저명한 정치인들 가운데 몇몇은 그의 수사를 〈프랑스식의 신속성과 효율성의 전형〉으로 평가했다는 것이다.

그러고 나서 국장은 멜리에스에게 결혼했느냐고 물었다.

멜리에스는 어리둥절해하면서 독신이라고 대답했다가, 국장이 계속 물어 오는 바람에, 자기도 보통 사람들이 하는 것처럼 성병에 걸리지 않도록 조심하면서 상대를 계속 바꾸어 가는 성생활을 즐기고 있다고 실토했다.

샤를 뒤페롱은 장가들 생각을 하라고 권하면서 이야기를 늘어놓았다. 사회적인 이미지를 잘 가꾸어 놓아야 정계에 입문할 수 있으며, 정계에 들어갈 생각이 있으면 먼저 의원이나 시장부터 시작해 보라는 얘기였다. 국장은 어떤 나라든 복잡한 문제를 해결할 줄 아는 사람들을 필요로 하고 있다고 역설하면서, 폐쇄된 공간에서 세 사람이 어떻게 죽었는지를 알아낼 수 있는 자크 멜리에스 같은 사람이라면, 다른 까다로운 문제들도 잘 해결해 낼 수 있을 거라고 말했다. 예컨대, 실업을 해소하고, 변두리의 우범 지대를 다스리며, 사회 보장 예산의 적자를 줄이고, 정부 예산의 수지를 맞추는 문제, 즉 한 나라의 지도자들이 매일 맞닥뜨리는 갖가지 문제들을 쉽게 해결할 수 있으리라는 거였다.

「우리에겐 두뇌를 잘 사용할 줄 아는 사람이 필요해. 요즈음엔 그런 사람들이 점점 드물어져 가고 있어.」

국장은 한탄을 하면서 말을 이었다.

「자네가 정치라고 하는 이 새로운 모험에 뛰어든다면, 내가 제일 먼저 자네를 지지하겠네.」

자크 멜리에스는 자기가 수수께끼에 흥미를 느끼는 것은 그것이 추상적이고 보상이 없기 때문이라면서, 권력의 획득을 목적으로 하는 세계에 뛰어들고 싶은 생각은 추호도 없다고 대답했다.

멜리에스는 남을 지배하는 일은 너무나 피곤하며, 국장이 문제 삼고 있는 자기의 애정 생활이 그렇게 나쁜 편도 아니고, 애정 생활을 사생활의 영역 밖으로 끌어내는 것을 원치 않는다고 덧붙였다.

뒤페롱 국장은 기꺼운 마음으로 웃고 나서, 멜리에스의 어깨 위에 손을 얹고 자기도 멜리에스만 한 나이 때는 그와 똑같은 생각을 가졌었는데, 나중에 생각을 바꾸어 남을 지배하기 위해서가 아니라 남에게 지배당하지 않기 위해서 권력을 추구하게 되었다고 말했다.

「돈을 경멸하려면 부자가 되어야 하고, 권력을 경멸하려면 권력을 쥐어야 하는 걸세.」

그런 생각에서 뒤페롱은 젊은 시절 기꺼이 위계의 사다리를 한 단계 한 단계 밟아 올라왔다. 그리하여 이제 그는 그 어떤 것으로부터도 자기를 지킬 수 있게 되었다고 믿고 있었다. 그는 이제 미래가 잘못될까 걱정할 필요가 없었다. 그는 두 자녀를 그 도시에서 가장 학비가 비싼 사립 학교에 집어 넣었고, 고급 승용차를 소유하고 있었으며, 여가를 충분히 즐기고 있었고, 자기를 떠받드는 수백 명의 부하들을 거느리고 있었다. 그 이상 뭘 더 바라겠는가?

〈추리 소설에 푹 빠질 수 있는 어린아이로 남아 있기를 바라지요〉라는 말을 머릿속에 떠올리면서 멜리에스는 자기 생각을 지켜 나가리라 다짐했다.

면담을 끝내고 경찰국을 떠나려다가 경정은 철책문 가까이에 있는 커다란 게시판에 선거 포스터가 잔뜩 붙어 있는 것을 보았다. 선거 구호가 가지각색이었다.

〈참된 가치에 뿌리박은 민주주의를 위해 사회 민주주의자에게 한 표를!〉, 〈위기 타파! 헛약속은 이제 그만! 급진 공화

파 운동과 함께하십시오!〉, 〈범국민 녹색 혁신당을 지지하여 지구를 살립시다!〉, 〈불의에 맞서 일어서십시오! 독립 인민 전선에 동참하십시오!〉 운운.

어디를 보나 그 얼굴이 그 얼굴이고, 한결같이 기름기가 번드르르하고 정부(情婦)를 비서로 두고 스스로를 거물이라고 생각하고 있는 그런 얼굴들이었다.

멜리에스는 명예 따위엔 관심이 없었다. 정치가의 삶보다는 자유로운 자기의 애정 생활과 텔레비전과 범죄 수사가 더 나아 보였다. 〈근심을 갖고 싶지 않거든 야망을 버려라〉라고 그의 아버지가 충고하곤 했었다. 욕망이 없으면 고통도 없다. 오늘 같은 날이면 아버지는 아마 이렇게 덧붙일 것이다. 〈그런 바보들과 똑같은 야망을 갖지 마라. 추구할 만한 가치가 있는 너만의 어떤 것을 찾아내어 진부한 삶을 뛰어넘어라.〉

자크 멜리에스는 벌써 두 번 결혼했고 두 번 이혼했다. 그는 환희를 맛보며 50여 건의 어려운 사건을 해결했고, 아파트 한 채와 서재와 한 무리의 친구를 가지고 있었다. 그는 그런 것에 만족하고 있었고 누가 뭐래도 자기 자신을 흡족하게 여기고 있었다.

그는 푸아들뢰일 광장과 라트르 르 타시니 원수 대로와 라뷔토카유가를 거쳐 걸어서 집으로 돌아왔다.

주위의 어느 곳에서나 사람들이 사방으로 달리고 있었고 자동차들은 지나치게 경적을 울리고 있었으며, 여자들은 창가에서 융단을 요란하게 털어 대고 있었다. 사내아이들이 물총을 서로 쏘며 쫓고 쫓기는 장난을 하고 있었다. 〈빵, 빵, 빵, 너희 셋 다 죽었어!〉 그중 한 아이가 소리쳤다. 도둑잡기 놀이를 하는 그 사내아이들이 자크 멜리에스의 신경을 긁었다.

아파트 건물 앞에 이르렀다. 높이 150미터에 너비 150미터로 거대한 사각형 모양을 이루고 있는 건물이었다. 텔레비전 안테나 주위로 까마귀들이 선회하고 있었다. 사람들의 출입을 살피고 있던 경비 아주머니가 경비실 창문 밖으로 얼굴을 내밀고 말을 걸어왔다.

「안녕하세요, 멜리에스 씨! 신문에서 멜리에스 씨에 대해 써놓은 걸 봤어요. 그 사람들 멜리에스 씨를 시기하느라고 그러는 거니까 너무 언짢아하지 말아요.」

멜리에스는 그 말에 깜짝 놀랐다.

「무슨 말씀이세요?」

「나는 어쨌든 멜리에스 씨가 옳다고 확신하고 있어요.」

멜리에스는 계단을 성큼성큼 올라갔다. 집에는 여느 때처럼 마리 샤를로트가 신문을 찾아다 놓고 그를 기다리고 있었다. 마리 샤를로트는 그를 아주 열렬히 사랑하고 있었다. 그가 아파트 문을 열었을 때도 마리 샤를로트는 여전히 이빨 사이에 신문을 물고 있었다. 그가 명령을 내렸다.

「이거 놔! 마리 샤를로트.」

마리 샤를로트는 다소곳이 그의 말에 따랐다. 멜리에스는 조비심을 내며 신문을 펼쳐 들었다. 그는 이내 자기의 사신과 그를 압도해 오는 커다란 기사 제목을 찾아냈다.

경찰 수사, 갈피를 못 잡고 있다
─레티시아 웰스의 논평

민주주의는 우리에게 많은 권리를 부여하고 있다. 그 권리 중에는 죽은 자의 권리도 포함되어 있다. 어떤 사람이 시체 상태로 전락했을 때조차도 우리는 그의 인격을 존중해야 한다. 그런데 고(故) 살타 형제에게는 그 권리가 부정되고 있다. 그 삼 형제의 죽음에 얽힌 의혹이 풀리지 않았을 뿐만 아니라 한술 더 떠서 고(故) 세타스티앙 살타 씨는 이제 자기 자신을 변호할 수 없는 상황에서 두 형제를 살해하고 자기의 죄과 때문에 자살했다는 혐의를 받고 있다.

변호사의 도움을 받을 수 없는 시체라서 죄를 뒤집어씌우기는 쉽겠지만, 그게 과연 온당한 일인가! 라 프장드리가의 살인 사건이 그나마 의미를 갖는 것은 그것이 자크 멜리에스 경정의 사람 됨됨이를 여실하게 보여 주었다는 점에 있다. 우리는 그 사건을 통해서 명성에 들뜬 어떤 사람이 파렴치한 졸속 수사를 감행하는 모습을 보았다. 멜리에스 경정은 중앙 통신사를 통해 살타 형제가 모두 독극물 때문에 죽었다고 발표했는데, 그것은 보기보다 훨씬 더 복잡한 사건에 대해 섣부른 판단을 한 것일 뿐만 아니라 망자(亡者)들을 모욕한 것이기도 하다.

자살이라니! 세바스티앙 살타의 시신을 얼핏 본 것만으로도 필자는 그가 엄청난 공포를 느끼게 하는 어떤 것에 희생되었다고 단언할 수 있다. 그의 얼굴은 무시무시한 공포에 짓눌려 있었다.

두 형제를 살해하고 난 뒤 너무나 심한 회한을 느낀 나머지 그런 표정이 생긴 것이라고 생각할 수도 있을 것이다. 그러나 인간의 심리를 조금이라도 아는 사람이라면, 멜리에스 씨의 주장에 동조하기가 어려울 것이다. 자기 형제들과 함께 나누어 먹을 음식에 독을 넣은 사람이라면 이미 회한 따위는 초월한 사람이 아니겠는가. 그런 사람의 얼굴에는 공포가 아니라 마침내 되찾은 차분한 표정만이 어려 있을 것이다.

그럼 고통 때문인가? 독극물이 일으키는 고통은 그토록 격심한 것이 아니다. 그리고 독극물에 의한 사망이라는 것을 입증하려면 그 독극물이 어떤 종류의 것인지 알아야 한다. 필자는 경찰이 살인 현장에 대한 조사를 허용하지 않았기 때문에 법의학 센터를 찾아가서 법의학자에게 살타 삼 형제의 시체를 부검한 사실이 있는지를 물어보았다. 그 법의학자는 시체를 부검한 사실이 전혀 없다고 밝혔다. 따라서 살타 형제 사건은 정확한 사망 원인이 밝혀지지 않은 채 결말이 지어진 것이다. 그토록 훌륭한 명성을 지닌 범죄학자 멜리에스 경정이 아주 중대한 실수를 범한 것이다.

살타 형제 사건을 그렇게 신속하게 매듭짓는 것이 과연 온당한지 곰곰이 따져 보아야 한다. 우리는 경찰의 졸속한 처사에 불안감마저 느끼고 있다. 우리는 날로 교묘해져 가는 신종 범죄에 대응할 수 있을 만한 연구 수준을 우리 국립 경찰 간부들이 갖추고 있는지 묻지 않을 수 없다.

멜리에스는 신문지를 구겨 돌돌 뭉치면서 상소리를 내뱉었다.

13. 103683호가 고민에 빠진다

〈손가락들을 상대로 한 원정이라니!〉
손가락들! 막연한 두려움이 103683호를 엄습한다.
개미들은 두려움을 모르는 것이 정상이다. 그런데 여전히 〈정상적인〉 103683호에게 찾아온 이 두려움은 무엇인가?

쓰레기터의 개미 머리가 〈손가락〉이라는 냄새 단어를 발함 으로써 103683호의 뇌 한 부분이 잠에서 깨어났다. 아주 오 랜 조상 때부터 사용하지 않은 탓에 잠들어 있던 부분, 즉 공 포를 지각하는 부분이다.

이제껏 103683호는 세계의 끝에 다시 생각이 미칠 때마 다 옛날의 경험을 되새기는 것을 억제해 왔다. 그는 손가락 들과 만났던 일을 되새기지 않았다. 손가락들과 그들의 어마 어마한 힘, 파악할 수 없는 그들의 형체, 그들의 맹목적인 살 생 충동에 대해서 말이다.

그런데 그 머리, 아니 몸뚱이가 잘려 나간 시체 조각이 공 포를 지각하는 부분을 자극한 것이다. 103683호는 예전에 불요불굴의 기상을 지닌 병정개미였다. 그는 난쟁이개미들 과 대전투를 벌이던 시절 언제나 부대의 선두에 서곤 했다. 그는 자발적으로 나서서 위험한 서쪽으로 탐험을 떠나기도 했고 바위 냄새를 풍기는 개미들과 싸우기도 했다. 머리가 너무 높아서 쳐다볼 수도 없는 동물들을 사냥한 적도 있다. 그런 그가 손가락들을 만나고 나서는 완전히 기가 꺾여 버 렸다.

103683호는 그 대재앙의 괴물들을 어렴풋하게 기억하고 있다. 엄청나게 빠른 검은 구름 같은 것에 풀잎처럼 깔려 죽 은 늙은 병정개미 4000호의 모습도 떠오른다.

어떤 개미들은 손가락들을 〈세계의 끝을 지키는 자들〉, 〈무한대의 동물〉, 〈무자비한 유령〉, 〈나뭇개비에 불을 붙이 는 자〉, 〈죽음의 냄새를 풍기는 자〉 등으로도 불렀다.

그러나 얼마 전에 일대의 모든 개미 도시들은 그 괴물들을 가리키는 이름을 통일하기로 합의하였다. 그것이 바로 〈손가락들〉이었다.

손가락들, 그들은 어디에서나 튀어나와 죽음을 뿌리는 자이며, 지나는 길 위에 있는 모든 것을 죽이는 동물이고, 독물을 뿌려 숲을 오염시키고 생명을 독살하는 유령들이다. 생각만 해도 혐오감이 치민다.

103683호는 두려움과 호기심이라는 두 가지 감정 사이에서 동요하고 있다. 두려움은 개미들에게 낯선 감정이긴 하지만 호기심은 개미의 주요한 특성을 이루는 감정이다.

1억 년 전부터 개미들은 줄기차게 진보해 왔다. 클리푸니가 일으킨 혁신 운동도 따지고 보면 끊임없이 더 멀리, 더 높이, 더 강하게를 지향하는 개미 사회의 전형적인 욕구가 표출된 것에 지나지 않는다.

103683호는 손가락들의 문제를 회피하지 않으리라 다짐한다. 호기심이 두려움을 누른 것이다. 어쨌든 반체제 개미들이 있다는 것이며 손가락들을 상대로 한 원정군이 준비되고 있다는 것은 예삿일이 아니다.

103683호가 더듬이를 닦는다. 이제 자기가 해야 할 일이 무엇인지를 분명히 하고 싶다는 표시이다. 103683호는 더듬이를 미심쩍은 하늘 쪽으로 세운다. 공기가 무겁다. 어딘가에 적이 숨어서 도시에 처들어오려고 기회를 엿보고 있는 것만 같다. 홀연 한 줄기 미풍이 불어와 주위의 나뭇가지들을 흔든다. 나무들이 그에게 조심하라고 이르는 듯하다. 그러나 나무들의 흔들림에 뜻이 담겨 있을 리가 없다. 103683호는 될 대로 되라 하며 움직일 줄 모르는 나무들의 기질을 별로 좋게 여기지 않는다. 그들은 마치 자기들을 정복할 수 있는 자는 아무도 없다는 듯한 태도를 취하고 있다. 그러나 나무들도 폭풍에 쓰러지고 부러지며, 번개에 타버리거나 흰개미들에게 파먹히는 일이 있다. 나무들이 그렇게 무너질 때면 개미들은 무관심한 태도를 보인다.

난쟁이개미들의 격언에 나무들이 무너지는 그런 현상을 잘 설명한 것이 있다. 즉 〈커다란 것은 작은 것보다 더 부서지기 쉽다〉는 격언이 그것이다. 손가락들은 어쩌면 움직이는 나무와 같은 자들일지도 모른다.

103683호는 그 문제로 더 이상 시간을 허비하지 않고 쓰레기터의 개미 머리가 전해 준 정보를 확인하러 떠난다. 그는 쓰레기터 옆의 좁은 통로로 들어가 외곽 순환 도로에 들어선다. 금단 구역으로 통하는 대로들이 거기에서 시작된다. 103683호가 가려는 길은 그쪽이 아니다. 그는 아주 가파른 통풍구로 들어간다. 거기에서는 발톱을 사용해서 내려가야 한다. 가파른 통로를 미끄러져 내려오자 얼키설키한 통로들이 나온다. 여느 때와는 달리 그리 혼잡한 편은 아니었다.

먹이와 나뭇가지를 운반하던 일개미들이 103683호에게 인사를 건넨다. 개미 세계에 사적인 영예가 있을 리 없겠지만 벨로캉에서는 많은 개미들이 103683호가 손가락들의 나라에 가서 세계의 끝을 보고 왔다는 사실을 알고 있다.

103683호는 더듬이를 세워 풍뎅이 축사가 있는 곳을 탐문한다. 어떤 일개미가 지하 20층, 남남서쪽 구역 왼쪽, 흑버섯 재배실 뒤에 있다고 일러 준다.

103683호가 빠른 걸음으로 나아간다.

지난해 화재가 있은 뒤에 많은 공사가 이루어졌다. 옛날의 벨로캉은 지상 50층 지하 50층으로 되어 있었는데, 클리푸니가 새로 설계한 신도시는 지상 80층의 위용을 자랑하고 있다. 지하의 바닥에는 화강암이 버티고 있어서 더 밑으로 파 내려갈 수가 없었다. 내려가는 길에 도시를 둘러보면서 103683호는 나날이 새로워지는 도시의 모습에 감탄한다.

지상 75층. 여기에는 알을 모아 둔 방과 번데기를 모아 둔 방이 있다. 전자는 부식토의 열기로 따뜻한 상태를 유지하고 있고, 후자는 습기를 빨아들이는 고운 모래를 깔아 건조한 상태를 유지하고 있다. 완만한 비탈을 이룬 운송용 활주로가 설치되어 있어서 알들을 쉽게 유모 개미들이 있는 아래층으로 내려보낼 수 있다. 거기에서는 배가 묵직한 유모 개미들이 쉬지 않고 알들을 핥아 주고 있다. 그럼으로써 알들이 완전하게 성숙하는 데 필요한 단백질과 항생 물질을 투명한 막을 통해 전해 주는 것이다.

지상 20층. 여기에는 마른 고기와 열매 조각과 버섯 가루를 모아 둔 방들이 있다. 부패를 막기 위해서 모든 식량에 개미산을 적절하게 뿌려 놓았다.

지상 18층. 두툼한 나뭇잎으로 만든 커다란 통에 군사적인 목적에 사용되는 실험용 산(酸)이 들어 있는데, 거기에서 김이 모락거린다. 화학 개미들이 기다란 위턱 끝으로 산들이 가지고 있는 용해력을 시험하고 있다. 사과산처럼 열매에서 추출한 산도 있지만, 좀 희귀한 것에서 추출한 산도 있다. 즉, 참소리쟁이에서 뽑은 옥살산과 노란 돌에서 뽑은 황산이 그것이다. 사냥하기에 가장 이상적인 것은 최근에 개발된 농도 60퍼센트의 개미산이다. 개미산 주머니에 담고 있으면 좀 뜨겁기는 하지만, 그것의 파괴력은 타의 추종을 불허한다. 103683호는 이미 그것을 사용해 본 적이 있다.

지상 15층. 전투 연습실이 증축되었다. 여기에서는 병정개미들이 몸과 몸을 맞부딪치며 전투 훈련을 한다. 새로 계발된 전투 기술은 기억 페로몬에 꼼꼼하게 저장되어 화학 정보실에 보내진다. 요즈음의 경향은 예전처럼 적의 머리를 공격하는 것이 아니라 다리를 하나하나 잘라서 적을 움직이지 못하게 하는 쪽으로 가고 있다. 한쪽에서는 포수 개미들이 열 걸음 떨어진 곳에 씨앗들을 놓고 개미산을 정확하게 쏘아 녹여 버리는 연습을 하고 있다.

지하 9층. 여기에는 진딧물 축사가 있다. 클리푸니 여왕은 사나운 무당벌레들이 진딧물 떼를 공격해 오지 못하도록 진딧물 축사를 모두 도시 안에 세우도록 고집했다. 일개미들이 진딧물들에게 호랑가시나뭇조각을 던져 주고 분비꿀을 짜낸다.

진딧물들의 번식률이 증가되었다. 이제는 초당 열 마리의 비율로 태어난다. 지나가는 길에 103683호는 보기 드문 광경을 목격했다. 진딧물 한 마리가 새끼를 낳자 이번에는 그 작은 진딧물이 새끼 칠 준비를 하더니, 그보다 더 작은 진딧물을 낳았다. 그런 식으로 진딧물들은 순식간에 어미가 되고 할미가 되기도 하는 것이다.

지하 14층. 버섯 재배장이 끝이 가물거릴 만큼 펼쳐져 있다. 개미들이 와서 쏟아 놓고 간 배설물이 버섯의 양분이 된다. 버섯재배개미들은 웃자란 팡이실을 자르기도 하고 기생 팡이를 막아 주는 미르미카신을 뿌리기도 한다.

그때 돌연 풀빛 곤충 한 마리가 103683호 앞으로 튀어 오른다. 그 곤충을 또 다른 풀빛 곤충이 추격하고 있다. 둘이서 싸움을 하고 있는 듯하다. 103683호는 주위의 개미들에게 그 이상한 곤충들이 뭐냐고 물어본다. 어떤 개미가 설명하기를, 굴속에 살기를 즐기며 냄새가 고약한 빈대들이란다. 그 곤충들은 끊임없이 교미를 한다. 상상할 수 있는 온갖 방식으로, 장소와 상대를 가리지 않고 한다. 지구상의 모든 생물 중에서 가장 경이로운 성적 능력을 타고난 곤충임에 틀림없다. 클리푸니는 특별한 관심을 갖고 그 곤충들을 연구하고 있다.

예로부터 모든 개미 둥지에는 공생 생물들이 번창해 왔다. 개미들의 묵인 아래 개미 둥지 안에 눌러살고 있는 곤충과 다족류와 거미류의 종이 2천 이상을 헤아린다. 어떤 종들은 탈바꿈을 하는 곳으로 개미집을 이용하고 어떤 종들은 쓰레기를 먹어 치움으로써 방들을 청소해 준다.

그러나 그런 동물들을 〈과학적으로〉 연구한 도시는 벨로캉이 처음이었다. 클리푸니 여왕은 어떤 곤충이든 길들일 수 있고 강력한 군대로 만들 수 있다고 주장한다. 모든 개체와 의사소통을 이루기만 하면 그 쓸모가 현실로 나타난다는 것이 여왕의 생각이다. 그다음에는 그것을 잘 감시하기만 하면 된다는 것이다.

현재 여왕은 어느 정도의 성공을 거두고 있다. 딱정벌레 속에 딸린 몇몇 곤충들에게, 진딧물에게 하는 것처럼, 먹이를 주고 쉴 곳을 마련해 주고 병을 치료해 줌으로써 그들을 길들이기에 이르렀다. 그중에서도 뿔풍뎅이를 길들이는 데 성공한 것이 단연 돋보인다.

지하 20층. 남남서쪽 구역 왼쪽, 흑버섯 재배장 뒤, 일러 준 데로 가 보니 과연 통로 안쪽에 풍뎅이들이 있다.

14. 백과사전

두려움

개미에게 두려움이 없다는 사실을 이해하려면 개미집 전체가 하나의 유기체처럼 살아 있다는 점을 감안해야 한다. 각각의 개미는 인체의 세포와 똑같은 역할을 수행한다.

손톱을 깎을 때 우리의 손톱 끝이 그것을 두려워할까? 면도를 할 때 우리의 턱수염이 면도기가 접근해 오는 것에 전율할까? 뜨거운 욕탕 물의 온도를 가늠하려고 발을 집어넣을 때 우리의 엄지발가락이 두려움에 떨까?

그것들은 자율적인 단위로 존재하지 않기 때문에 두려움을 느끼지 않는다. 마찬가지로 우리의 왼손이 오른손을 꼬집어도 오른손은 왼손에 대해 아무런 원한을 품지 않는다. 오른손에 왼손보다 더 많은 반지가 끼어져 있다고 해서 시샘 따위가 있을 리 없다. 자기를 잊고 유기체와도 같은 공동체 전체만을 생각한다면 번뇌가 사라진다. 그것이 어쩌면 개미 세계의 모듬살이가 성공한 비결 가운데 하나일지도 모른다.

에드몽 웰스, 『상대적이며 절대적인 지식의 백과사전』 제2권

15. 레티시아는 여전히 나타나지 않는다

분노를 삭이고 나서 자크 멜리에스는 작은 트렁크를 열고 살타 형제에 관한 서류를 꺼냈다. 그런 다음 모든 서류들과 사진들을 꼼꼼하게 검토하기 시작했다. 그는 입을 벌리고 있는 세바스티앵 살타의 사진을 한참 들여다보았다. 세바스티앵의 입술에서 어떤 비명이 새어 나오는 듯했다. 공포의 비명일까? 불가항력적인 죽음을 앞둔 저항의 절규일까? 살인

범은 어떤 자일까? 사진을 보면 볼수록 그는 수치심 때문에 낯이 화끈거려 견딜 수가 없었다.

그는 마침내 벌떡 일어나 분을 참지 못하고 주먹으로 벽을 쳤다. 『일요 메아리』의 기자가 옳았다. 그가 멍청한 짓을 했던 것이다.

그는 사건을 과소평가했다. 매사에 겸손해야 한다는 뼈아픈 교훈을 얻은 셈이었다. 상황이나 사람을 과소평가하는 것보다 더한 잘못은 없다. 고맙소, 웰스 씨!

그런데 어쩌다가 이 사건에서 그렇게 터무니없는 실수를 저질렀던 것일까? 타성 때문이다. 실패를 모르고 일을 해온 탓에 터무니없는 자만심이 생긴 것이다. 그래서 자신도 모르게 날림 수사를 했던 것이다. 그런 짓은 어떤 경찰관도 하지 않는다. 경찰에 갓 들어온 풋내기도 그러지는 않을 것이다. 그의 명성이 워낙 쟁쟁하다 보니 그 기자를 빼고 아무도 그가 잘못을 저질렀으리라고 생각하지 않았다.

모든 걸 다시 시작해야 한다. 고통스럽지만 수사를 다시 해야 한다. 그래도 계속 잘못된 채로 놔두지 않고 이제서야 마 실수를 깨달은 것이 천만다행이었다.

그가 맞닥뜨린 사건은 자살 같은 단순한 것이 아니라 아주 까다로운 것이었다. 범인은 어떻게 흔적을 남기지 않고 닫힌 공간을 드나들었을까? 어떻게 상처도 내지 않고 흉기도 사용하지 않고 사람들을 죽일 수 있었을까? 그런 수수께끼는 멜리에스가 이제껏 읽은 어떤 추리 소설에도 나와 있지 않던 것이다.

새로운 흥분이 그를 사로잡았다. 혹시 〈그토록 만나고 싶어 하던〉 완전 범죄라는 것과 맞닥뜨린 것이 아닐까?

멜리에스는 에드거 앨런 포의 소설에 나오는 모르그가의 살인 사건에 대해서 생각했다. 실제의 사건을 토대로 쓰인 그 소설에서는 한 모녀가 폐쇄된 집에서 시체로 발견된다. 여인은 면도칼에 찔렸고 딸은 구타를 당했다. 도난의 흔적은 없었지만 심하게 맞은 흔적이 있었다. 수사 결과 범인이 드러났는데, 그것은 곡마단에서 도망친 오랑우탄이었다.

오랑우탄은 지붕을 통해 집 안으로 들어갔던 것이고, 그 짐승을 보자마자 모녀가 비명을 질러 댐으로써 오랑우탄이 미쳐 버린 것이다. 오랑우탄은 소리를 못 지르게 하려고 모녀를 죽인 다음 들어왔던 길로 도망쳤다. 그때 오랑우탄의 등이 내리닫이 창문의 창틀에 부딪히면서 창문이 닫혀 버렸다. 창문을 안에서 잠가 놓은 것처럼 보였던 것이 그 때문이었다.

살타 형제 사건에서도 상황은 비슷했다. 차이가 있다면 창문이 내리닫이가 아니라서 등으로 쳐서는 닫을 수 없다는 점이었다.

하지만 그것을 확신할 수는 없었다. 멜리에스는 사건 현장을 조사하려고 다시 집을 나섰다.

전기는 끊겨 있었지만 조명 돋보기를 가져왔기 때문에 조사에는 지장이 없었다. 멜리에스는 거실을 조사했다. 거리의 번쩍이는 네온 불빛이 간간이 방 안을 비추었다. 살타 형제는 거기에 그대로 누워 있었다. 아수라장 같은 도시에서 튀어 들어온 어떤 끔찍한 것을 목격하고 그 자리에 쓰러져 버린 듯한 모습이었다.

멜리에스 경정은 문과 창문을 살펴보았다. 빗장을 질러 놓은 문으로 범인이 드나들었을 가능성은 없었다. 창문에는 에스파냐 자물쇠[4]가 설치되어 있어서, 창문으로 빠져나간 뒤 밖에서 다시 잠글 수는 없게 되어 있었다. 그런 일은 우연하게라도 일어날 수 없었다.

멜리에스는 어떤 비밀 통로라도 있을까 싶어 밤색 장식 융단이 걸려 있는 칸막이벽들을 두드려 보았다. 또 벽에 걸린 그림 밑에 금고 같은 것이 감추어져 있지 않을까 해서 액자들을 들춰 보기도 했다. 거실 안에는 값진 물건들이 여러 가지 있었다. 즉, 금촛대, 은조상(彫象), 하이파이 콤팩트 음향 기기 등이 그것들이었다. 도둑이 들었다면 그런 것들을 챙겨가지 않았을 리가 없었다.

의자 위에 옷들이 놓여 있었다. 멜리에스는 반사적으로 그것들을 뒤적거렸다. 손끝에 뭔가 이상한 것이 느껴졌다. 웃옷에 작은 구멍이 나 있었다. 좀이 쏠아 놓은 구멍인 듯도 했지만 테두리가 네모반듯했다. 멜리에스는 옷을 내려놓고 구멍에 대해서는 더 이상 생각하지 않았다. 그는 늘 가지고 다니는 껌 통에서 껌을 하나 꺼냈다. 그 바람에 주머니에 있던 신문 쪼가리가 바닥에 떨어졌다. 그가 『일요 메아리』에서 오려 낸 기사였다.

그는 레티시아 웰스의 기사를 다시 읽고 깊은 생각에 잠겼다.

웰스 기자는 공포에 짓눌린 표정에 대해서 이야기하고 있었다. 그건 사실이었다. 살타 형제는 공포 때문에 죽었을 수도 있었다. 그렇다면 겁에 질려 죽게 할 만큼 무서운 게 도대체 무엇일까?

멜리에스는 자기가 겪었던 공포의 기억을 더듬어 보았다.

4 손잡이를 돌려 창틀을 열고 닫게 되어 있는 잠금장치.

어렸을 때 딸꾹질이 그치지 않고 계속되었던 적이 있었다. 그의 어머니는 늑대 가면을 쓰고 불쑥 나타나서 딸꾹질을 멎게 했다. 그때 그는 비명을 질렀고 한순간 심장이 멎는 듯한 느낌을 가졌다. 어머니는 이내 가면을 벗고 딸꾹질이 멎은 것을 기뻐하면서 키스를 퍼부었다.

한마디로 자크 멜리에스는 끊임없는 공포 속에서 자라 왔다고 할 수 있었다. 병에 대한 두려움, 교통사고에 대한 두려움, 사탕을 주며 자기를 납치하려는 남자에 대한 두려움, 경찰에 대한 두려움 등과 같은 사소한 것들이 있었는가 하면, 낙제에 대한 두려움, 하교할 때 공갈범들에게 돈을 갈취당할 일에 대한 두려움, 개에 대한 두려움 등 심각한 것들도 있었다.

그것 말고도 어린 시절에 공포의 경험은 많이 있었다. 자크 멜리에스는 그중에서도 가장 고통스러웠던 두려움의 기억을 떠올렸다. 그건 정말이지 어마어마한 두려움이었다.

그가 아주 어렸을 적의 일이었다. 어느 날 밤 그는 침대 속에 뭔가가 꿈틀거리는 것을 느꼈다. 가장 안전하다고 믿고 있던 침대 속에 괴물이 숨어 있었던 것이다! 그는 한동안 이불 밑으로 발을 들이밀 엄두를 못 내고 있다가 마음을 가다듬고 조금씩조금씩 이불 속으로 다리를 디밀었다.

그때 갑자기 발가락에 미지근한 입김이 닿는 느낌이 들었다. 오싹 소름이 돋았다. 침대 발치에 괴물이 있음에 틀림없었다! 괴물은 그의 발가락을 떼어 먹으려고 아가리를 벌린 채 발가락이 다가오기를 기다리고 있었다. 다행히 발가락이 침대 발치까지 이르지 않았다. 아직 그럴 만큼 키가 크지 않았던 것이다. 그러나 그가 매일 자라기 때문에 그의 발은 발가락을 잡아먹는 그 괴물이 숨어 있는 시트 자락 쪽으로 자꾸 다가갈 게 분명했다.

어린 멜리에스는 며칠 밤을 방바닥이나 이불 위에서 잤는데, 몸이 저려서 계속 그럴 수가 없었다. 그건 해결책이 되지 못했다. 그래서 이불 속으로 들어가기로 마음을 고쳐먹었다. 그 대신 몸이 침대 발치에 닿지 않도록 자기의 근육과 뼈에게 너무 많이 자라지 말라고 부탁했다. 멜리에스가 그의 부모들만큼 키가 크지 않은 것도 어쩌면 그것 때문일 것이다.

매일 밤이 시련의 연속이었다. 그러던 그가 하나의 해결책을 찾아냈다. 그는 플러시 천으로 된 장난감 곰을 꼭 껴안고 잤다. 장난감 곰을 품고 있으면 침대 발치에 숨어 있는 괴물과 당당히 맞설 수 있을 것 같은 느낌이 들었다. 장난감 곰을 껴안고 이불 속에 들어가서 그는 팔이나 머리카락이나 귀가 밖으로 빠져나가지 않도록 이불잇을 단단히 여몄다. 밤이 이슥해져서 괴물이 집 주위를 한 바퀴 돌려고 밖으로 나갈 때 그의 머리를 공격할지도 모른다고 생각했기 때문이었다.

그의 어머니는 아침마다 침대 위에 이불과 시트가 둘둘 뭉쳐져 있고 그 안에 멜리에스와 장난감 곰이 파묻혀 있는 것을 발견하곤 했다. 그의 어머니는 그 이상한 짓을 전혀 이해하려 하지 않았다. 자크는 사기와 장난감 곰이 힘을 합쳐 한 괴물을 상대로 밤새도록 어떻게 싸우고 있는지 굳이 이야기하지 않았다.

괴물과의 싸움은 승부가 나지 않았다. 그가 이긴 적도 없었고 괴물이 이긴 적도 없었다. 그에게 남은 것은 두려움뿐이었다. 성장하는 것에 대한 두려움과 눈이 빨갛고 입술이 치켜 올라가고 송곳니에 침이 끈적거리는 무시무시한 어떤 것과 맞서는 일에 대한 두려움이었다.

경정은 다시 정신을 가다듬은 다음, 조명 돋보기를 들고 처음 할 때보다 더 진지하게 범죄 현장을 조사했다. 상하 좌우 가리지 않고 구석구석을 다 뒤졌다.

융단 위에는 흙 묻은 신발 자국 하나 보이지 않았고, 살타 형제 것과 다른 머리카락 하나 보이지 않았으며, 유리창에는 단 하나의 지문도 남아 있지 않았다. 유리잔에도 외부인의 지문은 전혀 없었다. 멜리에스는 부엌으로 가서 손전등으로 붓질을 하듯 비추어 보았다.

멜리에스는 흩어져 있는 음식들의 냄새를 맡고 맛을 보았다. 에밀 형사가 이미 음식을 보존하기 위해 투명한 피막을 씌워 놓았다. 거기에까지 신경을 써준 에밀 형사가 미덥게 느껴졌다. 멜리에스는 물병에 코를 들이대고 냄새를 맡아 보았다. 독극물의 냄새는 전혀 느껴지지 않았다. 과일 주스와 탄산수에서도 전혀 이상한 점이 발견되지 않았다.

살타 형제의 얼굴에는 공포의 빛이 서려 있었다. 그들이 느낀 공포는 모르그가의 살인 사건에 나오는 두 여자가 거실 창문으로 뒤뚱거리며 들어오는 오랑우탄을 보았을 때의 두려움과 비슷한 것이었을지도 모른다. 멜리에스는 다시 그 사건을 생각했다. 겁을 먹기는 오랑우탄도 마찬가지였으리라. 오랑우탄이 두 여자를 죽인 것은 그 여자들의 울부짖음을 멈추게 하려는 이유에서였다. 오랑우탄은 그 여자들의 비명을 무서워했다.

그 사건 역시 서로를 이해하지 못했기 때문에 빚어진 비극이다. 누구나 자기가 이해하지 못하는 것을 두려워하기 마련이다.

그런 생각을 하고 있는데, 문득 커튼 뒤에서 뭔가가 움직이고 있다는 느낌이 들었다. 심장이 얼어붙는 듯했다. 살인범이 돌아왔다! 경정이 조명 돋보기를 떨어뜨리는 바람에 불빛이 꺼져 버렸다. 거리에서 흘러 들어오는 네온 불빛만이 방을 비추고 있었다. 〈무진장 바〉라는 술집의 네온사인이 점멸하면서 무-진-장-바-라는 글자들이 차례로 번쩍거렸다.

자크 멜리에스는 몸을 감추고 꼼짝 않고 있으려다가, 용기를 내어 조명 돋보기를 집어 들고 수상쩍은 커튼 쪽을 비춰 보았다. 아무것도 보이지 않았다. 투명 인간 같은 것이 있었던 걸까?

「거기 누구요?」

아무 소리도 들리지 않았다. 한 줄기 바람이었나 보다. 그는 그곳에 더 이상 머물 필요가 없겠다 싶어 이웃 사람들을 만나러 가기로 했다.

「실례합니다. 경찰입니다.」

기품 있게 생긴 한 남자가 문을 열어 주었다.

「경찰입니다. 들어갈 것까지는 없고 여기서 한두 가지만 여쭤 보고 가겠습니다.」

자크 멜리에스는 그렇게 말하면서 수첩을 꺼냈다.

「살인 사건이 있던 날 밤 댁에 계셨습니까?」

「예.」

「무슨 소리 못 들으셨습니까?」

「다른 소리는 못 들었고 그 사람들이 느닷없이 비명 지르는 소리를 들었습니다.」

「비명을 질렀다고요?」

「예, 아주 새된 비명이었습니다. 소름이 오싹 끼쳤어요.

30초 정도 계속되더니 그다음에는 잠잠하더군요.」

「세 사람이 동시에 비명을 지르는 것 같았습니까? 아니면 차례차례 소리를 지르는 것 같았습니까?」

「동시에 소리를 질렀습니다. 사람 소리 같지가 않았고 무슨 짐승이 울부짖는 것 같았어요. 무척 고통스러웠던 모양입니다. 내 생각엔 세 사람이 동시에 살해당한 것 같습니다. 끔찍한 일이지요. 그 사건이 일어난 다음부터 잠이 잘 안 와요. 그래서 이사 갈 생각까지 하고 있습니다.」

「뭣 때문에 그들이 비명을 질렀다고 생각하세요?」

「벌써 다른 형사들이 다녀갔어요. 아마 어떤 경찰 간부는 자살이라고 단정하고 있는 것 같은데……. 나는 그렇게 생각하지 않아요. 그 사람들은 어떤 아주 무시무시한 것을 보았을 겁니다. 그러나 그게 뭔지는 알 수 없지요. 어쨌든 범인의 기척은 전혀 없었습니다.」

「잘 들었습니다. 고맙습니다.」

어떤 고정 관념이 멜리에스의 뇌리를 스치고 지나갔다. 미친 늑대 같은 것이 아주 조용히 나타나서 흔적 하나 남기지 않고 살인을 저지른 것이 아닐까?

그러나 그런 일은 절대로 일어날 수 없었다는 것을 그는 알고 있었다. 그런 게 아니라면, 지붕을 통해 들어와 면도칼을 휘두른 오랑우탄보다 더 끔찍한 일을 저지를 수 있는 게 뭐가 있을까? 머리가 좋은 어떤 광인이 완전 범죄의 방법을 찾아낸 것이 아닐까?

16. 백과사전

광기

우리 모두는 매일 조금씩 미쳐 가고 있다. 무엇에 미치느냐는 사람마다 다르다. 우리가 서로서로를 제대로 이해하지 못하는 것은 그 때문이다. 나 자신도 편집증과 정신 분열에 사로잡혀 있다는 느낌이 든다. 게다가 나는 너무나 민감해서 현실을 잘못 이해할 때가 많다. 나는 그 점을 알고 있기에 그 광기를 어쩔 수 없는 것으로 받아들이기보다는 그것을 적극적으로 활용하여 내가 하는 모든 일의 동력으로 삼으려고 노력한다. 그래서 나는 미치면 미칠수록 내가 설정한 목표를 더 잘 달성하게 된다. 광기는 각자의 머릿속에 숨어 있는 사나운 사자이다. 그 사자를 죽이려고 해서는 안 된다. 그것의 정체를 알고 그것을 길들이면 아무런 문제가 없다. 순치된 당신의 사자는 어떤 선생, 어떤 학교, 어떤 마약, 어떤 종교보다도 당신의 삶을 훨씬 더 높이 끌어올릴 것이다. 그러나 광기가 힘의 원천이 된다고 해서 그것을 과도하게 사용하면 위험하다. 때때로 사자는 극도로 흥분하여 자기를 길들이고 싶어 하는 사람에게 덤벼드는 경우도 있기 때문이다.

에드몽 웰스, 『상대적이며 절대적인 지식의 백과사전』 제2권

17. 발자국

103683호는 뿔풍뎅이 축사를 발견했다. 거대한 체구의 뿔풍뎅이들이 커다란 방에 모여 있다. 도톰하고 오톨도톨한 검은 딱지들이 서로 맞물린 채 그들의 몸을 덮고 있다. 몸의 뒷부분은 둥글고 매끈매끈하며, 앞부분은 키틴질로 된 두건을 쓴 모습인데 거기에 기다랗게 뾰족한 뿔이 달려 있다. 그

뿔은 장미 가시보다 열 배 정도나 크다.

103683호가 아는 바로는, 그 비행 곤충은 길이가 여섯 걸음에 너비가 세 걸음이다. 그들은 어슴푸레한 곳에 살기를 좋아하는데 엉뚱하게도 빛이라면 사족을 못 쓰고 쫓아가는 약점을 가지고 있다. 곤충의 세계에서 빛은 커다란 매력을 가지고 있다. 그것에 이끌리지 않을 수 있는 곤충은 그리 많지 않다.

뿔풍뎅이들은 나무를 가루로 만들어 먹거나 썩은 싹을 뜯어 먹는다. 그들은 아무 데서나 배설을 한다. 축사의 천장이 너무 낮고 그들이 사용할 수 있는 공간이 그리 넓지 않은 탓에 배설물의 고약한 냄새가 진동을 한다. 축사를 청소하는 개미들이 있는데, 그들이 다녀간 지가 꽤 된 모양이다. 뿔풍뎅이 같은 딱정벌레목의 곤충들을 길들이기란 결코 쉬운 일이 아니다. 클리푸니 여왕은 딱정벌레 덕분에 거미그물에서 구출된 뒤에 그들과 동맹을 맺을 생각을 했다. 여왕이 되자마자 클리푸니는 뿔풍뎅이들을 모아서 비행 군단을 만들었다. 그러나 아직 그들을 전투에 투입할 기회는 오지 않았다. 따라서 그들은 아직 개미산 세례를 받아 본 적이 없으며, 전투 상황에서 성난 병정개미들이 몰려올 때 전쟁을 모르고 살아 온 그 초식 동물들이 어떠한 반응을 보일지는 아무도 모른다.

103683호는 날개 달린 그 거구들의 다리 사이로 헤치고 들어간다. 방 한가운데에 그들에게 물통 구실을 하는 나뭇잎이 하나 놓여 있는데, 그 모습이 아주 인상적이다. 뿔풍뎅이가 갈증을 풀러 오면 나뭇잎 위에 놓여 있던 커다란 물방울이 옆으로 길게 늘어난다.

클리푸니는 뿔풍뎅이들을 냄새 언어로 설득하여 벨로캉에 머물게 했다. 클리푸니는 곤충들을 설득하는 자기의 능력에 긍지를 갖고 있다. 〈의사소통의 방법을 찾아내기만 하면 서로 다른 두 개의 사고 체계를 결합시킬 수 있다.〉 클리푸니는 혁신 운동의 일환으로 그렇게 가르치고 있다. 의사소통을 이루어 내기 위해서 클리푸니는 할 수 있는 일은 뭐든지 다 했다. 먹이를 주고 통행 허가 페로몬을 주었으며, 설득력 있는 페로몬으로 그들에게 믿음을 주었다. 클리푸니의 주장에 따르면 의사소통을 이룬 두 동물은 서로를 죽일 수 없게 된다는 것이다.

벨로캉 연방 여왕개미들의 최근 모임에서, 몇몇 참석자들은 클리푸니의 견해에 이의를 제기했다. 자기 종과 다른 것들을 무조건 제거하는 것이 모든 종에 가장 널리 퍼져 있는 행동 양식이라는 것이다. 즉, 한쪽은 대화를 하고 싶어 하고 다른 쪽은 죽이고 싶어 한다면, 전자가 언제나 패배하게 되리라는 거였다. 그것에 대해 클리푸니는 대화 중에서 가장 초보적인 형태이기는 하지만 죽이는 것도 따지고 보면 대화의 한 형태라고 교묘하게 반박했다.

즉, 상대를 죽이기 위해서는, 상대를 향해 나아가고 상대를 바라보고 연구하고 상대의 반응을 예견해야 하는데, 그게 바로 상대에 대한 관심이고 대화의 출발이라는 것이다.

클리푸니의 혁신 운동은 역설이 아주 풍부하다.

103683호는 뿔풍뎅이 구경을 중단하고 반체제 개미들에게로 갈 수 있는 비밀 통로를 찾기 시작한다.

축사 천장에 발자국들이 어지러이 찍혀 있다. 발자국의 방향을 흩뜨리려고 한 듯 사방팔방으로 발자국이 나 있다.

그러나 병정개미 103683호는 뛰어난 척후 개미이기도 하다. 그는 가장 나중에 찍힌 발자국들을 식별하여 그것들을 따라간다.

발자국들이 이끄는 대로 따라가 보니 작은 돌기 하나가 나타난다. 알고 보니 그것은 입구를 감추기 위한 위장물이다. 저기가 틀림없다. 그는 거추장스럽기 짝이 없는 나방 고치를 팽개치고 비밀 통로 안으로 머리를 디밀고 들어간 다음 약간의 불안을 느끼며 앞으로 나아간다.

개미들의 냄새가 풍겨 온다.

반체제 개미들이다……. 벨로캉 같은 동질적인 도시에 어떻게 반체제 개미들이 존재할 수 있을까? 어찌 보면 그것은 내장의 한 귀퉁이에서 세포들이 몸 전체의 기능에 동조하지 않겠다고 반기를 드는 것과 같다. 말하자면 충수염과 같은 것이다. 그러니까 103683호는 지금 살아 있는 도시에 충수염의 위기를 불러일으키려는 집단을 만나러 가고 있는 셈이다.

그 집단에 속해 있는 개미가 얼마나 될까? 그들의 동기는 무엇일까? 앞으로 나아갈수록 그들의 진의를 알고 싶은 생각이 간절해진다. 반체제 운동이 존재한다는 사실을 알게 된 터라 그들의 정체를 알고 그들의 활동 방식과 목적을 이해하고 싶은 욕구가 절실해지는 것이다.

103683호는 좁은 통로를 계속 나아간다. 방금 지나간 개미들의 냄새가 끼쳐 온다. 그때 돌연 네 개의 발톱이 달린 다리 두 개가 그의 앞가슴을 그러쥐더니 앞으로 사정없이 잡아당긴다. 그는 빨려 가듯 통로 속으로 끌려가 어떤 방에 다다른다. 위턱 두 개가 집게처럼 그의 목을 잡고 조르기 시작한다.

103683호는 발버둥을 치면서 자기 몸에 부딪쳐 오는 등딱지 너머로 방 안을 살핀다. 그 방은 천장이 아주 낮고 널찍한 편이다. 더듬이의 어림짐작으로 길이가 30걸음에 너비가 20걸음은 될 듯하다. 그러니까 이 방은 천장으로 위장된 채 뿔풍뎅이의 축사를 덮고 있는 것이다. 1백 마리쯤 되는 개미가 그를 둘러싸고 있다. 몇몇 개미들이 의혹을 가득 품고 잠입자의 정체를 탐색한다.

18. 백과사전

개미를 제거하는 방법

부엌에 출몰하는 개미를 몰아내는 방법이 없느냐고 나에게 묻는 사람이 있다면, 나는 이렇게 대답하고 싶다. 당신은 무슨 권리로 당신의 부엌이 개미 것이 아니고 당신 것이라고 주장하는가? 당신이 그것을 샀기 때문인가? 좋다. 당신은 시멘트로 부엌을 만든 사람에게서 그것을 샀고 거기에 자연에서 나온 음식물을 채워 놓았기 때문에 부엌이 당신 것이라고 주장한다. 당신과 다른 사람들 사이에 어떤 약속이 맺어졌기 때문에 가공된 자연의 일부가 당신 소유물이 되었다고 생각할 것이다. 그러나 그것은 인간끼리의 약속일 뿐이다. 당신 찬장 속에 있는 토마토 소스가 개미 것이 아니고 꼭 당신 것이라고 말할 수 있는가? 토마토는 땅에서 난 것이고 시멘트도 땅에서 난 것이다. 당신 포크의 재료가 된 금속도 당신 잼의 원료가 된 과일도 당신의 벽을 이루고 있는 벽돌도 모두 땅에서 나온 것이다. 인간은 그저 그것들에 이름과 상표와 가격을 붙였을 뿐이다. 그것만으로 인간이 〈소유주〉가 되는 것은 아니다. 지구와 지구의 자원은 세입자 모두에게 무료로 제공된 것이다…….

그러나 그런 얘기는 너무 생경해서 당신을 설득하기가 어려울 것이다. 당신이 기어코 그 미미한 경쟁자들을 제거하기로 마음을 먹었다면, 내가 추천할 수 있는 〈가장 덜 나쁜〉 방법은 박하를 이용하는 것이다. 개미의 출몰을 막고 싶은 곳에 박하 한 포기를 키우면 된다. 개미는 박하 냄새를 싫어하기 때문에 십중팔구는 당신의 이웃집을 찾아가게 될 것이다.

에드몽 웰스, 『상대적이며 절대적인 지식의 백과사전』 제2권

19. 반체제 개미들

103683호는 더듬이를 빠르게 움직여 반체제 개미들에게 자기를 소개한다.

《나는 병정개미다. 쓰레기터에서 어떤 개미의 머리를 발견했는데, 그 개미 머리가 부탁하기를 당신들에게 가서 손가락들과 싸우기 위한 원정군이 곧 파견될 것임을 알려 주라고 했다.》

그 정보가 전해지자 금방 효과가 나타난다. 개미들은 거짓 냄새를 발할 줄 모른다. 거짓의 유용성을 아직 깨닫지 못하고 있기 때문이다.

그의 목을 조르고 있던 위턱이 느슨해진다. 둘러선 개미들이 더듬이를 떨면서 저희들끼리 의견을 나눈다.

《화학 정보실에 특공대가 파견되었는데, 오랫동안 아무 소식이 없었다.》

《그 특공대원 가운데 하나와 저 병정개미가 대화를 나누었을 가능성이 있다.》

겨우 몇 마디의 대화를 들었을 뿐이지만, 그것만으로도

103683호는 자기가 진짜 비밀 운동 조직과 만나게 되었음을 깨닫는다. 이들은 비밀을 유지하기 위해서 무슨 짓이라도 할 것이다.

반체제 개미들은 103683호가 전해 준 정보를 놓고 토론을 계속한다. 〈손가락들과 싸우기 위한 원정군〉이라는 표현이 특히 그들을 괴롭히는 모양이다. 그들은 커다란 충격을 받은 듯하다. 그런데 그때 몇몇 개미들이 달갑지 않은 외래자(外來者)를 어떻게 처분할 것이냐고 묻는다. 반체제 개미도 아닌 자가 자기들의 본거지를 알았기 때문에 그냥 놔두는 것은 위험하다는 것이다.

《당신은 누구인가?》

103683호는 자기를 규정하는 모든 특성들을 밝힌다. 계급, 산란 번호, 출생 도시……. 그러자 반체제 개미들은 깜짝 놀란다. 자기들 앞에 있는 개미가 바로 세계의 끝에 갔다가 살아 돌아온 그 병정개미 103683호인 것이다. 개미들은 103683호를 풀어 주고 뒤로 물러선다. 다시 대화가 시작된다.

개미 세계에서는 냄새를 이용해서 대화한다. 더듬이를 이루는 열한 개의 마디에서 페로몬을 발하여 의사소통을 하는 것이다. 페로몬이란 몸 밖으로 나가서 공중을 떠돌다가 몸으로 들어가는 일종의 호르몬이다. 한 개미가 어떤 감정을 느껴 그것을 몸 밖으로 발산하면 주위의 다른 모든 개미들이 그 개미와 동시에 그 감정을 느낀다. 어떤 고통스러운 자극을 받은 개미는 즉시 자기 고통을 주위에 전달한다. 그러면 주위의 개미들은 그 개미를 도울 방법을 찾기에 골몰한다.

더듬이의 열한 마디는 각각 다른 냄새를 발한다. 그것은 마치 저마다 고유의 파장을 지니고 열한 개의 입이 동시에 말하는 것과 같다. 어떤 마디는 저음으로 중요한 정보들을 발하고 어떤 마디는 고음으로 사소한 정보를 보낸다.

더듬이의 열한 마디는 또 귀의 구실도 한다. 그러니까 개미들이 대화할 때는 양쪽이 열한 개의 입으로 말하고 열한 개의 귀로 듣고 있는 셈이다. 그것도 동시에 말이다. 그래서 개미들의 대화는 뉘앙스가 아주 풍부하다. 개미들의 대화는 사람들의 대화보다 열한 배나 내용이 풍부하고 열한 배나 속도가 빠르다고 볼 수 있다. 두 개미가 만나는 장면을 관찰할 때 더듬이의 끝을 맞대기가 무섭게 각자 자기의 일을 찾아 다시 떠나는 것을 보게 되는 것도 그 때문이다. 그 미미한 접촉을 통해서도 모든 게 다 전해지는 것이다.

병정개미 하나가 다리를 절룩거리면서(그는 다리가 다섯 개뿐이다) 103683호 앞으로 다가와 묻는다. 옛날에 수개미 327호, 암개미 56호와 함께 활동했던 그 병정개미가 맞느냐고⋯⋯. 103683호는 맞는다고 대답한다.

절름발이 개미는 그를 죽이려고 오랫동안 찾아 다녔던 일이 있음을 털어놓는다. 그러나 이제는 상황이 달라졌다. 절름발이 개미가 씁쓸한 느낌이 섞인 냄새를 발한다.

《이제는 우리가 비정상이고 당신이 정상이다. 세월이 바뀐 것이다.》

절름발이 개미가 영양 교환을 제안한다. 103683호가 그 제안을 받아들여 두 개미는 입과 입을 맞대고 더듬이로 서로를 어루만진다. 마침내 영양 제공자의 갈무리 주머니에 들어 있던 먹이가 103683호 위 속으로 흘러 들어간다. 영양 교환은 연통관 속의 액체가 흘러 통하는 것과 같다. 한마디로, 소화 기관끼리의 대화라고 할 수 있다.

절름발이 개미는 자기 몸에서 에너지를 빼내고 103683호는 그것을 자기 몸에 채운다. 103683호는 마흔네 번째 천 년기의 개미 격언을 떠올린다. 〈남에게 줌으로써 풍요로워지고 받음으로써 가난해진다.〉 그러나 어찌 주는 것을 마다할 수 있겠는가.

반체제 개미들은 103683호에게 자기들의 본거지를 구경시킨다. 씨앗과 꿀이 저장되어 있고 기억 페로몬으로 가득 찬 알들이 보관되어 있다.

까닭은 알 수 없지만, 비밀 운동에 가담하고 있는 그 모든 병정개미들이 103683호에게는 별로 무섭게 느껴지지 않는다. 그들은 정치권력에 굶주린 반역자들이라기보다는 어떤 비밀을 유지하기 위해 전전긍긍하는 자들로 보인다.

절름발이 개미가 다가와서 솔직히 털어놓는다.

《반체제 개미들은 예전에 다른 이름으로 알려져 있었다. 현 여왕 클리푸니의 어머니인 벨로키우키우니의 명령에 따라 조직된 일종의 비밀 경찰로서, 〈바위 냄새를 풍기는 병정개미들〉이라 불렸다. 당시 우리는 아주 강력했다. 벨로캉의 화강암 바닥 아래에 비밀 도시, 즉 제2의 벨로캉을 마련하기까지 했다.

수개미 327호와 암개미 56호와 당신을 제거하려고 갖은 짓을 다한 것도 바로 바위 냄새를 풍기는 병정개미들이었다. 당시에는 손가락들이 정말로 존재한다는 사실을 다른 개미들은 전혀 모르고 있었다. 벨로키우키우니 여왕은 하나의 강박 관념을 가지고 있었다. 즉, 거대한 동물들이 불개미들과 거의 대등한 지능을 지니고 있다는 사실을 알게 되면 벨로캉 개미들이 엄청난 불안에 휩싸이게 될 것으로 믿었던 것이다.

그래서 벨로키우키우니는 손가락들의 사절과 협정을 맺었다. 벨로키우키우니는 손가락들의 존재에 관한 모든 정보를 차단하기로 했고, 그 손가락들도 개미의 지능에 대해서 이미 안 것과 장차 알게 될 것을 다른 손가락들에게 알리지 않기로 했다. 양쪽이 만나고 있다는 사실을 각자 자기 사회의 구성원들에게 비밀로 부치기로 했던 것이다.

벨로키우키우니 여왕은 두 문명이 서로를 이해할 준비가 되어 있지 않다고 판단했다. 그래서 바위 냄새를 풍기는 병정개미들에게 손가락들의 존재를 알게 된 개미들을 모두 제거하는 임무를 맡겼다. 그 집념이 많은 희생자를 낳았다.》

절름발이 개미는 손가락들의 존재를 알게 된 수천의 다른 개미들을 죽인 것처럼 자기들이 수개미 327호를 죽였다고 실토했다.

103683호가 잔뜩 호기심을 느끼며 묻는다.

《불개미들과 손가락들 사이에 대화가 있었단 말인가?》

《도시 밑의 동굴에 몇몇 손가락들이 머물고 있다. 그들은 어떤 기계와 개미 사절 하나를 만들었다. 그것을 통해서 그들도 페로몬을 발산하고 감지할 수 있다. 그 기계는 〈로제타 석〉이라 하고 그 사절은 〈리빙스턴 박사〉라 한다. 손가락들이 지은 이름이다. 그들을 매개로 해서 손가락들과 개미들이 중요한 정보를 주고받았다. 크기가 다르고 종이 다르지만 이 지구 위에 각자의 문명을 건설했다는 것을 알게 된 것이다.

첫 번째 접촉을 통해 얻은 게 그것이었고 이후에도 많은 접촉이 있었다. 그 손가락들은 벨로캉 밑의 동굴에 갇혀 있다. 그래서 벨로키우키우니는 그들에게 먹이를 제공하고 그들이 살아남도록 보살펴 주었다. 한 철 내내 대화가 정기적으로 계속되었다. 손가락들 덕분에 벨로키우키우니는 바퀴의 원리를 알게 되었다. 그러나 그것을 써먹을 새도 없이 도시의 화재 때문에 죽었다.

새로 여왕에 즉위한 클리푸니는 더 이상 손가락들에 대한 이야기를 꺼내지 못하게 했다. 여왕은 그들에게 식량 공급하는 일을 중단하게 하고, 제2의 벨로캉으로 내려가는 통로를 진흙으로 막아 버리라고 명령했다. 그 통로가 막히면 손가락들의 동굴로 가는 길도 막히는 것이므로 결국 클리푸니는 그들에게 굶어 죽는 형벌을 내린 셈이다.

때를 같이하여 클리푸니의 경비대가 바위 냄새 풍기는 병정개미들을 추격하기 시작했다. 새 여왕은 개미들이 손가락들과 협력했던 수치스러운 사건의 흔적을 일체 남기지 않으려 했다. 종과 종 사이의 접촉에 그 누구보다도 관심이 많은 클리푸니가 손가락들에 대해서는 이상하게도 무자비한 일면을 드러냈다.

단 하루 만에 제2벨로캉 병정개미들의 거의 반이 죽임을 당했다. 목숨을 부지한 병정개미들은 벽 속으로 천장 속으로 몸을 숨겼다. 우리는 살아남기 위해서 우리를 식별해 주는 냄새를 버리기로 결정하고 새로운 이름으로 결집했다. 즉 우리는 〈손가락들을 지지하는 반체제 개미들〉이 되었다.》

103683호는 반체제 개미임을 자처하는 그들을 바라본다. 대부분이 절름발이다. 여왕의 경비대에 쫓기는 피곤한 삶의 모습이 역력하다. 그러나 생기가 넘치는 젊은 개미들도 있다. 그 병정개미들은 손가락 문명과의 접촉에 매료된 순진한 자들일 것이다.

그런데 모든 벨로캉 개미들을 동족상잔 속으로 끌어들이

는 것은 미친 짓이 아닌가? 도대체 무엇을 위해서 그러는 것인가? 손가락들을 위해서인가? 결국 우리는 그들에 대해서 별로 아는 것도 없지 않는가?

절름발이 개미는 반체제 개미들이 이제 일사불란하게 자기들의 운동을 전개하기로 했다면서 뿔풍뎅이 축사 위의 천장으로 위장되어 있는 그곳을 본거지로 삼고 있다고 말한다. 그리고 그들은 벨로캉의 다른 개미들이 아직 식별할 수 없는 자기들만의 냄새를 발산할 수 있다고 털어놓는다.

《그러나 이 비밀 운동이 무슨 쓸모가 있는가?》

절름발이 개미는 한참 동안 침묵을 지키며 긴장감이 감돌게 한다. 그러더니 단도직입적으로 바위 밑에 있는 손가락들은 아직 죽지 않았고, 반체제 개미들이 화강암 속의 통로를 다시 열었으며 식량 공급도 다시 시작되었다고 알려 준다.

《당신도 우리 일에 동참할 생각이 없는가?》

103683호는 주저한다. 그러나 언제나 그랬듯이 호기심이 모든 걸 눌러 버린다. 103683호는 동의의 뜻으로 더듬이를 뒤로 젖힌다. 모든 개미들이 환호한다. 비밀 운동은 이제부터 세계의 끝을 다녀온 한 병정개미를 포함하게 된 것이다.

많은 개미들이 한꺼번에 영양 교환을 제안해 오는 바람에, 103683호는 자기 입을 어디에 갖다 대야 할지 모른다. 영양을 공급하는 그 모든 입맞춤이 그의 몸에 열기를 더해 준다.

절름발이 개미는 손가락들에게 먹이를 제공하기 위하여 자기들이 곧 꿀단지개미들을 훔쳐서 바위 밑으로 데려갈 특공대를 파견할 것이라고 귀띔한다. 103683호가 리빙스턴 박사를 만나고 싶다면 이번이 좋은 기회가 되리라는 것이다.

103683호는 대뜸 그 제안을 받아들인다. 그는 도시 밑에 숨겨진 손가락들의 둥지를 보게 된다는 기대에 부푼다. 한시라도 빨리 그들과 대화를 나누고 싶은 것이다. 너무나 오랫동안 그는 손가락들에 대한 강박 관념을 지니고 살아왔다. 이제 자기의 호기심을 만족시키면서 그 〈마음의 병〉으로부터 벗어나게 될 것이다.

30마리의 용감한 반체제 병정개미들이 모여 특공대를 이룬다. 그들은 힘을 얻기 위하여 분비꿀을 한껏 먹고 꿀단지 개미들의 방으로 향한다. 103683호도 그 속에 끼어 있다.

순찰 개미들에게 발각되지 말아야 할 텐데.

20. 텔레비전

경비 아주머니는 반쯤 열린 창문 뒤의 자기 자리를 충실히 지키면서 드나드는 사람들을 살피고 있었다.

멜리에스 경정이 그 곁으로 다가갔다.

「저 말이에요. 아주머니, 뭐 한 가지 물어봐도 될까요?」

여자는 엘리베이터 거울이 너무 지저분하다 어떻다 하면서 핀잔이라도 한마디 하려는 게 아닌가 하고 생각했다.

「이제껏 살아오시면서 가장 무서웠던 게 뭐예요?」

엉뚱한 질문이었다. 여인은 바보 같은 소리나 지껄이지 않을까 두려워하면서 또 가장 이름이 나 있는 세입자를 실망시키지 않으려고 고심하면서 대답했다.

「외국인들이라고 생각해요. 그래요, 외국인들이 제일 무서워요. 이제 어디에서나 그들이 활개를 쳐요. 우리 나라 사람들의 일거리를 가로채고 저녁마다 길모퉁이에서 사람들을 습격하잖아요. 그들은 우리하고 달라요. 그들의 머릿속엔 뭐가 들었는지 모르겠어요.」

멜리에스는 턱을 주억거리며 여인에게 고맙다고 말했다. 그는 벌써 계단을 올라가고 있는데, 여전히 생각에 잠겨 있던 여인이 뒤늦게 소리쳤다.

「좋은 밤 보내세요. 멜리에스 씨.」

집에 들어오자마자 멜리에스는 신발을 벗고 텔레비전 앞에 앉았다. 수사를 하고 온 날 저녁에 그의 머릿속에서 돌아가고 있는 기계 장치를 멈추게 하는 것으로는 텔레비전보다 더 효과적인 게 없었다. 잠자고 꿈꾸는 시간에도 기계는 여지없이 돌아간다. 그러나 텔레비전은 머리를 비워 준다. 신경 세포가 휴식에 들어가고 뇌 속의 모든 불빛들이 깜박거림을 멈춘다. 황홀경이다!

그는 텔레비전의 리모트 컨트롤을 손에 들었다.

채널 1675번, 미국 텔레비전 영화.

— 그러니까 빌, 너는 별 볼 일 없는 거야. 안 그래? 너는 네가 가장 훌륭한 사람이라고 생각했겠지만 이제 남들과 다름없는 가난뱅이라는 걸 알아야 돼…….

멜리에스는 채널을 바꾸었다.

채널 877번, 광고.

— 〈크락크락〉으로 한 번에 모든…….

그는 다시 채널을 바꾸었다. 그가 시청할 수 있는 채널은 모두 1825개였지만 저녁 8시 정각에 그의 관심을 끄는 것은 「알쏭알쏭 함정 퀴즈」가 나오는 622번 채널뿐이었다.

타이틀과 음악이 나온 다음 사회자가 나타나고 박수 소리가 터진다. 만면에 웃음을 머금은 사회자가 입을 연다.

— 우리 622번 채널을 사랑해 주시는 시청자 여러분, 그

리고 방청객 여러분, 다시 뵙게 되어 대단히 반갑습니다. 백 네 번째 우리 프로그램에 참여하신 것을 환영하면서, 자 이 제 출발하겠습니다. 여러분의「알쏭알쏭……」.

─「……함정 퀴즈!」

방청객들이 일제히 소리친다.

마리 샤를로트가 다가와서 그의 무릎에 기대어 웅크리며 쓰다듬어 달라고 졸랐다. 멜리에스는 마리 샤를로트에게 참 치 파이를 조금 떼어 주었다. 마리 샤를로트는 애무보다 참 치 파이를 더 좋아했다.

─ 우리 프로그램에 처음 참여하신 분들을 위하여 먼저 규칙을 다시 말씀드리겠습니다.

그런 한심한 사람들을 격려라도 하려는 듯 방청석에서 함 성이 터진다.

─ 감사합니다. 규칙은 간단합니다. 저희가 수수께끼를 하나 제시하면, 출연하신 도전자가 그 해답을 찾아내는 것입 니다. 그것이 바로「알쏭알쏭……」.

─「……함정 퀴즈!」

방청객들이 신나게 소리친다.

여전히 웃음을 가득 머금고 사회자가 말을 잇는다.

─ 정답을 찾아낼 때마다 1만 프랑짜리 수표 한 장과 조커 하나를 드립니다. 조커를 사용하시면 한 번의 실수가 허용되 어 다음 1만 프랑에 계속 도전하실 수 있습니다.

현재 우리의 도전자는 벌써 몇 달 전부터 계속 도전자 자 리를 고수하고 계신 쥘리에트…… 라미레 씨이십니다. 라미 레 씨께서 계속 도전에 성공하기를 바라면서 이제 다시 라미 레 씨를 모시겠습니다. 어서 오십시오. 늘 하던 질문이지만 또 하겠습니다. 직업이 무엇인가요?

—우체부입니다.

—결혼하셨습니까?

— 예, 남편이 틀림없이 집에서 저를 지켜보고 있을 거예요.

—그러면 인사를 드려야겠군요. 안녕하세요. 라미레 씨! 그럼 아이는 있으신가요?

—아니요.

—취미는 무엇인가요?

—음…… 십자말풀이…… 요리…….

박수 소리.

—더 힘차게, 훨씬 더 힘차게 박수를 쳐주십시오. 라미레 씨는 마땅히 박수를 받을 만한 분입니다.

더 힘찬 박수 소리.

— 자, 이제, 라미레 씨, 새로운 수수께끼를 맞을 준비가 되셨습니까?

—예, 준비됐어요.

— 그럼, 문제가 담긴 봉투를 열고 오늘의 수수께끼를 읽어 드리겠습니다.

빠른 속도로 둥둥거리는 북소리.

—자, 문제를 읽겠습니다. 다음에 지시된 여섯 줄의 수는 어떤 규칙에 따라 배열된 것입니다. 그 규칙에 따라 만들어질 일곱 번째 줄의 수는 무엇일까요?

하얀 판 위에 사회자가 매직펜으로 숫자를 적는다.

1

11

12

1121

122111

112213

의아해하는 표정이 담긴 도전자의 얼굴이 클로즈업된다.

― 음…… 쉽지 않은데요!

― 천천히 생각하십시오. 라미레 씨, 내일까지 시간이 있으니까요. 그리고 여기 해답을 찾는 데 길잡이가 되어 줄 힌트가 있습니다. 자, 잘 들으세요. 〈영리한 사람일수록 답을 찾기가 더 어렵다.〉

무슨 뜻인지 이해도 못 하면서 방청석에서 박수가 터진다.

사회자가 인사를 한다.

― 시청자 여러분, 여러분께서도 펜을 들고 함께 풀어 보십시오. 그럼 내일 뵙겠습니다. 내일도 변함없이 저희와 함께해 주실 것을 부탁드립니다.

자크 멜리에스는 지역 뉴스 방송으로 채널을 바꾸었다. 머리 모양은 나무랄 데가 없는데 화장을 너무 진하게 한 여자 아나운서가 프롬프터에 스쳐 가는 기사 원고를 앵무새처럼 지껄여 대고 있었다.

― 뒤페롱 경찰국장은 오늘 살타 형제 사건에서 빛나는 개가를 올린 바 있는 자크 멜리에스 경정을 레지옹 도뇌르 훈장 수훈자로 추천했습니다. 정통한 소식통에 따르면 레지옹 도뇌르 사무국에서는 그 추천을 호의적으로 검토하고 있

다고 합니다.

자크 멜리에스는 분통을 참지 못하고 텔레비전을 꺼버렸다. 이제 어쩐다지? 그 사건을 묻어 버리고 스타 행세를 계속할 것인가, 아니면 실패를 모르는 수사관이라는 명성에 흠집이 나더라도 진실을 밝혀낼 것인가?

결국 다른 선택의 여지가 없다는 것을 그는 알고 있었다. 완전 범죄라는 미끼를 당할 것은 아무것도 없었다. 그는 전화기를 들었다.

「여보세요. 법의학 센터죠? 부검 의사 좀 바꿔 주세요…….
(귀에 거슬리는 짧은 음악) ……여보세요, 박사님? 살타 형제의 시체를 세심하게 부검해 보아야겠는데요. ……예, 급해요!」

그는 전화를 끊고 다른 전화번호를 눌렀다.

「여보세요, 에밀 형사? 『일요 메아리』기자에 관한 서류 좀 챙겨다 주겠어요? 그래요, 그 레티시아 뭐라는 사람 말이에요. 한 시간 후에 법의학 센터에서 만납시다. 아 참, 그리고 에밀 형사, 질문이 하나 있는데요, 이제껏 살아오면서 가장 무서웠던 게 뭐예요? ……아, 그래요? 그것참 유별나군요. 그런 게 사람들에게 겁을 줄 수 있을 거라고는 전혀 생각지 못했군요. 좋아요. 자, 법의학 센터에서 만납시다.」

21. 백과사전

원주민의 덫

캐나다의 원주민들은 아주 원시적인 형태의 곰덫을 사용한다. 그것은 커다란 돌덩이에 꿀을 바르고 나뭇가지에 밧줄로 매달아 놓는 것이다.

그것을 발견한 곰은 먹음직스러운 먹이로 생각하고 다가와 발길질을 하면서 돌덩이를 잡으려고 한다. 그러면 돌덩이가 진자 운동을 시작한다. 앞으로 밀려갔던 돌덩이가 뒤로 되돌아올 때마다 곰을 때린다. 곰은 화가 나서 점점 더 세게 돌덩이를 때린다. 곰이 돌덩이를 더 세게 치면 칠수록 돌덩이는 더 큰 반동으로 곰을 후려친다. 마침내 곰이 나가떨어진다.

곰은 〈이 폭력의 악순환을 중단시킬 수 있는 방법이 없을까?〉라는 생각을 할 줄 모른다. 그저 욕구를 충족하지 못해 더욱 안달을 할 뿐이다. 〈저놈이 나를 때렸겠다. 그렇다면 본때를 보여 줘야지!〉라고 곰은 생각한다. 그러면서 곰의 분노는 점점 증폭되는 것이다.

그러나 만일 곰이 돌덩이 때리기를 중단하면 돌덩이도 움직임을 멈출 것이다. 곰은 돌덩이가 일단 멈추고 나면 그게 밧줄에 걸려 있을 뿐 움직이지 않는 물체라는 것을 깨닫게 될 것이다. 그러면 이제 이빨로 밧줄을 잘라서 돌덩이를 떨어뜨린 다음 거기에 묻은 꿀을 핥는 일만이 남아 있게 될 것이다.

에드몽 웰스, 『상대적이며 절대적인 지식의 백과사전』 제2권

22. 꿀단지개미 방에 파견된 특공대

지하 40층. 많은 개미들이 움직이고 있다. 8월의 더위가 한창 기승을 부리고 있는 탓에 모든 개미들이 짜증을 내고 있다. 밤중까지 땅속 깊은 곳에서도 열기가 가시지 않는다.

벨로캉의 흥분한 병정개미들이 아무 이유 없이 지나가는 개미들을 물어뜯는다. 일개미들이 알들을 보살피는 유모 개미들의 방과 분비꿀을 저장해 둔 방 사이로 달려간다. 개미 둥지 벨로캉이 더위에 시달리고 있다. 한 무리의 개미들이

미지근한 림프처럼 개미 둥지 안을 흐르고 있다.

서른 마리의 반체제 개미들이 조심스럽게 꿀단지개미들의 방으로 들어간다.

그들은 경탄하는 마음으로 그들의 당분 저장고를 바라본다. 꿀단지개미들의 모습은 일종의 열매와 같다. 살이 많고 금빛으로 반짝거리며 불투명한 빨간 띠를 두르고 있는 과일이다. 꿀단지개미들이 열매처럼 보이는 것은 배를 늘어뜨리고 천장에 매달려 있느라고 키틴질이 지나치게 늘어나 버렸기 때문이다.

일개미들이 비어 있는 갈무리 주머니에 꿀을 채우려고 분주히 움직인다.

클리푸니 여왕도 가끔 몸소 꿀단지개미들의 방에 와서 꿀을 먹는다. 여왕이 와도 꿀단지개미들은 데면데면하게 대한다. 오랜 세월 동안 움직이지 않고 살아오면서 그들은 관성(寬性)의 철학을 터득했다. 어떤 개미들은 그들의 뇌가 아주 작아졌을 것이라고 주장한다. 기능은 기관을 낳고 기능이 사라지면 기관이 쇠퇴한다는 것이다. 꿀단지개미들은 채우고 비우는 일만을 하기 때문에 조금씩조금씩 두 가지 동작만 하는 기계로 변형되어 왔다.

이 방을 벗어나면 그들은 아무것도 느끼지 못하고 아무것도 이해하지 못한다. 그들은 꿀단지개미 아계급으로 태어났고 꿀단지개미로 죽을 것이다.

그래도 그들이 아직 살아 있을 때 그들을 천장에서 떼어내는 일은 가능하다. 〈이동〉이라는 뜻이 담긴 페로몬을 발하기만 하면 그들을 떼어 낼 수가 있다. 꿀단지개미들이 저장고인 것은 확실하지만 그래도 이동이 필요할 때 자기가 운반

되는 것을 받아들일 준비가 되어 있는 살아 있는 저장고이다.

반체제 개미들은 덩치가 좋은 꿀단지개미들을 몇 마리 고른 다음, 그들의 더듬이로 다가가 〈이동〉이라는 뜻이 담긴 틀에 박힌 페로몬을 발한다. 그러자 거대한 꿀단지개미가 서서히 움직이면서 천장에서 다리를 하나씩 떼고 아래로 내려온다. 몇몇 개미들이 달려들어 꿀단지개미가 바닥에 부딪혀 깨지지 않도록 붙잡아 준다.

《어디로 가는가?》

꿀단지개미들 가운데 하나가 묻는다.

《남쪽으로 간다.》

꿀단지개미들은 더 이상 묻지 않고 반체제 개미들이 이끄는 대로 몸을 맡긴다. 꿀단지개미 한 마리를 옮기는 데 개미 여섯 마리가 달라붙어야 한다. 그만큼 그들은 무겁다. 손가락들을 위해 이토록 반체제 개미들이 노력을 아끼지 않고 있다.

《그들이 이런 사실을 알기나 할까?》

103683호가 묻는다.

《그들은 우리가 너무 적게 가져온다고 불평을 한다네.》

어떤 반체제 개미가 대답한다.

은혜를 모르는 자들이다!

특공대는 신중하게 아래층으로 내려간다. 이윽고 화강암 바닥에 뚫린 작은 구멍이 나타난다. 저 구멍을 지나면 리빙스턴 박사가 있는 방이 있고 거기에서 그들은 리빙스턴 박사와 대화를 나누게 될 것이다.

103683호는 전율을 느낀다. 그 무시무시한 손가락들과 대화를 나누게 되다니, 그게 이처럼 쉬운 일이었더란 말인가?

그러나 그들의 대화는 당분간 이루어질 수 없을 것 같다. 그 구역에서 순찰을 돌던 경비 개미들이 돌연 반체제 개미들을 추격하기 시작했던 것이다. 빨리! 반체제 개미들은 좀 더 빨리 도망가려고 일껏 확보한 꿀단지개미들을 포기한다.

《반역자들이다!》

다른 개미들이 아직 식별하지 못할 거라고 믿고 있던 반체제 개미들만의 냄새를 어떤 병정개미가 맡았다. 경보 페로몬이 사방으로 퍼져 나가고 추격전이 펼쳐진다.

경비 개미들도 빠르긴 하지만 반체제 개미들을 따라잡지는 못한다. 그러자 그들은 바리케이드를 쳐서 몇몇 통로를 차단한다. 마치 반체제 개미들을 모두 어떤 곳으로 몰아가려는 느낌이 든다.

병정개미들은 특공대원들이 아주 빠른 속도로 위층을 향해 올라가도록 압박한다. 지하 40층, 30층, 16층, 14층. 병정개미들은 틀림없이 사냥감들을 미리 정해 둔 어떤 곳으로 몰아가고 있다. 103683호는 빠져나갈 구멍이 없는 함정으로 내몰리고 있음을 깨닫는다. 그러나 이제 다른 출구가 없다. 병정개미들이 그들을 잡지 않고 내버려 둔 데는 필시 곡절이 있을 것이다. 그럼에도 이제 꼼짝없이 그들이 내모는 대로 갈 수밖에 없다.

반체제 개미들은 풀노린재[5]들이 가득한 끔찍한 방으로 들

---

5 노린잿과의 곤충으로 몸길이는 1.3센티미터 안팎. 몸빛은 녹색이며, 전흉배는 회백색이고, 오이나 참외 등의 채소를 해치는 곤충으로 고약한 냄새가 난다.

어간다. 무시무시한 광경 앞에서 그들의 더듬이가 곤두선다.

등딱지에 작은 구멍들이 송송 뚫린 노린재 암컷들이 사방으로 뛰어다니고 수컷들은 송곳처럼 뾰족한 생식기를 흔들면서 암컷들을 쫓아다닌다. 좀 떨어진 곳에서는 동성 교미하는 수컷들이 서로 껴안고 있는데, 그 모습이 기다란 풀빛 송이들 같다. 노린재가 지천으로 우글거린다. 수컷들은 송곳 같은 생식기를 바짝 세우고 딱지를 뚫으려고 벼른다.

반체제 개미들이 미처 정신을 차릴 사이도 없이 그 끔찍한 곤충들이 덤벼들기 시작한다. 발정 난 노린재들의 넓적하고 두툼한 몸뚱이에 눌린 개미 하나가 풀썩 무너진다. 아무도 개미산을 쏘아 그들을 막아 낼 겨를이 없다. 수컷들의 송곳 생식기가 반체제 개미들의 등딱지를 뚫는다.

103683호는 미친 듯이 저항한다.

23. 백과사전

빈대[6]

동물들이 교미를 하는 방식은 천태만상이지만, 그중에서도 가장 놀라운 것은 빈대(학명은 키멕스 렉툴라리우스Cimex lectularius)의 교미 방식이다. 빈내들의 교미 방식은 인간이 도저히 상상할 수 없는 난잡함의 극치를 보인다.

첫 번째 특성 지속 발기증. 빈대는 끊임없이 교미를 한다. 어떤 빈대는 하루에 2백 번 이상 교미를 한다.

두 번째 특성 동성 및 다른 종과의 교미. 빈대는 자기의 교미 상대를 잘 구별하지 못한다. 게다가 제 무리들 속에서 암컷과 수컷을 구별하는

6 빈대와 노린재는 모두 노린재아목에 딸린 곤충이다.

데는 더더욱 어려움을 느낀다. 빈대 수컷들이 행하는 교미 중에서 50퍼센트는 동성 교미이고 20퍼센트는 다른 곤충들과의 교미이며 나머지 30퍼센트만이 암컷과 이루어진다.

세 번째 특성 송곳 음경. 빈대는 끝이 뾰족한 기다란 생식기를 갖추고 있다. 이 주사기 같은 생식기를 이용해서 수컷들은 딱지를 뚫고 아무 데나 정액을 사출한다. 머리, 배, 다리, 등 심지어 암컷의 심장에까지 정액을 쏟아 넣는다. 그 방식이 암컷의 건강에는 별로 영향을 끼치지 않겠지만 그런 상태에서 어느 세월에 수정이 이루어지겠는가? 그런 이유로 네 번째 특성이 나타난다.

네 번째 특성 질 접촉이 없는 수정. 겉으로 보기에 빈대 암컷의 질은 수컷의 생식기가 닿지 않은 채 그대로 있고 등에만 구멍이 뚫렸을 뿐인데, 정받이[受精]가 이루어지는 경우가 있다. 그렇다면 정자들이 혈액 속에서 살아남는다는 이야기인가? 사실 대부분의 정자는 면역 체계 때문에 외부에서 들어온 다른 미생물들처럼 파괴되어 버린다. 수컷들의 정자가 정받이에 성공할 가능성을 높이기 위해서 사출되는 정액의 양은 엄청나다. 알기 쉽게 비교하기 위해서 빈대 수컷들의 크기가 사람만 하다고 가정한다면, 수컷들은 한 번 사정할 때마다 30리터의 정액을 쏟아 내는 셈이다. 그 어마어마한 양에 비해서 살아남는 정자는 아주 적다. 정자들은 동맥 귀퉁이에 숨어서 또는 정맥에 붙어서 자기들의 때가 오기를 기다린다. 그 불법 입주자들을 몸 안에 간직한 채 암컷들은 겨울을 보낸다. 마침내 봄이 되면 머리, 다리, 배, 등에 숨어 있던 정자들은 본능에 이끌려 난소 주위로 모여든 다음, 난소의 막을 뚫고 안으로 들어간다. 그다음부터는 모든 일이 순조롭게 이루어진다.

다섯 번째 특성 복수 생식기를 가진 암컷. 칠칠치 못한 수컷들이 아무 데나 마구 찔러 대는 바람에 빈대 암컷들의 몸뚱이는 상처 자국으로 뒤덮인다. 밝은색 바탕에 갈색 구멍들이 과녁처럼 도드라져 보인다. 그럼으로써 암컷이 교미를 몇 번이나 했는지를 정확히 알 수 있게 된다.

자연의 섭리는 빈대들에게 기이한 적응력을 부여하여 난잡한 교미질을 더욱 부채질하였다. 몇 세대를 거치는 동안 여러 차례의 돌연변이가 이루어진 끝에 믿을 수 없는 결과를 낳았다. 빈대 암컷들이 아예 등 위에 갈색 반점을 지닌 채 태어나기 시작한 것이다. 밝은색 바탕에 아주 도드라져 보이는 그 갈색 반점 하나하나가 〈보조적인 생식기〉에 해당한다. 그것들은 주 생식기에 직접 연결되어 있다. 암컷들이 복수 생식기를 가진다는 특성은 실제로 진화의 모든 단계에서 존재해 왔다. 반점이 없던 단계, 몇 개의 반점 겸 생식기를 갖추고 태어나던 단계, 등에 진짜 보조 생식기를 갖춘 단계를 거치면서 그 특성이 강화되었을 뿐이다.

여섯 번째 특성 자동으로 오쟁이 지기. 한 수컷이 다른 수컷의 몸에 구멍을 뚫으면 어떤 일이 벌어질까? 살아남은 정자들은 본능을 따라 난소가 있는 부위로 움직인다. 난소를 찾아내지 못한 정자들은 체내의 여러 가지 관으로 흘러 들어가 원래 그 몸에 있던 정자들과 섞인다. 그 결과 다른 수컷에게 당했던 그 수컷이 어떤 암컷의 딱지를 뚫게 되면, 그 수컷은 자기의 정자들뿐만 아니라 동성 교미로 관계를 맺었던 수컷의 정자까지도 주입하게 된다.

일곱 번째 특성 암수한몸. 빈대라는 실험동물을 상대로 한 자연의 교미 실험은 계속되었다. 빈대의 수컷들 역시 돌연변이를 일으켰다. 아프리카에서는 아프로키멕스 콘스트릭투스Afrocimex constrictus라는 빈대가 있는데, 그 수컷은 등에 보조적인 작은 질을 가지고 태어난다. 그러나 거기에서 정받이가 이루어지지는 않는다. 그 질들은 장식으로 거기에 있는 것이거나 아니면 동성 교미를 고무하기 위해 있는 것일 게다.

여덟 번째 특성 원거리에서 정액을 사출하는 대포 생식기. 열대 지방의 어떤 빈대들 즉, 안토코리데스 스콜로펠리엔스 Antochorides scolopelliens는 그러한 생식기를 갖추고 있다. 커다랗고 도톰한 대롱 모양으로 생긴 정관이 둘둘 감겨 있는데, 그 안에 정액이 압축되어 있다. 정액을 몸 밖으로 분출하는 특별한 근육이 붙어 있어서 빠른 속도로 정액을 쏘아 보낼 수 있다. 몇 센티미터 떨어진 거리에서 암컷을 발견하면, 수컷은 암컷의 등에 있는 질을 과녁으로 삼아 음경을 겨눈다. 발사물이 공기를 가른다. 쏘는 힘이 아주 강하기 때문에 정액은 질 부위의 가장 얇은 딱지를 뚫고 들어간다.

에드몽 웰스, 『상대적이며 절대적인 지식의 백과사전』 제2권

24. 땅속의 추격전

죽음을 눈앞에 둔 한 반체제 개미가 강렬한 냄새로 외친다. 날카롭고 이해하기 어려운 페로몬이다.

《손가락들은 우리의 신이다.》

그 페로몬을 발하고 나서 그 개미는 다리를 쭉 뻗는다. 그의 쭉 뻗은 몸이 마치 여섯 개의 가지가 달린 십자가 같다.

다른 동료들도 하나씩 하나씩 쓰러지며 103683호가 이해할 수 없는 이상한 문장들을 똑같이 되풀이한다.

《손가락들은 우리의 신이다.》

흥분한 노린재들은 반체제 개미들을 사정없이 찔러 댄다. 뒤쫓아 온 병정개미들은 더 이상 반체제 개미들에게 형벌을 내릴 필요가 없어졌다는 듯 덤덤하게 바라본다.

103683호는 이렇게 허망하게 죽을 수는 없다고 생각한다. 죽을 때 죽더라도 〈신〉이라는 단어가 무엇을 뜻하는지는 알고 죽어야겠다는 생각이 든다. 격렬한 분노에 휩싸인 그는

더듬이를 휘둘러 가슴에 달라붙는 열 마리쯤 되는 노린재를 후려치고 머리를 낮춘 다음 병정개미들의 무리 속으로 돌진한다. 급습의 효과는 성공적이었다. 유혈이 낭자한 그 장면에 넋을 잃고 있던 병정개미들은 돌진하는 103683호를 잡지 못했다. 그러나 그들은 제정신을 차리고 그를 추격하기 시작했다.

그러나 103683호는 추격전이라면 이골이 난 개미다. 그는 천장으로 달려 올라가 더듬이 끝을 넓게 벌리고 천장을 긁기 시작한다. 천장에서 흙덩이가 뿌옇게 쏟아진다. 103683호는 그 흙을 이용해서 자기와 추격자들 사이에 하나의 흙벽을 만든다. 그는 사격 자세를 취하고 기어이 그 벽을 넘어오는 경비개미들에게 개미산을 쏘아 쓰러뜨린다. 그러나 여러 경비 개미들이 함께 장애물을 넘어오자 103683호는 한꺼번에 그들을 쏘아 댈 수 없음을 깨닫는다. 게다가 개미산 주머니도 이제 거의 비었다.

그는 있는 힘을 다하여 달아난다.

《반역자다! 저놈을 붙잡아라!》

103683호는 통로를 진동한동 내닫다가 문득 발씨가 익은 통로임을 알아차린다. 그럴 수밖에 없는 것이 그는 아까 왔던 길을 되돌아 날려온 것이다. 이제 그는 다시 꿀단지개미의 방에 들어와 있다. 반대 방향으로 방금 거쳐 갔던 길이라 기억이 그만큼 잘 되어 있었던 것이고, 그의 다리들은 지연스럽게 그 길을 따라 그를 이끌고 온 것이다.

다리에서 피가 흐른다. 어디로든 숨어야 한다. 천장이 안전할 것이다. 그는 천장으로 올라가 꿀단지개미의 다리 사이로 비집고 들어간다. 꿀단지개미는 덩치가 크기 때문에 완전하게 몸을 숨길 수 있다. 경비 개미들이 방 안으로 밀려들어온다.

그들은 더듬이로 구석구석을 살핀다.

103683호는 꿀단지개미의 다리 하나를 천장에서 떼어 자기 몸을 가린다.

《무슨 일인가?》

그 꿀단지개미가 힘없이 묻는다.

《이동이야.》

103683호가 짐짓 위엄을 부리며 대답하고 두 번째, 세 번째 다리를 떼어 낸다. 그러나 이번엔 꿀단지개미가 호락호락 넘어가지 않는다,

《이거 왜 이래……. 당장 그만두라고!》

아래에 있던 경비 개미들이 한 곳에 투명한 피가 고여 있음을 발견하고 두리번거린다. 한 경비 개미의 머리 위에 피 한 방울이 떨어진다. 그는 더듬이로 닦고 소리친다.

《옳지, 그자를 찾았다!》

당황한 103683호는 꿀단지개미의 다리 두 개를 또 떼낸다. 꿀단지개미는 이제 다리 하나에 달린 발톱 두 개로 천장에 붙어 있다. 그가 겁에 질려 소리친다.

《나를 당장 제자리로 돌려놔!》

103683호를 처음 발견한 경비 개미가 몸을 뒤집고 배의 자세를 조절하여 천장을 겨눈다.

103683호는 꿀단지개미의 마지막 다리를 위턱으로 쳐서 떼어 낸다. 경비 개미가 사격을 하려는 찰나 오렌지색 꿀단지개미가 그의 위로 떨어진다. 꿀단지개미와 경비 개미의 배가 터지면서 파편이 온 방에 튀어 오른다.

다른 병정개미들이 나타난다. 103683호는 머뭇거리면서 개미산이 얼마나 남았는지 확인한다. 세 차례 쏠 수 있는 양이 남아 있다. 그는 그것을 꿀단지개미를 천장에서 떨어뜨리는 데 사용하기로 한다. 천장에 꼼짝 않고 붙어 있던 꿀단지개미 세 마리가 느닷없는 개미산 공격을 받고 떨어지면서 추격자들의 몸뚱이 위에서 터져 버린다. 그 와중에서도 경비개미 한 마리가 분비꿀을 뒤집어쓴 채 빠져나온다.

103683호의 개미산 주머니는 이제 텅 비어 있다. 그래도 그는 상대를 겁줄 생각으로 사격 자세를 취하고 자기 삶을 마감해 줄 뜨거운 개미산이 날아오기를 의연하게 기다린다.

아무것도 날아오지 않는다. 저자도 개미산이 다 말라 버린 것일까? 몸과 몸이 맞부딪친다. 위턱들이 뒤엉키고 서로 상대의 몸뚱이를 자르려고 안간힘을 쓴다.

세계의 끝을 다녀온 백전노장이 아무래도 한 수 위다. 그는 상대의 몸을 뒤집고 머리를 뒤로 당긴다. 그런데 그가 마지막 일격을 가하려는데, 다리 하나가 마치 그에게 영양 교환을 청하기라도 하듯 그를 톡톡 건드린다.

《자네 그자를 왜 죽이려 하는가?》

이미 알고 있는 친근한 냄새가 풍긴다. 103683호는 냄새의 주인이 누구인지를 확인하려고 더듬이를 회전시킨다.

여왕이 몸소 그곳에 왕림했다. 그의 옛 전우이며 그의 첫 모임을 권유했던 그 여왕이…….

주위의 병정개미들이 싸울 태세를 하고 덤벼든다. 그러나 여왕은 옅은 냄새를 발하여 그 개미가 자기의 보호 아래 있음을 알린다.

《따라오게.》

클리푸니 여왕이 권한다.

25. 일이 복잡해진다

목소리가 완강해진다.

「따라오게.」

강렬한 네온 불빛 아래 시체들이 두 줄로 늘어서 있었다. 시체들은 각자 엄지발가락에 꼬리표를 하나씩 매달고 있었다. 에테르 냄새와 영원과도 같은 죽음의 냄새가 방 안에 가득했다.

퐁텐블로 법의학 센터.

「경정. 이쪽으로 오게.」

부검의가 말했다.

그들은 시체들 사이로 나아갔다. 플라스틱 덮개를 씌워 놓은 시체도 있고 하얀 시트로 덮어 놓은 시체도 있다. 각각의 꼬리표에는 성명과 사망 날짜와 사망 시의 정황을 알려 주는 주석이 적혀 있었다. 3월 15일: 노상에서 칼에 찔려 사망. 4월 3일: 버스에 깔려 사망. 5월 5일: 창문에서 투신 자살……

그들은 꼬리표가 걸려 있는 세 개의 엄지발가락 앞에 멈추었다. 꼬리표는 그 엄지발가락들이 각각 세바스티앵, 피에르, 앙투안 살타의 것임을 알려 주고 있었다.

멜리에스는 조바심이 나서 더 이상 견딜 수가 없었다.

「사망 원인이 뭔지 알아냈어요?」

「어느 정도는……. 강한 정신적 충격이 원인이 된 것 같아. 그것도 아주 강력한 충격 말일세.」

「공포인가요?」

「그럴지도 모르지. 아니면 뭐에 크게 놀란 것일 수도 있지. 어쨌든 심장이 멎을 만큼 강렬한 자극이었던 것은 틀림없어. 여기에 적힌 소견을 보게. 세 사람 다 아드레날린의 혈중 농도가 정상치의 열 배야.」

멜리에스는 그 기자가 옳았다고 생각했다.

「두려움 때문에 죽은 거군요…….」

「꼭 그런 건 아니야. 정신적인 충격이 유일한 사망 원인은 아닐세. 이리 와보게.」

부검의는 불이 들어와 있는 판독기 위에 엑스선 사진 하나를 올려놓고 말했다.

「그들의 몸에 헐어서 난 작은 상처가 가득해.」

「그런 상처가 어떻게 생긴 거죠?」

「독극물 때문이지. 틀림없이 독일 거야. 그러나 아주 새로운 형태의 독일세. 시안화물 같은 독극물이라면 커다란 상처 하나만 생겼을 텐데, 보다시피 여기엔 상처가 아주 많거든.」

「그렇다면 사망 원인을 어떻게 진단하고 계신 겁니까?」

「좀 이상해 보일지 모르겠지만, 내가 보기엔 먼저 정신적인 충격을 받아 죽고 난 다음 위와 장의 손상이 일어난 것 같네. 물론 위와 장의 손상도 치명적인 것이긴 하지.」

하얀 가운을 걸친 부검의는 서류를 정돈한 다음 그에게 손을 내밀었다.

「질문이 하나 더 있습니다. 박사님은 무엇을 가장 두려워하십니까?」

의사는 한숨을 내쉬며 대답했다.

「난 말일세, 끔찍한 걸 하도 많이 보고 살아서 그런지, 이제 어떤 걸 봐도 눈도 꿈쩍 안 한다네.」

멜리에스 경정은 작별 인사를 하고 껌을 씹으며 법의학 센터를 떠났다. 들어올 때보다 그의 마음은 훨씬 더 복잡해져 있었다. 그는 이제야말로 자기가 강적을 만났음을 깨닫고 있었다.

26. 백과사전

개미의 성공

지구를 대표하는 모든 생물들 가운데 가장 성공한 것이 개미이다. 개미들은 아주 기록적인 생태적 지위[7]를 차지하고 있다. 우리는 도처에서 개미들을 발견할 수 있다. 열대의 밀림이나 극권의 사막성 초원에서도 개미를 발견할 수 있고, 유럽의 숲이나 대서양 해변, 화산 주변, 수렁, 심지어 인간의 주거에서도 찾아볼 수 있다. 개미의 적응력이 얼마나 뛰어난지를 보여 주는 예가 하나 있다. 사하라 사막에 사는 카타글리피스라는 개미는 섭씨 60도까지 올라가는 사막의 폭염에 적응하기 위해서 독특한 생존 방법을 개발해 냈다. 그 개미는 뜨거운 모래에 데지 않으려고 여섯 다리 중에서 두 다리만을 사용하여 앙감질하듯 걷는다. 그리고 습기가 빠져나가 탈수 상태에 빠지는 것을 막으려고 호흡을 억제한다.

1킬로미터 거리의 육지를 걸어가다 보면 반드시 개미를 만나게 된다. 개미는 지구의 표면 위에 가장 많은 도시와 촌락을 건설한 생물종이다. 개미는 모든 포식자를 이겨 냈고, 비, 눈, 더위, 추위, 가뭄, 장마 등 모든 기후 조건에 적응해 왔다. 최근의 연구에 따르면 아마존 삼림의 총 동

---

7 생물종이 차지하는 먹이사슬망의 위치인 먹이 지위와 공간상의 지위인 공간 지위를 합친 것.

물량 가운데 3분의 1이 개미와 흰개미로 이루어져 있다고 한다. 그중에서 개미와 흰개미의 비율은 8 대 1이다.

에드몽 웰스, 『상대적이며 절대적인 지식의 백과사전』 제2권

27. 여왕과의 재회

머리가 납작한 문지기 개미들은 그들이 지나갈 수 있도록 길을 비켜 준다. 그들은 금단 구역의 나무 통로 속을 나란히 걸어가고 있다.

병정개미 103683호와 클리푸니 여왕은 아주 오랜만에 만났다. 클리푸니는 분가해 있던 시절 벨로캉에 대한 공격을 감행했었다. 처음이자 마지막이었던 그 공격에 103683호가 참가했던 것은 물론이다. 그 일이 있은 지도 1년이 넘었다. 그 후로 여왕과 103683호 사이에 연락이 두절되었다. 여왕은 그들이 옛날에 함께 했던 일들을 잊은 것일까?

그들은 여왕의 산란실로 들어간다. 클리푸니는 자기 방 안에 어머니의 처소를 따로 마련하고 껍데기뿐인 시신을 밤[栗]의 보늬로 덮어 놓고 있다. 103683호는 방 한가운데에 자기의 어머니이기도 한 벨로키우키우니의 시신이 놓여 있는 것을 보고 어리둥절해한다.

개미 역사에서 여왕이 자기를 낳아 준 선대(先代) 여왕의 시신을 곁에 두고 사는 일은 유례가 없었다. 더군다나 클리푸니는 선대 여왕을 상대로 전쟁을 도발하고 정복하기까지 하지 않았던가.

클리푸니와 103683호는 알을 꼭 닮은 둥그런 방 한가운데에 자리를 잡고 더듬이를 접근시킨다.

《우리가 만난 건 우연이 아닐세. 백전노장인 자네를 오랫동안 찾았네. 자네가 필요해. 손가락들을 상대로 대규모 원정군을 파견하여 세계의 동쪽 끝에 세워 놓은 그들의 모든 둥지를 파괴할 생각이라네. 자네가 원정군을 이끌 적임자일세.》

반체제 개미들의 말이 사실이었다. 클리푸니는 실제로 손가락들과 전쟁을 벌이려 하고 있다.

103683호는 머뭇거린다. 동쪽으로 다시 떠나고 싶은 마음은 간절하나 내부에 도사리고 있는 두려움도 만만치 않다. 손가락들에 대한 엄청난 두려움이다.

세계의 끝을 다녀온 뒤 겨울잠을 자는 동안 103683호는 줄곧 손가락들과 거대한 빨간 공들의 꿈만 꾸었다. 그들은 자그마한 먹이들을 해치우듯이 개미 도시들을 유린하고 있었다. 겨울잠에서 가까스로 깨어났을 때 103683호는 더듬이가 젖어 있음을 알았다.

《왜 그러는가?》

여왕이 묻는다.

《세계의 끝 너머에 사는 손가락들에게 두려움을 느끼고 있습니다.》

《두려움이라는 게 뭐지?》

《자기가 제어할 수 없는 상황에 놓이고 싶어 하지 않는 마음입니다.》

그러자 클리푸니는 어머니의 말씀이 담긴 기억 페로몬을 읽으면서 어머니가 그 〈두려움〉이라는 단어에 대해서 어떤 페로몬을 남겼는지 들려준다.

《설명에 따르면, 개체들이 서로를 이해하지 못할 때 서로에 대해서 두려움을 갖게 된다고 한다. 그러나 두려움을 극복하고 나면 불가능하다고 믿었던 많은 일들을 완벽하게 이루어 낼 수 있다고 한다.》

103683호는 선대의 여왕이 남긴 그 가르침이 값진 것임을 인정한다. 오른쪽 더듬이를 살며시 떨면서 클리푸니가 묻는다.

《두려움 때문에 원정군을 이끌 수 없단 말인가?》

《아닙니다. 호기심이 두려움을 이겨 냈습니다.》

클리푸니는 마음을 놓는다. 옛 전우 103683호의 도움 없이는 자기의 원정군을 안심하고 파견할 수 없을 것 같아 걱정하던 터이다.

《지구에 있는 손가락들을 모두 죽이려면 병력이 얼마나 필요할까?》

《지구의 손가락들을 모두 죽이고 싶으십니까?》

《그러고 싶다. 손가락들은 이 세계에서 사라져야 한다. 그들은 어리석은 기생충 같은 자들이다.》

클리푸니는 분을 참지 못하고 더듬이를 접었다 폈다 한다.

《손가락들은 개미들에게뿐만 아니라 다른 모든 동물들, 모든 식물들, 모든 광물들에게도 위험한 존재이다. 나는 그 사실을 알고 있고 그걸 느끼고 있다. 나는 내가 일으키는 전쟁의 정당성을 확신하고 있다.》

클리푸니의 어조가 사뭇 완강하다.

103683호는 필요한 병력이 얼마나 되겠느냐는 여왕의 질문에 답하려고 재빨리 계산을 한다. 손가락 하나를 없애는 데는 적어도 잘 훈련된 5백만의 병정개미가 필요하다. 그리고 지구 위에는 적어도 네 개의 무리, 즉 20개의 손가락들이 존재할 것이다.

《병정개미 1억 마리는 있어야겠는데요.》

103683호는 아무것도 자라지 않는 거대한 검은 띠를 다시 떠올린다. 그리고 원정에 나선 모든 병정개미들이 어마어마한 소음과 탄화수소의 연기 속에서 단 한 번에 아주 얇은 나뭇잎처럼 납작해지는 광경을 상상한다. 세계의 동쪽 끝은 그런 곳이다.

클리푸니 여왕은 가타부타 대답이 없다. 여왕은 산란실 안을 이리저리 오가며 위턱의 끝으로 밀 알갱이들을 톡톡 건드린다. 그러더니 이윽고 더듬이를 낮추고 몸을 돌린다.

《그 원정에 필요한 병력이 얼마나 되는지를 알기 위해 많은 개미들과 토론을 했네. 알다시피 나는 내 마음대로 권력을 행사할 수가 없네. 나는 제안만 하고 결정은 공동체 전체가 하는 거지. 그런데 내가 이야기를 나눈 다른 여왕이나 벨로캉 백성들 중에는 나와 생각을 달리하는 자들이 있어. 그들은 난쟁이개미들과 흰개미들이 다시 쳐들어올 것을 염려하고 있다네. 그들은 원정군이 파견되면서 벨로캉이 무방비 상태가 되는 것을 바라지 않아.

나는 원정을 지지하고 다른 개미들은 선동하는 많은 개미들과 이야기를 나누었네. 그들은 애를 많이 썼고 나도 노력을 많이 했다네. 결국 우리가 확보해 낸 병력은 모두 합해서 8만이라네.》

《8만 군단요?》

《아니, 8만 마리. 자네가 참가한다면 그 병력으로도 해볼 수 있을 거야. 자네가 너무 적다고 생각한다면 추가로 모아보겠네. 그러면 1백 마리에서 2백 마리의 병정개미를 더 차

출할 수 있을 거야. 그러나 그게 내가 확보할 수 있는 최대치라네.》

103683호는 깊은 생각에 잠긴다. 여왕은 그 일이 얼마나 엄청난 일인지를 깨닫지 못하고 있다. 지구의 모든 손가락들과 맞서는 데 8만의 병력을 이끌고 간다는 건 말도 안 된다!

그러나 변함없는 호기심이 그를 설레게 한다. 이렇게 좋은 기회를 흘려보낼 수는 없다. 그는 기운을 내려고 애쓴다. 어쩔 수 없이 8만 병력으로 능력껏 해보는 수밖에 없다. 좀 무모한 일이긴 하지만 그래도 얻을 것은 있다. 물론 모든 손가락들을 죽이지는 못하겠지만 그들이 누구인지 어떻게 살아가는지를 훨씬 더 잘 알게 될 것이다.

《좋습니다. 8만 병력으로 해보겠습니다. 그런데 두 가지만 물어보고 싶습니다. 원정군을 파견하려는 이유가 뭡니까? 그리고 어머니 벨로키우키우니는 손가락들에게 호의적이셨는데, 왜 그렇게 손가락들을 미워하십니까?》

여왕은 방의 안쪽으로 들어가는 통로 쪽으로 향한다.

《따라오게. 화학 정보실을 구경시켜 주겠네.》

28. 레티시아가 나타나다

사무실은 시끌시끌했고 담배 연기가 자욱했으며 책상과 의자와 커피 자동판매기 따위가 들어차 있었다.

전화벨이 울리고 있었고, 긴 의자 위에 엎드린 부랑자들은 지청구를 늘어놓고 있었으며, 유치장 철책에 매달린 자들은 이러면 재미없다는 둥 변호사와 전화를 하고 싶다는 둥 하며 악다구니를 쓰고 있었다.

　게시판에는 흉악범들의 사진이 붙어 있었다. 범인들마다 현상금이 붙어 있는데, 금액은 1천 프랑에서 5천 프랑 사이로 다양했다. 그들의 몸속에 있는 장기와 체액을 사고팔 수 있는 상품으로 생각한다면 그 현상금은 싼 편이었다. 콩팥, 염통, 호르몬, 혈관, 그 밖의 체액을 상품으로 한다면 모두 합해 7만 5천 프랑에 육박할 것이었다.

　레티시아 웰스가 경찰서에 나타나자 그녀에게 많은 눈길이 쏠렸다. 그런 일은 그녀가 사람들 속을 지날 때마다 늘 있는 일이었다.

　「실례합니다. 멜리에스 경정이 계신 사무실이 어딘가요?」

　정복 차림의 말단 경관 하나가 방문증을 확인하고 손가락으로 가리키며 말했다.

　「저쪽 안으로 들어가서, 화장실 앞입니다.」

　「감사합니다.」

　그녀가 문을 밀고 들어서자 경정은 가슴이 옥죄는 듯한 느낌을 받았다.

　「멜리에스 경정을 뵈러 왔는데요.」

　그녀가 말했다.

　「접니다.」

　그는 말 대신 몸짓으로 그녀가 의자에 앉도록 권했다.

　그는 마음을 제대로 추스르지 못하고 있었다. 이제껏 살아오면서 그토록 아름다운 여자를 본 적이 없는 탓이었다. 최근에 또는 옛날에 그와 사랑을 나눈 여자들 가운데 레티시아를 따라갈 만한 여자는 하나도 없었다.

　가장 먼저 그의 마음을 사로잡은 것은 그녀의 연보랏빛 눈이었다. 그다음에 성모상같이 고운 얼굴과 가냘픈 몸매와 은 은하게 풍기는 체취가 그의 마음을 흔들었다. 화학자라면 아마 그녀의 몸에서 나는 냄새를 베르가모트[8] 향, 베티베르[9] 향, 귤 향, 갈락솔리드 향, 백단향에 피레네 야생 염소의 사향이 살짝 곁들여진 것이라고 분석했을 것이다. 그러나 자크 멜리에스는 그저 황홀한 기분으로 그 향기를 맡을 뿐이었다.

그는 그녀의 음성에 마음을 빼앗겨 잠시 뜸을 들인 후에야 말뜻을 이해했다. 그녀가 무슨 말을 했지? 그는 마음을 추스르려고 애를 썼다. 그녀가 던져 주는 시각적이고 후각적이며 청각적인 정보들이 너무 많아서 그의 뇌는 포화 상태가 될 정도였다.

「와주셔서 감사합니다.」

이윽고 그가 우물거리듯 입을 열었다.

「오히려 제가 감사를 드려야죠. 인터뷰는 별로 좋아하지 않으시는 줄 알고 있는데 이렇게 응해 주셔서 말이에요.」

「아닙니다. 제가 오히려 빚을 졌습니다. 내가 이 사건을 제대로 보게 된 건 웰스 기자 덕분입니다. 그런 분을 환영하지 않는다는 건 말이 안 되지요.」

「감사합니다. 제가 좋은 분을 알게 된 것 같군요. 우리의 대화를 녹음해도 되겠습니까?」

「좋으실 대로 하십시오.」

그는 몇 가지 의례적인 인사말을 주고받으면서도 최면에 걸린 사람처럼 여전히 ㄱ 젊은 여인의 하얀 얼굴과 앞머리를 늘어뜨리고 루이즈 브룩스 스타일로 깎은 아주 짙은 빛깔의 검은 머리와 오뚝하게 볼가진 광대뼈 위로 길게 늘어진 연보

---

8 귤과 식물의 일종인 베르가모트나무의 열매.
9 포아풀과에 딸린 인도 원산의 식물로 그 뿌리가 향의 원료로 쓰인다.

랏빛 눈에 넋을 잃고 있었다. 레티시아 웰스는 도톰한 입술
에 핑크빛 연지를 연하게 바르고 있었다. 그녀가 입고 있는
자줏빛 앙상블은 멋이 무엇인 줄 아는 디자이너의 작품이었
고 그녀의 보석에서도 몸가짐에서도 일류의 향취가 물씬 풍
겼다.

「담배 피워도 되겠습니까?」

그가 동의를 표시하며 재떨이를 내밀자 레티시아는 작은
컬렉션용 파이프를 꺼냈다. 레티시아는 담배에 불을 붙이고 아
편 냄새가 섞인 푸르스름한 담배 연기를 한 모금 내뿜었다.
그런 다음 가방에서 수첩을 꺼내고 그에게 질문을 하기 시작
했다.

「결국 멜리에스 씨는 부검을 요청한 것으로 알고 있는데,
맞습니까?」

그는 고개를 끄덕였다.

「부검 결과 무엇을 알아내셨나요?」

「공포 그리고 독입니다. 어떤 의미에서는 우리 둘 다 옳았
다고 할 수 있겠군요. 그러나 부검이 모든 걸 다 해결해 주는
것은 아니라고 생각합니다. 부검으로도 밝힐 수 없는 게 많
이 있지요.」

「혈액에서도 독이 검출되었나요?」

「아닙니다. 그러나 그건 아무런 의미가 없습니다. 검출이
불가능한 독도 있으니까요.」

「범죄 현장에서 증거가 될 만한 것을 찾으셨습니까?」

「아니요. 전혀.」

「침입의 흔적은요?」

「전혀 없습니다.」

「살타 형제를 살해할 만한 동기를 가진 사람이 있었나요?」

「보도 자료를 통해 이미 발표한 것처럼 세바스티앵 살타는 도박을 하다가 많은 돈을 잃었습니다.」

「이 사건에 대해서 내심 확신하고 계신 게 있습니까?」

「전엔 있었지만 이젠 없습니다…… 그런데 이번엔 내 쪽에서 물어보고 싶은 게 있는데요. 당신은 정신과 의사들을 찾아다니며 조사를 한 것 같더군요. 그렇지요?」

연보랏빛 눈동자에 놀라워하는 빛이 역력했다.

「대단하군요. 어떻게 아셨나요?」

「그게 내 직업인걸요. 그래 뭘 좀 찾아내셨습니까? 세 사람에게 겁을 주어 죽음으로 몰아간 게 무엇인가요?」

레티시아는 머뭇거리다가 입을 열었다.

「저는 기자예요. 제 직업은 경찰에게서 정보를 수집하는 것이지 정보를 제공하는 게 아니에요.」

「좋습니다. 그럼 간단한 거래를 하나 하기로 합시다. 그러나 꼭 응하지 않으셔도 상관없습니다.」

레티시아는 포개고 있던, 실크 스타킹에 싸인 가느다란 다리를 풀었다.

「멜리에스 씨에게 두려움을 주는 게 있다면 뭐가 있지요?」

레티시아는 재떨이에 재를 떨려고 몸을 구부리면서 멜리에스를 올려다보았다.

「아니에요. 대답하지 마세요. 그건 너무 사사로운 질문이군요. 제 질문이 좀 엉뚱했죠? 공포는 상당히 복잡한 감정이에요. 동굴 속의 원시인들이 가졌던 최초의 정서가 아마 공포였을 거예요. 두려움이란 아주 오랜 역사를 가지고 있고 아주 강력한 어떤 것이지요. 두려움은 우리의 상상력에 뿌리를 두고 있어요. 그래서 그것을 통제할 수가 없는 거예요.」

레티시아는 담배를 몇 모금 세게 빨고 재떨이에 비비댔다. 그러고는 다시 머리를 들고 멜리에스에게 미소를 지어 보였다.

「멜리에스 씨, 우리는 어떤 수수께끼에 맞닥뜨려 있어요. 그 수수께끼는 우리가 감당해 낼 만한 거라고 생각해요. 저는 멜리에스 씨가 그 수수께끼를 회피할까 봐 걱정이 돼서 그 기사를 썼어요.」

레티시아는 녹음기를 껐다.

「멜리에스 씨는 제가 이미 알고 있는 것 말고는 아무 얘기도 안 했어요. 그렇지만 저는 멜리에스 씨에게 알려 드릴 게 하나 있어요.」

레티시아는 벌써 몸을 일으키고 있었다.

「이 살타 형제 사건은 멜리에스 씨가 생각하시는 것보다 훨씬 더 흥미진진해요. 이 사건은 곧 새로운 국면을 맞게 될 거예요.」

멜리에스는 소스라치게 놀라며 물었다.

「이 사건에 대해서 뭐 아시는 거 있습니까?」

「다 아는 수가 있어요…….」

매력적인 입술을 늘여 뜻 모를 미소를 머금고 연보랏빛 눈의 가장자리에 주름을 잡으면서 그녀가 말했다.

29. 불을 찾아서

103683호가 화학 정보실에 들어와 본 것은 이번이 처음이다. 정말 인상적인 곳이다. 액체 상태의 생생한 정보가 담긴 알들이 까마득히 늘어서 있다. 알 하나하나에 증언과 서술과 독창적인 아이디어가 담겨 있다. 알이 늘어선 줄 사이로 나아가는 동안에 클리푸니가 그간에 있었던 이야기를 들려준다. 클리푸니는 벨로캉의 금단 구역을 차지하고 나서 어머니 벨로키우키우니가 지하 동굴의 손가락들과 교류하고 있었다는 사실을 알았다. 어머니는 손가락들 때문에 완전히 정신이 혼미해져 있었다. 어머니는 그들이 완전하게 하나의 문명을 건설했다고 믿고 있었다. 어머니는 그들에게 먹이를 공급했고, 그 대신에 그들은 어머니에게 신기한 것들을 가르쳐 주었다. 바퀴도 그런 것 가운데 하나다.

벨로키우키우니 여왕은 손가락들이 유익한 동물이라고 생각했다. 그러나 그것은 엄청난 착각이었다. 클리푸니는 그런 사실을 입증할 수 있는 증거를 가지고 있다. 모든 증언들이 일치하고 있다. 즉 〈손가락들이 벨로캉에 불을 질러서 그들을 이해하려고 했던 유일한 여왕개미인 벨로키우키우니를 살해했다〉는 것이다.

손가락들의 문명이 불에 토대를 두고 있다는 것은 서글픈 사실이다. 바로 그것 때문에 클리푸니는 그들과 더 이상 대화하지 않으려 했고 식량 공급을 중단했다. 바로 그것 때문에 클리푸니는 화강암 바닥에 뚫린 통로를 봉쇄했고 지구상에서 그들을 제거하고 싶어 하는 것이다. 똑같은 정보를 강조하는 첩보 개미들의 정보가 점점 많아지고 있다. 즉 〈손가락들은 불을 켜고 불을 가지고 놀며 불을 이용하여 물건을 만든다〉는 것이다. 개미들은 이 무분별한 동물들이 계속 그런 짓을 하도록 내버려 둘 수가 없다. 그것은 세계의 멸망으로 가는 지름길이다. 벨로캉이 겪은 시련이 그것을 웅변적으로 입증하고 있다.

불……! 103683호가 진저리를 친다. 그는 이제 클리푸니가 왜 손가락들을 혐오하는지 더 잘 알게 되었다. 개미들은 모두 불이 무엇인지를 알고 있다. 그들 역시 옛날에 그 원소를 발견한 바 있다. 사람들처럼 우연히 말이다. 번개가 어떤 관목을 후려치고 나서 불붙은 잔가지 하나가 풀 사이에 떨어졌다. 개미 하나가 거기로 다가가 자세히 살펴보니 그 불덩어리는 주위에 있는 모든 것을 시커멓게 만들고 있었다.

개미들은 신기한 것이 있으면 뭐든지 둥지 안으로 가져가려고 한다. 불을 처음으로 발견했던 그때는 그것을 옮기는 데 실패했다. 그 뒤로 몇 차례의 시도가 있었지만 역시 실패했다. 그런 뒤에 주도면밀한 척후 개미 하나가 마침내 불붙은 나뭇가지 하나를 그의 개미 둥지 근처까지 옮겨 오는 데 성공했다. 그는 처음에 짧은 나뭇가지를 가지고 시도하다가 점점 긴 나뭇가지를 잡아끌고 온 끝에 성공한 것이었다. 그럼으로써 그는 태양의 조각들을 운반할 수 있음을 보여 주었다. 동료들이 그의 노고를 치하하며 환대했다.

불이란 정말 신기한 것이었다. 불은 열과 빛과 힘을 가져다주었다. 게다가 그 빛깔은 너무나 아름다웠다. 빨강, 노랑, 하양, 파랑…….

불을 발견한 것은 겨우 5천만 년 전으로 그리 오래된 일은 아니었다. 모듬살이 곤충들의 세계에서는 여전히 그 일에 대한 기억이 남아 있다.

그런데 한 가지 문제가 있었다. 불꽃이 오래 지속되지 않는다는 점이었다. 그래서 다시 번개가 칠 때를 기다려야 했는데 유감스럽게도 번개에 뒤이어 비가 내리는 경우가 많아서 그 비가 불을 꺼뜨리고는 했다.

어떤 개미가 불붙은 보물을 보호하기 위하여 잔가지로 지어진 도시 안으로 그 불을 끌고 들어오자고 제안했다. 그 제안이 끔찍한 재난을 초래했다. 불이 더 오래 지속되었던 것은 사실이지만 금방 잔가지가 지붕을 태워 버리고 수천 개의 알과 일개미와 병정개미의 목숨을 앗아 갔다.

혁신적인 제안을 내놓았던 그 개미는 칭찬을 받지 못하였다. 그러나 그것으로 불에 대한 탐구를 중단할 수는 없었다. 개미들은 무슨 일에서든 쉽게 물러서는 법이 없다. 어떤 문제를 해결할 때 그들은 언제나 가장 나쁜 해결책으로 시작을 하지만, 몇 차례의 수정과 재수정을 거쳐 마침내는 가장 좋은 해결책을 찾아내고야 만다.

개미들은 오랫동안 그 문제를 해결하기 위해 골몰했다.

클리푸니는 그러한 그들의 노력을 기록한 기억 페로몬을 꺼낸다.

선조 개미들은 우선 불이 아주 파급력이 강하다는 것을 깨달았다. 자기 자신에게 불을 붙이고 싶으면 그저 불 가까이에 가기만 하면 되었다. 그런데 역설적으로 불은 부서지기도 아주 잘 부서졌다. 나방이 날개를 퍼덕거리기만 해도 까만 연기로 바뀐 뒤 공중으로 사라져 버렸다. 불을 끄고 싶을 때 개미들이 사용할 수 있는 가장 편리한 방법은 불 위에 농도가 아주 낮은 개미산을 발사하는 것이었다. 실험 정신이 강한어떤 개미들은 잉걸불에 너무 강력한 개미산을 쏘다가 살아 있는 횃불이 되어 버리기도 했다.

그로부터 75만 년이 지나서 개미들은 닥치는 대로 모든 것을 시도하던 중에(개미의 과학은 그런 방식으로 이루어진다) 번개 칠 때를 기다리지 않고도 불을 〈만들 수 있다〉는 사실을 깨달았다. 어떤 일개미가 바짝 마른 나뭇잎 두 개를 서로 비비던 중 나뭇잎들이 연기를 일으키고 불이 붙는 것을 보았다. 다시 실험이 이루어지고 연구가 계속되었다. 그때부터 개미들은 불을 마음대로 피울 수 있게 되었다.

대발견의 뒤를 이어 환희의 시대가 도래했다. 둥지마다 거의 매일같이 새로운 응용 기술이 개발되었다. 불은 너무 거추장스러운 나무들을 없애 버렸고, 아무리 단단한 물질이라도 부서뜨렸으며, 겨울잠에서 깨어난 개미들에게 새로운 활력을 주었고, 병든 개미들에게 온기를 주었으며, 일반적으로 사물의 빛깔을 아름답게 만들어 주었다.

그러나 불을 군사용으로 사용하게 되면서 불에 대한 열광이 시들해지기 시작했다. 개미 네 마리가 불붙은 기다란 나뭇가지를 가지고 적의 도시로 뛰어들면 1백만의 개미를 가진 도시가 30분도 안 되어 사라져 버렸다.

산불이 일어나기도 했다. 개미들은 번져 나가는 불길을 제대로 다스리지 못했다. 어떤 것에 일단 불이 붙고 나면 바람만 한 줄기 불어도 크게 번졌다. 소방 개미들이 저농축 개미산을 쏘아 불길을 잡으려고 했지만 산불을 막기에는 역부족이었다.

관목 덤불에 불이 붙으면 금방 나무에서 나무로 번졌고, 단 하루 만에 30만 개미 정도가 아니라 3만 개의 둥지가 시커먼 잿더미로 변했다.

화재는 모든 것을 파괴했다. 아무리 커다란 나무나 곤충도 불길 속에서 살아남지 못했고 새들마저도 온전치 못했다. 그래서 불에 대한 열광이 저주로 바뀌었다. 불을 폐기하자는 제안에 개미들은 만장일치로 동의했다. 예전의 환희는 완전히 사라졌다. 불은 너무 위험했다. 모듬살이 곤충들은 모두 불을 저주하면서 다시는 사용하지 않기로 합의했다.

그 후로 아무도 불에 접근하지 않았다. 나무에 번개가 떨어지면 거기에서 멀리 달아나게 되었고, 마른 나뭇가지에 불이 붙었을 때는 누구나 불을 끄기에 힘써야 한다는 것이 의무가 되었다. 그 가르침은 대양을 건너 다른 대륙에도 전해졌다. 지구의 모든 개미와 모든 곤충은 곧 불을 피해야 한다는 것과 특히 불을 다스리려고 해선 안 된다는 것을 알게 되었다.

여전히 불길 속으로 달려드는 몇몇 종의 날파리와 나방이 남아 있었다. 그러나 그들이 그러는 것은 불빛이라는 마약에 중독되어 있기 때문이었다.

다른 곤충들은 불을 사용하지 않겠다는 약속을 엄격하게 지켰다. 만일 어떤 둥지나 어떤 개체가 전쟁에 이기기 위해 불을 사용하려고 들면, 크고 작은 다른 모든 곤충들이 즉시 동맹을 맺고 그자를 응징했다.

클리푸니는 기억 페로몬을 제자리에 올려놓았다.

《손가락들은 그들이 행하는 모든 일에서 금지된 무기를 사용했고 지금도 여전히 사용하고 있다. 손가락들의 문명은 불의 문명이다. 그러므로 그들이 숲 전체에 불을 놓기 전에 우리는 그 문명을 파괴해야 한다.》

여왕은 강렬한 확신이 밴 냄새를 발한다.

103683호에게는 의아하게 생각되는 것이 하나 있다. 클리푸니 자신의 주장에 따르면 손가락들의 존재는 지엽적인 문제이다. 즉, 손가락들은 지표면에 일시적으로 거주하는 세입자들이다. 그것도 아주 짧은 시간 동안 거주할 세입자들이다. 그들이 지구상에 거주하게 된 지는 겨우 3백만 년밖에 되지 않았으며, 앞으로도 그보다 더 오랫동안 머물지는 않을 것이다.

《그들에 대해서 관여할 거 없이 땅거죽 위에서 대를 이어 가며 살다가 죽게 내버려 두면 그만 아닙니까? 굳이 원정군을 보낼 이유가 있습니까?》

103683호가 더듬이를 닦고 묻는다. 그에 대한 클리푸니의 대답이 완강하다.

《그들은 너무 위험해. 그들이 스스로 사라질 때까지 기다릴 수가 없어.》

103683호는 여전히 궁금증이 가시지 않는다.

《도시 밑에 손가락들이 있는 줄로 알고 있습니다. 손가락들을 제거하고 싶다면 그들을 먼저 없애 버리는 것이 순서일 텐데요.》

여왕은 103683호가 그 비밀을 알고 있음에 놀라워하며 설명을 계속한다.

《도시 밑에 있는 손가락들은 위험이 되지 않아. 그들은 그 동굴에서 나올 수가 없어. 갇혀 있는 거지. 굶어 죽게 내버려 두면 모든 문제가 저절로 해결되지. 지금쯤이면 아마 그들은 시체가 되어 있을 거야.》

《안됐군요.》

여왕이 더듬이를 곧추세운다.

《뭐라고? 자네 손가락들을 좋아하나? 세계의 끝을 탐험하면서 그들과 대화라도 해본 적이 있다는 건가?》

병정개미도 더듬이를 마주 세운다.

《아닙니다. 하지만 굴속에 갇힌 손가락들이 죽는 것은 동물학의 발전을 위해서 별로 바람직한 일이 아닌 것 같습니다. 우리는 그 거대한 동물의 관습이며 생김새를 제대로 모르고 있지 않습니까? 그것은 원정을 위해서도 바람직하지 않습니다. 우리는 우리의 적이 어떤 자들인지도 제대로 모르면서 세계의 끝으로 떠나는 것이기 때문입니다.》

이치에 닿는 병정개미의 말이 여왕을 당황하게 만든다.

《도시 밑에 있는 손가락들은 아주 커다란 횡재나 다름없어요. 우리는 손가락들의 둥지 하나를 완전히 우리 마음대로 다룰 수 있는 겁니다. 그런데 왜 그들을 이용하려 하지 않습니까?》

클리푸니는 거기까지 생각을 하지 못했다. 103683호가 옳다. 사실 손가락들은 포로나 다름이 없다. 동물학 연구실에서 자기가 연구하는 진드기류와 똑같은 신세인 것이다. 개암 껍질 안에 갇혀 있는 진드기류가 무한소의 실험 대상이라면 농굴 속에 갇혀 있는 손가락들은 무한대의 실험 대상이다……

여왕은 한순간 병정개미의 주장에 마음이 끌렸다. 그의 주장대로 손가락들의 둥지를 관리하고 아직 살아 있는 손가락들을 살려 대화를 재개하는 것도 과학의 발전을 위해서 나쁠 건 없을 것 같다.

그들을 길들여 거대한 탈것으로 바꾸어 버릴 수도 있지 않

을까? 먹이를 주겠다는데 그들이 굴복하지 않을 리가 없을
것이다.

갑자기 뜻밖의 일이 벌어졌다.

어디선가 특공 개미 하나가 튀어나오더니 클리푸니에게
달려들어 목을 조르기 시작한다. 103683호는 뿔풍뎅이 축
사에서 온 반체제 개미 하나가 여왕을 시해하려고 하는 것임
을 깨닫는다. 103683호는 그 무모한 개미에게 달려들어 그
가 범죄를 저지르기 전에 위턱으로 쓰러뜨린다.

여왕은 시종 태연함을 유지한다.

《이게 손가락들이 시킨 짓이라네. 손가락들은 바위 냄새
풍기는 병정개미들을 제 여왕도 기꺼이 죽이려는 광신자들
로 만들어 버렸지. 보게, 103683호. 우리는 그들과 대화를 해
선 안 돼. 손가락들은 다른 동물들과 달라. 그들은 너무 위험
해. 그들은 말 한마디로도 우리를 죽일 수 있는 자들이야.》

클리푸니는 도시 내에 반역 운동이 벌어지고 있음을 알고
있다고 털어놓는다. 여왕은 그 운동에 참가하고 있는 자들이
도시 바닥 밑에서 고통받고 있는 손가락들과 계속 연락하고
있다는 것도 알고 있다. 게다가 여왕은 그들을 통해서 나름
대로 손가락들을 연구하고 있다. 여왕에게 헌신하는 첩보 개
미들이 반체제 운동에 잠입하여 손가락들이 둥지 내에 송신
하는 모든 정보들을 알려 주고 있다. 클리푸니는 103683호
가 반체제 개미들과 접촉한 사실을 알고 있다. 여왕은 그것
을 오히려 잘된 일로 생각하고 있다. 103683호가 반체제 개
미들과 접촉하면서 자기에게 도움을 줄 수 있으리라고 생각
한 것이다.

바닥에 쓰러진 반체제 개미가 마지막 냄새를 발산하려고

힘을 모은다.

《손가락은 우리의 신이다.》

그다음엔 아무 냄새가 없었다. 그는 죽었다. 여왕이 시체의 냄새를 맡는다.

《〈신〉이라는 단어가 무슨 뜻이지?》

103683호 자신도 스스로에게 그 질문을 던진다. 여왕은 산란실을 오락가락하면서 한시바삐 손가락들을 죽여야 한다고 되뇐다. 〈그들을 쓸어버려야 돼. 한 마리도 남기지 말고.〉 여왕은 경험이 많은 그 병정개미가 그 중차대한 과업을 실현하리라고 믿고 있다.

103683호는 여왕의 제안을 기꺼이 받아들이고 군대를 모으기 위해 이틀의 말미를 달라고 한다.

이제 이틀 후면 진군이 시작된다. 세계에서 모든 손가락들을 몰아내기 위한 대장정이…….

30. 신의 계시

공물의 양을 늘리라.

목숨을 아끼지 말고 헌신하라.

손가락들은 여왕이나 알 모다기보다 중요하다.

명심할지어다.

손가락들은 무소부재(無所不在)하고 무소불위(無所不爲)하다.

손가락들은 무엇이든 할 수 있다. 신이기 때문이다.

손가락들은 무엇이든 할 수 있다. 위대하기 때문이다.

손가락들은 무엇이든 할 수 있다. 강하기 때문이다.

이는 진리의 말씀이니라.

누군가가 그런 계시를 만들어 보내고 다른 사람들에게 들키기 전에 얼른 기계 앞을 떠났다.

31. 두 번째 도전

카롤린 노가르는 가족과 한자리에 모여 식사하는 것을 좋아하지 않았다. 카롤린은 조용히 자기의 〈일〉을 다시 시작하려고 식사를 서둘렀다.

그녀 주위에서 식구들은 요란한 몸짓을 섞어 떠들어 대고 있었다. 음식을 서로 건네주기도 하고 우적우적 씹기도 하면서 갖가지 화제를 도마 위에 올리고 있었다. 한결같이 그녀가 경멸해 마지않는 화제들이었다.

「어째 이렇게 덥냐!」

어머니가 말했다.

「텔레비전에서 기상 통보관은 삼복더위가 이제 시작에 불과하다고 하던걸. 이게 다 지난 20세기 말의 환경 오염 때문이야.」

아버지가 거들었다.

「잘못은 할아버지들에게 있어요. 할아버지들은 지난 90년대에 마구 지구를 오염시켰어요. 할아버지 세대 전부를 법정 앞으로 끌어내야 할 판이에요.」

손아래 누이가 되바라진 소리를 했다.

식탁에 둘러앉은 사람은 카롤린 노가르 말고 세 명이 더 있을 뿐이었지만, 카롤린은 그 나머지 세 사람과 어울리는 것조차 버거워했다.

「우린 곧 영화관에 갈 건데, 너도 같이 가겠니? 카롤린?」

어머니가 제안했다.

「아뇨, 됐어요, 엄마. 집에서 할 일이 있어요.」

「밤 8신데?」

「예, 중요한 일이에요.」

「싫으면 그만두려무나. 우리하고 놀러 가는 것보다 남들 다 노는 시간에 혼자 집에서 일하는 게 더 좋다 이거지. 하여 튼 못 말린다니까…….」

카롤린 노가르는 마침내 자기 방으로 들어와 문을 닫고 단 단히 잠갔다. 더 이상 참을 수가 없어서 카롤린은 가방이 있 는 곳으로 달려갔다. 그녀는 거기에서 작은 알약들이 가득 든 둥그런 유리그릇을 꺼내더니, 안에 든 것을 넓적한 금속 그릇 안에 쏟아 넣고 그 금속 그릇을 분젠 버너 위에 올려놓 고 열을 가했다.

그러자 갈색의 죽 같은 물질이 생겼다. 거기에서 한 줄기 기체가 피어오르더니, 이어 잿빛 연기가 솟아오르고 불꽃이 피어올랐다. 불꽃이 처음엔 연기에 가려 안 보이더니 이윽고 밝고 투명한 아름다운 모습을 드러냈다.

일을 하는 방식이 좀 구식이긴 했지만, 현재로서는 달리 도리가 없었다. 카롤린은 자기 작품을 만족스럽게 바라보았 다. 그때 초인종이 울렸다.

문을 여니 거의 붉은색에 가까운 적갈색 턱수염을 기른 남 자가 나타났다. 막시밀리앵 매커리어스는 은빛 줄에 매어 데 리고 온 두 마리의 그레이하운드에게 잠자코 있으라고 명령 을 내리고, 인사도 하기 전에 대뜸 물었다.

「다 됐어요?」

「예, 집에서 마지막 실험을 끝냈어요. 하지만 주된 작업은 실험실에서 했어요.」

「좋습니다. 별문제 없었지요?」

「예, 전혀요.」

「아무도 알고 있는 사람 없지요?」

「예, 아무도요.」

카롤린 노가르는 황토색으로 변한 뜨거운 물질을 두툼한 병에 쏟아붓고 병을 그에게 내밀었다.

「이제 내가 다 알아서 할 테니 노가르 씨는 쉬세요.」

그가 말했다.

「안녕히 가세요.」

자기들끼리 통하는 신호로 두 마리의 그레이하운드를 부른 다음, 그는 그 개들과 함께 엘리베이터 안으로 사라졌다.

다시 혼자가 된 카롤린 노가르는 무거운 짐에서 벗어난 느낌이 들었다. 이제 그들에게는 아무런 장애가 없을 것 같았다. 그토록 많은 사람들이 실패했던 일을 그들이 해내게 된 것이다.

카롤린은 시원한 맥주 한 잔을 천천히 음미하면서 마셨다. 그런 다음 작업복을 벗고 핑크빛 가운으로 갈아입었다. 카롤린은 가운의 한쪽 소매에 네모난 작은 구멍이 뚫려 있는 것을 발견하고, 실과 바늘을 챙겨 텔레비전 앞에 앉았다.

「알쏭알쏭 함정 퀴즈」가 나올 시간이었다. 카롤린 노가르는 수상기를 전원에 연결했다.

텔레비전.

도전자는 여전히 라미레 씨였다. 생김새는 프랑스 보통

여자들 모습 그대로이고, 해답이나 그 해답을 이끌어 내게
된 논리적 과정을 이야기할 때는 꾸밈없이 소심한 모습을 드
러내는 여자였다.

　사회자가 늘 하는 소리를 되풀이했다.

　—자, 어떠십니까, 답을 찾으셨습니까? 이 백색 판을 잘
보시고 시청자들께 답을 말씀해 주십시오. 다음 줄에 나올
숫자는 무엇인가요?

　—뭐랄까, 문제가 정말 특이해요. 간단한 단위에서 출발
해 훨씬 더 복잡한 어떤 것을 향해 나아가는 삼각형 모양의
수열과 관계가 있어요.

　—훌륭하십니다! 라미레 씨. 그 길로 계속 가십시오. 그러
면 답을 찾아내실 겁니다.

　—첫머리에 〈하나〉를 가리키는 숫자가 있습니다. 그건 마
치…… 마치…….

　—시청자들께서 듣고 계십니다. 라미레 씨. 방청객들께
서 부인을 격려해 주실 것입니다.

　우레와 같은 박수갈채.

　—자, 라미레 씨, 말씀을 계속하시죠.

　—어떤 경전의 한 구절 같습니다. 1이 나뉘어 두 개의 숫
자가 됩니다. 나시 그것은 네 개의 숫자가 됩니다. 그것은 어
쩌면…….

　—어쩌면?

　—어떤 탄생의 전조 같은 것입니다. 원래의 알이 처음엔
둘로 나뉘었다가 다음엔 넷으로 나뉘고, 그다음엔 점점 복잡
해집니다. 직감적으로 저는 저 삼각형 모형의 수열에서 하나
의 탄생을 떠올립니다. 즉 하나의 존재가 출현하고 전개되는

모습으로 보여요. 이건 상당히 형이상학적인 문제인 것 같아요.

—맞습니다. 라미레 씨. 바로 그거예요. 저희가 아주 훌륭한 수수께끼를 드렸죠? 부인의 통찰력과 방청객 여러분의 갈채에 걸맞은 수수께끼입니다.

박수갈채.

사회자가 긴장을 고조시켰다.

— 이 수열에 관통하는 규칙은 무엇일까요? 라미레 씨께서 말씀하신 그 탄생의 역학은 무엇이지요?

도전자의 안타까워하는 표정.

—모르겠어요……. 조커를 사용하겠어요.

방청석에서 실망한 듯 웅성거리는 소리가 들렸다. 라미레 씨가 실패한 것은 이번이 처음이었다.

—정말이십니까, 라미레 씨? 조커 하나를 쓰시겠습니까?

—달리 방법이 없잖아요?

—유감이군요, 라미레 씨. 지금까지 한 번의 실수도 없이 멋지게 해오셨는데…….

— 이 수수께끼는 상당히 독특해요. 더 시간을 갖고 생각할 만한 가치가 있어요. 그래서 도움을 받기 위하여 조커를 쓴 거예요.

—좋습니다. 이미 첫 번째 힌트는 드렸습니다. 생각나시죠? 〈영리한 사람일수록 답을 찾기가 더 어렵다.〉 아시겠어요? 두 번째 힌트는 이렇습니다. 〈자기가 아는 것을 다 잊어버려야 한다.〉

도전자의 실망한 표정.

—그게 무슨 뜻이에요?

— 그건 라미레 씨가 찾아내셔야죠. 제가 정신 분석학자는 아니지만, 라미레 씨를 돕기 위해서 정신의 내면으로 되돌아가라는 말씀을 드리고 싶습니다. 마음을 비우십시오. 논리와 선입견이라는 고정된 틀을 버리고 그 자리에 공허를 채우십시오.

— 쉽지 않은데요. 생각으로 생각을 없애라는 말이 아닌가요?

— 당연히 어렵지요. 그래서 우리 프로그램의 이름이 바로 「알쏭알쏭……」.

— 「……함정 퀴즈!」

방청석에서 일제히 말을 받았다. 방청객들의 얼굴에 만족스러워하는 빛이 어려 있었다.

라미레 씨는 미간을 찡그리며 한숨을 쉬었다. 사회자는 기꺼이 돕고 싶다는 뜻의 몸짓을 했다.

— 조커를 쓰셨으니까 이 수열의 다음 줄 하나를 추가로 보실 권리가 있으십니다.

그는 매직펜을 들고,

$$1$$
$$11$$
$$12$$
$$1121$$
$$122111$$
$$112213$$

이라고 쓴 다음, 다음의 수를 덧붙였다.

12221131

라미레 씨의 낙담한 표정이 클로즈업되었다. 그녀는 눈을 깜박이며 〈1〉, 〈2〉, 〈3〉이라는 말들을 중얼거렸다. 그 수열은 마치 마른 자두가 든 카트르 카르 과자[10]의 제과법 같은 것을 부호로 나타낸 것 같았다. 〈3〉의 비율에 특히 신경 쓸 것. 〈1〉의 비율도 소홀히 하지 말 것.

—어떻습니까? 라미레 씨. 이제 감이 잡히십니까?

생각에 몰두하느라고 라미레 씨는 대답 대신에 〈음 —〉 소리를 냈다. 그 소리에는 〈이번엔 답을 찾아낼 것 같아요〉라는 뜻이 담겨 있는 듯했다.

사회자는 라미레 씨의 숙고할 권리를 존중해 주면서 마무리 인사를 했다.

—시청자 여러분, 오늘 보여 드린 일곱 번째 줄에 주목해 주십시오. 그럼 내일 뵙겠습니다. 변함없는 사랑 부탁드립니다.

박수갈채. 종료 타이틀. 음악. 환호성.

카롤린 노가르는 텔레비전을 껐다. 무슨 희미한 소리가 들린 듯했다. 카롤린은 바느질을 끝냈다. 작은 구멍의 흔적이 감쪽같이 사라졌다. 카롤린은 바느질 도구를 제자리에 갖다 놓았다. 종이를 구길 때 나는 것 같은 소리가 다시 들렸다.

욕실 쪽에서 나는 소리였다. 새앙쥐 소리 같지는 않았다. 새앙쥐가 타일 바닥을 달리면서 그런 소리를 낼 리가 없었다. 그러면 도둑일까? 욕실에서 볼일이 뭐가 있을까?

혹시나 해서 카롤린은 서랍장으로 가서 구경 6밀리미터

10 밀가루, 버터, 설탕, 계란을 똑같은 분량으로 섞어 만든 과자.

리볼버를 꺼냈다. 그녀의 아버지가 그런 사태에 대비해서 숨겨 둔 권총이었다. 침입자들에 대한 기습의 효과를 높이기 위해서 카롤린은 텔레비전을 다시 켜고 음량을 높인 다음, 발소리를 죽이고 욕실 쪽으로 다가갔다.

텔레비전에서는 랩을 부르는 어떤 그룹이 나와서 반항을 부추기며 악을 쓰고 있었다.

— 당신들의 집, 당신들의 가게, 모두, 모두, 불태울 거야, 모두, 모두, 모두.

카롤린 노가르는 두 손으로 권총을 꽉 잡고 문에 착 달라붙었다. 미국 영화에서 본 그대로를 흉내 낸 것이었다. 잠시 틈을 들였다가 카롤린은 문을 홱 열어젖혔다.

아무도 없었다. 그러나 소리는 분명히 거기에서 나고 있었다. 샤워장 커튼 뒤에서 소리가 점점 더 크게 울리고 있었다. 카롤린은 날랜 동작으로 커튼을 젖혔다.

카롤린은 눈앞에 벌어진 일을 더 잘 이해하려고 앞으로 나섰다가, 겁에 질려 비명을 지르며, 결국은 탄창의 탄알을 다 허비했다. 그녀는 숨을 헐떡거리며 뒷걸음쳤다. 방으로 돌아온 카롤린은 문을 단단히 걸어 잠그고 기다렸다. 신경이 극도로 흥분되어 발작이 일어나기 일보 직전이었다.

그래도 〈그것들〉이 문을 통과하지는 못할 것이다.

그러나 〈그것들〉은 문을 통과했다.

카롤린은 비명을 지르며 뛰어다녔다. 그러면서 방 안의 자질구레한 물건들을 닥치는 대로 집어던지고, 주먹질과 발길질을 했다. 그러나 그녀에게는 그런 적에 맞서 싸울 수 있는 방법이 없었다.

32. 그를 곤혹스럽게 하는 것

103683호는 종아리 마디에 있는 털로 머리를 닦는다.

그는 자기가 지금 어느 편에 들어 있는지를 모르고 있다.

그는 손가락들을 무서워하고 있다……. 그런데 그들을 모두 죽이라는 사명을 띠고 있다. 한편으로 그는 반체제 개미들의 명분에도 일리가 있다고 생각하고 있다……. 그러나 이제 그들을 배신해야 한다. 그는 스무 마리의 탐험 개미들을 이끌고 세계의 끝에 간 적이 있었다. 그런데 이제는 8만의 병력을 이끌고 가라고 하는데도, 그 수가 터무니없이 적게만 느껴진다.

그러나 무엇보다도 마음에 걸리는 것은 바로 그 반체제 운동이다. 그는 처음에 그들이 사려 깊은 모험가들일 것으로 생각하고 그들과 관계를 맺었다. 그러나 그가 만난 자들은 반쯤 미친 자들이었고 걸핏하면 〈신〉이라는 뜻 모를 단어를 발산하는 자들이었다.

여왕의 태도도 이상하기는 마찬가지다. 여왕은 너무 개미의 입장만을 생각하고 있다. 그것도 정상은 아니다. 여왕은 모든 손가락들을 죽이고 싶어 하면서도 도시 밑에 사는 손가락들을 연구할 생각은 하지 않는다. 다른 생물종들을 연구해야 밝은 미래가 보장된다고 주장하면서 정작 도시 밑의 손가락 둥지를 활용할 생각은 안 한다. 그들을 통해서 가장 진기하고 가장 놀라운 실험을 할 수 있을 텐데도 말이다.

클리푸니는 그에게 모든 것을 다 털어놓지 않았다. 반체제 개미들도 마찬가지다. 다들 그를 무시하는 것이거나 그를 이용하려는 것이다. 그는 자기가 여왕이나 반체제 개미들의 꼭두각시라고 느낀다. 어쩌면 동시에 양쪽의 꼭두각시 노릇을 하고 있는 것인지도 모른다.

문득 벨로캉 전체에 어떤 심각한 변화가 일어나고 있는 것이 아닌가 하는 생각이 든다. 지구 위에 있는 어떤 개미 둥지에서도 일어난 적이 없는 일 말이다. 그렇다. 분명히 어떤 변화가 있다. 벨로캉에 있는 모든 개미들이 상식을 잃고 혼자만의 생각을 가지면서 마음의 병을 앓고 있는 것이다. 한마디로 이전보다 더 못난 개미들이 되어 가고 있다.

벨로캉 개미들에게 돌연변이가 일어난 것임에 틀림없다. 반체제 개미들은 돌연변이체다. 클리푸니도 돌연변이체다. 103683호 자신도 하나의 독립된 단위로 자신을 생각하기 일쑤이므로 이제 정상적인 개미가 아니라는 느낌이 든다. 벨로캉에서 지금 무슨 일이 벌어지고 있는 것일까?

그 질문에 대답하기 위해서는 먼저 기묘한 이 표현을 구사하고 있는 그 반체제 개미들을 움직이는 힘이 어디에서 오는 것인지를 알아야 한다.

〈신〉이란 무엇인가?

103683호는 뿔풍뎅이 축사를 향해 걸음을 옮긴다.

33. 백과사전

사자 숭배

어떤 문명이 지혜로운 문명인가 아닌가를 가름하는 첫 번째 요소는 〈죽음의 의식〉이다.

인간들이 시신을 쓰레기와 함께 버렸던 시절은 짐승이나 다름없었다.

인간들이 시신을 매장하거나 화장하기 시작한 것은 문명사의 획을 긋는 중요한 사건이었다. 사자(死者)를 돌보는 것은 눈에 보이는 세계 위에 놓인 눈에 보이지 않는 피안의 세계를 상정하는 것이다. 또 사자를 돌본다는 것은 인생을 이승에서 저승으로 옮겨 가는 과정으로 간주하고 있다는 것을 의미한다. 모든 종교적인 행동은 거기에서 유래한다.

지금까지 조사된 바에 따르면, 사자 숭배가 가장 먼저 행해진 것은 지금으로부터 7만 년 전인 구석기 시대 중기의 일이었다. 당시에 몇몇 부족들은 시신을 길이 1.4미터 너비 1미터 높이 0.3미터인 묘혈에 매장하기 시작했다. 부족의 구성원들은 시신 옆에 고깃덩어리와 부싯돌로 만든 무기들과 고인이 사냥한 동물의 머리를 놓아두었다. 장례를 치르면서 부족 전체가 함께 모여 식사를 했다.

개미 세계에서도, 그와 비슷한 일을 발견할 수 있다. 인도네시아에 있는 어떤 개미들은 여왕개미가 죽은 뒤 며칠이 지나도록 계속 먹이를 갖다준다. 개미들의 시체에서는 올레인산이 발산되기 때문에 여왕개미가 죽었다는 것을 분명히 알 텐데도 그런 행동을 한다는 것은 놀라운 일이 아닐 수 없다.

에드몽 웰스, 『상대적이며 절대적인 지식의 백과사전』 제2권

34. 투명 인간

자크 멜리에스 경정은 카롤린 노가르의 시체 앞에 무릎을 꿇고 있었다. 시체의 얼굴을 살펴보니 눈은 뒤집혀 있고 입은 공포로 일그러져 있었다. 이미 본 적이 있는, 공포로 짓눌린 그런 표정이었다.

그는 카위자크 형사에게로 몸을 돌렸다.

「물론, 지문은 없겠지요. 에밀 형사?」

「유감스럽게도 없습니다. 똑같은 일이 또 벌어졌습니다.

상처도 흉기도 없고, 침입의 흔적이나 단서도 없습니다. 완전히 오리무중입니다.」

경정은 껌을 꺼냈다.

「문도 물론 잠겨 있었겠지요?」

그가 물었다.

「자물쇠 세 개는 잠겨 있었는데, 두 개는 따져 있었습니다. 죽던 순간에 피해자가 빗장을 풀려고 했던 것 같습니다.」

「잠그려고 했던 건지 풀려고 했던 건지는 아직 모르잖아요?」

멜리에스는 퉁명스럽게 말하면서 몸을 기울여 손의 위치를 조사하고 나서 소리쳤다.

「열려고 했던 거군요! 범인은 내부에 있었고 여자는 도망을 치려고 했군요. 여기에 가장 먼저 온 사람이 에밀 형사요?」

「그렇습니다. 언제나 그렇듯이.」

「파리가 없던가요?」

「파리요?」

「그래요, 파리. 초파리도 상관없고요.」

「살타 형제네 집에서도 파리에 신경을 쓰시던데. 그게 그렇게 중요한 겁니까?」

「아주 중요하지요. 파리는 탐정에게 아주 훌륭한 정보를 제공해 주지요. 내 교수 가운데 한 분은 파리를 제대로 조사하기만 하면 많은 사건을 해결할 수 있다고 주장하시곤 했어요.」

에밀 형사는 도무지 못 믿겠다는 듯 입을 비죽거렸다. 현대적인 경찰 학교에서 겨우 그렇게 시시껄렁한 수사 방법을 가르치고 있다니!

카위자크는 여전히 전통적인 수사 방법을 신뢰하고 있었다. 그래도 그는 경정이 조사하는 수사 방법에 차질이 없도록 조치를 취해 두었었다.

「살타 형제 사건이 생각나서 이번에는 창문을 닫힌 채로 그냥 두었습니다. 만일 파리가 있었다면 지금도 여전히 여기에 있을 겁니다. 그런데 그것에 집착하는 무슨 이유라도 있으십니까?」

「파리는 중요한 겁니다. 파리가 있으면 어딘가에 통로가 있는 것이고 그게 없으면 이 집이 밀폐되어 있는 것입니다.」

사방을 둘러보다가 경정은 마침내 하얀 천장의 한 모서리에서 파리 한 마리를 발견했다.

「저거 봐요, 에밀 형사. 저 위에 붙어 있는 거 보여요?」

사람들이 자기를 바라보고 있는 게 거북살스러워 못 견디겠다는 듯 파리는 다른 곳으로 날아갔다.

「파리가 있으면 공중 어딘가에 파리 통로가 있기 마련이지요. 저거 보세요. 에밀 형사. 창문 위쪽에 작은 틈새가 있지요? 아마 파리는 저기로 들어왔을 거예요.」

파리는 잠시 공중을 선회하다가 안락의자 위에 내려앉았다.

「여기서 보기에 저놈은 금파리인 것 같군요. 그러니까 제2군 파리지요.」

「그게 무슨 말입니까?」

멜리에스가 설명했다.

「사람이 죽으면 파리들이 몰려듭니다. 그러나 아무 파리나 오는 것은 아니고 아무 때나 오는 것도 아닙니다. 날아오는 순서가 정해져 있어요. 대개 청파리Calliphora가 제일 먼저 도착합니다. 그래서 제1군 파리라고 부르죠. 청파리들은 사람이 죽은 지 5분이 지나면 날아옵니다. 청파리들은 더운 피를 좋아하지요. 땅이 쉬를 슬기에 좋지 않다 싶으면 그놈들은 살 속에 쉬를 깔고 시체에서 역한 냄새가 나자마자 날아가 버립니다. 청파리의 뒤를 이어 날아오는 것이 제2군 파리인 금파리Muscina입니다. 금파리들은 조금 썩은 고기를 더 좋아합니다. 그놈들이 고기를 먹고 알을 슬고 나면 다음엔 쉬파리Sarcophaga가 찾아오지요. 제3군 파리입니다. 쉬파리들은 더 많이 썩은 고기를 먹습니다. 마지막으로 치즈파리Piophila와 깜장파리Ophyra가 옵니다. 그런 식으로 다섯 무리의 파리가 우리의 시체를 차례차례 거쳐 가는 겁니다. 각자 자기 몫에 만족하고 다른 파리들 몫은 건드리지 않아요.」

「사람도 별거 아니군요.」

떨떠름한 표정을 지으며 에밀 형사가 한숨을 내쉬었다.

「관점에 따라 다르지요. 시체 하나면 파리 수백 마리가 포식을 하지요.」

「그건 그렇다 치고. 그게 우리 수사와 무슨 상관이 있다는 겁니까?」

자크 멜리에스는 조명 돋보기를 들고 카롤린 노가르의 귀를 조사했다.

「귓바퀴 안에 피가 있고 금파리의 쉬가 있어요. 아주 흥미로운데요. 정상적인 경우라면 청파리의 쉬도 발견할 수 있을 텐데 그게 보이질 않아요. 그렇다면 제1군 파리들이 오지 않았다는 얘기예요. 이건 아주 대단한 정보예요.」

에밀 형사는 그제야 파리의 관찰이 얼마나 훌륭한 정보를 제공하는지 깨닫기 시작했다.

「그럼 왜 청파리들이 오지 않았을까요?」

「이 여자가 죽은 후 5분 동안 뭔가가 아니면 누군가가 시체 곁에서 꾸물거리고 있었던 게 틀림없어요. 십중팔구는 살인범이 그랬겠지요. 그래서 청파리들이 감히 접근을 못 했을 거예요. 그런 다음 시체가 썩기 시작하니까 청파리들은 시체에 더 이상 관심이 없었겠지요. 그때 금파리들이 날아왔고, 그놈들은 아무런 거리낌 없이 시체에 달려들 수가 있었지요. 그러니까 범인은 5분 동안 머물렀습니다. 그 이상은 아닙니다. 그러고 나서 다시 떠난 겁니다.」

에밀 형사는 그 추리에 경탄을 느끼고 있었다. 그러나 멜리에스 자신은 그다지 만족스러워하는 낯빛이 아니었다. 그는 청파리가 접근하는 것을 막을 수 있었던 것이 무엇일까를 생각하고 있었다.

「마치 투명 인간하고 대결하고 있는 느낌이…….」

에밀 형사는 말을 중단했다. 멜리에스처럼 그도 욕실 쪽에서 나오는 무슨 소리를 들었다.

그들은 그곳으로 달려갔다. 샤워장의 커튼을 열어젖혔다. 아무것도 없었다.

「정말 투명 인간과 대결하는 느낌입니다. 그가 방 안에 있는 것만 같습니다.」

그 말을 하면서 에밀 형사는 오싹 소름이 돋는 것을 느꼈다.

멜리에스는 생각에 잠긴 채 껌을 질겅거렸다.

「투명 인간이 아니더라도 문이나 창문을 열지 않고 드나들 수는 있어요. 투명 인간만 상상하지 말고 이왕이면 벽을 뚫고 다니는 사람도 상상해 보지 그래요!」

멜리에스는 투명한 밀랍을 씌운 피살자에게로 몸을 돌렸다. 이 시체의 얼굴도 살타 형제의 시체와 마찬가지로 두려움 때문에 경직 경련이 일어나 있었다.

흉측한 모습이었다.

「카롤린 노가르라는 이 사람 직업이 뭐예요? 서류에 뭐 특별한 거 있어요?」

카위자크는 고인의 이름이 적힌 서류철에서 서류 몇 장을 들여다보았다.

「애인은 없고요. 사생활이 복잡하지도 않습니다. 죽임을 당할 만큼 원한을 사지도 않았습니다. 화학자로 일을 했습니다.」

「이 사람도요? 어디에서요?」

멜리에스가 놀라며 물었다.

「CCG요.」

두 사람은 멍하니 서로를 바라보았다. CCG. 종합 화학 회사, 세바스티앵 살타가 일했던 회사!

마침내 그들은 단지 우연의 산물로 치부하기에는 너무도 똑같은 두 사건의 공통점을 찾아냈다. 드디어 실마리 하나가 잡힌 것이었다.

35. 신이란 하나의 특별한 냄새다

저 냄새가 그들이 있는 곳의 냄새다.

103683호는 냄새를 따라 반체제 개미들의 방으로 다시 들어간다.

《당신들의 설명을 듣고 싶은 게 하나 있다.》

한 무리의 반체제 개미들이 103683호를 둘러싼다. 그들
은 103683호를 쉽게 죽일 수도 있을 터인데 그를 공격하지
않는다.

《〈신〉이라는 게 무엇인가?》

절름발이 개미가 다시 대변인 구실을 자처한다.

절름발이 개미는 자기가 103683호에게 모든 걸 말해 준
것은 아니지만, 손가락들을 지지하는 반체제 운동이 존재한
다는 것을 알려 주었다는 사실 하나만으로도 그를 전폭적으
로 신뢰한다는 증거가 된다고 역설한다. 비밀 조직은 겨레의
경비 개미들에게 쫓기는 처지이기 때문에 누구에게도 그렇
게 쉽게 털어놓고 이야기하지는 않는다는 것이다.

절름발이 개미는 솔직함을 나타내려고 더듬이를 꼿꼿이
세우며 설명한다.

《지금 벨로캉 안에서 뭔가 중요한 일이 벌어지고 있다. 그
것은 우리 도시뿐만 아니라 연방의 도시, 나아가 모든 개미
종에게도 중요한 일이다. 반체제 운동의 성공 여부에 따라서
수천 년의 진보를 앞당길 수도 있고 수천 년 뒤로 퇴보할 수
도 있다. 상황이 이러하기 때문에 하나의 목숨은 그리 중요
하지 않다. 절대적인 비밀 유지와 아울러 각자의 희생이 필
요하다. 그 점에서 103683호 자네의 역할이 중요하다. 자네
에게 모든 걸 털어놓지 않는 건 미안하다. 하지만 이제 모든
걸 다 알려 줄 생각이다.》

두 개미는 방의 한 가운데서 더듬이를 결합하고 완전 소통
의 의식에 들어간다. 완전 소통 덕분에 개미는 상대방의 정

신에 담긴 모든 것을 즉각 보고 느끼고 이해한다. 그것은 이야기를 주고받는 것이라기보다는 두 개미가 똑같은 순간을 함께 사는 것이다.

103683호와 절름발이 개미는 자기들의 더듬이 마디를 서로 결합한다. 그럼으로써 열한 개의 입과 열한 개의 눈이 직접 결합되는 것이다. 머리가 둘 달린 단 하나의 곤충이 되는 셈이다.

절름발이 개미가 자기 이야기를 쏟아 낸다.

작년에 대화재가 발생하여 벨로캉이 잿더미가 되고 벨로키우키우니 여왕이 죽고 나자, 바위 냄새를 풍기는 개미들은 존재할 이유가 사라졌다. 그들은 새 여왕 클리푸니가 일으킨 대대적인 소탕 작전에 맞서지 않으면 안 되었다. 그래서 바위 냄새를 풍기는 개미들은 반체제 개미들이 되어 이 은신처로 숨어들었다. 그 후 그들은 화강암 바닥 속의 통로를 다시 열고 식량을 훔쳐서 손가락들에게 공급했다. 그들은 손가락들의 사절인 리빙스턴 박사와 대화를 계속했다.

처음에는 모든 일이 순조롭게 이루어졌다. 리빙스턴 박사는 〈우리는 배고프다〉, 〈왜 여왕은 우리와 대화하기를 거부하는가?〉와 같은 간단한 메시지를 전했다. 손가락들은 반체제 개미들의 활동에 관한 소식을 계속 전해 듣고 있었다. 그들은 반체제 개미들을 설득하여 되도록 은밀하게 식량을 훔치기 위하여 특공 작전을 감행하게 했다. 손가락들이 요구하는 먹이의 양은 어마어마했다. 다른 개미들에게 들키지 않고 그들에게 먹이를 공급하는 것이 반드시 쉬운 일만은 아니었다.

그래도 모든 일이 상궤를 벗어나지 않고 이루어졌다. 그러던 어느 날, 손가락들은 이전과는 사뭇 다른 표현이 담긴 메시지를 보내왔다. 페로몬의 냄새가 이상했다. 손가락들은 훈시 조의 냄새로, 개미들이 손가락들을 과소평가하고 있으며 이제껏 그런 사실을 감추어 왔지만 사실은 자기들이 개미들의 신이라고 주장했다.

개미들은 신이 무슨 뜻이냐고 물었다.

손가락들은 신이 무엇인지를 설명했다. 그들의 주장에 따르면, 신은 세계를 건설한 동물들이며 개미들은 모두 그들을 〈섬겨야 한다〉는 것이었다.

다른 개미 하나가 와서 103683호와 절름발이 개미 사이의 완전 소통을 방해한다. 그 개미가 열렬하게 자기주장을 펼치기 시작한다.

《신들은 모든 것을 만들었다. 신들은 무소불위하며 무소부재하다. 그들은 언제나 우리를 지켜보고 있다. 우리를 둘러싸고 있는 이 현실은 그들이 우리를 시험하기 위해 꾸며 놓은 무대에 불과하다.

비가 내리는 것은 신들이 물을 뿌리기 때문이고, 날씨가 더운 것은 신들이 태양의 열기를 높이기 때문이며, 날씨가 추운 것은 그들이 태양의 열기를 낮추기 때문이다. 손가락들은 신이다.》

절름발이 개미는 그날 손가락들이 리빙스턴 박사를 통해 전해 온 놀라운 이야기를 103683호에게 옮겨 준다.

《손가락 신들이 없다면 이 세계에는 아무것도 존재하지 않을 것이다. 개미들은 그들의 창조물이다. 개미들은 손가락들이 그저 즐기기 위해서 꾸며 놓은 가공의 세계에서 발버둥 치고 있는 것에 지나지 않는다.》

103683호는 당혹감에 빠진다. 그러한 능력을 가진 손가락들이 어째서 도시 바닥 밑에서 기아에 허덕이고 있는 것일까? 어째서 그들은 지하에 갇혀 있는 것일까? 어째서 그들은 개미 한 마리가 자기들을 상대로 원정군을 파견하려는 것을 그냥 내버려 두는 것일까?

절름발이 개미는 설명을 덧붙인다.

《물론 리빙스턴 박사의 주장에 몇 가지 허점이 있는 것은 사실이다. 하지만 우리가 어떻게 존재하게 되었는지, 세계가 어떻게 지금과 같은 모습이 되었는지를 잘 설명하고 있지 않는가? 우리는 누구인가? 어디에서 와서 어디로 가는가? 〈신〉이라는 개념이 그 모든 질문에 답하고 있다.》

어쨌든 씨앗은 이미 뿌려졌다. 리빙스턴 박사가 전해 준 그 최초의 신의 가르침은 한 무리의 반체제 개미들을 사로잡았고 다른 많은 개미들을 혼란에 빠뜨렸다. 그 뒤로 며칠간은 〈신〉에 대한 언급이 빠진 정상적인 메시지만 이어졌다. 그러나 반체제 개미들은 그런 정상적인 메시지에는 관심이 없었다. 그때 리빙스턴 박사의 더듬이에서 마음을 사로잡는 그 〈신〉의 계시가 다시 울렸다. 그 계시는 손가락들이 세계를 지배하고 있음을 다시 일깨우면서, 이 세상에 우연은 없으며 개미 세계에서 벌어지는 모든 일이 기록되고 있음을 분명히 했다. 그러면서 〈신들〉은 자신들을 떠받들지 않거나 공양하지 않는 자들은 온전치 못할 것이라고 경고했다.

103683호는 놀라움에 더듬이를 곧추세운다. 거대한 동물들이 세계의 거주자들을 하나하나 감시하면서 세계를 지배하고 있다는 생각은 너무나 터무니없어 보인다. 그도 곧잘 개미의 표준을 벗어난 상상을 하긴 하지만 그런 생각은 꿈에서도 떠올린 적이 없었다. 모든 거주자들을 감시하다니, 그렇게 손가락들은 할 일이 없다는 말인가.

그래도 103683호는 절름발이 개미의 이야기에 계속 더듬이를 기울인다.

반체제 개미들은 곧 리빙스턴 박사가 완전히 다른 정신이 담긴 두 종류의 메시지를 전하고 있음을 깨달았다. 그러자 리빙스턴 박사가 신에 대한 이야기를 할 때는 신을 믿는 개미들만 더듬이를 기울이고 다른 개미들은 뒤로 물러섰다. 또 리빙스턴 박사가 〈정상적인〉 화제를 들고 나올 때는 신을 믿는 개미들이 자리를 떴다. 그 결과 손가락들을 지지하는 반체제 개미들 내부에 조금씩 분열이 나타났다. 신을 믿는 자들이 있었고 신을 믿지 않는 자들이 있었다. 신을 믿지 않는 개미들이 생각하기에, 신을 믿는 자들은 개미 문화에 낯선, 완전히 비합리적인 행동을 하고 있다. 하지만 두 개미들 사이에 불화가 생기지는 않았다.

103683호는 절름발이 개미와 결합하고 있던 더듬이를 풀고, 그것을 닦은 뒤에 딱히 누구에게라고 할 것 없이 주위의 개미들에게 묻는다.

《당신들 중에 신을 믿는 개미가 누구인가?》

한 개미가 앞으로 나선다.

《나는 23호라고 한다. 나는 전능한 신의 존재를 믿는다.》

절름발이 개미가 방백을 하듯 103683호에게 넌지시 일러 준다.

《신을 믿는 자들은 저렇게 틀에 박힌 문구들을 되풀이한다. 대개는 그게 무슨 뜻인지도 모르면서 저러지. 하지만 알고 모르고가 저들에게는 별로 상관이 없는 것 같다. 리빙스

턴 박사가 전해 주는 메시지가 이해하기 어려우면 어려울수록, 저들은 더 열심히 그것을 되풀이한다.》

103683호는 그 리빙스턴 박사라는 손가락들의 사절이 어떻게 완전히 다른 두 가지 성격을 동시에 지닐 수 있는지 이해할 수 없다고 말한다. 그러자 절름발이 개미가 대답한다.

《그게 손가락들의 위대한 신비라는 것인지도 모른다. 그들은 이중성을 지니고 있다. 그들의 세계에서는 단순한 것이 복잡한 것과 나란히 있으며, 일상적인 페로몬이 추상적인 메시지와 나란히 있다.》

그러면서 절름발이 개미는 신을 믿는 자들이 지금은 소수이지만 그들 편이 점점 많아질 것이라고 덧붙인다.

그때 한 젊은 개미가 나방 고치 하나를 끌면서 다가온다. 103683호가 축사 입구에 묻어 놓았던 고치이다.

《이건 당신 겁니까?》

103683호는 그렇다는 뜻의 페로몬을 발하고 그 개미 쪽으로 더듬이를 내밀며 묻는다.

《그런데 자네는 어느 쪽인가? 신을 믿는 쪽인가? 안 믿는 쪽인가?》

젊은 개미는 머뭇거리며 머리를 숙인다. 그는 자기에게 페로몬을 발하고 있는 그 개미가 누구인지를 알고 있다. 산전수전을 다 겪은 그 유명한 병정개미가 아닌가. 젊은 개미는 신중하게 대답해야겠다고 생각한다. 그러나 그의 뇌 깊은 곳으로부터 느닷없는 말들이 튀어나온다.

《나는 24호라고 합니다. 나는 전능한 신의 존재를 믿고 있습니다.》

36. 백과사전

사고(思考)

인간의 사고는 무슨 일이든 이루어 낼 수 있는 힘을 가지고 있다.

1950년대에 있었던 일이다. 영국의 컨테이너 운반선 한 척이 화물을 양륙하기 위하여 스코틀랜드의 한 항구에 닻을 내렸다. 포르투갈산(産) 마데이라 포도주를 운반하는 배였다. 한 선원이 모든 짐이 다 부려졌는지를 확인하려고 냉동 컨테이너 안으로 들어갔다. 그때 그가 안에 있는 것을 모르는 다른 선원이 밖에서 냉동실 문을 닫아 버렸다. 안에 갇힌 선원은 있는 힘을 다해서 벽을 두드렸지만 아무도 그 소리를 듣지 못했고 배는 포르투갈을 향해 다시 떠났다.

냉동실 안에 식량은 충분히 있었다. 그러나 선원은 자기가 오래 버티지 못할 것임을 알고 있었다. 그래도 그는 힘을 내어 쇳조각 하나를 들고 냉동실 벽 위에 자기가 겪은 고난의 이야기를 시간별로 날짜별로 새겨 나갔다. 그는 죽음의 고통을 꼼꼼하게 기록했다. 냉기가 코와 손가락과 발가락을 꽁꽁 얼리고 몸을 마비시키는 과정을 적었고, 찬 공기에 언 부위가 견딜 수 없이 따끔거리는 상처로 변해 가는 과정을 묘사했으며, 자기의 온몸이 조금씩 굳어지면서 하나의 얼음 덩어리가 되는 과정을 기록했다.

배가 리스본에 닻을 내렸을 때, 냉동 컨테이너의 문을 연 선장은 죽어 있는 선원을 발견했다. 선장은 벽에 꼼꼼하게 새겨 놓은 고통의 일기를 읽었다. 그러나 정작 놀라운 것은 그게 아니었다. 선장은 컨테이너 안의 온도를 재보았다. 온도계는 섭씨 19도를 가리키고 있었다. 그곳은 화물이 들어 있지 않았기 때문에 스코틀랜드에서 돌아오는 항해 동안 냉동 장치가 내내 작동하고 있지 않았다. 그 선원은 단지 자기가 춥다고 생각했기 때문에 죽었다. 그는 자기 혼자만의 상상 때문에 죽은 것이다.

37. 메르쿠리우스[11] 임무

《리빙스턴 박사를 만나고 싶다.》

그러나 반체제 개미들은 103683호의 소원을 받아들일 수가 없다. 그들은 일제히 더듬이를 세우고 103683호의 의도를 탐색한다.

《우리가 자네를 필요로 하는 것은 다른 일 때문이다.》

절름발이 개미가 설명한다. 어제 103683호가 여왕개미를 만나고 있는 동안에 한 무리의 반체제 개미들이 화강암 속으로 내려가서 리빙스턴 박사를 만났다. 그들은 리빙스턴 박사에게 손가락들을 치기 위한 원정이 준비되고 있다고 알려 주었다.

《어느 쪽 말을 전하는 리빙스턴 박사였는가? 신과 관계된 쪽인가, 신과 관계가 없는 쪽인가?》

《신과 관계가 없는 쪽이다. 합리적이고 구체적이며, 모든 더듬이가 이해할 수 있는 단순하고 직접적인 메시지를 전하는 리빙스턴 박사였다. 어쨌든, 리빙스턴 박사와 그를 통해서 자기들 의사를 표시하는 손가락들은, 모든 손가락들을 없애기 위해 세계 끝으로 원정대가 파견된다는 사실을 알고서도 별로 두려워하지 않았다. 그들은 오히려 그것을 아주 좋은 소식으로 받아들였다. 심지어 놓칠 수 없는 절호의 기회라고 말하기까지 했다.

11 로마 신화에 나오는 신의 이름. 다른 신들의 심부름꾼 노릇을 한다. 그리스신화의 헤르메스.

손가락들은 오랫동안 숙고하고 난 뒤에, 리빙스턴 박사를 통해서 어떤 임무를 수행하는 데 필요한 지시 사항들을 전달했다. 그 임무를 그들은 〈메르쿠리우스 임무〉라고 불렀다. 그 임무는 동방 원정과 연결되어 있다. 그 원정을 수행하면서 동시에 이룰 수 있는 일이다.》

《벨로캉 군대를 이끌고 가는 것이 자네이므로, 그 임무의 적임자도 자네일세.》

절름발이 개미는 103683호에게 그의 새로운 임무가 무엇인지를 설명하고 한마디를 덧붙인다.

《명심하게. 대단히 중요한 일이니 꼭 성사시켜야 하네. 메르쿠리우스 임무는 세계의 판도를 바꾸어 놓을 수도 있다네.》

38. 바위 밑 동굴에서

「그 개미가 메르쿠리우스 임무를 성공적으로 수행할 수 있을까요?」

오귀스타 할머니는 이제 막 개미들에게 자기의 계획을 제시하고 난 뒤였다. 할머니는 류머티즘 때문에 보기 흉해진 손으로 이마를 문지르며 한숨을 쉬었다.

「제발, 그 작은 불개미가 해내야 할 텐데!」

모두들 입을 다물고 할머니를 바라보았다. 빙그레 미소를 짓는 사람들도 있었다. 그들은 이제 그 반체제 개미들을 믿어야만 했다. 달리 방법이 없었다. 그들은 메르쿠리우스 임무를 맡은 개미의 이름을 모르고 있었지만, 그 개미가 죽음을 당하지 않기를 빌었다.

오귀스타 할머니는 눈을 감았다. 지하 수 미터의 이 동굴에 온 지도 벌써 1년이 되었다. 1백 살이 시작될 때 들어와서 이제 1백 하고도 한 살이 되었다.

할머니는 그간의 모든 일을 회상하기 시작했다.

맨 먼저 아들 에드몽이 퐁텐블로 숲 기슭의 시바리트가 3번지에 자리를 잡았다. 며느리가 죽은 뒤의 일이었다. 몇 년 후에 아들도 세상을 떠났다.

에드몽은 상속인인 조카 조나탕에게 편지 한 통을 남겼다. 〈특히 당부하건대, 지하실에는 어떤 일이 있어도 내려가지 말 것!〉이라는 단 한 문장의 충고가 적힌 이상한 편지였다.

나중에서야 오귀스타 할머니는 그것이 가장 효과적인 부추김이었다는 사실을 깨달았다. 결국 그것은 감자의 소비를 권장하기 위해 파르망티에[12]가 썼던 방법과 같은 것이었다. 파르망티에는 울타리를 친 밭에 감자를 심은 다음, 울타리에 〈절대로 들어가지 마시오〉라는 게시판들을 빙 둘러 가며 설치해 놓고, 사람들이 앞으로 감자를 많이 먹게 될 것이라고 장담했다. 게시판이 설치된 첫날 밤부터 서리꾼들이 그 귀한 덩이줄기들을 훔쳐 가기 시작했다. 그로부터 1세기가 흐른 뒤에 감자는 세계인의 주요한 식량의 하나가 되었다.

조나탕 웰스는 결국 금난의 지하실에 내려왔고 다시는 올라가지 않았다. 그의 아내 뤼시가 용감하게도 그를 찾으러 내려왔고 이어 그의 아들 니콜라도 내려왔다. 그 뒤를 이어 갈랭 형사의 지휘를 받으며 소방대원들이 내려왔고 빌셍 경

---

12 Antoine Augustin Parmentier(1737~1813). 프랑스의 약학자이자 농학자. 왕립 상이군인 병원의 주 약제사를 지냈으며 프랑스에 감자 재배를 확산시켰고, 감자에 대한 저작을 남기기도 했다.

정이 이끄는 경찰관들이 내려왔다. 마지막으로 오귀스타 할머니 자신이 자종 브라젤과 다니엘 로젠펠트를 데리고 내려왔다.

다 합해서 스물한 사람이 끝없이 이어진 나선 계단을 달려 내려왔다. 모두가 쥐들과 마주쳤고 성냥개비 여섯 개로 네 개의 정삼각형을 만드는 수수께끼를 풀었다. 또 어머니 자궁을 빠져나올 때처럼 몸을 압축시키는 통발을 지나왔다. 그다음부터 다시 나선 계단을 올라갔고 허방다리에 빠졌다. 사람들은 모두 소아적인 공포증과 무의식의 함정을 이겨 냈으며 탈진할 만큼의 힘겨움과 시체들에 대한 두려움을 극복했다.

멀고 험한 미로를 헤쳐 나와서 그들은 지하 사원을 발견했다. 그 사원은 거대한 화강암 밑에 만들어진 르네상스 시대의 건축물이었고 바로 위에는 개미 왕국이 하나 있었다. 조나탕은 그들에게 에드몽 웰스의 비밀 실험실과 에드몽 웰스의 천재성을 입증하는 발명품들을 보여 주었다. 그 가운데 〈로제타석〉이라고 명명된 기계가 있었다. 개미들의 냄새 언어를 이해하고 개미들과 대화를 할 수 있게 해주는 기계였다. 그 기계에서 대롱 하나가 나와 탐지기에 연결되어 있었다. 그 탐지기는 아주 정교하게 만들어진 플라스틱 개미로서 마이크와 스피커 구실을 겸하고 있었다. 그 개미 로봇이 개미 세계에 파견된 그들의 사절, 리빙스턴 박사였다.

그 통역자를 매개로 삼아 에드몽 웰스는 여왕개미 벨로키우키우니와 대화를 나누었다. 에드몽과 벨로키우키우니는 많은 이야기를 나눌 시간을 갖지는 못했지만, 대등한 수준을 가진 두 개의 대문명이 만나기에는 아직 이르다는 판단에 도달했다.

조나탕은 삼촌이 마무리하지 못한 일을 계승했고 지하에 내려온 모든 사람들을 자기의 열정에 끌어들였다. 그는 곧잘 그들이 외계인과 대화하려고 애쓰는 우주선 속의 우주 비행사들과 같다고 말하곤 했다. 〈우리가 하고 있는 실험은 우리 세대의 경험 중에서 가장 매혹적인 것이 될지도 몰라요. 개미와 대화하는 일에 도달하지 못한다면, 우리는 지구상에 있는 것이든 외계에 있는 것이든 지능을 가진 어떠한 생명체와도 대화할 수가 없을 거예요.〉 그는 단언했다.

조나탕의 생각이 틀린 것은 아니었다. 그러나 아무리 좋은 생각도 너무 이른 때에 나타나면 아무 소용이 없는 법이다. 그들의 이상주의적인 공동체는 얼마 안 가서 삐거덕거리기 시작했다. 그들은 아주 미묘한 문제들에 봉착했고, 아주 사소한 문제들 때문에 방해를 받았다.

어느 날 소방대원 한 사람이 조나탕에게 불쑥 지껄였다.

「우리가 우주선 속의 우주 비행사들과 같다는 자네 얘기에 어느 정도는 동감일세. 그러나 우주 비행사들이 우주선에 들어갈 때는 남자와 여자가 동수가 되도록 배려를 하지. 그런데 우리는 이게 뭔가. 한창나이의 남자가 열여덟 명인데 여자는 하나뿐이니. 할머니하고 어린애는 빼고 말이야.」

그 말에 조나탕은 내뜸 이렇게 대답했다.

「개미 세계에서도 수개미 열여덟 마리에 암개미는 한 마리뿐이라네!」

그들은 웃음으로 그 문제를 넘겨 버렸다.

그들은 벨로키우키우니 여왕이 죽었다는 것과 그 뒤를 계승한 여왕개미가 그들과 대화하고 싶어 하지 않는다는 것을 제외하고는 위에서 무슨 일이 벌어지고 있는지 별로 아는 게 없었다. 새 여왕개미는 급기야 식량 공급을 중단했다.

대화가 끊기고 식량 공급이 중단되자 그들이 실험하고 있던 공동체는 하나의 지옥이 되어 버렸다. 스물한 명의 사람이 땅속에 갇혀서 기아에 허덕이고 있었다. 결코 헤쳐 나가기 쉬운 상황이 아니었다.

어느 날 알랭 빌셍 경정은 개미들이 날라다 주는 식량통이 완전히 바닥난 것을 발견했다. 이제 그들에게 남은 식량은 버섯뿐이었다. 개미들에게서 재배하는 법을 배워 수확한 버섯이었다. 그들은 그것만으로 버틸 수밖에 없었다. 그래도 지하수가 있어서 신선한 물은 부족하지 않았고, 통풍 구멍이 있어서 공기도 충분했다.

그러나 물과 공기와 버섯만으로 버티기는 너무나 힘겨웠다. 절식도 이만저만한 절식이 아니었다.

참다 참다 못한 치안대원 하나가 기어이 이성을 잃고 말았다. 고기! 그는 살코기를 달라고 떼를 썼다. 그는 제비를 뽑아서 다른 사람들에게 싱싱한 고기가 되어 줄 사람을 결정하자고 제안했다. 그는 농담을 하고 있는 게 아니었다!

오귀스타 할머니는 그날 그 참담한 장면을 마치 어제 일처럼 생생하게 기억하고 있다.

「난 먹고 싶어!」

그 치안대원이 악을 썼다.

「그러나 먹을 게 없잖아.」

「왜 없다고 그래. 우리가 있잖아! 우리들 서로가 서로에게 먹거리가 될 수 있어. 제비로 몇 사람을 뽑아서 다른 사람들이 살아남을 수 있도록 희생시켜야 돼.」

조나탕 웰스가 벌떡 일어났다.

「우리는 짐승이 아니야. 짐승들이나 서로 잡아먹는 거야. 우린 인간이야, 인간이란 말이야!」

「자네보고 사람 고기를 먹으라고 강요할 사람은 아무도 없어. 조나탕, 먹고 안 먹고는 자네 마음이야. 그러나 다른 사람들에게 고기를 제공할 사람이 자네가 될 수도 있어.」

그렇게 말하고 나서 그 치안대원은 자기 동료 한 사람에게 몸짓으로 신호를 보냈다. 미리 짠 듯한 몸짓이었다. 그들은 함께 달려들어 조나탕을 껴안고 때리려고 했다. 조나탕은 주먹으로 후려치면서 그들의 손아귀를 빠져나왔다. 니콜라 웰스가 난투극에 끼어들었다.

난투극이 확대되었다. 사람 고기를 먹는 것에 찬성하는 사람들과 반대하는 사람들로 편이 갈렸다. 곧 모든 사람들이 뒤엉켜 싸웠고, 피가 흐르기 시작했다. 몇몇 주먹질과 발길질에는 상대를 죽여야겠다는 의지가 실려 있었다. 사람 고기를 먹겠다는 사람들은 자기들의 뜻을 효과적으로 이루려고, 깨진 병 조각과 칼과 나무 막대기를 움켜쥐었다.

오귀스타 할머니와 뤼시와 어린 니콜라까지도 화가 머리 끝까지 나서, 손톱으로 할퀴고 발로 차고 주먹을 휘둘렀다. 할머니는 입이 닿을 만한 간격으로 지나가는 어떤 팔뚝을 물기도 했다. 그러나 할머니의 틀니만 뚝 부러졌을 뿐 아무런 효과가 없었다. 사람 근육이 그렇게 단단한데, 그걸 먹으려 하다니.

지하 수 미터 되는 곳에 고립된 사람들이 갇힌 짐승들처럼 으르렁거리며 싸웠다. 고양이 스물한 마리를 바닥 면적이 1제곱미터밖에 안 되는 상자 안에 한 달 동안 가두어 두면, 저희들끼리 맹렬하게 싸우는 것을 보게 될 것이다. 그날, 인간 사회를 진보시키겠다던 이상주의자 집단이 벌였던 난투극이 바로 그런 것이었다.

경찰도 없고 증인도 없는 상태에서 그들은 자제력을 완전히 상실했다.

사망자가 하나 생겼다. 소방대원 하나가 칼에 찔려 죽었던 것이다. 싸우던 사람들이 깜짝 놀라서 즉시 싸움을 중단하고 시체를 바라보았다. 죽은 사람을 먹으려는 사람은 아무도 없었다.

그들의 영혼에 고요가 찾아 들었다. 다니엘 로젠펠트 교수가 싸움에 종지부를 찍기 위해 다음과 같이 말했다.

「우리는 타락했어! 동굴 속에 살던 원시인의 속성이 여전히 우리 내부에 도사리고 있어. 교양과 예의의 너울을 뒤집어쓰고 있지만 그게 너무 얇아서 별로 깊이 긁지 않아도 그 원시인의 속성이 튀어나오는 거야. 5천 년 문명의 무게가 이것밖에 안 되는 걸세. (그는 한숨을 쉬었다.) 먹을 것 때문에 지금 우리가 서로 죽이는 광경을 개미들이 본다면 우리를 얼마나 비웃을까!」

「하지만…….」

치안대원 하나가 끼어들려고 했다.

「입 다물게, 인간 버러지 같으니라고!」

교수는 버럭 고함을 지르고 말을 이었다.

「모듬살이 곤충이라면, 하다못해 바퀴벌레라도 방금 우리가 한 것 같은 그런 행동은 절대로 안 한다네. 우리는 스스로를 하느님이 지으신 것 중에서 가장 소중한 존재라고 생각하고 있지. 그런데 이게 뭔가, 코웃음이 절로 나오지 않나 말일세. 미래 인간의 선구적인 모습을 보일 책임이 있는 집단이 마치 쥐 떼들처럼 행동하고 있어. 보게. 우리의 인간성으로 우리가 무슨 짓을 했는지 보란 말일세.」

아무도 대꾸가 없었다. 모두가 소방대원의 시체에게로 다시 눈길을 떨구었다. 다른 말이 없었는데도 모두가 한마음이 되어 사원 한 귀퉁이에 그를 위한 무덤을 팠다. 그들은 간단한 기도문을 읊조리면서 그를 묻었다. 극단적인 폭력만이 폭력을 일거에 중단시킬 수 있었다. 그들은 자기들의 위(胃)가 존재한다는 사실을 잊고 자기들의 상처를 핥았다.

「선생님의 도덕군자 같은 말씀에 반대할 생각은 조금도 없습니다. 그러나 살아남기 위해서 우리가 장차 어떻게 해야 할지 도통 모르겠어요.」

제라르 갈랭 형사가 말했다. 서로를 잡아먹겠다는 생각은 확실히 사라졌지만, 그러나 살기 위해서 할 수 있는 다른 일이 무엇이 있는가? 그가 제안을 했다.

「우리 모두 동시에 자살을 해버리면 어떨까요? 그러면 우리는 고통에서도 벗어날 수 있을 것이고, 새 여왕개미 클리푸니가 안겨 준 모욕도 씻을 수 있을 거예요.」

사람들은 그 제안을 별로 달갑게 여기지 않았다. 갈랭 형사는 분통을 터뜨렸다.

「에이 빌어먹을. 개미들이 왜 우리에게 이렇게 못되게 구는 거지? 우리는 그들에게 말을 걸어 준 유일한 인간들이 아닌가, 그것도 저네들의 언어로 말이야. 그것에 대한 보답이 겨우 이렇게 우리를 죽게 내버려 두는 것이라니. 이거야 원.」

「그런 거라면 별로 놀라울 것도 없네. 인간 세계에서도 그런 일은 종종 있었지. 인질 잡기가 성행하던 시대에 레바논에서 납치자들은 아랍어 할 줄 아는 사람들을 먼저 죽였다네. 그들이 자기네들 말을 알아듣는 게 두려웠던 거지. 아마 클리푸니도 우리가 자기들 언어를 이해하고 있다는 사실을 무서워하는 것일 걸세.」

「우리가 서로 잡아먹거나 자살하는 일 없이 이곳을 빠져 나갈 수 있는 방법을 꼭 찾아야 돼요.」

조나탕이 소리쳤다.

그들은 침묵에 잠겨 생각에 생각을 거듭했다. 배 속이 비어 있어서인지 그들의 정신은 더욱 활발하게 움직였다.

이윽고 자종 브라젤이 입을 열었다.

「어떻게 해야 할지 알 것 같네…….」

오귀스타 할머니는 그의 말을 떠올리며 미소를 짓는다. 자종 브라젤은 방법을 알고 있었다.

두 번째 비밀 　　　　　　　　**지하의 신들**

39. 원정 준비

《자네는 어떻게 해야 하는지 아나?》

질문을 받은 개미는 대답을 못 하고 있다가 되묻는다.

《자네는 손가락을 죽이려면 어떻게 해야 하는지 아나?》

《전혀 모르겠어.》

도시 곳곳에서 병정개미들이 무리를 지어 손가락들을 치러 가는 대원정을 준비하고 있다. 보병 개미들은 위턱을 갈고 포수 개미들은 주머니에 개미산을 채운다. 기병대라고 불러도 손색이 없을 만큼 발이 빠른 보병 개미들은 다리의 털을 자르고 있다. 적들에게 죽음과 폐허를 뿌리러 돌진해 갈 때 공기의 저항을 조금이라도 덜 받으려는 것이다.

모두가 손가락들과 세계의 끝과 그 괴물들을 박멸할 수 있게 해줄 새로운 전투 기술에 대한 이야기들만 하고 있었다.

개미들은 이 원정을 위험하긴 하지만 아주 흥미 있는 사냥이 될 것으로 기대하고 있다.

포수 개미 하나가 60도짜리 개미산을 채우고 있다. 독의 농도가 너무 진해서 그의 배 끝에서 김이 피어오른다.

《우리는 이것으로 손가락들을 해치울 것이다!》

그가 의기양양하게 페로몬을 발한다.

옛날에 뱀 한 마리를 죽인 적이 있다고 주장하는 한 병정개미가 더듬이를 닦으면서 자기 의견을 밝힌다.

《손가락들은 우리 생각처럼 그렇게 사납지는 않을 거야.》

사실 손가락들을 상대로 어떻게 싸워야 하는지를 아는 개미는 하나도 없다. 클리푸니가 원정군을 일으키지 않았더라면 대부분의 벨로캉 개미들은 손가락들에 대한 이야기를 계속 전설로만 여기고 손가락들이 존재하지 않는다고 생각하고 있었을 것이다.

몇몇 병정개미들은 세계의 끝을 다녀온 탐험 개미 103683호가 자기들을 이끌 것이라고 알려 준다. 그 경험 많은 개미가 함께 참가한다는 사실에 모든 병정개미들은 즐거워한다.

병정개미들이 작은 무리를 지어 꿀단지개미들의 방으로 간다. 당분을 가득 채워 힘을 얻으려는 것이다. 병정개미들은 언제 출발 신호가 내려질지 모르지만 모두 만반의 준비를 하고 있다. 반체제 개미 열 마리가 무장한 병정개미들의 무리 속에 조심스럽게 스며든다. 그들은 아무 페로몬을 발산하지 않으면서, 방 안에 떠도는 페로몬들을 주의 깊게 끌어 모으고 있다. 그들의 더듬이가 계속해서 바르르 떨린다.

40. 통째로 들려 간 개미 도시

페로몬: 탐험 보고

정보 출처: 비생식 병정개미 계급의 사냥 개미

주제: 중대한 사고

정보 제공자: 척후 개미 230호

그 재난은 오늘 아침 이른 시간에 일어났다. 하늘이 갑자기 컴컴해졌다. 손가락들이 연방의 한 도시인 지울리캉을 완전히 포위하고 있었다. 정예 군단들이 중무장한 포수 개미들의 부대와 함께 즉시 싸우러 나갔다.

할 수 있는 모든 것을 다 했지만 허사였다. 손가락들이 나타난 지 얼마 안 되어서 어마어마하게 큰 판판하고 단단한 물건이 땅을 가르더니 도시 바로 옆으로 쳐들어와서 방들을 토막 내고 알들을 으깨고 통로를 잘라 버렸다. 그러고 나서 그 판판한 물건은 온 도시를 흔들어 대다가 위로 들어 올렸다. 놀랍게도 도시 전체를 들어 올렸다. 그것도 단 한 번에!

모든 일은 순식간에 이루어졌다. 우리는 투명하고 질긴 커다란 껍질 같은 것의 안으로 부어졌다. 도시는 위아래가 거꾸로 뒤집혔다. 산란실들이 전복되었고 곡물 창고가 무너졌다. 알들은 사방으로 흩어졌다. 여왕이 포로가 되었고 상처를 입었다. 나는 그 커다랗고 투명한 껍질이 몇 차례 심하게 들썩거리는 바람에 때맞추어 밖으로 도망칠 수가 있었다.

도처에 손가락들의 냄새가 진동했다.

41. 에드몽폴리스

레티시아 웰스는 퐁텐블로 숲에서 방금 파 온 개미집을 커다란 어항 안에 집어넣었다. 레티시아는 얼굴을 미지근한 유리에 바짝 붙이고 안을 들여다보았다.

그녀가 관찰하고 있는 개미들에게는 그녀가 보이지 않는 것 같았다. 새로 파 온 그 불개미 Formica rufa 떼는 특별히 활기가 있어 보였다. 레티시아는 전에도 몇 차례 개미들을 집에다 가져다 놓은 적이 있었다. 그러나 그것들은 모두 별로 활기가 없는 개미였다. 흑개미Pheidole나 고동털개미Lasius niger 들은 왠지 모르게 주눅이 들어 있었다. 그 개미들은 먹이를 주어도 먹이가 낯선 탓인지 전혀 건드리지 않았다. 레티시아가 손을 내밀기가 무섭게 개미들은 달아나 버렸다. 그렇게 일주일이 지나고 나면 개미들은 쇠약해져 버렸다. 개미들이 모두 영리한 것 같지는 않았다. 그렇기는커녕 조금 우둔한 종도 적지 않았다. 보잘것없는 일상의 삶이 조금만 흐트러져도 그 개미들은 터무니없이 절망에 빠져 버렸다.

그러나 그 불개미들은 그녀에게 대단한 만족감을 느끼게 해주었다. 개미들은 끊임없이 일에 몰두했고, 잔가지들을 끌고 다녔으며, 서로 더듬이를 비비기도 하고 밀고 당기며 싸우기도 했다. 개미들은 그때까지 본 어떤 개미들보다도 훨씬 더 생기에 차 있었다. 레티시아가 새로운 먹이를 주자 개미들은 이내 그것을 먹었다. 그녀가 어항 안에 손가락을 들이밀면 개미들은 물려고 하거나 손가락 위로 기어 올라왔다.

레티시아는 습기를 보존하기 위해서 개미 상자의 바닥에 석고를 넣어 두었다. 개미들은 석고 위에 통로를 마련했다. 왼쪽에는 잔가지로 된 작은 지붕이 있었다. 가운데에는 모래밭이 있었으며 오른쪽에는 굴곡이 심한 이끼 숲이 정원 구실을 하고 있었다. 레티시아는 설탕물이 담긴 플라스틱 병을, 개미들이 거기에 입을 대고 물을 마실 수 있도록 솜 마개로 막아서 넣어 두었다. 모래밭 한가운데에는 원형 경기장처럼 생긴 재떨이를 놓고 그 안에 얇게 썬 사과 조각과 타라마[13]를 담아 놓았다. 그 개미들은 타라마를 무척 좋아하는 것 같

13 훈제 대구 알, 식용유, 생크림, 레몬 등으로 만드는 그리스 요리.

왔다…….

다른 사람들은 모두 개미들이 집 안에 들어오는 걸 싫어하는데, 레티시아 웰스는 개미들을 자기 집에 살게 하려고 무척 애를 쓰고 있었다. 거실의 개미집이 안겨 주는 가장 큰 문제는 개미 상자 안의 흙이 썩는다는 것이었다. 금붕어의 물을 정기적으로 갈아 주어야 하듯이, 개미의 흙도 2주에 한 번씩 갈아 주어야 했다. 그러나 금붕어의 물을 갈려면 무자위[揚水機]를 조작하는 것으로 족하지만 개미들의 흙을 갈아 주는 일은 여간 까다로운 것이 아니었다. 그 일을 하자면 어항이 두 개나 필요했다. 하나는 개미들이 살고 있는 어항으로 습기가 말라 버린 흙이 들어 있고, 다른 하나는 습기가 많은 흙이 들어 있는 새 어항이었다. 레티시아는 두 어항 사이에 대롱을 설치했다. 그러면 개미들은 습기가 많은 쪽으로 옮겨갔다. 개미들이 이동하는데 하루 낮이 꼬박 걸리는 때도 있었다.

레티시아는 이미 개미집들 때문에 여러 차례 속을 끓였다. 어느 날 아침 일어나 보니 어항—정확히 말하면 의항(蟻缸)—에 있는 모든 개미들이 배마디가 잘린 채 죽어 있었다. 유리를 통해 들여다보니 개미들의 시체가 을씨년스럽게 언덕을 이루고 있었다. 그 개미들은 마치 노예 상태에 있기보다는 죽기를 바란다는 것을 보여 주려는 것 같았다.

강제로 입주된 개미들 가운데 어떤 개미들은 도망가기 위해서 갖은 짓을 다 했다. 그녀는 얼굴에 기어오르는 개미 때문에 잠이 깬 게 한두 번이 아니었다. 개미 한 마리가 돌아다니고 있다는 사실은 1백 마리쯤 되는 개미가 아파트 안에서 활보하고 있다는 것을 말해 주는 것이었다. 그래서 레티시아는 개미 사냥에 나서야만 했고, 개미들을 작은 숟가락과 시험관으로 사로잡아 유리 감옥 안에 다시 집어넣었다.

개미들의 억류 상태를 개선하고 그들의 사기를 진작시키고 싶어서 레티시아는 어항 안에 분재 식물로 된 작은 정원을 만들어 주었다. 개미들이 보다 다채로운 풍경을 즐기며 산책할 수 있도록 레티시아는 자갈이 있는 구역과 잔가지가 있는 구역, 조약돌이 깔린 구역 등을 마련해 주었다. 또 그들이 사냥하는 기분을 다시 느낄 수 있도록, 자기가 〈에드몽폴리스〉라고 명명한 개미 상자 안에 살아 있는 작은 귀뚜라미를 넣어 주기도 했다. 병정개미들은 분재 식물 사이로 귀뚜라미들을 쫓아다니면서 즐거움을 느끼는 것 같았다.

불개미들은 그녀에게 아주 놀라운 것을 보여 주기도 했다. 그녀가 처음으로 그 개미 상자 뚜껑을 열었을 때, 모든 개미들이 그녀 쪽으로 배를 들이대고 일제히 개미산을 쏘았다. 레티사는 어쩌다가 노란 구름처럼 한바탕 뿜어지는 그 개미산을 들이마셨다. 그러자 시야가 흐릿해지면서 붉고 푸른 것이 보이는 환각 증세가 일어났다. 놀라운 발견이었다! 개미들이 뿜어 대는 증기가 마약과 같은 효과를 나타내다니!

레티시아는 즉시 그 현상을 연구 수첩에 기록해 두었다. 레티시아는 이미 개미집과 관련된 희귀한 병이 있다는 사실을 알고 있었다. 그 병에 걸린 사람들은 마치 자석에 끌리듯이 개미집을 정신없이 찾아다닌다고 했다. 몇 시간 걸려서 개미집을 찾아낸 다음 그 사람들은 개미들을 게걸스럽게 먹었다. 사람들은 그 이유가 피 속에 개미산이 부족하기 때문에 그것을 보충하기 위한 것이라고 생각했다. 레티시아는 이제 그 사람들이 사실은 개미산이 일으키는 환각 효과를 찾고 있다는 것을 알게 되었다.

레티시아는 제정신으로 돌아오자, 개미집을 돌보는 데 필요한 도구들(작은 대롱, 족집게, 시험관 등)을 정돈해 놓고 자기의 취미 활동을 일시 중단했다. 이제부터는 기자로서 자기 일에만 몰두해야 하기 때문이었다. 먼젓번 기사들과 마찬가지로 다음 기사도 그 의문투성이의 살타 형제 사건에 대한 것이었다. 그녀는 사건의 베일을 한시라도 빨리 벗기고 싶었다.

42. 백과사전

말의 힘

말의 힘은 아주 대단하다.

당신에게 이야기를 하고 있는 나는 죽은 지 오래되었지만, 한 권의 책을 구성하고 있는 이 글자들의 집합 덕분에 여전히 힘이 있다. 나는 언제까지라도 이 책을 떠나지 않으며 그 대신 이 책은 나의 힘을 빌린다. 당신은 그 사실을 증명해 보이기를 원하는가? 그렇다면 시체인 내가, 송장인 내가, 해골인 내가 살아 있는 독자인 당신에게 명령을 내릴 수 있다는 것을 보여 주고 싶다. 사실이다. 완전히 죽어 있는 내가 당신에게 엉향력을 행사할 수 있다. 낭신이 어디에 있는 어떤 대륙에 살고 있든, 어떤 시대에 살고 있든, 나는 당신이 나의 말을 따르도록 만들 수 있다. 바로 이 『상대적이며 절대적인 지식의 백과사전』을 매개로 해서 말이다. 그럼 내가 곧 당신에게 그것을 증명해 보이겠다. 자, 당신에게 나는 이렇게 명령한다.

페이지를 넘기시오!

어떤가? 보았다시피, 당신은 나의 말에 순종했다. 나는 죽은 사람이다. 그럼에도 당신은 나의 말에 따랐다. 나는 이 책 속에 있다. 나는 이 책 속에 살아 있다! 그러나 이 책은 자기 단어들의 힘을 남용하는 일이 없을 것이다. 이 책은 당신의 손아귀에 있기 때문이다. 이 책에 거듭거듭 질문을 하기 바란다. 당신은 이 책을 언제나 마음대로 활용할 수 있다. 당신의 모든 질문에 대한 답이 언제나 이 책의 행 속 또는 행 사이 어디엔가 적혀 있을 것이다.

에드몽 웰스, 『상대적이며 절대적인 지식의 백과사전』 제2권

43. 꼭 알아야 할 페로몬

클리푸니는 경비 개미들에게 103683호를 데려오라고 일렀다. 경비 개미들이 그를 찾아 여기저기 돌아다닌 끝에 마침내 뿔풍뎅이 축사가 있는 곳에서 그를 찾아냈다.

경비 개미들은 그를 화학 정보실로 데리고 간다.

여왕개미가 거의 앉은 자세로 그를 기다리고 있다. 여왕은 기억 페로몬에 더듬이를 담가 보았던 모양이다. 아직 더듬이 끝이 젖어 있다는 것이 그걸 말해 준다.

《우리가 나눈 대화에 대해서 많이 생각해 보았네.》

클리푸니는 먼저 지구의 손가락들을 모두 죽이기에는 8만의 병력으로 불충분할 수도 있다는 점을 인정하고 나서 아주 놀라운 사건을 전해 준다.

《방금 사고가 하나 생겼다. 아주 끔찍한 재난이다. 그 소식을 접하고 보니 그 괴물들의 힘과 관련해서 아주 불길한 예감이 든다. 손가락들이 연방 도시 지울리캉을 빼앗아 갔다. 그들은 도시 전체를 거대하고 투명한 껍질에 담아 갔다.》

103683호는 그런 어마어마한 일이 일어났다는 게 믿어지지 않는다. 어떻게 그런 일이 일어날 수 있으며, 또 왜 그런 일이 일어나야 한단 말인가?

그것은 여왕도 모른다. 사건은 아주 빠르게 전개되었고 유일한 생존자는 아직 그 대재난의 충격에서 헤어나지 못하고 있다. 그러나 지울리캉 사건만을 따로 놓고 생각해선 안 된다. 매일 손가락들과 관련된 새로운 사건들이 터지고 있다.

이 모든 사건들이 일어나는 양상을 보면 손가락들이 빠른 속도로 번식하고 있고 숲을 침범하기로 작정한 것처럼 느껴진다. 날이 갈수록 그들의 존재가 점점 분명해지고 있다.

목격자들의 진술이 엇갈리고 있다. 어떤 자들은 시커멓고 판판한 동물들을 보았다고 했고 어떤 자들은 둥글고 불그스름한 동물들을 보았다고 했다.

《우리는 자연이 낳은 하나의 이변이라고 할 만한 이상한 동물을 상대하고 있는 것 같다.》

103683호가 잠깐 동안 공상에 빠진다.

〈그들이 우리의 신이라면? 그렇다면 우리는 곧 우리의 신에게 정면으로 맞서게 되는 것이 아닌가?〉

클리푸니가 103683호에게 따라오라고 한다. 여왕은 그를 지붕 꼭대기로 데려간다. 그곳에 다다르니 몇몇 병정개미들이 그들에게 인사를 하고 여왕을 에워싼다. 유일한 산란 개미가 도시 밖으로 나가는 것은 위험한 일이다. 벨로캉의 화신으로서 없어서는 안 되는 생식 개미를 새가 나타나 낚아채 갈 수도 있기 때문이다.

포수 개미들은 이미 사격 자세를 취하고 무엇이든 시야에 들어오는 대로 겨냥할 준비를 하고 있다.

클리푸니는 지붕 꼭대기를 돌아 시야가 탁 트인 장소에 다
다른다. 결혼 비행할 때 이륙용 활주로 같은 구실을 하는 곳
이다. 뿔풍뎅이 몇 마리가 평화로이 싹을 뜯어먹으면서 거기
에 머물고 있었다.

구릿빛을 살짝 띠고 있는 그들의 검은 등딱지가 반짝거린
다. 여왕도 103683호에게 그 뿔풍뎅이들 가운데 하나를 골
라 올라타 보라고 권한다.

《자, 이건 우리의 혁신 운동이 이룬 기적의 하나일세. 이
녀석들을 우리는 커다란 비행 곤충으로 길들이는 데 성공했
네. 골라 시험해 보게.》

103683호는 뿔풍뎅이 조종하는 법을 모른다.

클리푸니가 그에게 몇 가지 페로몬을 발하여 조언한다.

《자네 더듬이를 언제나 뿔풍뎅이의 더듬이 가까이에 두
고, 그에게 가고 싶은 곳을 지시하게. 자네 생각을 아주 분명
하게 그의 더듬이에 전달해서 그를 이끌고 가는 것일세. 그
지시에 따라 뿔풍뎅이는 아주 신속하게 움직일 걸세. 이제
자네가 직접 그것을 확인해 보게. 회전할 때 균형을 잡겠다
고 반대 방향으로 몸을 기울이는 일이 없도록 하게. 뿔풍뎅
이가 움직이는 대로 따라가야 하네.》

44. CCG에서 알아낸 것

CCG의 상징은 머리가 셋 달린 흰 독수리였다.

세 머리 가운데 두 개는 위태롭게 축 늘어진 형상인데, 마
지막 하나는 당당하게 곧추서서 은색 물줄기를 뿜어 대고 있

었다.

굴뚝의 수와 거기에서 뿜어 대는 연기가 엄청나서, 마치 이 나라에서 사용하는 물건은 모두 그 공장에서 만들어 내고 있는 듯한 느낌을 주었다. 그 회사는 하나의 작은 도시라 해도 손색이 없을 정도였다. 회사 안에는 전기 자동차가 운행되고 있었다.

멜리에스 경정과 카위자크 형사가 Y동(棟)을 향해 차를 타고 가는 동안, 영업부 간부 하나가 그 회사에 대해서 설명을 해주었다. CCG는 화공 약품과 가정용품, 플라스틱 제품, 식료품 등의 주성분이 되는 화학 물질을 주로 생산하고 있었다.

시장에서 서로 각축전을 벌이는 225개의 세탁제와 세척제가 CCG에서 생산한 똑같은 세제용 분말을 원료로 삼고 있었다. 치즈를 원료로 만든 365개의 상품이 슈퍼마켓의 고객을 확보하려고 경쟁하고 있었다. 또 CCG의 합성수지가 장난감과 가구 등의 원료가 되고 있었다.

CCG는 스위스에 본부를 둔 다국적 기업으로서 치약, 왁스, 식료품 등 헤아릴 수 없이 많은 분야에서 세계 제일의 생산량을 자랑하고 있었다.

Y동에 다다른 두 경찰관은 살타 형제와 카롤린 노가르의 연구실까지 안내를 받았다. 살타 형제와 카롤린 노가르의 작업실이 서로 이웃에 있는 것을 알아내고 두 경찰관은 깜짝 놀랐다. 멜리에스가 물었다.

「그들은 서로 아는 사이였군요?」

하얀 작업복 차림으로 그들을 맞이한, 여드름투성이의 화학자가 소리쳤다.

「가끔 같이 일했어요.」

「최근에 어떤 연구 프로젝트에 공동으로 참여하고 있었나요?」

「예, 하지만 당분간 그것을 비밀에 부치기로 했었어요. 그들은 동료들에게 그 프로젝트에 대해서 이야기하지 않았습니다. 아직 너무 이르다고 그들은 주장했지요.」

「그들의 전문 분야가 뭐였지요?」

「이것저것 다 했어요. 그들은 우리의 많은 연구 개발 분야에 관계했습니다. 왁스, 연마용 분말, 접착제 등 화학이 응용되는 모든 분야에 관심을 가졌지요. 그들은 종종 자기들의 재능을 결합해서 좋은 성과를 거두곤 했어요. 하지만 최근의 프로젝트에 대해서는, 아까도 말씀드렸지만, 아무에게도 털어놓지 않았습니다.」

자기의 생각을 쫓고 있던 카위자크가 끼어들었다.

「그 사람들 혹시 사람을 투명하게 만들 수 있는 물질에 대해서 연구하지 않았나요?」

그 화학자가 코웃음을 치며 말했다.

「투명 인간을 만들 수 있는 물질이라뇨? 농담이시겠죠?」

「천만에요. 오히려 아주 진지하게 말하고 있는 겁니다.」

그 화학자는 어리둥절한 표정을 지으며 말했다.

「좋습니다. 설명을 드리지요. 우리 몸은 절대로 투명해질 수 없습니다. 우리 몸은 너무 복잡한 세포들로 이루어져 있습니다. 그래서 아무리 천재적인 과학자라도 그 세포들을 한꺼번에 물처럼 투명하게 만들 수는 없습니다.」

카위자크는 더 이상 할 말이 없었다. 과학은 그의 전문 분야가 아니었다. 그래도 뭔가 미흡하다는 느낌은 지울 수가 없었다.

　멜리에스는 웬 헛소리들이냐는 듯 어깨를 으쓱 들어 올려 보이고는, 아주 직업적인 어투로 물었다.

　「그들이 연구하고 있던 물질이 플라스크 같은 데 담겨 있지 않을까요? 그런 게 있으면 좀 보여 주시겠어요?」

　「그게 저……」

　「무슨 문제가 있습니까?」

　「예, 벌써 누군가가 와서 그것을 달라고 했습니다.」

　멜리에스는 선반 위에서 머리카락 하나를 주워 들었다.

　「그 사람은 여자군요.」

　그가 말했다.

　화학자는 깜짝 놀랐다.

　「맞습니다. 여자였습니다. 그런데……」

　경정은 아주 자신만만하게 이야기를 이어 갔다.

　「그 여자 나이는 스물다섯에서 서른 사이이고 건강 상태는 완벽하며 유럽인과 아시아인의 혼혈이고 혈관계는 아주 양호하군요.」

　「지금 저한테 물어보고 계신 겁니까?」

　「아니요. 깨끗한 선반 위에 떨어진 이 머리카락을 보고 그런 걸 알아냈다는 겁니다. 제가 알아낸 게 틀립니까?」

　그 화학자는 무척 놀라워하는 눈치였다.

　「말씀하신 대로입니다. 그런데 어떻게 그런 세세한 것까지 알아내셨습니까?」

　멜리에스는 내친김에 그 화학자를 더 놀려 주기로 했다.

　「머리카락이 매끈매끈합니다. 그러니까 이것은 감은 지 얼마 안 되는 머리카락입니다. 냄새를 맡아 보세요. 아직도 향기가 남아 있습니다. 터럭의 심이 굵습니다. 이건 젊은 사람 것입니다. 심을 둘러싸고 있는 막의 지름이 넓습니다. 그것은 동양인들의 특징이지요. 또 피막 안에 든 심의 빛깔이 아주 좋습니다. 그러므로 혈관계가 완벽한 상태에 있는 것입니다. 게다가 그 사람이 『일요 메아리』에 근무한다는 것도 알 수 있겠군요.」

「에이, 절 놀리시는군요. 머리카락 하나에서 그 모든 걸 알아냈다는 말입니까?」

멜리에스는 레티시아 웰스를 처음 만났을 때 그녀가 했던 말을 흉내 냈다.

「다 아는 수가 있습니다.」

카위자크 형사는 자기 역시 직관력이 부족하지 않다는 걸 입증하고 싶어 했다.

「그 사람이 여기서 뭘 훔쳐 갔지요?」

「아무것도 훔쳐 가지 않았는데요. 그 사람은 우리에게 그 플라스크들을 가져가도 되느냐고 물었습니다. 집에 가져가서 시간 날 때 조사해 보겠다는 거였지요. 우리는 뭐 굳이 마다할 이유가 없었어요.」

경정의 성난 얼굴을 보고 화학자가 변명을 덧붙였다.

「우리는 경찰이 오리라는 것도, 경찰이 그것에 관심을 갖고 있다는 것도 몰랐습니다. 알았다면 물론 경찰에서 원하는 대로 그것들을 보관해 두었겠지요.」

멜리에스는 카위자크를 이끌고 발길을 돌렸다.

「레티시아 웰스가 우리에게 많은 걸 가르쳐 줄 거예요.」

45. 뿔풍뎅이 시험 비행

103683호는 뿔풍뎅이의 앞가슴 등판에 올라탔다.

그 비행기는 길이 네 걸음에 너비가 두 걸음은 족히 된다. 조종석에서 바라보니 뿔풍뎅이 이마의 휘어진 뿔이 마치 뱃머리가 돌출한 것처럼 똑바로 솟아 있다. 그 뿔의 구실은 여러 가지다. 적의 배를 가르는 창인가 하면 개미산 사격을 위한 조준기이고, 군함으로 치면 충각(衝角)이요, 염소로 치면 뿔이기도 하다.

이제 103683호에게 닥친 문제는 뿔풍뎅이를 조종하는 것이다. 〈생각을 뿔풍뎅이의 더듬이에 전달해서 조종하는 것〉이라고 클리푸니가 조금 전에 일러 주었다.

당장 해보는 게 좋겠다.

103683호는 자기 더듬이를 뿔풍뎅이의 더듬이에 연결하고 이륙에 대해 생각을 모은다. 그런데 이 시커먼 딱정벌레목 곤충이 중력을 이겨 낼 수 있는지 의구심이 들기도 한다.

《나는 날고 싶다. 자, 날자.》

103683호가 정신을 차릴 사이도 없이 무겁고 둔해 보이던 뿔풍뎅이가 움직이기 시작한다. 103683호의 뒤에서 기계 장치가 원활하게 돌아가는 소리가 나면서 뭔가가 미끄러져 나온다. 갈색 딱지날개 두 개가 앞쪽으로 미끄러져 나왔다. 투명한 반색이 커다란 두 날개가 회전하면서 비스듬히 펼쳐지더니 짧고 힘찬 동작으로 한 번 퍼덕인다. 곧 시끄러운 소리가 사방에 퍼진다.

클리푸니는 103683호에게 뿔풍뎅이의 날갯짓 소리가 아주 요란하니 정신을 바짝 차려야 한다는 충고를 빠뜨렸다.

붕붕거리는 소리가 점점 심해진다. 모든 것이 덜덜 떨린다. 103683호는 다음에 일어날 일에 불안감을 느끼고 있다.

뿔풍뎅이가 일으키는 먼지와 나뭇가루의 소용돌이가 시야를 어지럽힌다. 뿔풍뎅이가 공중으로 올라가는데, 이상한 효과가 빚어진다. 뿔풍뎅이가 올라가는 게 아니라 도시가 땅밑으로 가라앉는 듯한 느낌이 든다. 아래서 더듬이로 인사를 건네는 여왕이 점점 작아진다. 여왕의 모습을 전혀 구별할 수 없게 되자, 103683호는 수천 걸음(수천 센티미터)의 고도는 족히 올라와 있다고 생각한다.

《직진하고 싶다.》

그 생각을 전하자 뿔풍뎅이는 즉시 앞으로 몸을 기울이더니 날개 소리를 더욱 요란하게 하면서 앞으로 나아간다.

날고 있다! 103683호가 날고 있다!

날개 없는 비생식 개미들의 한결같은 소망을 오늘 이루고 있는 것이다. 결혼 비행을 하는 날 생식 개미들이 하는 것처럼 중력을 이겨 내고 공중의 차원을 정복한 것이다.

잠자리, 파리, 말벌 등이 103683호의 주위로 어지러이 스쳐 간다. 냄새를 맡아 보니 바로 앞에 새들의 둥지가 있다. 위험하다. 103683호는 급히 방향을 돌리라고 명령한다. 그러나 공중은 땅과는 다르다. 거기에서는 날개를 45도 이하로 내리지 않고서는 회전을 할 수 없다. 뿔풍뎅이가 103683호의 지시대로 따르자 모든 것이 흔들린다.

개미가 미끄러진다. 뿔풍뎅이의 딱지 속에 발톱을 박아 넣어 버티려고 했지만 아차 하는 사이에 발톱이 밀려난다. 검은 딱지 위에 긁힌 자국이 생기면서 얇은 거스러미가 일었을 뿐이다. 버팀대가 되어 줄 만한 것이 없어서 개미는 어쩔 수없이 그 비행 곤충의 옆구리로 굴러떨어진다.

허공에 떨어진 개미가 추락하기 시작한다. 뿔풍뎅이는 그런 사실도 모른 채 선회를 마치고 새로운 창공을 향해 힘차게 날아가고 있다.

그동안 개미는 자꾸자꾸 떨어진다. 땅과 식물들과 흉측한 바위들이 그에게 덤벼들고 있다. 몸이 빙글빙글 돌고 더듬이가 걷잡을 수 없이 떨린다.

충돌이다!

그는 모든 충격을 다리로 받아 내면서 되튀었다가 더 먼 곳으로 다시 떨어지고 또다시 튀어 오른다. 마침 폭신한 이끼 무더기가 마지막 공중제비의 충격을 덜어 준다.

개미는 아주 가볍고 강인한 곤충이라서 자유 낙하 때문에 죽지는 않는다. 아주 높이 솟은 나무에서 떨어져도 개미는 아무 일도 없었던 것처럼 자기 일을 다시 시작한다.

103683호는 추락에 뒤따르는 현기증 때문에 약간 비틀거릴 뿐 아무런 탈이 없다. 그는 더듬이를 앞으로 내밀고 재빨리 닦은 다음, 자기 도시 쪽으로 가는 길로 접어든다.

클리푸니는 움직이지 않았다. 클리푸니는 103683호가 지붕 위에 다시 나타날 때까지 자리를 뜨지 않고 있었다.

《걱정 말게. 다시 해보세.》

여왕개미는 병정개미를 이륙용 활주로로 다시 데려간다.

《자네는 병정개미 8만에다 이 길들인 뿔풍뎅이 용병 67마리의 지원을 받을 수 있을 거야. 뿔풍뎅이들은 대단한 원군이 되어 줄 걸세. 그들을 조종하는 법을 배워야 하네.》

103683호는 다른 뿔풍뎅이에 올라타고 다시 이륙한다. 첫 번째 시험 비행은 실패했지만 이번 뿔풍뎅이와는 더 뜻이 잘 맞을 듯하다.

포수 개미 하나가 103683호의 오른쪽에서 동시에 이륙한다. 그들은 나란히 날아가면서 서로에게 신호를 보낸다. 날아가는 속도가 빠르기 때문에 더 이상 페로몬으로 소통하기가 어렵다. 그래도 아무런 문제가 없다. 조종사들은 즉시 더듬이의 움직임에 토대를 둔 몸짓 언어를 고안해 냈다. 더듬이를 세웠다 접었다 함으로써 멀리서도 이해할 수 있는 그들 나름의 모스 부호를 만들어 낸 것이다.

포수 개미는 뿔풍뎅이의 더듬이를 놓고 그의 등판 위에서 거닐 수 있다고 알려 온다. 발톱을 등딱지의 오톨도톨한 부분에 꽉 박고 있으면 떨어질 염려가 없다는 것이다. 그 포수 개미는 그 기술을 완벽하게 익힌 것처럼 보인다. 이어서 포수 개미는 뿔풍뎅이의 다리를 타고 내려올 수 있다는 것을 보여 준다. 그렇게 되면 아래쪽으로 배를 들이대고 밑으로 지나가는 모든 것을 향해 위에서 사격을 할 수 있다.

103683호는 그런 모든 곡예비행을 터득하는 데 약간 애를 먹었지만, 곧 자기가 2천 걸음의 높이로 날고 있다는 사실을 잊은 채 그 비행 곤충에 적응할 수 있게 된다. 뿔풍뎅이가 풀에 닿을 정도로 급강하할 때는 풀들을 잡아당기기도 하고 꽃줄기를 싹둑 자르기도 한다.

그렇게 해보고 나니 자신감이 생긴다. 뿔풍뎅이 예순일곱 마리가 있으면 그 신……. 아니 손가락 몇 마리는 해치울 수 있을 것도 같다.

《급상승, 그다음엔 급강하!》

103683호가 뿔풍뎅이에게 명령한다.

병정개미는 더듬이에 느껴지는 속도감을 즐기기 시작한

다. 참으로 훌륭한 비행 부대이다! 개미 문명에 아주 커다란 진보가 이루어졌다! 그는 뿔풍뎅이를 타고 비행하는 기적 같은 일을 경험한 첫 세대에 속하게 된다!

속도가 그를 황홀하게 만들고 있다. 방금 전의 추락은 그에게 별다른 영향을 끼치지 않았고 그는 이제 공중을 날아다니는 일은 별로 위험할 게 없다고 생각하기 시작한다. 그는 나선 비행, 공중회전 등과 같은 곡예비행까지도 지시한다. 103683호는 처음 맛보는 놀라운 느낌을 만끽한다. 공중에서의 위치에 민감하게 반응하는 그의 존스턴 기관이 작동을 멈춘다. 그는 이제 위아래, 앞뒤가 어딘지 구별하지 못한다. 그래도 나무가 바로 앞에 나타나면 충돌을 피하기 위해 재빨리 선회해야 한다는 것을 잊지 않고 있다.

항공기 타는 재미에 흠뻑 빠져서 103683호는 하늘이 불길하게 어두워지고 있음을 깨닫지 못한다. 한참이 지나서야 그는 자기가 타고 있는 뿔풍뎅이가 불안해하고 있음을 느낀다. 뿔풍뎅이는 이제 그의 지시에 바로 응하지 않고, 고도를 유지하라는 명령에도 따르지 않는다. 느끼지 못할 만큼 조금씩 뿔풍뎅이가 하강하고 있다.

46. 노래

기억 페로몬 번호 : 85

주제 : 혁신의 노래

페로몬 제공자 : 클리푸니 여왕

나는 위대한 개혁자다.

나는 백성들을 틀에 박힌 일상에서 끌어내어 경이의 세계로 이끈다.

나는 역설이 가득 담긴 기묘한 진리를 일깨우고 미래를 알려 준다.

나는 체계를 무너뜨린다. 그러나 체계가 진보하려면 일단은 무너져야 한다.

나처럼 소심하고 어눌하고 자신감 없이 말하는 자는 아무도 없다.

나처럼 무한한 약점을 가지고 있는 자는 아무도 없다.

나처럼 유전 형질이 보잘것없는 자는 아무도 없다.

나에겐 지성 대신에 감성이 가득하기 때문이다.

나에겐 나를 무겁게 만드는 어떤 지식도 어떤 지혜도 없기 때문이다.

허공에 떠도는 직관만이 나의 발걸음을 이끈다.

그 직관이 어디에서 오는지 나는 모른다.

그것을 알고 싶지도 않다.

47. 자종 브라젤의 생각

오귀스타 할머니의 회상이 계속되고 있었다.

자종 브라젤은 손을 입에 갖다 대고 헛기침을 했다. 모두 그를 둘러싸고 그의 말이 떨어지기를 기다렸다. 위기를 벗어날 수 있는 방도를 전혀 찾지 못하던 터라 그들의 기대는 더욱 간절했다.

양식도 없고, 지하 동굴 밖으로 나갈 수 있는 일말의 가능성도 없고, 바깥 사람들에게 연락할 수 있는 가능성도 없는 상황에서, 1백 살 먹은 노인과 사내아이가 포함된 스무 명의 사람들이 어떻게 살아남기를 바란다는 말인가?

자종 브라젤은 자세를 똑바로 추스르면서 말했다.

「처음부터 다시 생각해 봅시다. 누가 우리를 여기로 이끌었습니까? 에드몽 웰스입니다. 그는 우리가 이 동굴 속에 살면서 그의 작업을 이어 주기를 바랐습니다. 그는 우리가 과감하게 위험한 상황 속에 뛰어들 것으로 내다보았습니다. 나는 그것을 확신합니다. 지하실로 내려오는 일은 개인적인 깨달음의 과정이었습니다. 지금 우리가 맞닥뜨리고 있는 문제는 집단적인 깨달음의 과정에서 나타난 하나의 중요한 시련입니다. 우리가 각자 홀로 이루어 낸 것을 이제 함께 이루어 내야 합니다. 우리는 모두 정삼각형 네 개의 수수께끼를 풀었습니다. 우리의 사고방식을 바꿀 줄 알았기 때문입니다. 우리는 우리의 정신 속에 있는 문을 열었던 것입니다. 우리는 끈기를 가지고 계속 나아가야 합니다. 그것을 위해서 역시 에드몽은 우리에게 열쇠를 마련해 놓았습니다. 두려움이 우리의 눈을 멀게 하기 때문에 그것을 못 보고 있을 뿐입니다.」

「어렵게 얘기하지 마시고 그 열쇠가 뭔지나 빨리 말씀하세요. 교수님이 제안하려는 해결책이 뭡니까?」

소방대원 하나가 퉁명스럽게 말했다.

그러거나 말거나 자종 브라젤은 자기 얘기를 계속했다.

「정삼각형 네 개의 수수께끼를 다시 생각해 보십시오. 그 수수께끼는 우리의 사고방식을 수정하라고 요구했습니다. 〈다른 식으로 생각해야 한다〉는 말을 에드몽은 되풀이했습니다. 〈다른 식으로 생각해야 한다……〉」

치안대원 하나가 다시 소리쳤다.

「하지만 우리는 쥐들처럼 이곳에 갇혀 있습니다. 이것은 달리 생각해 볼 여지가 없는 엄연한 사실입니다. 이 상황을 어떻게 다른 식으로 생각할 수 있단 말입니까?」

「아닙니다. 여러 가지로 생각할 수 있습니다. 우리는 몸속에 갇혀 있는 것이지 정신 속에 갇혀 있는 것이 아닙니다.」

「말로는 뭘 못 하겠습니까? 말만 계속 그렇게 하지 마시고 제안할 게 있으면 후딱 제시하세요! 그렇지 않으면 입을 다무시고요.」

「어머니 몸 밖으로 나온 아기는 자기를 둘러싸고 있던 따뜻한 양수가 왜 사라졌는지를 이해하지 못합니다. 아기는 어머니의 자궁 속으로 다시 돌아가고 싶어 할지 모릅니다. 그러나 문은 이미 닫힌 뒤입니다. 아기는 다시 자유로운 바다 속으로 돌아갈 수 없는 물고기와 같습니다. 춥고 눈부시고 너무 시끄럽습니다. 모태 밖은 지옥이나 다름없습니다. 지금의 우리처럼 아기는 시련을 견디어 내기가 어려울 것처럼 보입니다. 낯선 세계에 신체적으로 적응이 되어 있지 않기 때문입니다. 우리는 모두 그런 순간을 겪었습니다. 그러나 우리는 죽지 않았으며 공기와 빛과 추위에 적응했습니다. 우리는 양수 속에 살던 태아에서 공기를 호흡하는 아기로 변했습니다. 물고기에서 포유동물로 변한 것입니다.」

「그래서요?」

「우리는 지금 아기와 똑같은 위기 상황을 맞고 있습니다. 다시 적응해 나가야 합니다. 이 새로운 상황에 우리를 맞추어 나가야 합니다.」

「이 양반 지금 헛소리를 하고 있어요. 계속 헛소리만 하고 있는 거라고요!」

제라르 갈랭 형사가 천장으로 눈을 올리며 소리쳤다.

「아니에요, 그분이 말씀하고자 하는 바를 알 것 같아요. 우리는 해결책을 찾아낼 거예요. 우리 모두가 찾으려고 하면 찾을 수 있을 거예요.」

「물론 해결책이야 언제든지 찾을 수 있지. 굶어 죽기를 기다리는 것도 해결책이 될 수 있으니까 말이야.」

「자종의 얘기를 더 들어 보기로 하세. 그 사람 얘기 아직 안 끝났어.」

오귀스타 할머니가 타일렀다.

자종 브라젤은 풍금 앞의 보면대 쪽으로 가서 『상대적이며 절대적인 지식의 백과사전』을 들어 올렸다.

「저는 간밤에 이것을 다시 읽었습니다. 이 사전 어딘가에 해답이 분명히 적혀 있을 것이라고 믿었던 것이지요. 한참 만에 저는 이런 구절을 찾아냈습니다. 그것을 낭독해 보겠습니다. 잘 들어 보십시오.」

48. 백과사전

항상성

모든 생명체는 항상성을 추구한다.

〈항상성(恒常性)〉이란 내부 환경과 외부 환경 사이의 평형을 뜻한다.

모든 생명체는 항상성을 유지하는 쪽으로 기능한다. 새는 날기 위해서 속이 빈 뼈를 가지고 있다. 낙타는 사막에서 살아남기 위하여 물주머니를 가지고 있다. 카멜레온은 포식자들의 눈에 띄지 않으려고 가죽의 색소 구성을 변화시킨다.

다른 많은 종(種)들과 마찬가지로 그 종들은 주위 환경의 모든 변화에 적응하면서 오늘날까지 이어져 왔다. 바깥 세계와 조화할 줄 몰랐던 종들은 소멸했다.

항상성은 외부의 제약과 관련해서 우리 기관들이 스스로를 조절하는 능력에서 생기는 것이다.

우리는 어떤 평범한 사람들이 아주 가혹한 시련을 견뎌 내면서 거기에 자기의 기관을 적응시켜 나가는 것을 보고 놀랄 때가 많다. 전쟁은 살아남기 위해서 스스로를 이겨 내야 하는 상황인데, 그 전쟁 중에는 여태껏 고생을 모르던 사람들도 아무런 불평 없이 물과 건빵에 길들여진다. 깊은 산속에서 길을 잃은 사람들은 며칠이 지나고 나면 식용 식물을 구별할 줄 알게 되고, 사냥을 할 줄 알게 되며, 언제나 혐오감만 주던 두더지, 거미, 쥐, 뱀 같은 동물들도 먹을 수 있게 된다.

대니얼 디포의 『로빈슨 크루소』나 쥘 베른의 『신비로운 섬』은 항상성을 유지하는 인간의 능력을 기리는 소설들이다.

우리는 모두 완벽한 항상성을 끊임없이 추구해 나간다. 우리의 세포들이 이미 악착같이 항상성을 추구하는 성질을 가지고 있기 때문이다. 세포들은 온도가 가장 알맞고 독성 물질이 섞이지 않은 최대한의 영양액을 끊임없이 갈망한다. 그러나 그것이 여의치 않을 때는 그 상황에 적응한다. 술꾼의 간세포는 술을 절제하는 사람들의 간세포보다 알코올을 분해하는 데 더 익숙해져 있다. 흡연자의 폐 세포는 니코틴에 저항하는 능력을 갖게 된다. 미트리다테스왕[14]은 자기의 몸을 비소에 견딜

14 Mithridates VI(B.C. 132~B.C. 63). 소아시아 북동쪽 흑해 연안에 있었던 고대 도시 폰토스의 왕. 전쟁에 패한 뒤 적들이 자기를 독살할 것을 염려하여 독을 조금씩 먹음으로써 스스로를 독에 면역이 되게 만들었다. 적들은 독으로 그를 죽일 수 없게 되자, 그의 병사들 가운데 하나를 매수해 그를 암살했다. 〈독물에 면역이 되게 하다〉는 뜻을 가진 프랑스어 mithridatiser와 영어 mithridatize는 이 왕의 이름에서 유래한 것이다.

수 있게 만들기까지 했다.

외부 환경이 적대적일수록 세포나 개체는 이제껏 잠자고 있던 능력들을 자꾸 개발해 나간다.

에드몽 웰스, 『상대적이며 절대적인 지식의 백과사전』 제2권

읽기를 마치자 긴 침묵이 이어졌다. 자종 브라젤이 침묵을 깨뜨리고 말을 덧붙였다.

「만일 우리가 죽는다면 그것은 우리가 이 극단적인 환경에 적응하지 못했기 때문일 것입니다.」

제라르 갈랭이 분통을 터뜨렸다.

「극단적인 환경이라고요, 말씀 잘 하셨습니다! 루이 11세[15] 때의 죄수들은 면적이 1제곱미터밖에 안 되는 〈피예트〉라는 감옥에 갇혀 있었는데, 그들이 감옥 쇠창살에 적응했던가요? 총살을 당한 사람들이 가슴의 살갗을 단단하게 만들어서 총알을 밀어 낼 수 있었던가요? 핵전쟁을 겪은 일본 사람들은 방사능에 대한 저항력을 더 많이 가질 수 있게 되었던가요? 말도 안 되는 소리 하지 마십시오. 아무리 적응하고 싶어도 적응할 수 없는 외부 환경이 있는 겁니다.」

알랭 빌셍이 보면대 쪽으로 다가가며 말했다.

「아주 흥미 있는 구절을 읽기는 하셨습니다만, 우리 문제와 관련해서는 구체적인 해답을 전혀 못 주고 있습니다.」

「하지만 에드몽이 우리에게 아주 분명하게 말하고 있습니다. 살아남고 싶으면 우리의 생존 방식을 바꾸어야 합니다.」

「바꾼다고요?」

15 Louis XI(1423~1483). 프랑스의 왕. 샤를 7세의 아들로서 부왕을 상대로 한 두 차례의 반역을 통해 왕이 되었다. 무자비하고 교활한 정치를 했다.

「예, 바꾸는 겁니다. 지하에서 거의 먹지 않고 살 수 있는 혈거(穴居) 동물이 되는 겁니다. 집단을 저항과 생존의 수단으로 활용하는 겁니다.」

「그게 무슨 말이죠?」

「개미들과의 의사소통이 단절되고 나서 우리의 육신은 고통을 겪고 있습니다. 우리의 생존 방식을 제대로 바꾸지 못했기 때문입니다. 우리는 여전히 인간으로 남아 있었습니다. 겁이 많으면서도 자만심에 빠져 있는 인간으로 말입니다.」

조나탕 웰스가 자종 브라젤의 말에 동의하고 나섰다.

「브라젤 교수님의 말씀이 옳아요. 우리는 우리를 이 지하실 밑바닥까지 육체적으로 이끌고 모든 길을 통과했어요. 그러나 그것은 우리가 가야 할 길의 반밖에 안 되는 것이었어요. 어쨌든 이 상황이 우리로 하여금 가던 길을 계속 가도록 강요하고 있어요.」

「지하실 너머에 또 지하실이 있다는 얘기예요? 사원 밑을 파서 사원의 지하실을 찾아보자는 거요? 우리를 어디로 이끌고 갈지도 모를 지하실을 또 찾자는 말이오?」

갈랭 형사가 말을 비비 꼬았다.

「아닙니다. 내 말을 잘 들어 보세요. 우리가 가야 할 길의 반은 육체적인 것이었습니다. 우리는 우리 몸으로 그것을 잘 통과했습니다. 다른 반은 우리의 정신과 관련된 것으로 이제 우리가 걸어가야 할 길로 남아 있습니다. 현재 우리에게 필요한 것은 우리의 정신을 바꾸는 것, 즉 우리의 머릿속에서 돌연변이와도 같은 혁신을 일으키는 것입니다. 이제 우리는 혈거 동물이 되었으니 혈거 동물로서 살아가는 것을 받아들여야 합니다. 우리 중에 누군가가 여자 하나에 남자 열여덟

로는 우리 집단이 제대로 굴러가기를 바랄 수가 없다고 말한 적이 있었습니다. 인간 사회라면 그 말이 맞습니다. 그러나 곤충의 사회라면 어떻겠습니까?」

뤼시 웰스는 그 말에 깜짝 놀랐다. 뤼시는 자기 남편이 주장하는 바가 무엇인지 알고 있었다. 지하에 갇힌 채 식량도 거의 없는 상태에서 살아남을 수 있는 유일한 방법은 자기 자신들을 무엇인가로 바꾸어 나가는 것이다.

모든 사람들이 거의 동시에 똑같은 단어를 입술에 올렸다.

「개미.」

49. 비

대기에 전기가 충만해 있다. 음전기를 띤 이온의 소용돌이에 번개가 불을 붙인다. 장중한 으르렁거림이 뒤따르고 또 한차례의 번개가 일면서 하늘을 산산조각 내고 나뭇잎들 위에 백색과 보라색을 띤 불길한 빛을 쏘아 댄다.

새들은 파리들보다 더 낮게 난다.

또 한차례의 벼락이 크르릉거린다. 쇳덩이 같은 구름들이 갈라진다. 뿔풍뎅이의 딱지가 번쩍인다. 103683호는 그 번쩍이는 표면 위에서 아래로 떨어질까 전전긍긍한다. 세계의 끝을 지키는 손가락들과 맞섰을 때와 똑같은 무기력함이 엄습한다.

《돌아가야 한다.》

그는 뿔풍뎅이에게 명령한다.

그러나 벌써 빗발이 촘촘해진다. 잘못하다간 그 빗방울에 맞아 죽을 수도 있다. 어마어마하게 긴 수정실 같던 빗줄기

대신에 굵은 점선 같은 빗방울이 떨어진다. 커다란 곤충도 날개에 그런 빗방울을 맞으면 치명상을 입을 수 있다.

뿔풍뎅이는 공포에 사로잡혀 빽빽하게 쏟아지는 빗발 한가운데를 진동한동 헤쳐 나간다. 빗방울 사이로 빠져나가려고 안간힘을 쓴다. 103683호는 더 이상 통제력을 발휘할 수가 없다. 그저 발톱과 부착반에 힘을 잔뜩 주고 웅크리고 있을 뿐이다. 빗방울도 뿔풍뎅이들도 너무 빠르다. 103683호는 차라리 자기의 겹눈을 감고 앞, 뒤, 위, 아래에서 동시에 나타나는 위험을 보지 말았으면 좋겠다고 생각한다. 그러나 개미들에겐 눈꺼풀이 없다! 아! 한시바삐 뭍에 닿을 수 있으면 좋으련만!

가는 빗방울 하나가 103683호를 힘껏 후려쳐서 그의 더듬이가 가슴에 붙어 버린다. 더듬이가 젖어 버리자 무슨 일이 벌어지고 있는지 느낄 수가 없다. 이제는 진동을 감지할 수가 없다. 이제 그에게 남아 있는 것은 시각뿐이다. 그 때문에 공포가 더욱 심해진다.

뿔풍뎅이는 이제 제정신이 아니다. 빗방울 사이를 요리조리 빠져나가기가 점점 더 어려워진다. 날개 끝에 물기가 닿을 때마다 몸뚱이가 점점 무거워진다.

묵직한 빗방울 하나를 가까스로 피했으나 더 커다란 빗방울이 덤벼든다. 그것을 피하려고 뿔풍뎅이는 45도로 몸을 비튼다. 아슬아슬하게 피하기는 했으나 그 물방울이 뿔풍뎅이의 다리로 떨어졌다가 더듬이로 튀어 오른다.

뿔풍뎅이가 한순간 외부 세계에 대한 지각을 잃는다. 깜박 정신을 잃었던 모양이다. 뿔풍뎅이가 다시 정신을 차려 비행을 계속하려 했지만 이미 때가 늦었다. 번개 불빛에 번쩍이는 투명한 물기둥이 그들의 정면을 막아선다.

뿔풍뎅이는 두 날개를 수직으로 세워 제동을 건다. 그러나 날던 속도가 너무 빨라서 제동이 걸리지 않는다. 그들은 앞으로 고꾸라지면서 몇 차례의 공중 돌기를 한다.

103683호가 뿔풍뎅이의 딱지를 너무 세게 그러쥐는 바람에 그의 발톱이 키틴질을 뚫어 버렸다. 103683호의 젖은 더듬이가 눈을 후려치더니 거기에 달라붙어 버린다. 물기둥과 부딪히고 나서 그들은 다시 다른 빗줄기와 부딪혔다. 흥건히 젖은 그들의 몸뚱이는 원래 무게보다 열 배나 무거워졌다. 그들은 익은 배가 떨어지듯이 도시의 잔가지 지붕 위로 떨어진다.

뿔풍뎅이는 박살이 나버렸다. 뿔은 부서지고 머리가 산산조각이 났다. 그의 딱지날개는 혼자서라도 비행을 계속하려는 듯 하늘을 향해 올라간다. 몸이 가벼운 103683호는 다친 데 없이 그 재난을 벗어났다. 그러나 비가 계속 내리고 있으니 쉴 틈이 없다. 그는 더듬이를 대충 닦고 도시의 입구로 향한다.

통풍 구멍 하나가 나타난다. 일개미들이 도시가 물에 잠기는 것을 막으려고 그 구멍을 막아 놓았다. 그러나 103683호는 그 둑을 뚫고 들어가지 않을 수 없다. 안으로 들어가니 경비 개미들이 그를 힐책한다. 도시가 위험에 빠지면 어떻게 하려고 그렇게 마구 뚫고 들어오느냐고. 아닌 게 아니라 기는 물줄기가 그의 뒤를 따라 흘러들고 있다. 건축 개미들이 달려들어 제방을 다시 틀어막는 걸 보면서 103683호는 마음을 놓고 빠른 걸음으로 나아간다.

그가 기진맥진한 채로 멍하니 발걸음을 멈추자, 동정심

많은 일개미 하나가 영양 교환을 제안한다. 그는 감사히 여기며 그 제안을 받아들인다.

두 개미가 얼굴과 얼굴을 맞대고 입을 맞춘 다음 갈무리 주머니 바닥에 있는 먹이를 되올린다. 도시 안의 다사로움, 먹이를 나누어 주는 동료, 그는 모든 것을 사랑한다.

영양 교환이 끝나자 103683호는 어떤 터널 안으로 들어간 다음 다시 몇 개의 통로를 지난다.

50. 미로

통로는 어두웠고 창자 속처럼 축축했다. 이상한 냄새들이 떠돌고 있었다. 바닥에는 썩은 먹거리 부스러기와 잡다한 쓰레기들이 널려 있었다. 바닥이 발에 눌어붙는 느낌이 들었고 벽에서는 습기가 배어 나오고 있었다. 사람들이 무리를 짓고 있었다. 부랑자, 거지, 가짜 악사, 진짜 인간쓰레기들이 역겨운 냄새를 피우며 떼 지어 모여들고 있었다.

그 사람들 가운데 아랫단이 잘록한 빨간 점퍼를 입은 남자 하나가 다가왔다.

「아니, 저 아가씨 지하철 안을 혼자 돌아다니잖아! 위험하다는 걸 모르는 모양이지? 보디가드 하나쯤은 필요하겠는걸.」

그는 빈정거리면서 그녀의 주위에서 춤을 추듯 배회했다.

레티시아 웰스는 그런 경우에 무뢰한들이 함부로 굴지 못하게 하는 법을 익혀 놓았다. 레티시아는 연보랏빛 눈동자가 거의 발갛게 변하도록 매섭게 쏘아보면서 일침을 놓았다.

「꺼져!」

사내는 투덜거리면서 멀어져 갔다.

「에이, 깐깐한데! 잘못했다간 잡아먹으려고 덤비겠는걸!」

이번에는 그 방법이 제대로 통했다. 그러나 언제나 그게 잘 통한다고는 말할 수 없었다. 어쨌든 지하철이 가장 정확한 교통수단이 된 것은 틀림없지만, 현대판 약탈자들의 소굴이 된 것도 부정할 수 없었다.

레티시아가 플랫폼에 내려섰을 때는 열차 하나가 막 지나가고 난 뒤였다. 반대편에서 전철 두 대가 지나가고, 이어서 세 대째가 지나갔다. 어느새 주위에 사람들이 모여들고 있었다.

지하철 노조가 기습 파업이라도 일으킨 것은 아닐까 하고 의아해하기도 하고, 앞의 어떤 정거장에서 어느 멍청이가 열차로 뛰어들려고 했던 것은 아닐까 하고 생각하기도 했다.

이윽고 두 개의 둥그런 불빛이 나타났다. 제동 장치의 날카로운 마찰음이 레티시아의 고막을 뚫고 고실 안으로 파고들었다. 기다란 튜브가 플랫폼을 따라 늘어섰다. 녹슨 철판으로 만든, 색을 칠해 놓은 튜브였다. 그 철판 위에는 광고들과 매직펜이나 칼로 써놓은 갖가지 낙서도 붙어 있었다. 〈얼간이들에게 죽음을!〉, 〈이것 읽는 자 엿 먹어라!〉, 〈바빌론아, 너의 최후가 가까이 왔다!〉, 〈미친놈들의 나라 X이다〉 운운.

휘갈긴 난잡한 그림들은 물론이고 문이 열렸을 때 레티시아는 객차 안이 벌써 터질 듯이 만원임을 알고 낭패감에 빠졌다. 사람들의 얼굴과 손이 유리창에 눌려 납작해질 정도였다. 열차 안이 이 지경인데도, 아무도 불평을 하거나 구조를 요청할 엄두도 못 내고 있는 듯했다.

사람들은 자진해서, 게다가 돈까지 내가면서 몇 세제곱미터의 뜨거운 양철 상자 안으로 5백 명이 넘게 몰려들었다. 레티시아는 이 많은 사람들을 매일같이 콩나물시루 같은 객차 안으로 꾸역꾸역 모여들게 하는 힘이 무엇인지 도무지 알 수가 없었다. 제 발로 그런 상황을 찾아 들어갈 만큼 어리석은 동물이 있을지 의심스러웠다.

객차 안으로 들어서자마자, 누더기를 걸친 노파가 내뿜는 시큼한 냄새와 싸구려 향수 냄새를 풍기는 어떤 부인의 팔에 안긴 병든 사내아이의 토악질 냄새, 그리고 어떤 건축공의 역겨운 땀 냄새가 훅 끼쳐 왔다. 레티시아의 주위에는 생긴 건 멀쩡해 가지고 레티시아의 엉덩이를 쓰다듬으려는 뻔뻔한 남자, 차표를 보여 달라고 요구하는 차장, 동전이나 식권을 구걸하는 실업자, 그 북새통에서도 기타를 치면서 노래를 부르는 사람도 있었다.

그랑제콜 준비반에 다니는 마흔다섯 명의 장난꾸러기들은 다들 무관심한 틈을 이용해서 볼펜 끝으로 자기들 좌석의 인조 가죽 천에 구멍을 내려고 했고, 한 무리의 군인들은 〈제대!〉라고 함성을 지르고 있었다. 차창은 수백 명의 사람들이 쉴 새 없이 뿜어 대는 날숨 때문에 부옇게 흐려져 있었다.

레티시아 웰스는 탁한 공기를 되도록 천천히 들이마시면서 이를 앙다물고 겨우겨우 참고 있었다. 그래도 레티시아는 불평할 처지가 아니었다. 그녀가 집에서 직장까지 가는 데는 30분 정도면 충분하지만, 러시아워에 지하철 안에서 매일 세 시간을 보내는 승객들도 있는 터였다.

SF를 쓴 어떤 작가도 이런 일이 벌어지리라고는 예상하지 못했다. 사람들이 철판 상자 안에서 수천 명씩 짓눌리는 것을 받아들이는 문명을 어떻게 상상할 수 있었겠는가?

열차가 움직이기 시작하더니 불꽃을 튀기며 레일 위를 미끄러져 갔다.

레티시아 웰스는 자기가 어디에 있는지도 잊은 채 평온을 찾으려고 눈을 감았다. 그녀의 아버지는 그녀에게 호흡을 조절해서 마음의 평정을 유지하는 법을 가르쳤다. 호흡을 마음대로 조절할 수 있게 되면 심장 박동을 다스려 그것을 늦출 수도 있을 것이라고 아버지는 생각했었다.

잡념이 생겨서 레티시아는 정신을 집중할 수가 없었다. 레티시아는 어머니를 생각하고 있었다. 안 돼, 그건 생각하지 말자⋯⋯. 안 돼.

레티시아는 눈을 떴다. 심장 박동이 빨라지고 호흡이 가빠지고 있었다.

공간에 여유가 생겼다. 빈자리까지 있었다. 레티시아는 빈자리로 서둘러 달려가 앉은 다음 잠을 청했다. 종점에 내리기 때문에 잠이 들어도 걱정할 게 없었다. 지하철 안에 있다는 의식이 사라지면서 마음이 편해졌다.

51. 백과사전

연금술

연금술의 모든 공정은 세계의 탄생을 모방하거나 재연하는 것을 겨냥하고 있다. 연금술에는 여섯 가지의 공정이 필요하다. 즉, 배소(焙燒), 분해, 용해, 증류, 융합, 정련이 그것이다.

이 여섯 가지의 공정은 네 단계로 전개된다. 즉 굽는 단계인 흑색 작업, 증발의 단계인 백색 작업, 호흡의 단계인 적색 작업을 거쳐 마지막 정련의 단계에서 금분(金粉)이 나온다. 이렇게 해서 나온 금분은 〈원탁의 기사 전설)[16]에 나오는 요술사 멀린의 금가루와 비슷하다. 어떤 사람이나 물건을 완전하게 만들고 싶으면 그 금가루를 뿌려 주기만 하면 된다. 사실 많은 이야기와 신화들은 줄거리 속에 그와 같은 처방을 숨기고 있다. 백설 공주 이야기를 예로 들어보자. 백설 공주는 연금술의 공정을 거쳐 만들어진 최종 결과물이다. 그것은 어떻게 얻어진 것인가? 일곱 난쟁이를 통해서이다(난쟁이를 뜻하는 프랑스어 nain은 지식을 뜻하는 그리스어 gnomus 또는 gnosis에서 나온 것이다). 그 일곱 난쟁이들은 일곱 가지 금속, 즉 납, 주석, 철, 구리, 수은, 은, 금을 나타내며 그 일곱 가지 금속은 다시 일곱 개의 천체, 즉 토성, 목성, 화성, 금성, 수성, 달, 태양과 연결되어 있고, 그 일곱 개의 천체는 다시 까다로움, 우둔함, 몽상적임 등과 같은 인간의 일곱 가지 성격과 연결되어 있다.

에드몽 웰스, 『상대적이며 절대적인 지식의 백과사전』 제2권

52. 물과의 전쟁

번개가 여전히 줄무늬를 만들며 하늘을 뒤흔들고 있다. 거대한 구름들이 섬광을 발하며 쪼개지는 모습이 장관이건만 그것을 보고 감탄할 기분을 느끼는 개미는 하나도 없다. 우레는 한낱 재앙일 뿐이다.

빗방울들이 포탄처럼 도시 위로 떨어진다. 때늦게 사냥을 나간 탓에 밖에서 늑장을 부리고 있던 병정개미들은 빗방울 탄환에 맞아 죽었다.

벨로캉 내부라고 해서 재앙이 비껴가지는 않는다. 더구나 봄철에 클리푸니가 시도했던 여러 실험들 가운데 하나가 더

16 아서왕의 원탁을 중심으로 왕을 보필하는 열두 명의 기사들 이야기. 기사들의 무훈과 사랑을 찬미하고 있다.

큰 재앙을 불러들이는 결과를 빚고 말았다.

여왕은 구역과 구역 사이의 교통을 원활히 하기 위하여 운하를 파게 했었다. 그러나 빗물이 쏟아져 들어오면서 이 지하 운하에 물이 불기 시작하더니 급기야는 커다란 강물이 되어 경비 개미들이 성난 물결을 제어하려고 안간힘을 쓰지만 아무 소용이 없다.

지붕의 상황은 더욱 나쁘다. 빗방울들이 잔가지 지붕을 뚫어 버리자 몇몇 틈새로 물이 쏟아져 들어온다.

103683호는 그 틈새들 가운데 제일 크게 벌어진 것을 간신히 틀어막고 페로몬을 발한다.

《모두 햇빛방으로 가라. 알 모다기들을 구해야 한다.》

한 무리의 병정개미들이 쇄도하는 물결에 아랑곳하지 않고 그의 뒤를 따라 서둘러 달려간다.

가장 높은 곳에 자리 잡은 햇빛방은 평소와는 달리 어두웠다. 격렬한 불안감에 사로잡힌 일개미들이 천장에 붙어서 낙엽으로 구멍을 막으려고 전전긍긍한다. 그러나 어느새 물이 다시 나타나서 바닥에 줄지어 놓여 있는 알 모다기 속으로 흘러든다. 모든 것이 젖어 버린다. 모든 고치들을 구하기는 불가능하다. 고치들이 너무 많다. 유모 개미들은 올된 애벌레 몇 마리만 겨우 구해 낸다. 일개미들에게 부랴부랴 던져 준 알들이 바닥에 떨어져 깨진다.

그때 103683호는 반체제 개미들을 떠올렸다. 물이 자꾸 내려가서 뿔풍뎅이 축사를 덮치면, 반체제 개미들이 몰살할지도 모른다.

1단계 경보 페로몬이 발산된다. 위험을 알리는 페로몬이 사방으로 퍼져 나간다. 많은 페로몬들이 수증기와 뒤섞인다.

2단계 경보 페로몬이 발산된다. 병정개미, 일개미, 유모 개미, 생식 개미 등 모두가 배 끝으로 격렬하게 벽을 두드린다. 전투 준비의 신호가 온 도시에 진동한다.

팡, 팡, 팡, 비상! 비상!

온 도시가 공포의 도가니로 변한다. 물웅덩이에 빠진 개미들마저 다른 개미들에게 위험을 알리려고 물속의 바닥을 두드린다. 마치 혈관 속의 피가 혈관 벽을 두드리듯이 요동치고 있다.

도시의 심장이 두근거린다.

커다란 빗방울들이 지붕을 뚫고 들어오는 소리가 널리 퍼진다. 폭, 폭, 폭.

뾰족하게 갈아 놓기까지 한 위턱들이 물방울 앞에서는 아무 소용이 없다.

3단계 경보 페로몬이 퍼져 나간다. 가장 위급한 상황이다. 흥분한 몇몇 일개미들이 사방으로 달려간다. 팽팽히 긴장된 그들의 더듬이에서 뜻 모를 울부짖음이 담긴 페로몬들이 쏟아져 나온다. 흥분을 억제하지 못하고 그들 중의 몇몇은 동료들에게 달려들어 상처를 내기도 한다.

불개미들에게 있어서 가장 강력한 경보 페로몬은 뒤푸르 샘에서 발산되는 물질이다. n-데칸이라 불리는, 휘발성이 강한 탄화수소의 하나로서 화학식은 $C_{10}H_{22}$이다. 그 페로몬의 냄새는 겨울잠을 자고 있는 유모 개미를 사나운 미치광이로 만들 수 있을 만큼 아주 진하다.

문지기 개미들의 희생이 없었더라면 사나운 물결이 금단 구역이라고 그냥 내버려 두지는 않았을 것이다. 그 영웅적인 문지기 개미들이 납작한 머리로 입구를 꽉 막고 있었기 때문

에 물이 도시 한가운데의 그루터기 안으로는 스며들지 않았
다. 클리푸니 여왕을 비롯한 금단 구역의 거주자들은 아무런
피해를 입지 않았다.

물은 이제 진딧물 축사로 쏟아져 내리고 있다. 풀빛 가축
들이 냄새 언어로 신음을 내뱉고 있다. 물을 피해 도망을 치
지 않을 수 없게 된 목축 개미들은 곧 알을 낳을 채비를 하고
있는 한 무리의 진딧물만 구해 가지고 달아난다.

개미들은 곳곳에 둑을 쌓아 보려고도 하고, 주요한 통로
에 전략적으로 설치해 놓은 둑을 더욱 단단하게 만들면서 성
난 급류를 막아 보려고 애면글면한다. 그러나 물의 힘엔 당
할 수가 없다. 둑이 부서지고, 갈라지고, 쪼개진다. 막혀 있던
물이 터지면서 용감한 건축 개미들을 휩쓸어 간다.

익사자들을 실은 물이 통로 천장을 무너뜨리고 다리를 뽑
아 버리고 지하의 지형을 온통 뒤죽박죽으로 만들고 나더니
이제 버섯 재배장으로 쏟아져 들어간다. 거기에서도 소중한
것들이 휩쓸려 간다. 농경 개미들은 겨우 약간의 팡이 홀씨
만을 챙겨 가지고 달아난다.

물에 사는 딱정벌레, 즉 클리푸니가 그토록 길들이고 싶
어 하던 그 물방개들은 제 세상을 만난 듯 환호작약하면서
물에 떠내려 오는 진딧물들과 개미들의 시체와 허우적거리
는 애벌레들을 잡아먹는다.

물을 피해 돌고 또 돌아 103683호는 마침내 뿔풍뎅이들
의 축사에 다다른다. 그 가련한 곤충들은 물에 빠져 죽지 않
으려고 이리저리 날아오르고 있다. 그러나 천장이 너무 낮아
서 뿔풍뎅이들은 이내 천장에 부딪히고 공포에 휩싸인다.

다른 곳과 마찬가지로 여기서도 엄청난 손실을 피할 수 없

다. 부지런한 일개미들은 뿔풍뎅이 알 몇 개라도 구할 생각으로 알이 들어 있는 둥근 똥 덩어리를 정신없이 밀고 간다.

다리가 물에 젖자 뿔풍뎅이들은 격렬한 공포에 사로잡혀 뿔로 천장을 들이받는다. 103683호는 병정개미로서의 용맹성을 발휘하여 그들이 뿔질을 해대는 사이로 지나간다.

마침내 반체제 개미들의 은신처 입구가 나타난다. 신을 믿는 자들도 믿지 않는 자들도 모두 거기에 있다. 그런데 신을 믿지 않는 자들은 안절부절못하며 움직이고 있는데, 신을 믿는 자들은 이상하게도 잠잠하다. 그들은 재앙에도 별로 놀라지 않는 모양이다.

《우리는 신들을 제대로 봉양하지 못했다. 그래서 신들이 물로 벌을 내리시는 것이다.》

103683호는 단조롭게 되풀이되는 그들의 페로몬을 중단시키고 그들을 설득한다.

《조금 있으면 더 이상 빠져나갈 구멍이 없어진다. 반체제 운동을 계속하고 싶으면, 지체 없이 달아나야 한다.》

개미들이 마침내 그의 페로몬을 받아들이고 그의 뒤를 따른다. 그곳을 막 떠나려는데 24호라 불리는 개미가 나방 고치를 내민다. 103683호가 전에 거기를 찾아왔을 때 놓고 갔던 그 고치다.

《메르쿠리우스 임무를 위한 거야. 이걸 잘 챙겨야 해.》

더 이상 묻지 않고 103683호는 고치를 받아 몸에 지닌 다음, 반체제 개미들을 이끌고 나아간다. 그러나 이제 뿔풍뎅이 축사를 통과하기가 어렵게 되었다. 방이 온통 물에 잠겨 있다. 뿔풍뎅이들도 개미들도 모두 물 위에 둥둥 떠 있다.

《한시바삐 새 터널을 파야 한다.》

103683호가 명령한다.

물이 점점 올라온다. 서두르지 않으면 안 된다.

여기저기 널려 있던 먹이들이 떠오른다.

물이 점점 빠르게 올라온다.

그래도 신을 믿는 개미들은 불평할 생각을 하지 않는다. 그들의 대부분은 하늘이 내리신 응분의 벌을 달게 받으리라 며 체념한다. 그들은 도시를 휩쓸고 있는 그 비가 클리푸니 의 원정을 막기 위해 온 것이라고 믿고 있다.

53. 가슴 저미는 추억

「미안해요, 아가씨.」

누군가가 레티시아 웰스에게 말했다.

다시 눈을 떠 보니 아직 종점에 다다르지 않았다. 어떤 여 자가 그녀에게 말을 건네고 있었다.

「미안해요, 아가씨. 뜨개질바늘로 아가씨를 찌른 것 같 아요.」

「괜찮아요.」

레티시아가 한숨을 쉬며 말했다.

여인은 분홍색 털실로 뜨개질을 하고 있었다. 그 여자는 자기가 뜨개질한 천을 펼쳐 놓느라고 자리를 많이 차지하고 있었다.

레티시아 웰스는 〈손가락들〉을 움직이며 거미처럼 실을 뽑는 여인을 바라보았다. 뜨개질바늘들이 귀에 거슬리는 쇳 소리를 내면서 매듭을 자꾸 늘려 가고 있었다.

여인의 분홍색 작품은 배내옷 같다. 저 여자는 플란넬로 만든 저 굴레를 어떤 가련한 아이에게 씌우려는 것일까 하고 레티시아는 생각했다. 마치 그 질문을 듣기라도 한 것처럼 여인은 사기질로 된 멋진 틀니를 드러내며 자랑스럽게 말했다.

「우리 아들 주려고 그래요.」

바로 그 순간에 레티시아의 눈길은 한 포스터에 머물렀다. 〈우리 나라는 아이들을 필요로 합니다. 출산율 저하에 맞서 싸웁시다.〉

레티시아 웰스는 약간 씁쓸한 기분을 느꼈다. 아이들을 만든다는 것! 자기를 닮은 생명을 만들어 자기 생명을 확장하고 자기를 대량으로 퍼뜨린다는 것! 그것은 인류에게 주어진 가장 본원적인 질서이다. 먼저 양을 생각하고 그다음에 질을 생산하는 것이라고나 할까.

아이를 낳는 사람들은 그런 사실을 의식하지 못한다. 하지만 그들은 어떤 나라의 어떤 정책도 초월하는 영원한 선전에 충실히 따르는 것이다. 그 선전이란, 지구 위에 인간의 영향력을 확대하라는 것이다.

레티시아 웰스는 그 아기 엄마의 어깨를 붙잡고 눈을 똑바로 바라보면서 다음과 같이 외치고 싶은 충동이 일었다. 〈안 돼요. 더 이상 아이를 만들지 마세요. 참으세요. 좀 삼가세요. 도대체 이게 뭐예요? 피임약을 드시고 당신이 사랑하는 남자들에게 콘돔을 주세요. 내가 당신을 설득하려고 하는 것처럼 당신도 임신 가능성이 많은 당신 친구들을 설득하세요. 제대로 된 아이가 하나 생길 때 막돼먹은 애들은 1백 명이 생겨요. 그건 해볼 만한 일이 못 되잖아요. 마구잡이로 만들어진 그런 애들이 나중에 세상을 주름잡게 되는 거예요. 지금 그 결과를 우리가 보고 있잖아요? 당신 어머니가 좀 더 신중한 분이었다면 이 모든 고통을 피할 수 있었을 거예요. 당신 부모님들이 당신을 세상에 내보낸 것과 같은 못된 짓을 당신 자녀들에게 되풀이하지 마세요. 서로 사랑하는 걸 중단하세요. 당신 자신이 성장하는 것은 좋지만 당신을 닮은 생명을 늘리지는 마세요.〉

레티시아는 일종의 염세주의자였다. 염세주의적 증상 가운데서도 대인 공포증의 단계에 있었다. 대인 공포증의 발작이 일어날 때마다 레티시아의 입 안에 씁쓸한 뒷맛이 남곤 했다. 그러나 무엇보다도 놀라운 것은 그 씁쓸한 맛을 그녀 자신이 그다지 불쾌하게 여기지 않는다는 것이다.

레티시아는 마음을 가다듬고 그물을 만드는 거미에게 미소를 지어 보였다.

그녀와 마주 보고 있는 그 얼굴은 어미 된 자의 행복감으로 빛나고 있었다. 안 돼. 그걸 생각해선 안 돼. 그러나 기어이 그녀의 머리에 떠오르는 것이 있었다. 어머니였다. 그녀의 어머니 링미였다.

링미 웰스는 급성 백혈병에 걸려 있었다. 혈액암이라고도 할 수 있는 그 병은 누구도 용서하는 법이 없었다. 레티시아가 그녀의 다섯한 어머니 링미에게 의사들이 뭐라고 하더냐고 물으면, 어머니는 이렇게 말하곤 했었다.

「걱정하지 마라. 곧 나을 게다. 의사들은 잘될 거라고 하고 약도 점점 효능이 좋아지고 있잖니?」

그러나 욕실 세면대에는 종종 피가 흥건했고 진통제병은 금방금방 바닥이 났다. 어머니는 의사가 지시한 분량을 초과해서 진통제를 복용했다. 이제 어머니의 고통을 누그러뜨릴 수 있는 것은 아무것도 없었다.

어느 날 구급차가 와서 어머니를 병원으로 데려갔다.

「걱정하지 마라. 거기 가면 필요한 기계가 다 있고 전문 의사들이 나를 돌보아 줄 거란다. 내가 없는 동안 집 잘 보고 아빠 말씀 잘 들어라. 그리고 매일 병원으로 나를 보러 오너라.」

어머니 말대로 병원에는 필요한 기계가 모두 갖추어져 있었다. 그래서 어머니는 죽음에 이르지 않았다. 어머니는 세 번 자살을 시도했는데, 그때마다 의사들이 죽음의 순간에서 어머니를 구해 냈다. 어머니가 몸부림을 치자 그들은 가죽띠로 어머니를 묶고 모르핀을 주사했다. 레티시아가 어머니를 찾아갔을 때 어머니의 팔은 약물 주사와 수혈 때문에 생긴 혈종으로 뒤덮여 있었다. 그렇게 한 달이 지나고 나니 링미 웰스는 쭈그렁 노파가 되어 버렸다.

「네 엄마는 돌아가시지 않을 거야. 걱정하지 마라. 우리가 네 엄마를 지켜 줄게.」

의사들은 그렇게 장담했지만 링미 웰스는 그들이 자기 목숨을 구해 주는 것은 바라지 않았다.

딸의 팔을 잡고 어머니는 이렇게 속삭였다.

「난 말이다…… 죽고 싶단다.」

그러나 어머니가 그런 부탁을 한들 열네 살짜리 여자아이가 할 수 있는 일은 아무것도 없었다. 어떤 사람이 죽도록 내버려 두는 것은 법으로 금지되어 있었다. 그 사람이 병실에서 간호를 받고 세 끼 식사를 하는 데 매일 1천 프랑씩 낼 수 있는 사람이라면 더더욱 그러했다.

아버지 에드몽 웰스도 어머니가 병원에 입원한 다음부터

눈에 띄게 늙어 갔다. 링미는 남편에게 임종을 지켜 달라고 부탁했었다. 에드몽은 아내가 더 이상 차도를 보이지 않자 체념을 하기에 이르렀다. 그는 아내에게 호흡을 조절해서 심장 박동을 늦추는 법을 가르쳤다.

그는 아내에게 최면을 걸었다. 물론 그 자리에는 아무도 없었지만, 레티시아는 어머니가 잠드는 것을 돕기 위하여 아버지가 어떻게 했는지를 알고 있었다.

「당신의 마음은 지금 고요해. 아주 고요해. 당신의 숨결은 앞뒤로 일렁거리는 물결과도 같아. 물결이 잔잔해. 앞으로, 뒤로, 당신의 숨결은 호수로 변해 가려는 바다야. 앞으로, 뒤로, 호흡이 점점 느려지고 점점 깊어지고 있어. 숨을 한 번 쉴 때마다 당신은 더 강해지고 더 유연해지고 있어. 당신은 이제 당신의 몸을 느끼고 있지 않아. 당신의 발도 느끼지 않고, 당신의 손도 느끼지 않아. 당신은 아무것도 느끼지 않는 가벼운 깃털이야. 자, 이제 바람 속에서 떠다니는 거야.」

어머니는 깃털이 되어 날아갔다. 어머니의 얼굴에는 고요한 미소가 깃들어 있었다. 어머니는 잠을 자고 있는 것처럼 죽어 있었다. 곧 소생 담당 의사들이 비상벨을 울렸다. 그들은 한 마리 해오라기가 하늘로 날아오르는 것을 막고 싶어 하는 족제비들처럼 어머니의 시신을 잡고 늘어졌다. 그러나 이번에는 어머니가 정말로 이겼다.

그 후로 레티시아는 꼭 풀어야 할 자기만의 수수께끼를 가지게 되었다. 그것은 암이라는 수수께끼였다. 거기다가 레티시아는 하나의 강박 관념도 갖게 되었다. 의사들을 비롯해서 인간의 운명을 쥐고 흔드는 다른 사람들에 대한 증오가 그것이었다. 아무도 암을 퇴치하는 데 성공하지 못하는 것은, 그 해결책을 찾는 데 진정으로 관심을 기울이는 사람이 없기 때문일 거라고 레티시아는 확신했다.

그러한 사실을 확인하기 위하여, 레티시아는 암 연구가가 되기도 했다. 레티시아는 암이 퇴치될 수 있다는 것을 증명하고 싶어 했고, 어머니를 구할 생각은 안 하고 고통만 가중시켰던 그 의사들이 무능했다는 것을 입증하고 싶어 했다. 그러나 레티시아는 아무것도 이루어 내지 못했다. 그러고 나서 그녀에게는 사람들에 대한 증오와 수수께끼에 대한 열정만이 남았다.

기자라는 직업은 추잡한 인간에 대한 그녀의 공격 욕구와 불가사의한 일에 대한 뿌리 깊은 열정을 동시에 충족시켜 주었다. 레티시아는 자기의 기사를 통해 불의를 폭로하고, 대중을 선동한 위선자들을 맹렬히 공격했다. 유감스러운 것은 위선자들이 그리 멀리 있지 않다는 것이었다. 레티시아는 곧 자기의 직장 동료들이 위선자 대열의 선두에 설 사람들이라는 것을 깨달았다. 그들은 말할 때는 용감한데 행동할 때는 초라하기 짝이 없었다. 논평을 할 때는 정의파임을 자처하는 사람들이 봉급을 인상해 주겠다는 약속을 받고 나면 비열한 행동도 서슴지 않았다. 언론계 사람들에 비하면 그래도 의료계는 멋진 사람들로 가득 차 있는 것처럼 보였다.

그러나 레티시아는 언론계 내에 자기의 생태적 지위, 즉 자기의 사냥터를 마련했다. 레티시아는 오리무중에 빠진 몇 건의 형사 사건을 해결해서 명성을 얻었다. 현재 그녀의 동료들은 그녀가 추락할 때를 기다리면서 거리를 두고 있었다. 그래서 레티시아는 추락하는 일이 없어야 한다고 마음을 다잡고 있었다.

다음의 전리품을 위해서 레티시아는 자기의 사냥 목록에 살타-노가르 사건을 올려놓고 있었다. 명민한 멜리에스 경정에게는 안된 일이지만 어쩔 수 없다!

드디어 종점이었다. 레티시아는 내릴 채비를 했다.

「잘 가요, 아가씨.」

지하철 문을 나서는 그녀에게 배내옷을 챙기면서 뜨개질하는 여자가 말했다.

54. 백과사전

어떻게

장애물이 앞에 나타났을 때, 사람이 보이는 최초의 반응은 〈왜 이런 문제가 생긴 거지? 이것은 누구의 잘못이지?〉라고 생각하는 것이다. 그는 잘못을 범한 사람을 찾고 다시는 그런 일이 생기지 않도록 그에게 부과해야 할 벌이 무엇인지를 찾는다.

똑같은 상황에서 개미는 먼저 〈어떻게, 누구의 도움을 받아서 이 문제를 해결할 수 있을까?〉라고 생각한다.

개미 세계에는 〈유죄〉라는 개념이 전혀 없다.

〈왜 일이 제대로 되지 않을까〉라고 자문하는 사람들과 〈어떻게 하면 일이 제대로 되게 할 수 있을까〉라고 자문하는 사람들 사이에 커다란 차이가 생기리라는 것은 자명하다.

현재 인간 세계는 〈왜〉라고 묻는 사람들이 지배하고 있다. 그러나 언젠가는 〈어떻게〉라고 묻는 사람들이 다스리는 날이 오게 될 것이다.

에드몽 웰스, 『상대적이며 절대적인 지식의 백과사전』 제2권

55. 바다, 엄청난 물바다

개미들은 위턱과 발톱을 이용해 열심히 땅을 판다. 파고 또 파는 방법 이외에는 달리 구원의 길이 없다. 구조 터널을 파기에 골몰해 있는 반체제 개미들의 주위로 땅이 울리는 소리가 번져 나간다.

물이 완전히 도시를 휩쓸고 있다. 클리푸니의 멋진 계획과 빛나는 성과물들이 물결에 씻겨 한낱 쓰레기가 되고 만다. 헛된 꿈이었다. 정원도, 버섯 재배장도, 축사도, 꿀단지 개미들의 방도, 겨울용 곡식 창고도, 온도가 조절되는 영아실도, 햇빛방도, 수로망도 한낱 부질없는 꿈이었다……. 그 모든 것들이 전혀 존재한 적이 없었던 것처럼 소용돌이 속으로 덧없이 사라지고 있다.

갑자기 구조 터널의 측벽이 터지면서 물기둥이 분출한다. 103683호와 그의 동료들은 흙을 삼키면서까지 되도록 빨리 파려고 애쓴다. 그러나 터널을 파는 일은 불가능하다. 급류가 그들을 덮쳐 버린 것이다.

103683호는 이제 그들 앞에 어떤 운명이 기다리고 있는지 제대로 헤아릴 수가 없다. 그들은 벌써 배까지 흠뻑 젖었다. 물은 빠른 속도로 계속 올라오고 있다.

56. 잠수

잠수. 이제 몸이 완전히 물에 잠겼다.

이제 더 이상 숨을 쉴 수 없었다. 레티시아는 아무것도 생각하지 않고 한동안 물속에 머물렀다.

레티시아는 물을 좋아했다.

욕조의 수면 아래에 들어가 있으면 머리채가 부풀어 오르고 살갗이 판지처럼 되었다. 레티시아는 그것을 일상적인 목욕 의식이라고 불렀다.

미지근한 물과 침묵, 그것이 레티시아가 휴식을 취하는 방법이었다. 그러고 있으면 레티시아는 자신이 마치 호수의 공주라도 된 느낌이 들었다.

레티시아는 자기가 죽는다는 느낌이 들 때까지 수십 초 동안 호흡을 정지한 채 머물러 있었다. 물속에서 버티는 시간이 매일 조금씩 길어지고 있었다.

레티시아는 마치 양수 속에 있는 태아처럼 무릎을 구부려 턱 밑까지 당겨 올리고 천천히 몸을 흔들었다. 일종의 수중 무용인 셈인데 그 의미는 그녀만이 알고 있었다.

레티시아는 머릿속에서 모든 잡념을 지워 버리기 시작했다. 암 퇴장, 살타 퇴장, (딩동).『일요 메아리』편집국 퇴장, 자기의 아름다움 퇴장, (딩동). 지하철 퇴장, 애 낳는 여자 퇴장, 여름날 대대적인 벌채를 하듯 레티시아는 잡념을 지워 나갔다.

딩동.

레티시아는 물 밖으로 머리를 내밀었다. 모든 것이 메마른 느낌이다. 건조하다. 싫다. (딩! 동!)…… 시끄럽다

꿈을 꾸고 있는 것이 아니었다. 누군기기 초인종을 누르고 있었다.

레티시아는 공기 호흡법을 알아낸 양서류의 동물처럼 엉금엉금 기어서 욕조 밖으로 나왔다.

레티시아는 커다란 가운을 들어 몸을 감싼 다음 종종걸음

을 치며 거실로 나왔다.

「누구세요?」

문 너머로 그녀가 물었다.

「경찰입니다.」

레티시아는 문에 난 어안 렌즈 구멍을 들여다보고 멜리에스 경정을 알아보았다.

「이 시간에 무슨 일로 오셨나요?」

「수색 영장을 가지고 왔습니다.」

레티시아는 마지못해 문을 열었다. 멜리에스는 전혀 서두르는 기색을 보이지 않았다.

「CCG에 갔었는데 그 사람들 말이, 어떤 플라스크들을 당신이 챙겨 갔다는군요. 그런데 그 플라스크 안에 살타 형제와 카롤린 노가르가 연구하던 화학 약품이 들어 있다고 해서 그것을 찾으러 왔습니다.」

레티시아는 플라스크들을 가져와서 그에게 내밀었다. 그는 그것들을 바라보며 잠시 생각에 잠겼다가 입을 열었다.

「웰스 씨, 이 안에 뭐가 들었는지 물어봐도 되겠습니까?」

「일을 너무 쉽게 하려고 그러시는군요. 제가 멜리에스 씨 일을 도울 의무는 없잖아요? 화학적인 감정을 하느라고 우리 신문사 돈까지 썼는걸요. 감정 결과를 밝히는 문제는 우리 신문사 소관이지 저하곤 상관없어요.」

그는 후줄근한 옷차림으로 여전히 문턱에 선 채, 자기에게 도전적인 태도를 취하고 있는 이 어여쁜 여자를 앞에 두고 거의 주눅이 들어 있었다.

「웰스 씨, 좀 들어가도 될까요? 잠시 이야기를 나누고 싶습니다. 오래 걸리지는 않을 겁니다.」

멜리에스는 세찬 소나기를 만난 듯 흠뻑 젖어 있었다. 그가 딛고 있는 현관의 깔개가 벌써 흥건히 젖어 있었다. 레티시아는 한숨을 내쉬고 말했다.

「좋아요, 하지만 조금만 있다 가셔야 돼요. 당신에게 할애할 시간이 별로 없어요.」

멜리에스는 머리카락의 물기를 천천히 닦고 거실 안으로 들어왔다.

「고약한 날씨예요.」

「푹푹 찌고 나더니 소나기가 오는군요.」

「계절이 온통 뒤죽박죽이 되어 버렸어요. 더위에서 추위로, 건기에서 우기로 넘어가는 자연스러운 과정이 없어졌어요.」

「자, 들어오세요. 앉으세요. 뭐 좀 드실래요?」

「뭐가 있습니까?」

「꿀술 어때요?」

「그게 뭔데요?」

「꿀하고 물하고 효모를 섞은 다음 발효시킨 거예요. 올림포스의 신들과 켈트의 드루이드 승려들이 마시던 음료예요.」

「어디 그 올림포스 신들의 음료 좀 마셔 봅시다.」

「좀 기다려 주세요. 먼저 머리를 말려야겠어요.」

욕실에서 헤어드라이어가 윙윙거리는 소리기 들리자마자, 멜리에스는 벌떡 일어났다. 그 틈을 이용해서 집을 조사해야겠다는 생각을 한 것이다.

레티시아의 집은 고급 아파트였다. 모든 장식이 집 주인의 고상한 취향을 보여 주고 있었다. 쌍쌍이 얼싸안고 있는

212

사람들을 표현한 비취 장식물도 있었다. 할로겐 등이 벽에 걸린 동물 도판을 비추고 있었다.

그는 벽 쪽으로 다가가 그 도판 가운데 하나를 들여다보았다.

세계 전역에 사는 50여 종의 개미 목록이 적혀 있고 개미들이 정확하게 그려져 있었다.

헤어드라이어는 여전히 윙윙거리고 있었다.

개미의 종류가 갖가지였다. 오토바이 타는 순찰 대원을 닮은, 다리에 하얀 털이 달린 검은 개미Rhopalothrix orbis, 가슴 전체에 뿔이 돋아 있는 개미Acromyrmex versicolor, 끝에 집게가 달린 나팔 모양의 대롱을 머리에 달고 있는 개미Orectognathus antennatus, 히피족 같은 느낌을 주는 기다란 털 타래가 달린 개미Tingimyrmex mirabilis. 개미들이 그토록 다양한 모습을 가질 수 있다는 사실이 경정을 놀라게 했다.

그러나 그는 곤충학자의 일을 하고 있는 게 아니었다. 검은 래커를 칠한 문 하나를 발견하고 그는 그것을 열어 보려고 했다. 문도 잠겨 있었다. 주머니에서 머리핀 하나를 꺼내 자물쇠를 몰래 따려고 하는데, 헤어드라이어 돌아가는 소리가 갑자기 그쳤다.

그는 얼른 자기 자리로 돌아와 앉았다.

레티시아의 머리 모양은 이제 루이즈 브룩식으로 돌아와 있었다. 레티시아는 허리에 주름을 넣은 기다란 비단 드레스로 갈아입었다. 멜리에스는 그녀의 외모에 이끌리지 않으려고 정신을 가다듬었다.

「개미에 관심이 많으신가 보죠?」

그가 사교적인 어투로 물었다.

「별로예요. 저희 아버님이 관심이 많으셨지요. 아버님은 대단한 개미 전문가이셨어요. 이 도판들은 스무 살 때 생일 선물로 아버님이 주신 거예요.」

「웰스 씨 아버님이라면 에드몽 웰스 박사 말씀이군요.」

그 말에 레티시아가 깜짝 놀라며 물었다.

「저희 아버님을 아세요?」

「그분에 대해서 사람들이 이야기하는 걸 들었습니다. 우리 경찰에서 그분을 잘 알게 된 것은 그분이 시바리트가에 있는 그 저주받은 지하실의 소유자였기 때문이죠. 그 사건 기억하시죠? 스물한 명이나 되는 사람들이 끝없는 동굴 속으로 사라진 사건 말입니다.」

「물론이죠. 그 사람들 중에 제 사촌 오빠와 올케, 조카, 할머니가 들어 있는걸요.」

「이상한 사건이지요.」

「수수께끼를 그토록 좋아하시는 분이 어떻게 그 실종 사건에 대해서는 수사를 안 하셨어요?」

「저는 그 당시 다른 사건을 맡고 있었습니다. 그 지하실 사건을 맡았던 것은 알랭 빌셍 경정이었지요. 그런데 그 사람에게 운이 따르지 않았어요. 다른 사람들과 마찬가지로 그도 다시는 올라오지 못했습니다. 그건 그렇고, 불가사의한 일을 좋아하기는 웰스 씨도 마찬가지인 줄로 알고 있는데…….」

그 말에 레티시아는 쓸쓸한 미소를 지었다.

「제가 좋아하는 건 불가사의를 없애는 거죠.」

「살타 형제와 카롤린 노가르의 살인범을 웰스 씨가 찾아낼 수 있을 것 같습니까?」

「어쨌든 해봐야죠. 저희 독자들에게 기쁨을 주는 일이니까요.」

「당신의 조사 작업이 어느 정도 진척되었는지 저한테 이야기해 주시지 않겠습니까?」

레티시아는 고개를 저었다.

「각자 자기 방식대로 찾아 보는 게 좋겠어요. 그래야 서로에게 방해가 안 될 테니까 말이죠.」

멜리에스는 껌 하나를 꺼내어 입에 물었다. 그것을 씹고 있으니 언제나 그렇듯이 마음이 훨씬 편해지는 느낌이 들었다. 그가 다시 물었다.

「저 검은 문 뒤에는 뭐가 있어요?」

레티시아 웰스는 그 난데없는 질문에 한순간 놀랐지만, 대답하기 거북하다는 표정을 얼른 감추고 별거 아니라는 듯이 어깨를 들어 올리며 말했다.

「제 서재예요. 그러나 보여 드리지는 않을 거예요. 말 그대로 난장판이 돼 있거든요.」

말을 끝내고 나서 레티시아는 담배 한 개비를 꺼내어 기다란 궐련 파이프에 끼운 다음 까마귀 모양으로 생긴 라이터로 불을 붙였다.

멜리에스는 자기가 몰두하고 있는 문제로 다시 돌아갔다.

「당신은 당신이 조사하신 것에 대해 비밀을 유지하고 싶은 모양입니다만, 저는 제 수사가 어느 정도 진척되었는지 말씀드릴 생각입니다.」

레티시아는 자갯빛 담배 연기를 한 모금 뿜어내고 말했다.

「좋으실 대로 하세요.」

「요약하면 이렇습니다. 네 명의 피해자는 모두 CCG에서 일했습니다. 사람들은 직업적인 경쟁의식 때문에 어떤 불순한 유혹에 이끌릴 수 있습니다. 대기업에서는 적대 관계가 흔히 나타납니다. 사람들은 승진 문제나 봉급 문제 때문에 서로 시기하고 중상합니다. 그리고 과학자들의 세계에도 이익에 급급한 사람들은 흔히 있습니다. 따라서 경쟁 관계에 있는 화학자의 소행일 거라는 가정이 자연스럽게 떠오르게 됩니다. 어떤 화학자가 동료들을 독살했을 가능성이 있습니다. 그가 사용한 독은 나중에 효과가 나타나는 맹독입니다. 그렇게 가정하면 부검을 통해 밝혀진 소화기 내의 그 헐어서 생긴 상처들을 완벽하게 설명할 수 있습니다.」

「여전히 너무 앞질러 가고 계시는군요, 멜리에스 씨. 당신은 독에 대한 생각에 사로잡혀서 줄곧 공포 쪽을 잊고 계시나 봐요. 아주 심한 정신적 충격을 받아도 위장이 헐 수 있어요. 그리고 네 명의 피살자들은 모두 아주 심한 공포를 느꼈어요. 공포가 이 사건의 열쇠예요. 멜리에스 씨도 저도 그들의 얼굴에 새겨진 그 공포를 일으킨 게 무엇인지를 아직 모르고 있어요.」

멜리에스가 반박했다.

「물론 나도 그 공포에 대해서 생각을 했습니다. 사람들에게 공포를 느끼게 할 수 있는 걸 모두 떠올려 봤는걸요.」

레티시아는 다시 담배 연기를 한 모금 내뿜었다.

「그럼 멜리에스 씨에게 두려움을 느끼게 하는 게 뭐예요?」

멜리에스는 자기가 먼저 그 질문을 하려고 생각하고 있다가, 거꾸로 질문을 받고 나자 완전히 허를 찔린 기분이 되었다.

「그건…… 음…….」

「다른 어떤 것보다 무서워하는 뭔가가 있지 않아요?」

「그것을 털어놓고 말씀 드릴 테니까, 그 대신 당신도 당신이 가장 두려워하는 게 뭔지 진지하게 말씀해 주셔야 됩니다.」

레티시아는 그를 똑바로 쳐다보면서 말했다.

「좋아요.」

멜리에스는 조금 머뭇거리다가 더듬거리며 말했다.

「저는…… 저는 늑대를…… 늑대를 무서워합니다.」

「늑대요?」

레티시아는 웃음을 터뜨리며 〈늑대〉라는 말을 되뇌었다. 레티시아는 몸을 일으켜 그에게 꿀술 한 잔을 더 갖다 주었다.

「저는 진실을 말했습니다. 이제 당신 차례입니다.」

레티시아는 다시 일어나 창문을 통해 밖을 내다보았다. 먼 곳에 그녀의 관심을 끄는 무엇인가가 있는 모양이었다.

「음…… 저는 말이에요…… 저는…… 당신을 무서워해요.」

「농담 그만하시고, 진지하게 말씀하시기로 약속했잖아요.」

레티시아는 몸을 돌려 다시 담배 연기의 소용돌이를 일으켰다. 터키옥 빛깔의 담배 연기 사이로 그녀의 연보랏빛 눈동자가 별처럼 빛나고 있었다.

「정말이에요. 전 당신을 두려워해요. 당신 너머에 있는 전 인류를 두려워해요. 남자, 여자, 노인, 아기 등 모든 사람들을 두려워해요. 우리는 어디에서나 야만인들처럼 행동하고 있어요. 저는 우리 인간의 육체가 흉측하다고 생각해요. 우리

가운데 누구도 오징어나 모기의 아름다움을 못 따라간다고 생각해요…….」

「정말입니까?」

레티시아의 태도에 어떤 변화가 일어났다. 그토록 잘 통제되던 그녀의 눈길은 유약함을 가장하고 있는 듯했다. 그녀의 두 눈에 광기가 어려 있었다. 어떤 유령이 그녀의 심성을 사로잡고 있었다. 레티시아는 기꺼이 그 광기의 힘에 자기를 내맡기고 있었다. 아무것도 거리낄 게 없었다. 레티시아는 자기가 이제 겨우 알게 된 한 경찰관과 이야기하고 있다는 사실도 잊고 있었다.

「저는 우리 인간들이 너무 오만하고 젠체하고, 거드름을 피우며, 스스로가 인간이라는 사실에 너무 자랑스러워하고 있다고 생각해요. 저는 농부와 신부와 병사를 두려워하고, 의사와 환자를 두려워하며, 저에게 해를 끼치는 사람들도, 저에게 이익을 주려는 사람들도 두려워해요. 우리는 우리 손에 닿는 모든 것들을 파괴하고 있어요. 우리는 우리가 파괴할 수 없는 것을 오염시켜요. 우리의 기막힌 오염 능력을 당해 낼 수 있는 것은 아무것도 없어요. 화성인들이 우리 지구에 오지 않은 것은 지구인들이 두렵기 때문일 거라고 저는 확신해요. 화성인들은 겁을 먹고 있어요. 그들은 우리가 우리를 둘러싸고 있는 동물들과 우리 자신에게 행하는 것과 똑같이 그들을 대할까 봐 두려워하는 거예요. 저는 제가 하나의 인간이라는 사실이 자랑스럽지 않아요. 저는 두려워요. 저는 저를 닮은 사람들이 너무 무서워요.」

「정말 그렇게 생각하세요?」

레티시아는 대답 대신 어깨를 으쓱하고 말을 이었다.

「늑대들 때문에 죽는 사람의 수와 사람들 때문에 죽는 사람의 수를 비교해 보세요. 나의 두려움이 당신의 두려움보다 더 온당하다고 생각하지 않으세요?」

「사람들을 무서워한단 말입니까? 그러나 당신 자신이 하나의 인간이잖습니까?」

「그건 저도 잘 알아요. 저 자신에게서 두려움을 느낄 때도 있는걸요.」

멜리에스는 놀란 눈으로 갑자기 증오의 빛이 서린 그녀의 얼굴을 바라보았다.

레티시아는 얼른 표정을 누그러뜨리며 말했다.

「아, 우리 다른 거 생각하기로 해요. 우린 둘 다 수수께끼를 좋아해요. 마침 전 국민의 성원을 받고 있는 우리의 퀴즈 프로그램이 나올 시간이군요. 당신에게 우리 시대의 가장 신명 나는 행동인 텔레비전 시청의 기회를 제공할까 하는데요.」

「고맙군요.」

레티시아는 리모트 컨트롤을 작동시켜 「알쏭알쏭 함정 퀴즈」를 찾았다.

57. 백과사전

역학 관계

쥐들을 상대로 하나의 실험이 이루어졌다. 낭시 대학 행동 생물학 연구소의 디디에 드조르라는 연구자는 쥐들이 수영에 어떻게 적응하는가를 알아보는 실험을 했다. 그는 쥐 여섯 마리를 한 우리 안에 넣었다. 그 우리의 문은 하나뿐인데, 그 문이 수영장으로 통하게 되어 있어서, 쥐들은 먹이를 나누어 주는 사료통에 도달하기 위해서 수영장을 건너

야만 했다. 여섯 마리의 쥐들은 일제히 헤엄을 쳐서 먹이를 구하러 가는 것이 아니라는 사실이 곧 확인되었다. 쥐들 사이에 역할 분담이 이루어졌는데 그것은 다음과 같이 나타났다. 즉 헤엄을 치고 먹이를 빼앗기는 쥐가 두 마리, 헤엄을 치지 않고 먹이를 빼앗아 먹는 쥐가 두 마리, 헤엄을 치고 먹이를 빼앗기거나 빼앗지 않는 독립적인 쥐가 한 마리, 헤엄도 안 치고 먹이를 빼앗지도 못하는 천덕꾸러기 쥐가 한 마리였다. 먹이를 빼앗기는 두 쥐는 물속으로 헤엄을 쳐서 먹이를 구하러 갔다. 그 쥐들이 우리 안으로 들어오자, 먹이를 빼앗아 먹는 두 쥐는 그 쥐들을 때리고 머리를 물속에 처박았다. 결국 애써 먹이를 가져온 두 쥐들은 자기들의 먹이를 내놓고 말았다. 두 착취자가 배불리 먹고 난 다음에야 굴복한 두 피착취자는 비로소 자기들의 크로켓을 먹을 수 있게 되었다. 착취자들은 헤엄을 치는 일이 없었다. 그 쥐들은 헤엄치는 쥐들을 때려서 먹이를 빼앗기만 하면 되는 것이었다. 독립적인 쥐는 아주 힘이 세기 때문에 착취자들에게 굴복하지 않았다. 마지막으로 천덕꾸러기 쥐는 헤엄을 칠 줄도 모르고 헤엄치는 쥐들에게 겁을 줄 수도 없었기 때문에, 다른 쥐들이 싸울 때 떨어진 부스러기를 주워 먹었다. 그 후에 다시 실험이 행해진 스무 개의 우리에서도 역시 똑같은 구조, 즉 피착취자 두 마리, 착취자 두 마리, 독립적인 쥐 한 마리, 천덕꾸러기 쥐 한 마리가 나타났다.

그러한 위계 구소가 만들어지는 과정을 솜 더 잘 이해하기 위해서 그 연구자는 착취자 여섯 마리를 함께 우리에 넣었다. 그 쥐들은 밤새도록 서로 싸웠다. 다음 날 아침이 되자, 그 쥐들 가운데 두 마리가 식사 당번이 되었고, 한 마리는 혼자 헤엄을 쳤으며, 나머지 한 마리는 어쩔 수 없이 모든 것을 참아 내고 있었다. 착취자들에게 굴복했던 쥐들을 상대로 역시 똑같은 실험을 했다. 다음 날 새벽이 되자, 그 쥐들 가운데 두 마리가 왕초 노릇을 하고 있었다.

그런데 그 실험에서 우리가 정작 음미해 보아야 할 대목은, 쥐들의 뇌를 연구하기 위해서 머리통을 열어 보았을 때 가장 스트레스를 많이 받은 쥐가 바로 착취자들이었다는 사실이다. 착취자들은 필시 피착취자들이 복종하지 않게 될까 봐 무척 두려워하고 있었던 것이리라.

에드몽 웰스, 『상대적이며 절대적인 지식의 백과사전』 제2권

58. 젖지 않은 방

물이 그들의 등을 핥는다. 103683호와 그의 동료들은 미친 듯이 천장을 파고 들어간다. 그들의 몸뚱이가 온통 급류에 뒤덮일 즈음, 기적 같은 일이 일어났다. 그들이 마침내 젖지 않은 방에 다다른 것이다.

살았다.

그들은 재빨리 자기들이 들어온 구멍을 막는다. 모래로 된 벽이 버틸 수 있을 것인가? 그랬다, 급류는 그 벽을 빙 돌아서 더 부서지기 쉬운 통로들 쪽으로 쏟아져 들어간다. 그 작은 방에서 서로 바싹 몸을 붙인 채 웅크리고 있는 그 개미들은 기분이 한결 나아짐을 느낀다.

반체제 개미들은 자기들의 수를 헤아려 보고 살아남은 자가 50마리밖에 안 된다는 사실을 깨닫는다. 신을 믿는 소수의 개미들은 여전히 중얼거리는 듯한 페로몬을 발하고 있다.

《우리는 손가락들을 제대로 공양하지 못했다. 그래서 그들이 하늘을 열어 버린 것이다.》

개미 세계의 우주 발생 이론에서는 지구가 정육면체로 되어 있고 그 위에 구름 천장이 있으며 그 구름 천장에 〈하늘의 바다〉가 담겨 있다고 보고 있다. 하늘의 바다가 너무 무거워

지면 천장이 갈라지면서 이른바 비라는 것이 쏟아져 내린다는 것이다.

신을 믿는 개미들은 그 구름 천장이 쪼개지는 것을 손가락들이 그곳을 발톱으로 찌르기 때문이라고 생각하고 있다. 그것이 어쨌든 간에, 개미들은 모두 날이 개기를 기다리면서 최선을 다해서 서로 돕고 있다. 몇몇 개미들은 입과 입을 맞대고 영양 교환을 한다. 어떤 개미들은 몸에 남아 있는 열기를 보호하려고 서로의 몸을 비벼 주고 있다.

103683호는 더듬이를 벽에 대고 물의 공격을 받고 있는 도시가 아직도 진동하고 있음을 느낀다.

벨로캉은 이제 움직이지 않는다. 물이라는 적에 완전히 박살이 난 것이다. 여러 가지 형태를 지닌 그 적은 투명한 다리를 이용하여 아무 구멍으로나 마구 쳐들어온다. 개미들보다 훨씬 더 유연하고 적응력이 강한 그 비라는 괴물에 화 있을진저! 순진한 병정개미들은 자기들에게 미끄러져 오는 물방울들을 위턱으로 쳐서 쪼갠다. 물방울 하나를 죽이면 곧 네 개가 나타난다. 떨어지는 비에 대고 다리를 휘두르면 빗물이 다리에 달라붙는다. 비에 대고 개미산을 쏘면 비는 부식제가 되어 버린다. 비를 떼밀면 비는 개미를 맞아들이고 개미들을 붙들어 눈다.

물결에 휩쓸려 희생된 자들이 헤아릴 수 없이 많다.

도시의 모든 문들이 뻥 뚫려 있다.

벨로캉 전체가 익사한 것이나 다름없는 몰골이다.

59. 텔레비전

라미레 씨의 곤혹스러워하는 얼굴이 화면에 나타났다. 그녀가 새로운 수수께끼인 그 수열 문제에서 헤매고 난 뒤부터 프로그램의 시청률이 두 배로 뛰었다. 이제껏 실패한 적이 없는 사람의 갈팡질팡하는 모습을 보면서 사람들은 가학적인 쾌감을 느끼는 모양이었다. 그게 아니라면 대중들은 승리자보다 패배자에게서 더 쉽게 친밀감을 느끼면서 패배자들을 더 좋아하기 때문일 수도 있었다.

평소와 다름없는 쾌활한 모습으로 사회자가 물었다.

—자, 라미레 씨, 이 문제의 답을 찾으셨습니까?

—아니요. 아직 못 찾았어요.

—자, 정신을 집중해 보세요. 라미레 씨! 저희가 제시한 수열을 보시면서 뭐 생각나는 게 없으십니까?

카메라가 먼저 백색 판을 향했다가 이어 생각에 잠긴 채 설명하고 있는 라미레 씨에게로 쏠렸다.

—이 수열을 들여다보면 볼수록 머리가 뒤죽박죽이 돼요. 어려워요. 너무 어려워요. 그렇지만 어떤 리듬 같은 것이 있는 것 같기는 해요……. 맨 앞에는 언제나 〈1〉이 나오고……. 〈2〉는 가운데 모여 있어요…….

라미레 씨는 글자가 적혀 있는 백색 판 앞으로 다가가서 마치 초등학교 선생님처럼 설명하기 시작했다.

—언뜻 보면 지수적인 수열처럼 보이기도 합니다. 그러나 분명히 그건 아닙니다. 저는 〈1〉들과 〈2〉들 사이에 어떤 규칙이 있다고 생각했습니다. 그런데 이 〈3〉이라는 숫자가 튀어나오더니 역시 계속 늘어납니다……. 그래서 저는 전혀

규칙이 없을지도 모른다고 생각했습니다. 임의적인 방식에 따라 배열된 숫자들로 이루어진 어떤 혼돈의 세계와 관계가 있는 것이 아닐까 하고 생각한 것입니다. 그러나 여성으로서의 육감이 나에게 이렇게 속삭이고 있습니다. 〈그럴 리가 없어, 숫자들은 아무렇게나 놓인 게 아니야〉 하고 말입니다.

— 그러면 라미레 씨, 이 수열을 보시면서 무엇을 생각하셨나요?

라미레 씨의 얼굴이 환해졌다.

— 우스갯소리 좀 할까요?

그녀가 말했다.

— 라미레 씨의 생각을 들어 보겠습니다. 부인께서 뭔가를 생각하고 계신 것 같습니다. 그럼, 라미레 씨, 생각하신 게 뭔가요?

— 우주의 탄생에 관한 거예요.

그렇게 말하면서 라미레 씨는 이맛살을 찌푸렸다. 그녀의 말이 이어졌다.

— 〈1〉은 신의 불꽃입니다. 그것이 커지고, 그다음에 나뉩니다. 저에게 우주를 지배하는 수학 방정식을 수수께끼로 내놓다니, 그게 어디 가당하기나 한 일입니까? 아인슈타인이 평생 동안 찾으려다가 못 찾은 것을 저보고 찾으란 말입니까? 세계의 모든 물리학자들이 오매불망 찾아 헤매는 그것을요?

사회자의 얼굴에 처음으로 그 방송의 주제에 걸맞은 수수께끼 같은 표정이 어렸다.

— 그럴 수도 있지요, 라미레 씨. 그래서 저희 프로그램이 바로 「알쏭알쏭……」.

―「……함정 퀴즈!」

방청석에서 한목소리로 소리쳤다.

―그렇습니다. 「알쏭알쏭 함정 퀴즈」는 한계를 모릅니다. 자, 라미레 씨, 대답을 하시겠습니까? 아니면 조커를 쓰시겠습니까?

―조커를 쓰겠습니다. 추가 정보가 필요합니다.

―백색 판을 보십시오.

사회자가 소리쳤다.

사회자는 다들 이미 알고 있는 수열을 되풀이해서 썼다.

1

11

12

1121

122111

112213

12221131

그런 다음, 여전히 자기의 메모지를 보지 않은 채, 일곱 번째 줄의 수를 덧붙였다.

1123123111

―힌트를 상기시켜 드리겠습니다. 첫 번째 힌트는 〈영리한 사람일수록 답을 찾기가 어렵다〉였습니다. 두 번째 것은 〈이미 알고 있는 것은 다 잊어버려야 한다〉였습니다. 자, 그

러면 세 번째 힌트를 드리겠습니다. 〈우주가 그렇듯이 이 수수께끼는 절대적인 단순성에 기원을 두고 있다〉입니다.

박수갈채.

—라미레 씨, 제가 한 가지 도움 말씀을 드릴까요?

사회자가 다시 쾌활한 낯빛으로 물었다.

—부탁합니다.

도전자가 말했다.

— 제가 보기엔 말이에요. 라미레 씨께선 별로 단순하지 않고 별로 어리석지도 않습니다. 한마디로 충분히 비어 있지 않습니다. 라미레 씨의 지능이 걸림돌이 되고 있습니다. 라미레 씨의 세포 속으로 후퇴해서 자기 내부에 아직 남아 있는 순진한 아이를 다시 만나십시오.

그럼, 시청자 여러분, 오늘은 여기서 작별 인사를 드려야겠습니다. 내일 뵙겠습니다. 변함없는 성원을 부탁드립니다.

레티시아 웰스는 텔레비전을 껐다.

「점점 재미있어져 가지요?」

그녀가 말했다.

「당신은 그 수수께끼의 답을 찾으셨나요?」

「아니요, 당신은요?」

「저도 역시. 우리는 너무 영리한 모양입니다. 사회자 말이 맞을지도 몰라요.」

멜리에스가 떠나야 할 시간이었다. 그는 플라스크를 자기의 넓은 호주머니 안에 넣었다.

현관을 나서며 그가 다시 물었다.

「우리 서로 귀찮게 하지 않고 서로 도와 가며 일을 할 수도 있지 않습니까? 그게 안되는 이유가 뭐죠?」

「첫째는 저에게 혼자서 일하는 습관이 있기 때문이고요, 둘째는 경찰과 언론은 결코 좋은 사이가 될 수 없기 때문이지요.」

「예외라는 것도 있지 않습니까?」

레티시아는 흑단 같은 짧은 머리채를 흔들었다.

「예외는 없어요. 자, 멜리에스 씨, 더 나은 쪽이 이기길 바라겠어요.」

「당신이 그걸 원하시니, 나도 더 나은 쪽이 이기길 바라겠습니다.」

그는 계단 속으로 사라졌다.

60. 원정군 출발하다

비가 탈진해서 후퇴한다. 모든 전선에서 후퇴하고 있다. 비에게도 포식자는 있다. 그 이름은 〈태양〉이다. 개미 문명의 오랜 동맹자인 태양은 좀 늑장을 부리긴 했어도 때가 되어 나타났다. 태양이 재빨리 하늘의 벌어진 틈을 메워 버리자, 〈하늘의 바다〉는 더 이상 〈세계〉로 흘러내리지 않는다.

재앙에서 살아남은 벨로캉 개미들은 몸을 말리고 덥히기 위해서 도시 밖으로 나온다. 비가 내리면 개미들은 겨울잠과도 같은 상태에 빠진다. 습기가 추위 대신에 몰려온다는 점만 다르다. 습기는 추위보다 더 나쁘다. 추위는 잠들게 할 뿐이나 습기는 개미들을 죽이기 때문이다.

밖에서 개미들은 비를 정복한 태양에게 찬사를 보낸다. 몇몇 개미들은 예부터 전해 오는 햇빛의 찬가를 읊조린다.

햇살이 우리의 텅 빈 몸 안으로 들어와
고통에 겨운 우리의 근육을 움직이고
갈라진 우리의 생각을 맺어 주도다.

도시 안 곳곳에서 개미들이 그 냄새 노래를 되풀이한다.
그러나 벨로캉이 참담한 패배를 겪었다는 사실을 부정할 수
는 없다. 빗방울에 맞아 구멍이 숭숭 뚫린 채 조금밖에 남아
있지 않은 지붕에서 맑은 물줄기가 솟아나는데, 그 물줄기에
검은 덩어리가 섞여 나온다. 익사자들의 시체다.

다른 도시에서 전해 온 소식도 우울하긴 마찬가지다. 단
한차례의 소나기가 위풍당당하던 불개미 연방을 이렇게 무
참히 유린할 수 있단 말인가? 단 한차례의 비가 하나의 제국
을 무너뜨릴 수 있단 말인가?

지붕이 폐허가 되면서 햇빛방이 드러나 있는데, 그 안에
있는 고치들은 이제 진흙탕 속의 축축한 알갱이에 지나지 않
는다. 알들을 지키겠다고 다리 사이에 알 모다기를 싣고 가
던 수많은 유모 개미들이 그것들을 물에 빠뜨려 죽음을 맞게
했다. 앞다리 끝에 알 모다기를 얹고 머리 위로 올려서 옮긴
몇몇 유모 개미들은 알들을 구하는 데 성공했다.

금단 구역으로 들어가는 입구를 막고 있던 문지기 개미들
가운데 생존자는 별로 없다. 그 몇 안 되는 생존자들이 금단
구역의 입구를 빠져나온다. 그들은 두려움을 느끼면서 엄청
난 재난이 휩쓸고 간 자리를 둘러본다. 클리푸니 자신도 피
해가 막심한 것을 보고 놀라움을 금치 못한다.

물의 공격에도 버틸 수 있는 도시를 건설하려면 어떻게 해
야 하나? 한바탕 쏟아져 들어오는 물줄기만으로도 세계가

개미 문명의 초기로 되돌아가 버린다면 지혜라고 하는 게 무슨 쓸모가 있겠는가?

103683호와 반체제 개미들도 그들의 은신처를 떠난다. 103683호는 곧 여왕개미를 만나러 간다.

61. 검은 액체

막시밀리앙 매커리어스 교수는 벨뷔 호텔의 자기 방에서 시험관의 내용물을 살펴보고 있었다. 카롤린 노가르가 그에게 전해 준 물질이 검은 액체로 변해 있었다.

초인종이 울렸다. 두 명의 방문객이 오기로 되어 있었다. 에티오피아의 학자인 질 오데르진과 쉬잔 오데르진 부부였다.

「잘되어 갑니까?」

남자가 다짜고짜 물었다.

「계획한 대로 완벽하게 되어 갑니다.」

매커리어스 교수는 차분하게 대답했다.

「그래요? 살타 형제네 집에 전화를 했더니 안 받던데요.」

「별일 아닐 겁니다. 휴가여행이라도 떠난 게지요 뭐.」

「카롤린 노가르 집도 전화를 안 받던데요.」

「그 사람들 모두 열심히 일했습니다. 이제 좀 쉬고 싶어 하는 게 당연하잖아요?」

「좀 쉰다고요?」

쉬잔 오데르진이 비꼬듯 말했다.

쉬잔은 손가방을 열고 신문 스크랩 몇 장을 꺼냈다. 살타 형제와 카롤린 노가르의 죽음과 관련된 기사들이었다.

「당신은 신문도 안 봐요, 매커리어스 교수? 몇몇 신문들은 이미 그 사건들을 〈납량 스릴러〉라고 호들갑을 떨고 있단 말입니다! 그런데 뭐 계획한 대로 완벽하게 되어 간다고요?」

적갈색 머리의 매커리어스 교수는 그 소식을 접하고도 별로 걱정하는 기색이 없었다.

「그래서 어쨌다는 겁니까? 계란을 깨지 않고 오믈렛을 만들 수는 없는 거 아닙니까?」

두 에티오피아인의 얼굴에는 불안한 빛이 역력했다.

「계란이 다 깨지기 전에 〈오믈렛〉이 익기를 바랄 뿐이지요.」

매커리어스는 미소를 지으면서 두 사람에게 작업대 위에 있는 시험관을 가리켰다.

「저기 있습니다. 우리의 〈오믈렛〉입니다.」

세 사람은 다 같이 푸르스름한 빛을 띤 검은 액체를 감탄의 눈길로 바라보았다. 오데르진 교수는 검은 액체가 담긴 플라스크를 아주 조심스럽게 저고리 안쪽의 호주머니에 넣었다.

「무슨 일인지는 모르겠지만, 매커리어스 씨, 몸조심하십시오.」

「걱정 마십시오. 나의 두 그레이하운드가 나를 지켜 줄 겁니다.」

「그레이하운드요? 그 녀석들 우리가 있는데 짖지도 않네요, 그런 개들을 믿을 수 있어요?」

쉬잔이 소리쳤다.

「오늘 밤엔 그 녀석들이 여기에 없기 때문입니다. 무슨 검사를 하느라고 수의사가 데리고 있어요. 그렇지만 내일부터는 여기에서 나를 지켜 줄 것입니다. 나의 충직한 경호원들이지요.」

두 에티오피아인들이 떠났다. 매커리어스는 지친 몸으로 잠자리에 들었다.

62. 반체제 개미들

살아남은 반체제 개미들이 벨로캉 교외에 있는 딸기나무 아래에 모여 있다. 향긋한 딸기 냄새가 그들의 대화 페로몬에 섞여 들기 때문에 누군가가 우연히 그쪽으로 지나가면서 더듬이 냄새를 맡더라도, 그들의 대화 내용을 알 수는 없을 것이다. 103683호가 그 무리 속에 끼어 있다. 그는 세력이 이렇게 약해진 마당에 장차 어떻게 행동할 것인가 하고 그들에게 묻는다.

그들 가운데 가장 연배가 높은, 신을 믿지 않는 개미가 대답한다.

《우리의 힘은 미약하오. 하지만 우리는 손가락들이 죽도록 내버려 두고 싶지는 않소. 우리는 그들을 먹여 살리기 위해서 훨씬 더 열심히 일할 것이오.》

그들이 차례차례 더듬이를 세워 찬동의 뜻을 표시한다. 엄청난 대홍수를 겪은 뒤이지만 그들의 결심엔 변화가 없다.

신을 믿는 개미 하나가 103683호 쪽으로 몸을 돌려 나방 고치를 가리키며 페로몬을 발한다.

《당신은 떠나야 합니다. 이것을 위해서입니다. 원정군을 이끌고 세계 끝까지 가십시오. 메르쿠리우스 임무를 위해서 그래야만 합니다.》

《손가락들 한 쌍을 데려오도록 해보십시오. 그들을 돌보면서 그들이 노예 상태에서 번식할 수 있는지를 알아보게 말입니다.》

신을 믿지 않는 다른 개미가 요구한다.

그 무리에서 가장 나이가 어린 24호가 103683호와 함께 가겠다고 나선다. 그는 손가락들을 만나고, 냄새 맡고, 만져 보고 싶어 한다. 리빙스턴 박사만으로는 성에 차지 않는다. 리빙스턴 박사는 통역자일 뿐이다. 24호는 설사 그러다 죽는 한이 있더라도 손가락들과 직접적으로 접촉하기를 바란다. 24호가 계속 고집을 부린다. 그는 103683호에게 도움이 될 수 있다. 하다못해 전투 중에 고치를 대신 들고 있게 해도 된다.

다른 반체제 개미들은 당돌한 지원자에게서 놀라움을 느낀다.

《저 친구 왜 저러지? 무슨 특별한 이유가 있나?》

103683호가 다른 개미들에게 묻는다.

다른 개미들에게 대답할 틈을 주지 않고, 그 젊은 비생식 개미는 103683호의 새로운 모험에 동행하고 싶어서 그런다며 뜻을 굽히지 않는다.

103683호는 더 이상 캐묻지 않고 그를 보조자로 받아들인다. 그는 24호가 발하는 냄새에서 친근함마저 느끼고 있다. 그 냄새는 24호가 사악한 구석이 전혀 없는 순진한 개미라는 사실을 알려 주고 있다. 24호는 모험을 하는 과정에서 신을 믿는 개미들의 〈모순〉을 발견할 수 있는 기회를 갖게 될 것이다.

그때 또 다른 반체제 개미가 자기도 함께 모험을 떠나겠다고 나선다. 24호의 손위인 23호이다.

원정대는 내일 아침 해 뜰 무렵에 출발하기로 되어 있다. 두 지원자들은 그 시간이 어서 오기를 기다리고 있다.

63. 매커리어스의 죽음

침대 발치에서 분명히 무슨 소리가 들렸다. 막시밀리앵 매커리어스 교수는 그러한 사실을 확신했다. 뭔가가 그의 잠을 깨웠고 그것이 지금 저기에서 꼼짝 않고 머물러 있다. 그의 신경이 곤두섰다. 틀림없이 이불이 미미한 진동 때문에 흔들렸다.

그러나 위대한 과학자가 그런 것에 겁을 먹는다는 것은 말이 안 된다.

매커리어스는 무엇이 있는지 알아보려고 침대 발치를 향해서 이불 속으로 기어 들어갔다. 이불을 흔들었던 것이 무엇인지를 알아내고 처음에 그는 미소를 지었다. 재미있기도 하고 호기심이 생기기도 했다. 그러나 그것들이 그에게 덤벼들었을 때, 마치 천으로 된 동굴 속에 갇힌 것처럼 동작이 부자연스럽게 된 그는 얼굴로 달려드는 그것들을 미처 막을 겨를조차 없었다.

만일 누가 그 순간에 방 안에 있었다면, 마치 사랑의 밤을 보내느라고 침대가 들썩이는 것쯤으로 생각했을 것이다.

하지만 사랑의 밤이 아니라 죽음의 밤이었다.

64. 백과사전

변이(變異)

중국인들이 티베트를 합병했을 때, 그들은 그 고장에도 중국인들이 살고 있다는 것을 보여 주려고 중국인 가족들을 그곳에 정착시켰다. 그러나 티베트 지방의 기압을 중국인들은 견뎌 내기가 쉽지 않았다. 티베트 기압에 익숙지 않은 사람들은 어지럼증을 느꼈고 몸이 붓기도 했다. 그리고 어떤 생리적인 이유 때문인지는 알 수 없었지만 티베트로 이주한 중국 여인들은 아이를 낳을 수 없게 되었다. 그에 반해서 티베트 여인들은 가장 지대가 높은 마을에서도 매일같이 아이들을 쑥쑥 잘도 낳았다. 마치 그곳에 살기에 신체적으로 부적합한 침략자들을 티베트의 땅이 거부하기라도 하는 것처럼 그런 일들이 일어났다.

에드몽 웰스, 『상대적이며 절대적인 지식의 백과사전』 제2권

65. 머나먼 행군

새벽녘부터 병정개미들이 제2동문(東門) 근처로 모여들기 시작한다. 제2동문이라는 이름은 그럴듯하지만 이제는 그저 빗물에 파헤쳐진 축축한 잔가지 더미에 불과하다.

추위를 느끼는 개미들은 다리를 뻗는 운동으로 곱은 것을 풀고 몸에 열기를 불어넣는다. 다른 개미들은 위턱을 뾰족하게 갈기도 하고 전투 때의 자세와 위장 동작들을 흉내 내고 있다.

점점 불어나는 원정군 위로 이윽고 해가 솟아오른다. 그 햇빛을 받아 등딱지들이 반짝인다. 흥분이 고조되면서 모두 자기들이 위대한 순간에 살고 있다는 느낌을 맛본다.

103683호가 나타나자 많은 개미들이 그를 알아보고 인사를 한다. 그 병정개미의 좌우에서 두 반체제 개미가 호위를 하고 있다. 24호는 나방 고치를 몸에 지니고 있는데, 그 희끄무레한 형체가 다른 개미들의 눈에 띈다.

《이 고치는 뭐야?》

어떤 병정개미가 묻는다.

《별거 아니에요. 먹이예요.》

24호가 대답한다.

이번에는 뿔풍뎅이들이 다다른다. 30마리밖에 안 되지만 그들의 풍모는 당당하다. 개미들이 좀 더 가까이에서 그들을 보려고 서로 떠민다. 개미들은 그들의 나는 모습을 보고 싶어 하지만 뿔풍뎅이들은 자기들이 꼭 필요할 때만 하늘을 난다고 설명한다. 당분간 그들도 개미들처럼 걸어갈 것이다.

개미들은 자기들의 수를 헤아리고, 서로 격려하고 축하하고, 먹이를 나눈다. 분비꿀과 물이 휩쓸고 간 폐허 위에서 건져낸 진딧물의 다리 조각이 분배된다. 개미 세계에서는 뭐든지 그냥 버리는 법이 없다. 개미들은 죽은 알과 고치도 먹는다. 물먹은 스펀지 같은 고기 조각들이 행렬 속으로 건네지자 개미들은 물기를 뺀 다음 게걸스럽게 먹는다.

개미들이 그 차가운 고기를 거의 다 먹어 치우자 어디선가 신호가 날아와서 행군 대형으로 정열할 것을 지시한다. 그런 다음, 손가락들을 치러 가는 대원정의 출발을 알리는 신호가 날아온다.

《앞으로 전진!》

출발이다.

개미들이 긴 행렬을 지으며 움직이기 시작한다. 벨로캉이 자기의 팔을 동쪽으로 뻗고 있는 것이다. 태양이 기분 좋은 열기를 뿌리기 시작한다. 병정개미들은 햇볕을 기리는 옛 노래를 부르기 시작했다. 더듬이로 부르는 냄새의 노래이다.

> 햇살이 우리의 텅 빈 몸 안으로 들어와
> 고통에 겨운 우리의 근육을 움직이고
> 갈라진 우리의 생각을 맺어 주도다.

개미들은 차례로 돌아가며 노래를 이어 부른다.

> 우리는 모두 태양의 티끌이라네.
> 빛의 거품이여, 우리의 영혼 속으로 들어오게나.
> 우리 영혼은 언젠가 빛의 거품이 될 것이니.
> 우리는 모두 햇볕의 산물이라네.

> 우리는 모두 태양의 티끌이라네.
> 지구여, 우리에게 생존의 길을 열어 주게나.
> 우리는 그 길을 따라 사방으로 달릴 것이고
> 마침내 더 이상 나아갈 필요가 없는 장소를 찾으려
> 하네.
> 우리는 모두 태양의 티끌이라네.

용병 개미들은 그 가사가 담긴 페로몬을 모른다. 그래서 그들은 배마디를 긁으면서 그 노래에 반주를 넣는다. 음악 소리를 잘 내기 위해서 그들은 가슴의 키틴질 끝을 배마디의 맨 아래쪽에 자리 잡은 가로 무늬의 띠로 이동시킨다. 그렇게 함으로써 그들은 귀뚜라미 울음 같은 소리를 낸다. 그러나 귀뚜라미 소리보다 더 날카롭고 울림이 적은 소리이다.

노래가 끝나자 개미들은 페로몬을 발하지 않고 걷는다. 걸음걸이는 자유분방하지만 심장 박동의 리듬은 누구나 똑같다.

개미들은 저마다 손가락들과 그 괴물들에 대한 무시무시한 전설들을 생각하고 있다. 그러나 그렇게 무리를 이루고 있으니 뭐든지 할 수 있을 것 같은 기분이 들어 발걸음이 경쾌하다. 바람마저도 그들의 일을 도우려는 듯 홀연히 일어나 그들의 발걸음을 재촉하고 있다.

행렬의 선두에서 103683호는 더듬이 위로 스쳐 가는 풀과 나뭇잎의 냄새를 맡는다.

103683호가 익히 알고 있는 냄새들이 주위에 가득하다. 겁을 먹고 달아나는 작은 동물들, 매혹적인 향기로 그들을 유혹하는 화려한 꽃들, 개미에게 적대적인 어떤 동물들이 숨어 있을 컴컴한 풀숲, 풀노린재가 우글거리는 고사리들…….

그래, 모든 게 그대로야. 처음 모험을 나섰을 때도 이랬지. 모든 게 그대로야.

그 독특한 냄새가 배어 있다. 다시 시작하는 위대한 모험의 냄새!

66. 백과사전

파킨슨 법칙

파킨슨 법칙(같은 이름의 파킨슨병과는 아무런 연관이 없음)에 따르면, 어떤 기업이 성장하면 성장할수록, 점점 능력이 없는 사람들을 고용하면서도 급료는 과다하게 지급하게 된다고 한다. 그 이유는 아주 간단하다.

고위 간부들은 강력한 경쟁자들이 나타나는 것을 두려워하기 때문이다.

위험한 경쟁자들이 생기지 않게 하는 가장 좋은 방법은 무능한 사람들을 고용하는 것이다. 또 사람들이 반기를 들 생각을 못 하게 하는 가장 좋은 방법은 그들에게 지나치게 많은 급료를 주는 것이다. 그렇게 함으로써 지배 계급들은 영원한 평온에 대한 확신을 갖게 되는 것이다.

에드몽 웰스, 『상대적이며 절대적인 지식의 백과사전』 제2권

67. 새로운 범죄

「막시밀리앵 매커리어스 교수는 미국 아칸소 화공 대학의 최고 권위자였습니다. 그는 일주일 전부터 프랑스에 와서 이 호텔에 묵고 있었습니다.」

카위자크 형사가 서류를 뒤적이면서 말했다.

자크 멜리에스는 방 안을 왔다 갔다 하면서 카위자크 형사의 이야기를 듣고 있었다.

보초를 서고 있던 경관 하나가 문으로 얼굴을 내밀며 말했다.

「경정님, 『일요 메아리』의 어떤 기자가 뵙고 싶다고 하는데요. 들여보낼까요?」

「그래.」

레티시아 웰스가 나타났다. 여느 때처럼 멋진 검은색 비단 정장 가운데 하나를 입고 있었다.

「안녕하세요.」

「안녕하십니까, 웰스 씨. 무슨 바람이 불어서 예까지 행차하셨습니까? 더 나은 쪽이 이길 때까지 따로따로 일해야 하는 걸로 알고 있었는데요.」

「수수께끼 현장에 함께 있다고 해서 문제 될 건 없잖아요? 우리가 〈알쏭달쏭 함정 퀴즈〉를 함께 볼 때도 똑같은 문제를 각자 자기 방식대로 푸는 게 아니겠어요? 그건 그렇고, CCG에서 가져온 약병은 감정해 보셨어요?」

「예, 연구실에서 하는 얘기로는 독인 것 같다고 하더군요. 그 안에 뭔가가 많이 들어 있다고 하던데, 그 이름을 잊어버렸어요. 아주 독성이 강하답니다. 갖가지 살충제를 만드는 데 쓰이는 거라더군요.」

「그럼 이제 멜리에스 씨도 그 문제에 대해서는 저만큼 아시겠군요. 그런데 카롤린 노가르의 부검 결과는 어떤가요?」

「심장 마비예요. 내출혈의 흔적이 많아요. 여전히 똑같은 일이 되풀이되고 있어요.」

「음……. 이 사람은 어때요? 역시 엄청난 공포 때문이군요?」

적갈색 머리의 그 학자는 배를 깔고 엎드려 있었는데, 머리를 방문객들 쪽으로 돌리고 있었다. 마치 방문객들에게 놀랍고 무시무시한 일의 증인이 되어 달라고 부탁이라도 하는 모습이었다. 눈은 툭 불거져 나왔고 입에서 지저분한 점액이 흘러나와 풍성한 턱수염을 더럽혀 놓고 있었으며, 귀에서는, 역시 피가 흘러나와 있었다. 그리고 이마에 하얀 실 같은 것이 묻어 있는 것으로 보아 아마도 그는 죽기 전에 하얀 천으로 얼굴을 막았던 모양이다. 또 꽉 움켜진 손은 배 위에 올려놓고 있었다.

「이 사람이 누군지 아세요?」

멜리에스가 물었다.

「막시밀리앵 매커리어스 교수 아니에요? 세계적인 살충제 전문가라고 들었는데요.」

「그래요, 살충제 전문가이지요. 유명한 살충제 연구가를 죽이려는 사람이 누구일까요?」

그들은 함께 그 유명한 화학자의 눈이 뒤집힌 시체를 들여다보았다.

「어떤 자연 보호 운동 단체가 아닐까요?」

레티시아가 의견을 말했다.

「그럴 리가요, 아예 곤충들이 죽였다고 하지 그러세요?」

멜리에스가 코웃음을 쳤다.

레티시아는 검은색 앞머리를 흔들며 말했다.

「정말 그럴지도 모르죠. 하지만 신문을 읽을 줄 아는 건 사람들뿐이니까 이 신문 기사 좀 보세요.」

레티시아는 신문 기사 스크랩을 하나 내밀었다. 막시밀리앵 매커리어스 교수가 세계에 곤충이 창궐하는 문제를 다루는 세미나에 참석하기 위해 파리에 왔다는 것을 알리는 기사였다. 거기에는 그가 벨뷔 호텔에 머물 예정이라는 것도 밝혀 놓고 있었다.

자크 멜리에스는 기사를 읽고 카위자크에게 넘겼다. 카위자크는 그것을 받아 서류철 안에 넣었다. 멜리에스는 방 안을 샅샅이 뒤지기 시작했다. 레티시아가 곁에 있다는 것을 의식하면서, 그는 치밀한 전문가의 면모를 보이려고 애쓰고 있었다. 역시 흉기도, 불법 침입의 흔적도, 지문도, 육안으로 보이는 상처도 없었다. 살타 형제, 카롤린 노가르 사건에서

와 마찬가지로 실마리가 전혀 없었다.

이곳 역시 제1군 파리가 거쳐 가지 않았다. 그러니까 살인 범은 피해자가 죽은 후에 사건 현장에서 5분 동안 머물렀다. 시체를 감시하기 위해서거나 모든 흔적을 지우기 위해서였을 것이다.

「뭘 좀 찾으셨어요?」

카위자크가 물었다.

「역시 파리들이 무서워서 접근조차 못 한, 무엇이 있었어.」

카위자크 형사가 놀라는 기색을 보였다.

레티시아가 물었다.

「파리라니요? 파리가 뭘 어쨌다는 거예요?」

자기가 역시 레티시아보다 한 수 위라는 생각에 기분이 좋아진 경정은 레티시아에게 파리에 대한 짤막한 강의를 늘어놓았다.

「살인 사건을 해결하는 데 파리를 이용하자는 생각을 제일 먼저 한 사람은 브루아렐이라는 교수였습니다. 1890년에 파리의 어느 집 굴뚝에서 새까맣게 그슬린 태아의 시체가 발견되었습니다. 그 집에는 몇 달 전부터 많은 세입자들이 거쳐 갔습니다. 그들 가운데 누가 그 어린 시체를 굴뚝에 숨겼을까 하는데 수사의 초점이 모아졌지요. 브루아렐이 그 수수께끼를 풀었어요. 그는 피살자의 입에서 파리 알을 채취했습니다. 그런 다음 그 알이 성숙한 정도를 고려하여 시간을 측정해서 그 태아가 굴뚝에 버려진 날짜를 알아냈습니다. 물론 일주일 정도의 시차가 있기는 했지만 범인을 체포하는 데는 아무런 문제가 없었습니다.」

혐오감 때문에 낯을 찡그리는 아름다운 기자를 보고, 멜리에스는 더욱 힘을 얻어 자기 얘기를 계속했다.

「저도 그 방법을 활용해서 사건을 해결한 적이 있습니다. 어떤 교사의 시체가 그의 학교에서 발견되었는데, 수사를 하고 보니 범인은 그 사람을 숲에서 살해한 다음, 학생들의 보복을 받은 것처럼 위장하려고 교실로 옮겨 놓은 것이었습니다. 파리들이 자기들 방식으로 증언을 해주었지요. 시체에서 채취한 애벌레들은 분명히 숲에 사는 파리의 애벌레들이었지요.」

언젠가 레티시아는 기회가 닿으면 그 이론을 주제로 해서 기사를 써야겠다고 생각하고 있었다.

멜리에스는 자기의 전문가다운 면모를 과시한 것에 흡족해하면서 침대 곁으로 가서 조사를 계속했다. 조명 돋보기를 이용해서 그는 마침내 시체의 파자마 바지 아래쪽에 뚫린 정삼각형 모양의 작은 구멍을 찾아냈다.

기자가 그의 곁으로 다가왔다. 멜리에스는 머뭇거리다가 결국 입을 열었다.

「이 작은 구멍이 보이죠? 이것과 똑같은 구멍이 살타 형제 가운데 한 사람의 저고리에도 있었어요. 형태가 똑같아요. 정확하게……」

츠스스스……

독특한 그 소리가 멜리에스 경정의 귀에 들렸다. 그는 머리를 들고 천장을 바라보다가 파리 한 마리를 찾아냈다. 그 파리는 몇 걸음을 걸어가다가 홱 날아가더니 그들의 머리 위에서 빙빙 돌았다. 어떤 경관이 그 소리가 성가셔서 파리를 잡으려고 했으나 경정이 말렸다. 멜리에스는 파리가 가는 대로 따라가서 파리가 어디에 앉는지를 알고 싶었다.

「보세요!」

공중에서 몇 바퀴를 빙빙 돌며 모든 경찰관과 기자의 인내심을 시험하던 파리가 이윽고 시체의 목 위에 내려앉았다.

그런 다음 파리는 턱 아래로 미끄러져 내려가 매커리어스 교수의 시체 밑으로 사라졌다.

자크 멜리에스는 호기심을 느끼며 시체 곁으로 다가가 파리가 어디에 있는지를 확인하려고 시체를 뒤집었다.

그가 그 글자들을 발견한 것은 그때였다.

매커리어스 교수는 죽어 가면서 마지막으로 힘을 내어 집 게손가락에 귀에서 흘러나오는 피를 묻혀 시트 위에다 한 단어를 써놓았다. 그런 다음에 다시 그 위에 엎어진 듯했다. 그 이유는 아마도 살인자가 그 메시지를 눈치채지 못하게 하려는 것이었거나 바로 그 순간에 죽었기 때문일 것이다…….

현장에 있던 모든 사람들이 그 일곱 글자를 읽으려고 다가갔다.

파리는 일곱 글자 중 첫 번째 글자에 남은 피를 주둥이로 빨고 있었다, 그 글자는 F였다. 오르되브르를 맛있게 먹는 파리는 자리를 옮겨 가며 O, U, R, M, I, S의 피를 차례로 빨 아들였다.[17]

68. 레티시아에게 보내는 편지

사랑하는 딸 레티시아에게.

먼저 나의 죄를 묻지 말라는 부탁을 하고 싶다.

네 어머니가 돌아가신 후 나는 네 곁에 머무는 것을 견디

17 프랑스어 푸르미fourmis는 〈개미들〉이라는 뜻.

낼 수가 없었다. 너를 볼 때마다 나는 네 어머니를 보았고, 그것은 나의 뇌를 벌겋게 달군 칼로 찌르는 것과 같은 고통이었다.

나는 어떤 것에도 상처를 입지 않고 폭풍이 불면 입을 꼭 다물고 견딜 줄 아는 강한 사람이 아니란다. 폭풍이 몰아쳐 오면 나는 차라리 모든 것을 포기하고 싶어 하는 사람이었고 낙엽처럼 바람에 몸을 내맡기는 그런 사람이었다.

나는 내가 일반적으로 가장 비열하다고 생각되는 행위, 즉 도피를 선택했다는 것을 알고 있다. 그러나 그 밖의 다른 어떤 것도 너와 나를 구할 수 없었을 것이다.

그럼으로써 너는 혼자 자랄 것이고 혼자 배울 것이며 네 안에 있는 힘과 방어 능력을 찾아 앞으로 나아가게 될 것이다. 그것이 가장 나쁜 학교라고 말할 수는 없다. 오히려 그 반대일 수도 있다. 인생에서 우리는 언제나 혼자이며 나중에 그것을 깨닫고 나면 더 잘 지낼 수 있게 될 것이다.

나는 네가 너의 길을 찾을 수 있기를 바란다.

우리 식구들 중에 너를 아는 사람은 아무도 없다. 나는 언제나 나에게 가장 소중한 것을 은밀히 간직해 왔다. 네가 이 편지를 받을 때면 나는 틀림없이 이 세상 사람이 아닐 것이다. 그러니 나를 다시 찾으려는 것은 부질없는 일이다. 나는 나의 집을 조카 조나탕에게 물려주었다. 그 집에는 가지 마라. 그에게 이야기도 하지 말고 아무것도 요구하지 마라.

너에게는 완전히 성격이 다른 유산을 남겨 놓았다. 이 선물은 보통 사람들의 눈에는 하찮은 것으로 보일 수도 있다. 그러나 호기심 많고 진취적인 사람에게는 더없이 소중한 것이다. 그리고 그 점에 대해서는 나는 너를 믿고 있다.

내가 너에게 주는 선물은 어떤 기계의 설계도이다. 그 기계를 사용하면 개미들의 냄새 언어를 해독할 수 있을 것이다. 나는 그 기계에 〈로제타석〉이라는 이름을 붙였다. 그 이유는 나폴레옹의 원정군이 발견한 로제타석이 이집트 글자를 해독하는 열쇠가 되었듯이 이 기계가 인간과 개미라는 두 종, 각자 높은 수준으로 발전한 두 문명 사이에 다리를 놓아줄 유일한 가능성을 지니고 있기 때문이다.

간단히 말하면 이 기계는 번역가다. 이 기계를 매개로 해서 우리는 개미의 언어를 이해할 수 있게 될 뿐만 아니라 개미들과 대화도 할 수 있게 될 것이다. 개미들과 대화하는 것! 이해할 수 있겠니?

나는 이제 겨우 이것들을 사용하기 시작했다. 그러나 벌써 이 기계는 나에게 경이로운 전망을 열어 주고 있다. 나에게 남아 있는 삶으로는 이 일을 충분히 감당해 낼 수 없을 것이다.

나는 네가 내 일을 계속해 주기를 바란다. 나의 뒤를 이어 다른, 그리고 훗날 다른 사람을 선택하여 이 일을 물려주기 바란다. 그래야만 이 일이 망각의 구렁텅이에 빠지지 않게 된다. 하지만 아주 신중하게 행동하여야 한다. 개미들의 문명을 인간들에게 백일하에 드러내 놓기에는 아직 너무 이르다. 이 일을 진전시키는 데 도움이 될 만한 사람이 아니면 절대 이야기하지 마라.

네가 이 편지를 받을 때쯤이면 네 사촌 조나탕이 내가 지하실에 남겨 놓은 이 기계의 원형을 사용하고 있을지도 모른다. 솔직히 말해서 그 가능성을 그리 높게 보지는 않는다만, 어쨌든 그건 별로 중요하지 않다.

네가 이 길에 관심을 갖고 따라온다면 아주 경이로운 일들이 너를 기다리고 있을 것이라 생각한다.

딸아, 사랑한다.

에드몽 웰스

추신 1. 로제타석 설계도를 동봉한다.

추신 2. 나의 『상대적이며 절대적인 지식의 백과사전』의 제2권도 동봉한다. 그것의 사본 한 부는 내 집, 지하실의 안쪽 끝에 있다. 이 책은 지식의 모든 분야를 담으려고 한 것인데, 곤충 분야에 많은 지면을 할애하고 있음은 물론이다. 『상대적이며 절대적인 지식의 백과사전』은 비유하자면 스페인의 여관과도 같다. 각자 그 안에 들어가서 자기가 찾으려는 것을 찾으면 된다. 매번 읽을 때마다 의미가 달라질 것이다. 왜냐하면 책을 읽는 행위는 독자의 삶과 공명하며 독자 자신의 세계관과 조화되기 때문이다.

이 책을 내가 너에게 보내는 안내자로 생각하려무나.

추신 3. 네가 어렸을 때 내가 수수께끼 하나를 낸 적이 있었는데, 그것을 기억하고 있는지 모르겠구나(너는 그때도 수수께끼를 좋아했었다). 나는 너에게 성냥개비 여섯 개를 사용해서 정삼각형 네 개를 어떻게 만드느냐고 물었다. 그리고 답을 찾는 걸 도와주려고 다음과 같은 문장을 힌트로 주었다. 즉, 〈다른 방식으로 생각해야 한다〉가 그것이었다. 시간이 좀 걸리긴 했지만 너는 답을 찾아냈지. 3차원을 여는 것, 보통 사람과는 다르게 생각하는 것, 입체적인 피라미드를 세우는 것, 그것은 첫걸음이었다.

나는 이제 너에게 다른 수수께끼를 주려고 한다. 두 번째 걸음을 내딛게 하는 수수께끼다. 역시 여섯 개의 성냥개비로 정삼각형을, 네 개가 아니라 여섯 개를 만들 수 있겠니? 다음 문장이 네가 답을 찾는 데 도움을 줄 것이다. 언뜻 보기에는 첫 번째 문장과 반대인 것처럼 보일지도 모르겠다. 그것은 〈남들과 똑같은 방식으로 생각해야 한다〉는 것이다.

69. 지상 2만 리

원정대가 나아간다. 숲이 달라진다. 석회암이 침식된 자리마다 젖니 같은 사암이 드러나 있다.

히스, 이끼, 고사리 정글이 이어진다.

8월의 폭염 때문에 흥분된 개미들이 아주 오랜 시간을 걸어서 마침내 연방의 동쪽 도시들, 즉 리뷰캉, 주비주비캉, 제디베이나캉 등에 이르렀다. 가는 곳마다 개미들은 원정군에게 분비꿀이 담긴 고치와 벼룩 햄과 곡물을 다져 넣은 귀뚜라미 머리를 대접했다. 주비주비캉에서는 행군 도중에 분비꿀을 짜 먹으라고 무려 160마리의 진딧물 떼를 주었다.

그런 다음 개미들은 손가락에 대해서 이야기를 나누었다. 모두가 손가락들을 화제로 대화를 했다. 손가락들과 관련된 사고를 모르는 개미는 하나도 없었다. 수차례의 원정대가 납작하게 눌려 죽은 채 발견되기도 했다.

그러나 주비주비캉은 손가락들과 직접 맞닥뜨린 경험이 없었다. 주비주비캉 개미들은 원정군에게 힘을 보탤 수 있기를 간절히 바란다면서도 곧 무당벌레 사냥이 시작될 것이고, 자기들의 방대한 진딧물 가축 떼를 보호하자면 모든 병정개미들이 필요하다고 했다.

그다음에 다다른 곳이 제디베이나캉이다. 너도밤나무 뿌리 속에 세워진 아름다운 도시이다. 제디베이나캉 개미들은 그다지 인색하게 굴지 않았다. 그들은 농도가 60퍼센트나 되는 새로운 고농축 개미산으로 무장한 포수 개미 1개 군단을 과감하게 떼어 주었다. 그리고 그에 곁들여 그 포수 개미들의 군량이 가득 담긴 고치 스무 개를 주었다.

제디베이나캉에서도 손가락들 때문에 피해를 입었다. 손가락들은 제디베이나캉의 나무껍질에 커다란 침으로 부호를 새겼다. 너도밤나무는 너무나 고통스러웠던 나머지 독성의 나뭇진을 분비하기 시작했다. 그 독 때문에 하마터면 제디베이나캉의 모든 개미들이 독살당할 뻔했다. 제디베이나캉 개미들은 너도밤나무 껍질의 상처가 아무는 동안 다른 곳으로 이사를 가야만 했다.

《손가락들이 유익한 존재일 수도 있잖아요? 우리가 그들의 행동을 제대로 이해하지 못하는 것일 수도 있어요.》

24호의 순진한 더듬이 참견에 모든 개미들이 어리둥절해한다. 손가락들을 치러 가는 마당에 그런 페로몬을 발하다니! 103683호는 재빨리 그 경솔한 24호를 두둔하러 간다. 《벨로캉에서는 예상되는 모든 경우를 다 따져 본다. 어떠한 역경이 닥치더라도 놀라지 않도록 사고를 훈련하려는 것이다.》

103683호는 그렇게 눙친다.

벨로캉 개미 하나가 제디베이나캉 개미들에게 클리푸니 여왕이 이 원정을 염두에 두고 만든 최신의 혁신 노래를 가르쳐 준다.

어떤 적을 선택하느냐가 그대의 가치를 결정한다.
도마뱀과 싸우는 자는 도마뱀이 된다.
새와 싸우는 자는 새가 된다.
진드기와 싸우는 자는 진드기가 된다.

그럼 신과 싸우는 자는 신이 되는 걸까 하고 103683호는
스스로에게 묻는다.

어쨌든 그 노래는 제디베이나캉 개미들의 마음을 사로잡
는다. 많은 개미들이 원정군들에게 클리푸니 여왕이 이룬 혁
신적인 기술에 대해서 묻는다. 벨로캉 개미들은 주저 없이
자기들의 도시가 어떻게 뿔풍뎅이를 길들여 개가를 올렸는
지 이야기한다. 벨로캉 개미들은 도시 내부의 운하와 신병
기, 새로운 농업 기술, 건축술의 변화에 대해서 이야기한다.

《우리는 혁신 운동이 그렇게 빛나는 성취를 올렸는지 몰
랐다네.》

제디베이니키우니 여왕이 페로몬을 발한다.

물론, 벨로캉 개미 가운데 최근에 소나기 때문에 생긴 피
해라든가 도시 내부에 손가락들을 지지하는 반체제 개미들
에 대해서 더듬이를 놀리는 자는 아무도 없었다.

제디베이나캉 개미들은 대단히 감동을 받고 있다. 불과
1년 전만 해도 개미 세계의 가장 진보적인 기술이 진딧물 사
육, 버섯 재배, 분비꿀 발효로 요약되고 있었는데 어느새 그
런 혁신이 일어났단 말인가!

마침내 개미들의 화제가 원정에 관한 것으로 옮아간다.

103683호는 원정군이 강을 건너 세계의 끝을 지나면, 거
기서부터 한 마리의 손가락도 놓치지 않기 위해서 되도록 넓

은 지역을 수색할 것이라고 설명한다.

제디베이니키우니 여왕은 중심 도시의 3천 병력으로 세계의 모든 손가락들을 다 죽일 수 있느냐며 의아해한다. 103683호는 비행 부대의 지원이 있긴 하지만 자기도 그 문제에 대해서는 약간의 회의를 가지고 있다고 고백한다.

제디베이니키우니는 곰곰이 생각하다가 원정군에게 경기병 군단을 빌려 주기로 약속한다. 그 경기병들은 다리가 길고 아주 날쌔기 때문에 도망가는 손가락들을 추격하는 데 쓸모가 많을 것이다.

원정에 대한 이야기를 끝내고 여왕이 화제를 바꾼다. 어떤 새 도시에서 이상한 짓을 자행하고 있다는 얘기다. 그 도시는 개미 도시가 아니라 꿀벌 도시, 아스콜레인 벌집이다. 때로는 그 도시를 황금의 벌집이라고 부르기도 한다. 그 도시는 여기에서 아주 가까운 곳, 즉 잔털이 많은 커다란 떡갈나무에서 오른쪽으로 네 번째 되는 나무에 세워졌다. 거기를 본거지로 삼아 그들은 꿀과 꽃가루를 모은다. 그건 지극히 정상적인 일이다. 그런데 이상한 일은 그들이 개미들을 가차없이 공격한다는 것이다. 말벌들이 그런 약탈 행위를 한다면 그런가 보다 하겠지만 꿀벌들이 그런다는 건 어딘가 좀 불안하다.

제디베이니키우니는 그 꿀벌들이 팽창주의적인 야심을 지닌 것으로 생각하고 있다. 그 꿀벌들은 점점 중심 도시 벨로캉으로 다가가면서 개미들을 공격하고 있다. 개미들은 그들을 물리치기가 쉽지 않다. 대개는 독침 공격을 당할까 두려워서 자기들의 사냥물을 포기하게 된다.

《꿀벌들이 독침을 쏘고 나면 죽는다는데 그게 사실인

가요?》

뿔풍뎅이 한 마리가 묻는다.

뿔풍뎅이가 그렇게 개미에게 직접 페로몬을 발한다는 사실에 제디베이나캉 개미들이 놀란다. 그러나 어쨌든 그들 역시 원정군에 참여하고 있기 때문에 더 이상 개의치 않고 제디베이나캉 개미 하나가 대답에 응한다.

《아니. 항상 그렇지는 않다오. 꿀벌들이 죽는 경우는 너무 깊이 침을 박았을 때뿐입니다.》

또 하나의 신화가 무너진다.

개미들은 유용한 정보들을 아주 많이 교환했다. 그러나 벌써 밤이 찾아온다. 벨로캉 개미들은 아낌없는 지원에 대해서 제디베이나캉 개미들에게 감사한다. 두 도시의 개미들이 서로 어울려 영양 교환을 실행한다. 개미들은 밤이 그들을 강요된 수면으로 이끌기 전에 동료의 더듬이를 서로 닦아 준다.

70. 백과사전

질서

질서는 무질서를 낳고 무질서는 질서를 낳는다. 이론상으로는, 오믈렛을 만들기 위해 계란을 휘저으면 오믈렛이 다시 계란의 형태를 취할 수 있는 일말의 가능성이 존재한다. 그 오믈렛 안에 무질서를 많이 넣으면 넣을수록 최초의 알이 질서를 되찾을 기회는 점점 많아질 것이다.

결국 질서란 무질서의 결합에 지나지 않는다. 우리의 우주가 확장되면 될수록 점점 더 무질서한 상태로 빠져 든다. 무질서가 확장되면 새로운 질서들을 낳는다. 그 새로운 질서들 중에 최초의 질서와 똑같은 것이 생길 수 있는 가능성을 전혀 배제할 수는 없다. 바로 당신 앞에, 공간과 시간 속에, 혼돈에 가득 찬 우리 우주의 끝에 태초의 빅뱅들이 존재할지도 모르는 일이다.

에드몽 웰스, 『상대적이며 절대적인 지식의 백과사전』 제2권

71. 피리 부는 사나이

딩, 동!

레티시아는 재빨리 문을 열었다.

「안녕하세요, 멜리에스 씨. 또 텔레비전 보러 오셨나 보죠?」

「이야기를 나누고 싶어서 왔습니다. 내 생각을 털어놓고 얘기하고 싶어서요. 제 얘기를 들어 주시기만 하면 됩니다. 웰스 씨가 생각하고 계신 걸 들려 달라고 강권하지는 않겠습니다.」

레티시아는 그를 들어오게 했다.

「좋아요. 멜리에스 씨. 귀를 활짝 열고 있겠습니다.」

레티시아는 그에게 안락의자를 가리켜 보이고 그의 정면에 긴 다리를 꼬고 앉았다.

멜리에스는 먼저 드레스의 그리스식 주름과 기는 머리채 속의 비취 장식에 찬사를 보내고 이야기를 시작했다.

「요약하면 이렇습니다. 살인자는 폐쇄된 공간을 자유자재로 드나들 수 있는 자이고, 공포를 불러일으키는 자이며, 어떤 흔적도 남기지 않는 자이고, 살충제 전문의 화학자만 노리는 자입니다.」

「한 가지 더 있어요. 파리에게 공포감을 주는 자이기도 하

지요.」

　꿀술 두 잔을 대접하고 커다란 연보랏빛 눈으로 그를 똑바로 쳐다보며 레티시아가 덧붙였다.

「그렇지요. 그런데 그 매커리어스라는 인물이 우리에게 새로운 요소를 하나 안겨 주었습니다. 바로 〈푸르미(개미)〉라는 단어입니다. 그러니까 우리는 지금 살충제 연구가들을 공격하는 개미들을 상대로 하고 있는 것일 수도 있다는 얘기지요. 그 생각은 확실히 재미있습니다. 그런데…….」

「그런데 너무 비현실적이죠.」

「바로 그겁니다.」

「개미들이 살인범이었다면 흔적을 남겼을 거예요. 예를 들어 볼까요? 개미들은 널려 있는 음식물들에 관심을 가졌을 거예요. 싱싱한 사과를 보고 그냥 지나칠 개미는 없어요. 그런데 매커리어스의 침대 머리맡 탁자 위에는 아무도 건드리지 않은 사과 하나가 있었어요.」

「훌륭한 관찰력이에요.」

레티시아가 말했다.

「그러니까 우리는 흔적도 흉기도 불법 침입도 없는 밀폐된 공간에서의 살인 사건에 머물러 있어요. 어쩌면 그것을 이해하기에 우리의 상상력이 빈곤한 건지도 모르죠.」

「젠장, 살인자가 되는 방법이 2천 가지나 되니 말이지요!」

레티시아 웰스는 묘한 미소를 지었다.

「범죄 수법이 날로 교묘해져 가고 있어요. 그에 따라 추리 소설도 진보하지요. 서기 5000년의 애거사 크리스티나 화성의 코넌 도일이 추리 소설을 쓴다면 어떻게 쓸지 상상해 보면 어떨까요? 그러면 멜리에스 씨 수사에 진전이 있을 거라고 생각해요.」

레티시아를 바라보는 자크 멜리에스의 눈은 그녀의 아름다움에 흠뻑 빠져 있었다.

그러자 레티시아는 쑥스러움을 느끼면서 궐련용 파이프를 가지러 갔다. 레티시아는 담배에 불을 붙이고 담배 연기로 막을 만들어 그의 시선을 가로막았다.

「웰스 씨는 제가 스스로 과신하고 남의 말을 듣지 않는다고 쓰신 적이 있어요. 웰스 씨가 옳았어요. 그러나 너무 늦어서 잘못을 고치지 못하는 법은 없어요. 코웃음을 치실지도 모르지만 웰스 씨를 만난 다음부터 저는 다른 방식으로, 더 넓게 생각하기 시작했지요……. 이런 얘기를 어떻게 들으실지 모르지만 저는 이제 개미들을 의심하기 시작했어요!」

「또 그 개미예요?」

짜증스럽다는 듯이 그녀가 말했다.

「잠깐만요? 우리는 개미에 대해서 모르는 게 많을 거예요. 개미들도 공범을 가질 수 있어요. 하멜른의 피리 부는 사나이 이야기를 아십니까?」

「기억이 잘 안 나는데요.」

「옛날에 하멜른이라는 도시에 쥐들이 습격해 왔습니다.」 멜리에스가 이야기의 서두를 꺼냈다.

「쥐들이 도시에 우글우글했습니다. 쥐들이 너무 많아서 사람들은 그것들을 처치할 방도를 못 찾고 있었지요. 죽이면 죽일수록 점점 더 많이 나타났어요. 쥐들이 식량을 다 거덜 내면서 엄청나게 빠른 속도로 번식해 갔어요. 도시 거주자들은 모든 걸 그대로 둔 채 도시를 떠날 생각을 하고 있었어요. 그런데 그때 한 젊은이가 나타나서 도시를 쥐들로부터 구해 줄 터이니 그에 상응하는 보상을 해달라는 것이었어요. 도시의 유지들은 더 이상 손해 볼 게 없겠다 싶어 군말 없이 그의 제안을 받아들였지요. 그러자 젊은이가 피리를 불기 시작했습니다. 피리 소리에 홀린 쥐들이 한데 모여들더니 그가 가는 곳을 따라서 멀리 사라졌어요. 피리 부는 사나이는 쥐들을 강 쪽으로 이끌고 가서 강물에 빠뜨렸습니다. 그런데 그 젊은이가 대가를 요구하자 쥐들에게서 해방되고 난 도시의 유지들은 마음이 달라져서 그 젊은이를 맞대 놓고 비웃었지요.」

「그런데 그 이야기를 왜 하시는 거죠?」

「이 이야기를 왜 하느냐 하면 말이죠. 한번 비슷한 상황을 상상해 보자는 겁니다. 즉, 개미들을 조종할 수 있는 〈피리 부는 사나이〉를 생각해 보자는 것이지요. 개미들의 가장 사악한 적인 살충제 발명가들에게 복수하고 싶어 하는 어떤 사람들 말이에요.」

멜리에스가 마침내 레티시아의 흥미를 끌어내는 데 성공했다. 레티시아는 연보랏빛 눈을 동그랗게 뜨고 그를 똑바로 쳐다보았다.

「계속하세요.」

그녀가 말했다.

레티시아는 흥분이 되는지 담배를 한 모금 길게 빨아들였다.

멜리에스는 새삼스럽게 들떠서 안절부절못하며, 뜸을 들였다. 그의 뇌 속 전기 회로에서 〈맞았음〉을 알리는 신호가 깜박였다.

「찾아낸 것 같습니다.」

레티시아 웰스는 미묘한 표정으로 그를 바라보았다.

「뭘 찾았다는 거예요?」

「개미들을 길들이는 사람이 범인이에요. 개미들이 피해자들의 몸 안으로 뚫고 들어가서 위턱으로 공격을 가한 것입니다……. 그래서 내출혈과 같은 결과가 나타난 거지요. 그러고 나서 개미들은 귀 같은 곳을 통해 밖으로 다시 나왔어요. 많은 시체들의 귀에서 피가 흘렀던 것은 그것으로 설명할 수 있습니다. 그 뒤에 개미들은 다시 모여서 다친 제 동료들을 데리고 사라진 것입니다. 그러느라고 5분이 걸린 겁니다. 그 시간 동안 제1군에 속하는 파리들이 접근을 못 했던 것이지요. 제 추리를 어떻게 생각하십니까?」

멜리에스가 설명을 시작할 때부터 레티시아 웰스는 사실상 그와 함께 이야기에 도취되고 있었다. 레티시아는 쿼런 파이프에 다른 담배 한 개비를 끼우고 불을 붙였다. 레티시아는 그가 옳을 수도 있다고 인정하면서도, 자기가 알기로는 개미들을 길들여서 호텔 안으로 들여보내 방을 고르게 하고 어떤 사람을 죽인 다음 조용히 개미집으로 되돌아가게 할 수 있는 방법이 없는 것 같다고 의문을 제기했다.

「있을 겁니다. 그런 방법이 분명히 있을 겁니다. 제가 그 방법을 찾아낼 겁니다. 자신 있습니다.」

자크 멜리에스는 손바닥을 마주쳤다. 그는 대단히 자신감에 차 있었다.

「5000년대의 추리 소설을 상상할 필요까지는 없겠지요? 약간의 분별력과 상식만 있으면 충분한 겁니다.」

멜리에스가 잘라 말했다.

그러자 레티시아 웰스는 이맛살을 찡그리며 말했다.

「잘해 보세요, 멜리에스 씨. 당신이 제대로 맞힐 것 같군요.」

멜리에스는 자리에서 일어났다. 그는 당장 부검의에게 문의해서 피해자들의 몸 안에 있는 상처가 개미들의 위턱의 공격을 받아 생긴 것인지를 확인해 보고 싶었다.

혼자 남은 레티시아 웰스의 얼굴에 걱정스러워하는 기색이 어렸다. 레티시아는 열쇠를 꺼내 검은 래커를 칠한 방문을 연 다음, 사과를 얇게 썰어서 개미 상자 안에 있는 2만 5천 마리의 개미들에게 주었다.

72. 우리는 모두 개미다

조나탕 웰스는 『상대적이며 절대적인 지식의 백과사전』에서 수천 년 전 태평양의 한 섬에 개미 숭배자들이 살고 있었음을 일깨워 주는 구절을 찾아냈다. 에드몽 웰스의 설명에 따르면 그 사람들은 음식을 줄이고 명상을 수행하면서 특별한 정신적 능력을 개발하게 되었다고 했다.

그 사람들의 공동체는 알려지지 않은 어떤 이유 때문에 사라졌다. 그럼으로써 그들의 이야기는 불가사의한 비밀로만 남아 있었다.

지하 사원에 사는 스무 명의 사람들은 토론을 거친 후에 실제로 존재했던 것이든 아니든 간에 그 수행 방법을 모방하기로 했다.

영양 결핍이 점차 심해져 감에 따라 그들은 힘을 아끼지 않으면 안 되었다. 아주 작은 몸짓이라도 그들에겐 힘에 겨웠다.

그들은 점점 말을 적게 하게 되었다. 그런데 역설적이게
도 그럴수록 서로를 더 잘 이해할 수 있게 되었다. 눈길 하나,
미소 하나, 턱짓 하나로도 의사소통을 하기에 충분했다. 주
의를 집중하는 능력이 엄청나게 향상되었다. 걷고 있을 때
그들은 근육 하나하나 관절 하나하나의 움직임을 의식했다.
그들은 생각으로 숨이 들어오고 나가는 것을 뒤쫓을 수 있
었다.

그들의 후각과 청각은 동물이나 원시인에 비할 만큼 예민
해졌다. 만성적인 기아 상태가 그들의 미각을 더욱 예민하게
만들었다. 영양실조가 빚어 낸 집단적인 또는 개인적인 환각
마저도 하나의 감각이 되었다.

뤼시 웰스는 자기가 다른 사람들의 생각을 직접 읽어 낼
수 있다는 것을 처음으로 깨달았을 때 두려움을 느꼈다. 그
런 현상이 그녀에게는 왠지 난잡하게 느껴졌다. 그러나 그런
직접적인 의사소통이 자종 브라젤 같은 고결한 영혼과 이루
어질 때는 즐거운 기분으로 그것에 임했다.

나날이 먹을 것이 희귀해져 감에 따라 정신 수련은 강도를
더해 갔다.

그러나 누구나 다 최선의 결과에 도달하는 것은 아니었다.
육체적인 활동과 밖에서 돌아다니는 일에 익숙해져 있는 소
방대원들과 치안대원들은 때때로 분노와 밀실 공포증 때문
에 비명이 터져 나오려는 것을 가까스로 억누르곤 했다.

뼈가 앙상하게 드러나고 더 맑아지고 더 깊어진 눈으로 서
로를 뚫어지게 쳐다보면서 그들은 모두 누가 누군지 구별할
수 없을 정도로 닮아 갔다. 그들은 서로서로에게 영향을 미
치면서 비슷해져 가는 듯했다. 니콜라 웰스만은 어리다는 이

유로 영양을 제대로 공급받았기 때문에 다른 사람들과 아직 분명히 구별이 되었다.

그들은 되도록이면 서 있는 자세를 피했고(육체적인 힘이 없는 사람에게 그것은 너무 피곤한 일이었다), 가부좌를 틀고 앉아 있거나 사지로 기어 다니기를 좋아했다. 초기의 고통 뒤에 날이 갈수록 조금씩 일종의 평정이 찾아왔다.

그것은 정신 착란의 한 형태가 아니었을까?

그러던 어느 날 아침(그들끼리 정한 아침), 컴퓨터의 프린터에서 드르륵거리는 소리가 들렸다. 불개미 도시 벨로캉의 반체제파들이 전 여왕의 죽음 때문에 두절되었던 접촉을 재개하고 싶어 했다. 반체제 진영의 개미들은 그들이 파견한 탐지 로봇인 리빙스턴 박사를 매개로 해서 대화를 시도했다. 반체제 개미들은 인간들을 돕고 싶어 했는데, 실제로 그 개미들은 그들의 위에 놓인 화강암 속의 통로를 이용하여 식량을 보내오기 시작했다.

73. 변이

손가락들을 지지하는 반체제 개미들의 원조 덕분에 오귀스타 할머니와 그 동료들은 이제 오랫동안 살아남을 수 있다는 생각을 하게 되었다. 그들은 비록 낮은 수준이긴 했지만 영양을 규칙적이고 안정적으로 섭취했다. 그러고 나니 아주 미약하나마 힘이 생기기 시작했다.

마침내 그 지옥 속에서의 삶을 그럭저럭 영위할 수 있게 되었다.

뤼시 웰스의 제안에 따라 그들은 지상에서 사용하던 인간의 이름을 버리기로 했다. 이제 모두의 모습이 비슷해졌기 때문에 굳이 이름을 가질 필요 없이, 번호만 있어도 충분했다. 그것이 가져온 효과는 대단했다. 성을 잃는 것은 조상들의 역사가 지닌 무게를 포기하는 것이었다. 그것은 마치 그들에게 새 생명을 얻은 듯한 느낌을 주었다. 그들은 모두 이제 막, 함께 태어난 것이었다. 이름을 잃는다는 것은 구별이 되고 싶어 하는 마음을 포기하는 것이었다.

다니엘 로젠펠트(일명 12호)의 제안에 따라 그들은 새로운 공통의 언어를 찾기로 했다. 새로운 언어를 찾아낸 사람은 자종 브라젤(일명 14호)이었다.

「인간은 입으로 소리의 파동을 내보내서 의사소통을 합니다. 그러나 그 음파는 너무 복잡하고 혼미합니다. 단 하나의 순수한 음파를 발산하고 그 속에 모두가 진동을 내면서 들어가면 어떨까요?」

그 일은 힌두교의 어떤 종파에서 행하는 것과 같은 좀 우스꽝스러운 모습을 띠었다. 그러나 그들은 그런 것을 개의치 않았다. 어쨌든 그 일의 목표는 그들을 다른 차원으로, 다른 존재의 지평으로 올려놓으려는 것이기 때문이었다. 그들은 모두 함께 수행해야 했는데, 그들은 자신들이 행하는 수련에 열중했다.

그들은 가부좌를 틀거나 좀 더 유연한 반가부좌를 한 자세로 워을 그리고 앉아, 등을 곧게 펴고 서로 팔을 잡았다. 그들은 몸을 앞으로 기울여 머리를 원 한가운데에 모은 다음, 각자 돌아가면서 자기의 소리를 냈다. 각자 자기 자신의 진동을 내놓는 것이다. 마침내 그들은 하나의 똑같은 음에 자기의 음조를 조화시켰다. 수련을 쌓아 나아감에 따라 그들은 모두 자기 음역의 가장 낮은 소리로 노래를 했고, 그들의 음성은 배 안에서 올라오게 되었다.

그들은 〈옴〉이라는 음절을 선택했다. 그것은 근원의 소리, 땅과 무한한 우주의 노래로서 모든 것을 뚫고 들어갔다. 〈옴〉은 어떤 레스토랑의 웅성거리는 소음이면서 동시에 산이 침묵하는 소리였다.

그들의 눈은 감겨 있었고 그들의 호흡은 느리고 깊고 동시적이었다. 그들은 가벼워졌으며 모든 것을 잊고 소리 속에 녹아 들어갔다. 그들은 소리 그 자체였다. 〈옴〉은 모든 것이 시작하면서 모든 것이 끝나는 소리였다.

그 의식은 오랫동안 계속되었다. 의식이 끝나고 나면 그들은 조용히 흩어져서 자기의 자리로 돌아가기도 하고 이러저러한 자기의 일에 종사하기도 했다. 그 일이란 청소하기, 식량 관리하기, 반체제 개미들과 대화하기 등이었다.

니콜라만이 그 의식에 참여하지 않았다. 다른 사람들은 니콜라가 자유의사로 그 의식에 참여하기에는 너무 어리다고 판단했다. 마찬가지로 사람들은 모두 니콜라를 잘 먹여야 한다는 데 동의했다. 어쨌든 개미 세계에서 가장 중요한 것은 알이었다.

어느 날 그들은 개미들과의 텔레파시를 통한 의사소통을 시도했다. 아무런 성과가 없었다. 너무 많은 것을 기대한 모양이었다. 그들 사이에서조차 텔레파시로 의사소통을 할 수 있다는 기대는 버려야 했다. 텔레파시는 두 교신자 중 어느쪽에서도 저항이 없다는 조건에서 두 번 중 한 번만 제대로 이루어졌다.

오귀스타 할머니는 여전히 회상에 잠겨 있었다.

그렇게 그들은 조금씩조금씩 개미들이 되어 갔다. 몸은 아닐지라도 머릿속에서는 분명히 그러했다.

74. 백과사전

벌거숭이두더지쥐

벌거숭이두더지쥐Heterocephalus glaber는 에티오피아와 케냐 북부 사이의 동아프리카에 산다. 그 동물은 앞을 보지 못하며 분홍색 살갗에는 털이 나 있고, 앞니를 이용해서 수 킬로미터에 걸친 땅굴을 팔 수 있다.

그러나 그 동물의 놀라운 점은 다른 데 있다. 벌거숭이두더지쥐는 곤충과 똑같은 방식으로 모듬살이를 하는 유일한 포유류로 알려져 있다. 벌거숭이두더지쥐의 한 군체에는 평균 5백 마리의 개체가 모여 산다. 그 개체들 사이에 역할 분담이 이루어지고 있는데, 그것이 개미 세계에서와 똑같이 주요한 세 계급, 즉 생식 계급, 노동 계급, 병정 계급으로 구성되어 있다.

개미 세계의 여왕개미에 해당하는 한 마리의 암컷은 한 배에 서른 마리까지 모든 계급의 새끼를 낳을 수 있다. 유일한 출산자로서의 자신의 지위를 유지하기 위해 그 암컷은 자기 오줌 속에 냄새나는 물질을 분비해서 굴속에 있는 다른 암컷들의 생식 호르몬이 분비되는 것을 억제한다. 벌거숭이두더지쥐가 거의 사막이나 다름없는 지역에서 살아간다는 사실을 통해서, 우리는 어떤 생물종이 군체를 이루며 살아가는 이유를 이해할 수 있게 된다.

벌거숭이두더지쥐는 덩이줄기와 뿌리를 먹고 산다. 이따금 덩치 큰 먹이가 걸리기도 하는데 대개 그 먹이는 아주 널리 산재되어 있다. 독립 생활을 하는 설치류 동물도 자기 앞으로 곧장 수 킬로미터의 땅굴을 팔

수는 있을 것이다. 그러나 모듬살이를 하게 되면 먹이를 찾을 기회가 훨씬 많아진다. 작은 덩이줄기 하나라도 발견되면 모두가 똑같이 나누어 먹을 것이기 때문이다.

벌거숭이두더지쥐가 개미와 다른 점이 하나 있다면 그것은 수컷이 교미를 하고 나서도 살아남는다는 것이다.

에드몽 웰스, 『상대적이며 절대적인 지식의 백과사전』 제2권

75. 아침

아주 묵직해 보이는 분홍빛 공이 다가온다. 그가 그 공에게 페로몬을 발한다.

《나는 당신 종족에 대해서 아무런 적대감을 가지고 있지 않소.》

그러나 그 공은 멈추지 않고 계속 다가와 그를 짓눌러 버린다.

103683호는 소스라치게 놀라며 잠에서 깨어난다. 늘 악몽에 시달리기 때문에 그는 수면 시간을 줄이고 기온이 조금만 변해도 깨어날 수 있도록 몸의 상태를 조절해 놓고 있었다.

그는 아직도 손가락들을 꿈에서 보고 있다. 그들에 대한 생각을 중단해야 한다. 손가락들을 무서워하면 때가 왔을 때 제대로 싸울 수가 없을 것이다. 두려움이 그를 움직이지 못하게 만들 것이기 때문이다.

103683호는 옛날에 어머니 벨로키우키우니가 자기와 자기 동료들에게 들려준 개미 전설 하나를 기억하고 있다. 그 전설이 담긴 페로몬은 아직 기억 장치 속에 들어 있다. 약간

의 습기를 제공하면 기억들이 온전히 되살아난다.

《옛날에 우리 왕조에 굼굼니라는 여왕이 있었는데, 그 여왕은 마음의 병에 걸린 채 산란실에서 괴로워하고 있었다. 그 여왕은 세 가지 문제 때문에 속을 끓이면서 생각에 골몰하고 있었다. 그 세 가지 문제란 이런 것이었다.

삶에서 가장 중요한 순간은 언제일까?

살아가면서 이루어야 할 가장 중요한 일은 무엇일까?

행복의 비결은 무엇일까?

여왕은 자기 자매들, 백성들과 그 문제를 가지고 토론했다.

풍부한 정신을 가졌다는 연방의 모든 개미들과 이야기를 나누어 보았지만 만족할 만한 해답이 없었다. 개미들은 여왕이 병이 났으며 여왕이 골몰해 있는 문제들은 결코 겨레의 생존에 중요한 문제가 아니라고 말했다.

아무도 자기 마음을 알아주지 않자 여왕은 점점 쇠약해졌다. 온 겨레가 근심하기 시작했다. 유일한 산란자인 여왕을 잃는다면 큰일이었다. 그래서 온 도시의 개미들이 처음으로 진지하게 그 추상적인 문제들을 곰곰이 생각하게 되었다.

가장 중요한 순간은? 가장 중요한 일은? 행복의 비결은?

모든 개미들이 대답을 내놓았다.

가장 중요한 순간은 먹을 때이다. 왜냐하면 먹이를 먹으면 힘이 생기기 때문이다. 가장 중요한 일은 종족을 유지하고 도시를 방어할 병정개미들을 늘리기 위해서 번식을 하는 것이다. 행복의 비결은 열기다. 왜냐하면 열기는 화학적인 만족감의 원천이기 때문이다.

그 해답 중의 어느 것도 굼굼니 여왕의 마음에 들지 않았다. 그래서 여왕은 도시를 떠나 혼자서 위대한 바깥 세계로 나갔다. 바깥 세계에서 여왕은 살아남기 위해서 처절하게 싸워야만 했다. 사흘 후 여왕이 돌아와 보니 도시는 온통 슬픔에 젖어 있었다. 그러나 여왕은 자기의 해답을 가지고 돌아왔다. 깨달음은 야만적인 개미들을 상대로 무자비한 격투를 벌이던 와중에 왔다. 가장 중요한 순간은 지금이다. 왜냐하면 누구나 현재에서만 행동할 수 있기 때문이다. 그러나 현재에 몰두하지 않는 자는 미래도 놓치게 된다. 가장 중요한 일은 지금 우리 앞에 있는 것과 맞서는 것이다. 만일 여왕이 자기를 죽이려는 병정개미를 처치하지 못했다면 여왕이 죽었을 것이다.

행복의 비결은 전투가 끝난 다음에 발견되었는데, 그것은 살아서 땅 위를 걷는다는 것이다. 아주 단순한 것들이다.

현재의 순간을 즐기는 것.

지금 자기 앞에 있는 일에 몰두하는 것.

땅 위를 걷는 것.

그것이 굼굼니 여왕이 남긴 삶의 위대한 세 가지 비결이다.》

24호가 103683호에게로 다가온다.

그는 〈신들〉에 대한 자기의 믿음에 대해서 설명하고 싶어 한다.

103683호는 설명을 필요로 하지 않는다. 그는 더듬이를 움직여 24호의 설명을 제지하고는 그에게 도시 앞을 함께 산책을 하자고 권한다.

《아름답지, 안 그런가?》

24호는 대답하지 않는다. 103683호는 잔잔하게 페로몬을 발한다.

《우리가 손가락들을 만나고 죽이는 임무를 맡고 있는 건 사실이지만, 그것만이 중요한 것은 아니야. 지금 여기에 있는 것, 여행하는 것 등도 중요한 일이야. 결국 가장 중요한 순간은 메르쿠리우스 임무를 달성하거나 손가락들을 정복할 때가 아니라 아마 우리 둘이 아침 일찍 동료 개미들에 싸여 있는 지금 이 순간일 거야.》

103683호는 그에게 굼굼니 여왕의 이야기를 들려준다.

24호는 자기 생각엔 마음의 병에 걸린 여왕 이야기보다 그들의 임무가 더 중요해 보인다고 페로몬을 발한다. 24호는 손가락들에게 다가가 어쩌면 그들을 보고 만지게 될지도 모른다는 기대에 사로잡혀 있다.

그는 다른 개미의 페로몬에 더듬이를 기울이지 않는다. 24호가 103683호에게 손가락들을 보았느냐고 묻는다.

《그들을 보았던 것 같기는 해. 그러나 모르겠어. 앞으로도 모를 거야. 그들은 우리하고 아주 달라.》

24호가 의아해한다.

103683호는 그 문제를 가지고 페로몬 대화를 나누고 싶은 생각이 없다. 하지만 직감적으로 그는 신들이 손가락들은 아니라고 믿고 있다. 신들은 존재할지도 모른다. 그러나 그것은 손가락들과는 다른 것이다. 어쩌면 신은 이 빛나는 자연, 저 나무들, 이 숲, 우리를 둘러싸고 있는 이 어마어마하게 풍요로운 동식물일지도 모른다. 그렇다. 그에게는 바로 이 지구의 아름다운 장관에서 믿음을 구하기가 더 쉬울 듯하다.

바로 그때 불그스레한 한 줄기 빛이 지평선 위에 드리운다.

103683호는 더듬이 끝으로 그 빛을 가리키며 페로몬을 발한다.

《보게, 참 아름답지 않은가?》

24호는 그 감동을 함께 나누지 못한다. 그러자 103683호는 재담 삼아서 이렇게 페로몬을 발한다.

《나는 신이다. 왜냐하면 태양에게 떠오르라고 명령할 수 있기 때문이다.》

103683호는 네 개의 뒷다리로 평형을 유지하면서 몸을 세운 다음 더듬이로 하늘을 가리키며 강한 페로몬을 내뿜는다.

《태양아, 너에게 명령하노니, 솟아라!》

그러자 태양이 웃자란 풀 너머로 한 줄기 빛을 내쏜다. 하늘은 갖가지 빛깔의 축제를 벌이고 있다. 황톳빛, 보랏빛, 연보랏빛, 빨강, 오렌지빛, 금빛의 축제. 빛, 따사로움, 아름다움, 모든 것이 103683호가 지시한 순간에 나타났다.

《어쩌면 우리는 우리 자신의 능력을 과소평가하고 있는지도 몰라.》

103683호가 말한다.

24호는 〈손가락들은 우리의 신이다〉라는 페로몬을 되풀이 하고 싶다. 하지만 태양이 너무나 아름다워 그는 냄새를 발하지 못한다.

세 번째 비밀　　　　**세계의 끝으로**

76. 어떻게 매릴린 먼로가 메디치를 죽였는가?

그 에티오피아 과학자 두 사람은 똑같은 이상으로 하나가 된 아주 궁합이 잘 맞는 부부였다.

이미 아주 어렸을 때부터 질 오데르진은 개미집을 관찰하느라고 시간을 보내곤 했다. 그는 비어 있는 잼 단지에 개미를 담아 집에 들여놓기를 원했다. 단지를 빠져나와 집 안을 돌아다니는 개미를 보자마자, 그의 어머니는 역정을 내면서 개미들을 실내화로 밟아 죽였다.

그래도 그는 포기하지 않고 다른 개미들을 기르기 시작했다. 그는 개미 단지를 더 잘 숨겨 놓고 꼭 막아 놓았다. 그러나 개미들은 그가 도무지 이해할 수 없는 이유로 죽어 버렸다.

오랫동안 그는 그 작은 곤충에 그토록 많은 관심을 갖는 사람은 자기뿐이라고 믿고 있었나. 그러던 중에 로테르담 대학의 곤충학과에서 쉬잔을 만났다. 그들은 모두 개미에 대해 아주 강한 매력을 느끼고 있던 터라 금방 가까운 사이가 되었다.

쉬잔이 어떤 의미에서는 그보다 훨씬 더 열성적이었다. 쉬잔은 개미 사육통을 집에 들여놓고 많은 개미들을 기르고 있었는데, 개미들을 구별할 수 있도록 이름을 지어 주었고,

사육통 안에서 일어나는 아주 사소한 사건이라도 기록해 두 었다. 두 사람은 토요일이면 늘 개미를 관찰하며 시간을 보 냈다.

나중에 그들이 결혼을 해서 역시 유럽에 살고 있을 때였는 데, 어느 날 아주 끔찍한 일이 일어났다.

쉬잔은 당시 자기의 개미집에 여섯 마리의 여왕개미를 키 우고 있었다. 쉬잔은 짧은 더듬이를 갖고 있던 여왕개미에게 는 클레오파트라라는 이름을, 위턱에 맞은 상처가 나 있는 것에는 메리 스튜어트라는 이름을 붙여 놓고 있었다. 그리고 다리에 곱슬곱슬한 털이 난 것을 퐁파두르, 끊임없이 더듬이 를 움직이는 가장 〈수다스러운〉 쪽은 에바 페론이라 불렀다. 또 가장 요염한 쪽은 매릴린 먼로, 가장 공격적인 것은 카테 리나 데 메디치라고 명명하였다.

카테리나 데 메디치는 성격에 걸맞게 한 무리의 암살 개미 들을 모아 모든 경쟁자들을 차례차례 제거해 나가도록 지시 했다. 오데르진 부부는 그 내전에 개입하지 않고, 메디치의 자객들이 다른 여왕개미를 체포해서 물통으로 끌고 가 물에 빠뜨려 죽인 다음 쓰레기터에 내다 버리는 모습을 관찰했다.

그런데 그 대학살에서 매릴린 먼로가 살아남았다. 매릴린 먼로는 쓰레기터에서 빠져나오자마자 서둘러 자기편의 암 살 개미들을 조직한 다음 카테리나 데 메디치를 죽이게 했다.

개미 문명에 매력을 느끼고 있던 두 사람은 그 끔찍한 학 살의 장면을 보고 두려움을 느꼈다. 그들은 경악을 금할 수 없었다. 알고 보니 개미 세계는 인간 세계보다 훨씬 더 잔인 했다. 더 이상 참을 수가 없었다. 그날 밤을 계기로 해서 그들 은 개미 세계를 혐오하기 시작했다. 열렬히 사랑했던 것만큼이나 증오도 격렬했다.

에티오피아로 돌아가자마자 그들은 아프리카 대륙에서 곤충을 몰아내자는 대대적인 운동에 참가했다. 그들은 그 운동을 계기로 해서 세계의 주요한 지도자들이나 그 분야의 탁월한 전문가들과 친분을 맺게 되었다.

오데르진 교수가 시험관을 꺼내어 눈높이까지 들어 올렸다. 성체 성사를 집전하는 사제와도 같은 조심스러운 동작이었다. 그의 부인이 역시 조심스러운 동작으로 시험관에 분필 가루 같은 하얀 가루를 부었다. 그러고 나서 그 혼합물을 원심 분리기에 쏟아붓고 우윳빛 액체를 몇 방울 첨가한 다음 뚜껑을 닫고 스위치를 눌렀다. 5분이 지나자 전체가 은회색의 아름다운 색조를 띠었다.

그때 한 남자가 달려 들어와 위급한 일이 벌어졌음을 알려 주었다. 역시 과학자로서 키가 후리후리하고 홀쭉하게 마른 남자였다. 그의 이름은 미귀엘 시녜리아즈.

「빨리 해야 돼요. 그들이 우리를 추적하고 있어요. 막시밀리앵 매커리어스도 죽었어요. 〈바벨〉 실험은 어느 정도나 진척되었습니까?」

「다 됐어요.」

질이 자신 있게 말하면서 은빛 액체가 든 시험관을 보여주었다.

「훌륭하군요. 이번에는 우리가 이긴 것 같군요. 그들은 이제 더 이상 우리 일을 방해하지 못할 거예요. 하지만 그들이 다시 공격해 오기 전에 떠나야지요.」

「우리 일을 방해하는 사람들이 누군지 아세요?」

「잘은 몰라도 과격한 사이비 환경 보호론자 집단일 겁니

272

다. 그놈들은 자기들이 무슨 짓을 하고 있는지조차 모를 거예요.」

질 오데르진이 한숨을 내쉬며 말했다.

「어째서 무슨 일을 하려고만 하면 그것을 방해하는 집단이 나타나는지 모르겠어요.」

미귀엘 시녜리아즈가 자긴들 알겠느냐는 듯 어깨를 으쓱 올리며 말했다.

「늘 그 모양이죠. 그들이 방해하기 전에 우리가 먼저 일을 해치우는 수밖에 없어요.」

「그런데 정말 우리 적이 누구예요?」

그 질문에 미귀엘 시녜리아즈가 남들이 들으면 안 된다는 듯이 은밀한 태도로 말했다.

「그걸 꼭 알고 싶으십니까? 우리는…… 지옥의 군대와 싸우고 있으며, 그 군대는 도처에 널려 있습니다. 바로 우리 정신의 내밀한 곳에도 숨어 있습니다……. 내가 보기는 그것이 가장 사악한 적입니다.」

미귀엘 시녜리아즈 교수가 은빛 물질을 가지고 나간 뒤 정확하게 30분 후, 오데르진 부부가 죽었다.

77. 곤충들의 우상

아직 더 많은 공물이 필요하다.
너희가 너희의 신들을 섬기지 않으면,
우리는 너희를 흙과 불과 물로 벌할 것이다.
손가락들은 너희를 죽일 수 있다. 신이기 때문이다.
손가락들은 너희를 죽일 수 있다. 위대하기 때문이다.

손가락들은 무엇이든 할 수 있다. 강력하기 때문이다. 이는 진리의 말씀이니라.

이렇게 단호한 메시지를 막 두드리고 난 손가락들은 갑자기 두 개의 긴 터널처럼 생긴 구멍 쪽으로 올라갔다. 그러더니 그 가운데 두 개가 그 구멍을 샅샅이 후벼 댄다. 손가락들은 쇠똥구리를 뺨치는 능숙한 솜씨로 작은 공을 굴리다가 그것을 멀리 던져 버린다.

그런 다음 손가락들은 더욱 높이 올라가서 이마를 만진다. 그리고 누군가가 일을 멋지게 해치웠다고 생각하고 있다. 아무도 눈치채지 못하게 해치운 것이다.

78. 원정군

두 개미 주위로 원정군의 다른 개미들이 모여든다.

103683호는 더듬이 하나를 세워서 솟아오르는 태양을 느껴 보려고 한다. 이제 햇살이 살갑게 그의 몸을 덥혀 주고 있다.

두 개미 주위에는 많은 개미들이 모여 있다. 벨로캉 개미들뿐만 아니라 구경하러 나온 제디베이나캉 개미들도 있다. 제디베이나캉 개미들은 자기들의 두 포병 부대와 경기병대를 위해 힘찬 격려의 페로몬을 내뿜고, 원정군 전체를 향해서도 힘찬 격려를 보내고 있다.

23호는 위턱을 날카롭게 갈고 있고 24호는 나비 고치를 지키고 있다. 103683호는 동작을 멈춘 채로 기온이 올라가기를 기다리고 있다. 이윽고 섭씨 20도가 되자 103683호는 몸을 움직여 출발을 알리는 페로몬을 발한다. 끈기가 있으면서도 가벼운 카프로산(C_6–H_{12}–O_2)으로 구성된 동원 페로몬이다.

신호가 떨어지자 병정개미들이 움직이기 시작한다. 첫 번째 대열이 길게 앞으로 나아가자 더듬이와 겹눈과 개미산을 가득 채운 배와 뿔풍뎅이의 뿔에 흥분이 일기 시작한다.

손가락들을 치러 가는 최초의 원정군이 그렇게 다시 출발했다. 원정군은 부스럭거리면서 갈라서는 풀잎 사이를 거침없이 헤쳐 나가면서 곧 순조로운 행군 리듬을 되찾는다.

원정군이 지나가는 길에 있는 곤충, 지렁이, 설치류, 파충류들은 맞서려 하기보다는 도망을 간다. 몸을 숨기고 원정군이 지나가는 것을 구경하던 드물게 용감한 동물들은 불개미와 나란히 걸어가는 뿔풍뎅이를 보고 어리둥절해한다.

대열의 선두에서는 척후 개미들이 왼쪽으로 갔다 오른쪽으로 갔다 하면서, 주력 부대를 가장 덜 구불구불하고 안전한 길로 이끌고 있다.

그렇게 척후 부대를 선두에 배치하는 것이 대개는 아주 효율적이고 위험을 사전에 방지하는 방법이지만, 그렇다고 해서 군대가 예기치 않은 장애물에 부딪히지 않는 것은 아니다.

척후 개미들이 지름이 1백 걸음은 족히 되는 거대한 구멍 가장자리에 모여서 북적거리고 있다. 척후 개미들은 곧 그 구멍이 무슨 구멍인지를 깨닫고 경악한다. 납치되어 가던 지 울리캉에서 기적적으로 살아난 병정개미가 얘기했던 그 무시무시한 사건의 현장이다. 어떤 거대한 괴물이 도시 전체를 파내어 투명하고 거대한 껍질에 담아 갔다더니 이것이 바로 지울리캉의 잔해인 것이다⋯⋯. 이게 바로 손가락들이 저지른 일이다! 그들이 이런 짓까지 할 수 있다니.

건장하게 생긴 개미 하나가 더듬이를 곤두세우며 동료들 쪽으로 몸을 돌린다. 9호 개미이다. 모두들 손가락들에 대한 9호의 증오심을 잘 안다. 9호가 위턱을 넓게 벌리면서 강력한 페로몬을 발한다.

《우리는 지울리캉 개미들의 원수를 갚아야 한다! 죽어 간 우리 동료 하나의 목숨값으로 우리는 손가락 두 마리를 죽여야 마땅하다!》

모든 원정군들은 지상에 있는 손가락이 1백 마리도 안 된다는 이야기를 여러 차례 들었다. 그래도 그들은 9호의 독한 페로몬에 담긴 뜻을 헤아리며 결의를 다진다. 손가락들에 대한 분노로 사기가 하늘을 찌를 듯한 원정군들이 구덩이를 빙 돌아서 다시 길을 떠난다.

그렇게 흥분해 있는 가운데서도 그들은 신중함을 잃지 않는다. 뜨거운 태양이 내리쬐는 사막이나 넓은 평원을 가로지를 때면 개미들은 포수 개미들에게 그늘을 만들어 주는 조치를 취한다. 개미산이 너무 뜨거워져서 폭발하면 자칫 운반하는 개미나 옆의 동료들을 죽일 수 있기 때문에, 폭발하지 않도록 방지하려는 것이다. 60퍼센트의 고농축 산이 터졌을 때 군대의 대열에 미칠 피해를 상상해 보라!

원정군이 어떤 도랑 앞에 다다른다. 최근의 홍수에 의해 생겨난 것 같다. 103683호는 그 도랑이 별로 길지 않으니 남쪽으로 돌아갈 수 있을 것이라고 생각한다. 다른 개미들은 그의 얘기를 듣지 않는다. 허비할 시간이 없다는 것이다! 척후 개미들이 물에 뛰어들어 다리를 서로 잡고 다른 개미들이 건널 수 있도록 교량을 만든다. 군대가 지나가고 나면 다리를 만들었던 그 개미들은 죽음을 맞게 될 것이다. 희생을 치르지 않고는 아무것도 이룰 수 없는 법이다.

두 번째 밤이 다가오고 있다. 원정군은 흰개미 도시나 적의 도시라도 들어가서 하룻밤을 보내야 한다. 지평선에는 아무것도 보이지 않는다. 그들이 있는 곳은 단풍나무만 자라는 척박한 땅이다.

한 나이 많은 병정개미의 제안에 따라 개미들은 한데 모여 공처럼 둥근 덩어리를 이룬다. 그렇게 모여서 밤을 지새우는 방식은 거기에서 아주 먼 곳에 사는 마냥개미들이 하는 방식이다. 그 나이 많은 병정개미는 그런 사실을 알 리가 없을 텐데도 그런 제안을 내놓은 것이다. 임시 둥지의 둘레에는 적이 오면 언제라도 물어뜯을 태세를 갖춘 위턱들이 깔쭉깔쭉한 레이스 모양을 이루고 있고, 안쪽에는 추위에 더 민감한 풍뎅이들과 병자들과 부상자들을 위해서 방이라고 해도 손색이 없는 공간이 마련되었다. 임시 둥지 전체는 10층으로 되어 있고 그 안에 통로들과 방들이 들어 있다.

어떤 동물이라도 그 적갈색 진지를 스치기만 하면 곧바로 개미들의 밥이 되어 버린다. 어린 피리새와 강하다고 자부하던 도마뱀이 호기심 때문에 비참한 죽음을 맞는다.

밖에 배치된 개미들이 경계를 하는 동안, 안에서는 개미들의 움직임이 점차 느려지고 잠잠해진다. 각자 자신에게 주어진 통로나 방의 한 부분에 틀어박혀 있다.

추위가 찾아오자 모두 잠이 든다.

79. 백과사전

공통분모

동물에 대한 경험으로 지구의 모든 사람들이 가장 많이 공유하고 있는 것은 개미와의 만남이다. 고양이나 개, 벌이나 뱀을 한 번도 본 적이 없는 사람들은 분명히 찾아볼 수 있다. 그러나 개미를 가지고 한두 번쯤 장난을 쳐보지 않은 사람들을 만나기란 쉽지 않을 것이다. 개미와의 만남은 가장 널리 퍼져 있는 우리들의 공통적인 경험이다.

그런데 우리의 손 위에서 걸어가는 개미를 관찰해 보면, 다음과 같은 기본적인 사실을 확인할 수 있다.

첫째, 개미는 자신에게 무슨 일이 일어나고 있는가를 알기 위해서 더듬이를 흔든다.

둘째, 개미는 자기가 갈 수 있는 곳이면 어디든 간다.

셋째, 개미가 가는 길을 손으로 막으면, 개미는 그 손으로 옮겨간다.

넷째, 젖은 손으로 개미 앞에 선을 그으면 개미를 세울 수 있다. 개미는 눈에 보이지 않는, 뛰어넘을 수 없는 장벽이 있기라도 한 듯 머뭇거리다가 결국 빙 돌아간다.

이런 사실을 모르는 사람은 없다. 그렇지만 우리 조상들과 현대인들이 공유하고 있는, 초보적이고 유치한 이 지식이 활용되는 곳은 아무 데도 없다. 학교에서 가르쳐 주지도 않고 직업을 선택하는 데도 쓸모가 없기 때문이다(학교에서 우리가 개미를 공부하는 방식은 따분하기 이를 데 없다. 개미의 신체 부위 이름 따위나 외우라는데 솔직히 그런 것에 무슨 재미가 있겠는가?).

에드몽 웰스, 『상대적이며 절대적인 지식의 백과사전』 제2권

80. 심야의 방문객들

그는 자기 두 눈으로 분명히 보았다! 부검의가 그에게 그 사실을 확인시켜 주었다. 몸 안의 상처는 개미의 위턱 때문에 생긴 것이 확실했다. 자크 멜리에스는 아직 범인을 잡지 못했지만, 확실한 실마리를 잡았다고 믿고 있었다.

너무 흥분되어 잠을 이룰 수가 없었으므로 그는 텔레비전을 켰다. 마침 「알쏭알쏭 함정 퀴즈」의 심야 재방송이 나오고 있었다. 라미레 씨는 소심한 태도를 버리고 밝은 모습으로 나타났다.

—라미레 씨, 이번에는 답을 찾으셨나요?

라미레 씨는 자기의 기쁨을 숨기지 않았다.

—예, 그래요, 풀었습니다! 마침내 해결한 것 같아요.

우렁찬 박수 소리.

—정말입니까?

사회자가 깜짝 놀라며 물었다.

라미레 씨는 소녀처럼 손뼉을 치며 말했다.

—예, 그렇고말고요.

—그럼, 우리에게 그걸 설명해 주시죠.

—사회자께서 주신 힌트 덕분에 찾았어요. 〈영리한 사람일수록 답을 찾기가 더 어렵다.〉〈이미 알고 있는 것을 모두 잊어버려야 한다.〉〈우주가 그렇듯이 이 수수께끼는 절대적인 단순성 속에 기원을 두고 있다.〉……저는 문제를 풀기 위해서는 다시 어린애가 되어야 한다고 생각했어요. 원래의 자리로 돌아가야 한다, 본원으로 되돌아가야 한다고 말입니다. 팽창하는 우주가 원래의 빅뱅으로 되돌아가듯이 단순한 정

신으로 돌아가야 했고 어린아이 적의 내 영혼을 되찾아야만
했습니다.

　─그건 너무 생각이 지나친데요, 라미레 씨.

　몹시 들떠 있었기 때문에 라미레 씨는 사회자가 끼어들 틈
을 주지 않고 말을 이었다.

　─ 우리 어른들은 항상 더 영리해지려고 노력합니다. 하
지만 저는 반대로 해보면 어떨까 하고 생각했어요. 틀에 박
힌 것을 깨뜨리고, 우리 습관과 정반대가 되는 것을 취해 본
다는 것이지요.

　─대단합니다, 라미레 씨.

　박수갈채가 터져 나온다. 멜리에스와 마찬가지로 방청객
들은 다음 말을 고대하고 있다.

　─ 그런데 이 수수께끼를 앞에 두고 영리한 사람은 어떻
게 반응할까요? 수들이 나열되어 있는 것을 보고 그는 수학
문제로 생각할 것입니다. 그래서 그는 숫자들의 줄 사이에
어떤 공통점이 있는지 찾으려 할 것입니다. 그는 더하고 빼
고 곱해서 모든 숫자를 뒤섞어 버립니다. 그러나 그는 머리
를 쥐어짜며 답을 찾아내려고 하지만 결국 아무것도 얻지 못
하고 이 문제는 수학과 아무런 상관이 없다는 생각에 도달합
니다……. 이 수수께끼가 수학 문제가 아니라면, 그것은 문
학적인 수수께끼가 될 겁니다.

　─잘 생각하셨습니다, 라미레 씨.

　방청객들이 박수를 친다. 도전자는 그 틈을 이용해 호흡
을 가다듬는다.

　─일련의 숫자 묶음에 문학적인 의미를 부여한단 말이지
요? 어떻게 하는 건가요?

— 어린애들처럼 하면 됩니다. 눈에 보이는 대로 말하는 것입니다. 아주 어린아이들은 하나의 숫자를 보면 그 숫자의 이름을 말합니다. 아이들에게 〈6〉은 〈육〉이라는 소리에 대응합니다. 〈젖소〉가 젖통이가 달린 네발 동물에 대응하는 것과 마찬가지입니다. 세계 어느 곳에서나 사람들은 서로 다른 임의적인 소리로 사물을 지칭합니다.

— 라미레 씨, 오늘은 철학자 같은 말씀을 하시는군요. 그러나 우리 시청자들은 구체적인 해답을 요구합니다. 자, 그럼 답을 말씀해 주시겠습니까?

— 내가 〈1〉이라는 숫자를 쓰면 겨우 읽을 줄 아는 아이는 나에게 〈일이 하나예요〉라고 말합니다. 그러면 나는 〈11〉이라고 씁니다. 그런 다음 방금 쓴 것을 아이에게 다시 보여 주면, 아이는 〈일이 두 개예요〉라고 말할 것입니다. 즉 〈12〉가 되는 것입니다. 그런 식으로 계속 나가면 답이 나옵니다. 다음 줄에 들어갈 수를 알아내려면 윗줄에 있는 숫자들의 이름을 불러 보면 됩니다. 〈12〉를 아이는 〈일 하나, 이 하나〉라고 읽습니다. 즉 1121가 됩니다. 다시 〈1121〉을 이루는 숫자를 열거하면 〈일 둘, 이 하나, 일 하나〉가 되어 〈122111〉로 나타낼 수 있습니다. 그다음에는 〈112213〉이 되고, 다음에 〈1222 1131〉, 다음에 〈1123123111〉이 됩니다.[18] 따라서

___

18 사물의 수를 말하는 방식이 우리말과 프랑스어는 서로 다르다. 예컨대 우리는 〈사과 두 개〉라고 말하지만, 프랑스어로는 deux pommes, 즉 〈두 개의 사과〉라고 말한다. 즉, 우리말에서는 대개 명사를 먼저 말하고 수를 말하지만, 프랑스어에서는 수를 먼저 말하고 명사를 말한다. 그런 차이를 감안하여 원문의 수수께끼를 우리의 표현법에 맞게 고쳤더니, 당연한 결과지만, 원문의 수들이 거울에 비춘 것처럼 뒤집어졌다. 즉 원문의 수열 1, 11, 21, 1211, 111221, 312211, 13112221, 1113213211……이 위에서 보다시피 1, 11, 12, 1121, 122111……로 되었다.

정답은…… 굳이 말씀드리지 않아도 되겠지요? 아마 〈4〉라는 숫자가 나타나기는 쉽지 않을 것입니다.

— 훌륭합니다, 라미레 씨! 맞히셨습니다.

방청객들이 우레와 같은 박수갈채를 보낸다.

약간 멍해지는 기분을 느끼면서 멜리에스는 사람들이 자기에게 갈채를 보내고 있다는 느낌을 갖는다.

사회자는 방청객들에 조용히 할 것을 요구하고 말을 잇는다.

— 하지만 라미레 씨, 이번에 맞히셨다고 다음 문제가 기다리고 있다는 사실을 잊으신 것은 아니시겠지요?

그녀는 상기된 얼굴에 미소를 머금고 두 손을 발그레해진 뺨에 갖다 댄다. 두 손에는 아마 땀이 흠뻑 배어 있으리라.

— 그래도 숨 돌릴 시간은 주셔야 하는 거 아니에요?

— 그런가요? 라미레 씨. 방금 그 수수께끼는 정말 훌륭하게 해결하셨습니다. 고생 많으셨습니다. 하지만 벌써 우리 「알쏭알쏭……」.

— 「……함정 퀴즈!」

— ……에 새로운 문제가 기다리고 있습니다. 이 문제 역시 익명의 어느 시청자께서 보내 주신 것입니다. 자, 우리의 새 문세를 밀씀드리겠습니다. 잘 들으세요. 성냥개비 여섯 개를 가지고…… 분명히 여섯 개라고 말씀드렸습니다……. 부러뜨리지 않고, 풀을 사용하지도 말고, 똑같은 크기의 정삼각형 여섯 개를 만드실 수 있겠습니까?

— 정삼각형 여섯 개라고 그러셨어요? 성냥개비 여섯 개로 네 개의 정삼각형을 만드는 게 아니고요?

— 성냥개비 여섯 개로 정삼각형 여섯 개를 만드는 것입

니다.

사회자가 단호한 어조로 반복한다.

— 그럼 성냥개비 하나로 삼각형 하나를 만든단 말이에요?

라미레 씨가 놀란다.

— 예, 바로 그것입니다. 라미레 씨. 이번에 드리는 첫 번째 힌트는 〈다른 사람들과 똑같은 방식으로 생각해야 한다〉는 것입니다. 시청자 여러분, 여러분들께서도 답을 생각해 보시기 바랍니다. 그럼 오늘은 여기서 인사를 드려야겠습니다. 내일 뵙겠습니다. 저희 프로그램을 변함없이 사랑해 주시기를 부탁드립니다.

자크 멜리에스는 불을 끄고 잠자리에 누웠다.

마침내 어렴풋이 잠이 들었으나, 사건의 실마리를 푼 흥분이 꿈속까지 따라왔다. 레티시아 웰스, 연보랏빛 눈과 개미 도판, 세바스티앵 살타와 공포 영화에나 나올 법한 그 끔찍한 얼굴, 정치가의 길을 포기하고 경찰에 투신한 뒤페롱 경찰국장, 결코 함정에 걸려들지 않는 라미레 씨 등등이 어수선한 꿈속에서 뒤섞였다.

그는 깊이 잠들어 있었다. 그러다가 점점 잠이 옅어지더니 마침내 잠에서 빠져나왔다. 그는 벌떡 일어났다. 침대 발치에서 매트리스 위를 두드리는 듯한 미세한 진동이 느껴졌다. 어린 시절의 악몽이 되살아났다. 괴물이다. 증오에 찬 눈빛을 번득이는 성난 늑대다……. 그는 마음을 다잡았다. 그는 이제 어린애가 아니었다. 그는 잠결에서 완전히 벗어나 불을 켜고 침대 발치에서 작은 혹처럼 생긴 것이 움직이고 있는 것을 확인했다.

그는 침대 밖으로 튀어나갔다. 실제로 무언가가 혹처럼 튀어나와 있었다. 그가 주먹으로 그것을 내리치자 외마디 비명이 들렸다. 그런 뒤에 마리 샤를로트가 시트 아래에서 다리를 절며 빠져나오는 것을 보고 그는 소스라치게 놀랐다. 그 불쌍한 것이 울음소리를 내면서 그의 팔 안으로 들어왔다. 그는 고양이를 위로하기 위해 쓰다듬어 주고 자기가 아프게 했던 발을 만져 주었다. 그런 다음 고양이에게 포식을 시켜 주기로 마음먹고 마리 샤를로트를 부엌에 데려가 타라곤을 넣은 참치 파이 곁에 둔 다음 부엌문을 꼭 닫았다.

그는 냉장고에서 물 한 잔을 꺼내 마시고 화면에 질리도록 텔레비전을 보았다. 텔레비전을 오래 보다 보면 진정제를 먹은 것처럼 마음이 가라앉곤 했다. 몸이 나른해지면서 머리가 텅 비게 되고 자신과 관계없는 문제들에 눈길이 푹 빠져들어가곤 했다. 그에게는 그것이 커다란 즐거움이었다.

그는 다시 침대로 가서 누웠다. 이번에는 보통 사람들처럼 방금 텔레비전에서 본 것들을 꿈에서 보기 시작했다. 즉, 미국 영화, 광고, 일본 만화 영화, 테니스 경기, 뉴스에서 본 몇몇 학살 장면 등등.

그는 계속 잤다. 아주 깊이 잤다. 그러다가 잠이 점점 옅어지면서 잠에서 빠져나왔다.

어린 시절의 악몽이 그를 악착같이 따라다니고 있음이 분명했다. 또다시 그는 그의 침대 발치에서 붕긋 솟아오른 뭔가가 움직이는 것을 느꼈다. 그는 다시 불을 켰다. 마리 샤를로트가 또 장난을 하고 있나? 그럴 리는 없다. 고양이를 부엌에 가두고 문고리를 단단히 걸었던 것이다.

그는 얼른 일어섰다. 붕긋 솟아 있던 것이 둘, 넷, 여덟, 열

여섯, 서른둘로 갈라지더니 시트에 겨우 보일까 말까 한 1백
여 개의 작은 물집 같은 것이 생겨났다. 그 작은 물집들이 시
트의 앞자락으로 이동하고 있었다. 그는 한 걸음 물러서서
바라보다가 소스라치게 놀랐다. 개미들이 그의 베개 속으로
쳐들어가고 있었다.

그의 첫 번째 반응은 손바닥으로 그것들을 쓸어 내는 것이
었다. 그러다가 그는 불현듯 어떤 사실을 떠올리고 곧 생각
을 바꾸었다. 세바스티앵과 다른 모든 사람들도 틀림없이 손
으로 개미를 쓸어 버리려 했을 것이었다. 적을 얕잡아 보는
것보다 더 큰 실수는 없다.

멜리에스는 그 작은 곤충들과 마주치자 단 한 순간도 그것
들이 어떤 종의 곤충인지를 알아볼 생각을 못 하고 도망을
쳤다. 그는 개미들이 자기를 뒤쫓아 온다고 여겼다. 그러나
다행히도 출입문은 빗장이 하나만 채워져 있었고 개미들이
그를 따라잡기 전에 집에서 빠져나올 수 있었다. 계단에서
그는 그 사악한 곤충에 의해 죽어 가고 있는 마리 샤를로트
의 끔찍한 비명을 들었다.

모든 일이 제정신이 아닌 상태에서 이루어졌다. 빠른 동
작의 화면을 보고 난 느낌이었다. 그는 맨발에 잠옷 바람으
로 거리에 나온 다음 가까스로 택시를 잡아 운전사에게 시경
으로 가자고 부탁했다.

틀림없었다. 범인은 이제 살해된 화학자들의 수수께끼를
그가 해결했다는 걸 알고 있었다. 그래서 범인은 서둘러 자
기의 작은 암살자들을 그에게 보냈을 것이었다.

그런데 그가 수수께끼를 해결했다는 사실을 알고 있는 사
람은 오로지 한 사람뿐이었다. 오직 한 사람만이!

81. 백과사전

이원성(二元性)

성서 전체는 제1권, 즉 「창세기」로 요약할 수 있다. 「창세기」의 모든 내용은 제1장, 즉 천지 창조를 이야기하는 장으로 요약할 수 있다. 이 장의 모든 내용은 다시 그 장의 첫 번째 단어인 베레시트Bereshit로 요약할 수 있다. 베레시트는 〈태초에〉라는 뜻을 가지고 있다. 이 낱말의 모든 의미는 첫 음절인 베르로 요약할 수 있는데, 베르는 〈탄생된 것〉을 의미한다. 이 음절의 모든 글자들은 첫 번째 글자 B로 요약할 수 있다. B는 〈베트〉[19]로 발음되고 가운데에 점이 있는 열린 사각형으로 나타낸다. 이 사각형은 집을 상징하기도 하고, 태어나기로 되어 있는 알이나 태아를 담고 있는 모태를 상징하기도 한다. 후자의 경우 작은 점은 바로 알이나 태아를 상징한다.

왜 성서는 알파벳의 첫 번째 철자가 아니라 두 번째 철자로 시작되는 것일까? 그것은 A가 근원적인 통일성을 나타내는 반면, B는 세계의 이원성을 나타내기 때문이다. B는 그 통일성의 발산이며 투영이다. B는 제2의 것이다. 〈하나〉에서 나온 우리는 〈둘〉이다. A에서 나온 우리는 B 안에 있다. 우리는 이원성의 세계에 살면서 통일성, 즉 모든 것의 출발점인 알레프를 그리워하고 나아가 그것을 추구한다.

에드몽 웰스, 『상대적이며 절대적인 지식의 백과사전』 제2권

82. 앞으로 앞으로

야영지에 단풍나무의 날개 열매 하나가 떨어져 동요가 일

[19] 히브리어 자모의 첫 번째 글자는 알레프aleph이고 두 번째 글자는 베트beth이다.

어난다. 그 날개 열매는 자기들의 종자를 널리 퍼뜨리려고 식물이 제 씨앗에 프로펠러를 달아 놓은 것과 같다. 막으로 된 두 날개가 빙글빙글 돌면 그 씨앗들은 개미에게 위험한 존재가 된다. 밤을 보내느라고 공처럼 뭉쳐 있던 원정군들은 임시 둥지를 풀고 각자 땅바닥으로 흩어진 다음 행군을 계속 한다.

행군 중에 그 날개 열매가 대화의 소재가 된다. 개미들은 식물들이 뿜어내는 여러 가지 물질들이 빚어내는 위험에 대해서 이야기한다. 어떤 개미들은 민들레의 갓털이 가장 위험하다고 한다. 그것이 더듬이에 붙으면 대화를 할 수 없기 때문이라는 것이다.

103683호는 그런 식물로는 봉숭아만 한 것이 없다고 생각한다. 봉숭아 열매를 살짝 건드리기만 해도 가는 실 같은 것이 씨앗을 휘감아 1백 걸음이 넘는 거리까지 날려 보내기 때문이다.

이렇게 이야기를 나누며 가더라도 행군이 지체되거나 하지는 않는다. 개미들은 뒤에 오는 동료들이 길을 잘 찾아올 수 있도록 자취 페로몬을 남기기 위해 이따금 배를 땅바닥에 문지른다.

공중에는 많은 새들이 날고 있다. 그들은 날개 열매와는 다른 위험을 지니고 있다. 남쪽 지방에서 올라온 푸르스름한 깃털의 꾀꼬리도 있고, 뤼뤼라는 작은 종달새도 있지만, 특히 많은 것은 오색딱따구리, 검정딱따구리, 청딱따구리 등 딱따구리 종류다. 그것이 퐁텐블로 숲에서 가장 흔히 볼 수 있는 날짐승들이다.

그들 가운데 검정딱따구리가 가까이 오면서 겁을 주더니,

개미의 대열 앞을 비행하면서 부리로 개미들을 노린다. 갑자기 급강하로 달려들었다가 다시 솟구치고 다시 초저공비행으로 달려든다. 질겁한 개미들이 사방으로 흩어진다.

그러나 그 딱따구리의 목적은 낙오된 몇 마리 개미를 잡자는 게 아니다. 딱따구리는 어떤 부대의 위를 날다가 느닷없이 하얀 똥을 싸서 개미들에게 오물을 뒤집어씌운다. 그러기를 여러 차례 하고 나자 30여 마리의 개미가 똥 칠갑을 당한다. 그 똥의 위험성을 알리는 페로몬이 전 군대에 퍼져 나간다.

《그걸 먹지 마라! 그걸 먹지 마라!》

사실, 딱따구리 똥은 조충에 감염되어 있는 경우가 많다. 그것을 먹는 개미들은…….

83. 백과사전

조충

조충은 딱따구리의 내장에 성충 상태로 살고 있는 단세포 기생충이다. 이 조충은 딱따구리의 똥과 함께 배설된다. 딱따구리가 그런 사실을 알고 있기라도 하듯 개미들의 도시 위로 똥을 뿌리는 일이 종종 일어난다. 개미들은 이 흰 배설물을 지워 내려고 하나가 그것을 먹고는 조충에 감염된다. 이 기생충은 개미들의 성장을 방해하고 딱지 색깔을 하얗게 변화시키다. 감염된 개미는 무기력해지고 자극에 대한 반응이 느려지게 된다. 그래서 청딱따구리가 똥으로 개미 도시를 공격할 때 그 똥에 감염된 개미들이 가장 먼저 희생된다.

색소 결핍증에 걸린 흰 딱지의 개미는 행동이 느려질 뿐만 아니라 개미 도시의 어두운 통로 안에서도 몸 색깔 때문에 훨씬 눈에 잘 띄게 된다.

에드몽 웰스, 『상대적이며 절대적인 지식의 백과사전』 제2권

84. 첫 희생자들

딱따구리가 다시 오물 폭격을 하러 온다. 딱따구리는 온건한 전술을 펼치고 있다. 즉, 우선 악취를 뿌리고 그것에 중독되어 힘없이 비틀거리는 개미들은 다음 공습 때 잡아먹는다.

그 공습 앞에서 병정개미들이 무력감을 느낀다. 9호는 하늘에다 대고 자기들이 지금 손가락들을 죽이러 가는 길이며, 자기들을 공격하는 것은 어리석게도 손가락들 편을 들게 되는 것이라고 울부짖듯 페로몬을 내뿜는다. 그러나 딱따구리는 개미의 후각 언어를 이해하지 못한다. 오히려 딱따구리는 거꾸로 공중회전을 한 번 하고는 원정군의 행렬 위로 더 빠르게 덤벼든다.

《모두 공습에 대비하라!》

어떤 늙은 병정개미가 페로몬을 발한다.

중무장한 포수 개미들이 재빨리 높다란 풀 줄기 위로 기어올라간다. 새가 날아가는 자리에 개미산을 쏘아 보지만 새가 너무 빨라서 아무런 효과가 없다.

실패다! 더욱 운수 사나운 일은, 포수 개미 두 마리가 쏘아 올린 개미산이 서로 상대방을 거꾸러뜨린 것이다.

그러나 검정딱따구리가 다시 똥을 퍼부을 채비를 할 때 그의 눈앞에 이상한 광경이 나타난다. 뿔풍뎅이 한 마리가 양 날개를 번갈아 퍼덕이면서 공중에 머물러 있는데, 그의 머리에 난 뿔 위에서 개미 한 마리가 사격 자세를 취하고 있다. 그

개미는 103683호이다. 그의 항문에서 연기가 나온다. 60퍼센트의 고농축 개미산을 가득 채웠기 때문이다.

균형이 제대로 잡히지 않아서 개미가 전전긍긍하고 있다. 딱따구리가 곧 그 개미를 죽일 것 같다. 딱따구리는 그보다 엄청나게 더 크고 강하고 날쌔다. 개미의 배가 걷잡을 수 없이 떨린다. 더 이상 조준을 할 수가 없다.

그러자 개미는 손가락들을 생각한다. 손가락들에 대한 공포는 다른 모든 공포를 압도한다. 약해져서는 안 된다. 손가락들에게 다가갔던 때를 생각하면 새 정도는 아무것도 아니다.

개미는 다시 배를 세우고 독주머니의 내용물을 일거에 발사한다.

발사!

딱따구리는 미처 다시 올라갈 겨를이 없었다. 딱따구리는 앞이 보이지 않자 어디로 날아가야 할지 갈피를 못 잡고 헤매다가 나무줄기를 들이받고 다시 튀어나와 땅바닥에 곤두박질친다. 그러나 그의 살을 뜯어먹으려는 개미들이 오기 전에 딱따구리는 다시 날아오른다.

그 사건으로 인해 103683호는 상당한 명성을 얻게 되었다. 그렇지만 103683호가 훨씬 더 큰 두려움 때문에 자신의 두려움을 이겨 낼 수 있었다는 사실을 아는 개미는 하나도 없다.

이제 원정군 개미들은 103683호의 용기와 경험과 노련한 사격 솜씨를 본받으려고 노력할 것이다. 공중의 커다란 포식자를 완전히 제압할 수 있는 개미가 103683호 말고 누가 있겠는가?

그의 인기가 그렇게 높아 가면서 한 가지 다른 결과를 낳게 되었다. 개미들은 이제 103683호를 부를 때 애정이 듬뿍 담긴 친숙함의 표시로 103호로 줄여서 부르게 된 것이다.

다시 출발하기에 앞서서 딱따구리의 똥이 묻은 개미들에게 영양 교환을 삼가라고 충고한다. 다른 병정개미들이 조충에 감염되는 것을 막으려는 것이다.

행군 대열이 다시 갖추어졌을 때 23호가 103호에게 다가온다.

《무슨 일인가?》

《24호가 사라졌어요. 한참 찾아보았지만 보이질 않아요. 검정딱따구리한테 죽임을 당한 개미는 하나도 없는데 말이에요.》

24호가 사라진 것은 매우 낭패스러운 일이다. 그가 메르쿠리우스 임무를 수행하는 데 꼭 필요한 나비 고치를 가지고 사라졌기 때문이다.

그렇다고 다른 개미들에게 알릴 형편도 아니다. 그가 올 때까지 기다릴 수도 없다. 24호에게는 안된 일이지만, 개체보다는 전체가 더 중요하기 때문이다.

85. 수사

멜리에스는 혼자서 오데르진 부부의 아파트에 도착했다. 에티오피아의 여성 과학자는 물이 없는 욕조 안에 정장을 입고 앉아 있었다. 머리에 초록색 샴푸가 흥건하게 발라져 있었고 이미 앞선 사건들에서 익히 보았던 흔적들이 그대로 드러나 있었다. 살갗에 돋은 닭살이며, 공포에 짓눌린 얼굴, 귓가에 엉킨 피가 그러했다.

욕실 옆 화장실에 있는 남편의 모습도 마찬가지였다. 다만 변기에 앉은 채 상체가 앞으로 고꾸라져 있고 바지가 구두 위에 걸려 있다는 점이 달랐다.

사실 자크 멜리에스는 한 번 흘낏 보았을 뿐 두 시체를 그다지 찬찬하게 살피지 않았다. 그는 문득 자기가 어떤 상태에 있는지를 깨닫고 곧바로 에밀 카위자크의 집에 전화를 건 다음 그곳으로 향했다.

카위자크 형사는 자기 상관이 그렇게 이른 시간에 잠옷 위에 트렌치코트를 걸친 채 나타난 걸 보고 매우 놀랐다. 멜리에스는 좋지 않은 때에 찾아온 것이었다. 카위자크는 자기의 취미 생활을 즐기고 있던 참이었다. 그는 지금 채집한 나비를 박제로 만들고 있었다.

그것에는 아무런 관심도 보이지 않고, 경정은 대뜸 말했다.

「에밀 형사. 됐어요! 이번엔 범인을 꼭 잡을 거예요.」

에밀 형사는 의아해한다. 멜리에스는 자기보다 한참 연상인 부하 직원의 책상 위에 뭔가가 너저분하게 널려 있음을 깨달았다.

「그런데 에밀 형사, 뭐 하고 있는 거예요?」

「제가 나비 수집하는 거 모르시던가요? 제가 말씀을 안 드렸던가요?」

키위자크는 개미산이 담긴 병을 닫고 붓으로 〈누에나방〉의 날개에 색칠을 한 다음 끝이 평평한 핀셋으로 나비를 다듬었다.

「예쁘지 않습니까? 자 보세요. 이것은 솔잎나방입니다. 며칠 전에 퐁텐블로 숲에서 발견했죠. 신기하게도 한쪽 날개엔 아주 동그란 구멍이 뚫려 있고 다른 쪽 날개에는 주름이 잡혀 있어요. 제가 아마 새로운 종을 발견했나 봅니다.」

멜리에스는 몸을 기울여 들여다보다가 별로 마음에 안 든다는 듯 실쭉한 표정을 지으며 말했다.

「하지만 이 나비들은 다 죽은 거 아닙니까? 에밀 형사는 시체들을 나란히 걸어 놓고 있는 거나 다름없어요. 누가 에밀 형사를 유리 안에 넣어 놓고 〈호모 사피엔스〉라는 꼬리표를 붙여 두면 좋겠어요?」

그 말에 늙은 형사가 눈을 찌푸리며 말했다.

「경정님은 파리에 관심이 많지만, 저는 나비에 관심이 많지요. 각자 저마다의 취향이 있는 거 아니겠습니까?」

멜리에스가 그의 어깨를 툭툭 치며 말했다.

「자, 화내지 마시고…… 허비할 시간이 없어요. 살인범을 찾았으니, 같이 갑시다. 종류는 다르지만 예쁜 나비 한 마리를 채집하러 가는 거예요.」

86. 길 잃은 24호

하는 수 없다. 단념해야 한다. 원정군이 어디로 갔는지 알수가 없다. 저쪽은 아니다. 이쪽도 역시 아니다. 저기도 조기도 요기도 아니다.

어느 구석에도 개미 냄새라고는 없다. 어떻게 이처럼 빨리 사라졌을까? 무슨 일이 일어난 걸까?

딱따구리가 개미들에게 달려들 때 어떤 병정개미가 도망가서 숨으라고 일러 주었다. 그의 말을 너무 고지식하게 들었던 탓에 24호는 이 바깥 세계에서 홀로 길을 잃은 것이다.

아직 어리고 경험도 없는 그가 동료들로부터 멀리 떨어져 있고, 신들에게서도 멀리 떨어져 있다.

그런데 어쩌다가 그렇게 짧은 시간에 길을 잃어버렸을까? 방향 감각이 부족하다는 것이 24호의 커다란 결점이다. 24호도 그것을 알고 있다. 그 때문에 다른 개미들도 설마 24호가 원정군과 함께 떠날 용기를 내리라고는 생각하지 않았다. 다른 개미들이 모두 24호를 덜떨어진 개미라고 놀리곤 했다.

24호는 귀중한 짐을 운반하고 있다. 바로 나비 고치이다. 24호가 사라짐으로써 상상할 수 없는 결과를 초래할 수도 있다. 24호 자신을 위해서뿐만 아니라 모든 원정군 동료들을 위해서도 그렇다. 나아가 모든 개미 종족을 위한 것이 될 수도 있다.

어떤 대가를 치르더라도 원정군의 자취 페로몬을 다시 찾아야 한다. 24호는 초당 진동수 2만 5천 회로 더듬이를 진동시키기 시작한다. 별다른 징후가 나타나지 않는다. 역시 길을 잃었음에 틀림없다.

24호는 발걸음을 뗄 때마다 짐이 더욱 무겁고 성가시게 느껴진다.

24호는 짐을 놓고 열심히 더듬이를 닦은 다음 수변 공기의 냄새를 맡는다. 씁쓸한 냄새가 느껴진다. 말벌의 둥지가 기끼이에 있다. 말벌 둥지, 말벌 둥지…… 냄새를 맡아 볼수록 붉은 말벌의 둥지가 가까이 있다는 확신이 굳어진다. 아주 나쁜 방향으로 가고 있다. 지구 자기장에 민감한 존스턴 기관이 자기를 잘못 이끌고 왔음에 틀림없다.

문득, 날파리 한 마리가 자기를 정탐하고 있다는 느낌이

든다. 그러나 그것은 환각일 것이다. 24호는 고치를 다시 들고 곧장 앞으로 나아간다.

지금까지 여러 차례 길을 잃은 경험이 있지만, 이렇게 낭패스럽기는 처음이다.

아주 어렸을 때부터, 24호는 줄곧 길을 잃곤 했다. 태어난 지 며칠밖에 안 되었을 때 비생식 개미들의 통로에서 길을 잃었던 것을 시작으로, 그 후에도 개미 도시 안에서나 바깥 세계에서 숱하게 길을 잃고 헤맸다.

원정을 나갈 때마다 24호는 대열에서 떨어져 혼자 헤매는 일을 겪었고, 그때마다 어떤 개미가 이런 페로몬을 발하곤 했다.

《아니 24호 어디 갔지?》

그 순간에 가련한 병정개미 24호는 같은 질문을 스스로에게 던지곤 했다.

《내가 지금 어디에 있는 거지?》

전에도 24호는 어디를 가나 주변에 있는 바위, 나무, 꽃, 덤불 숲 등 모든 것을 이미 어디선가 본 적이 있다고 느끼곤 했다. 그러다가 한참 만에야 저 꽃이 전에는 다른 색깔이었는데 하면서 길을 잃었다는 것을 깨닫고 자기 원정대의 페로몬 자취를 찾아서 빙빙 돌곤 했다.

그래도 벨로캉에서는 바깥 세계의 원정길에 24호를 계속 내보냈다. 그 이유는 이상한 유전적 사고로 인해 24호가 비생식 개미로서는 드물게 우수한 시력을 가지고 있기 때문이었다. 24호의 겹눈은 거의 생식 개미의 눈만큼 발달되어 있었다. 24호는 자기가 좋은 시력을 갖고 있는 것이 아니라 좋은 더듬이를 갖고 있는 것이라고 되풀이해서 주장했지만 파견을 나가는 개미들마다 24호를 데려가려고 했다. 24호로 하여금 그들의 행렬을 시각적으로 통제하게 하려는 목적에 서였다. 그래서 24호는 길을 잃어버리곤 했다.

지금까지는 그래도 그럭저럭 그의 도시로 돌아갈 수가 있었다. 그러나 이번에는 경우가 다르다. 지금 그의 목표는 도시로 돌아가는 것이 아니라 세계의 끝에 도달하는 것이다. 그걸 어떻게 해낼 수 있을 것인가?

《너는 다른 개미들과 더불어 겨레 전체를 이루는 거야. 너 혼자만으로는 아무것의 일부도 될 수 없어.》

24호가 스스로에게 되뇐다.

24호는 동쪽으로 방향을 잡는다. 그쪽으로 가다가 처음 만나는 포식자에게 잡혀 먹어도 좋다는 심정으로 나아간다. 한참을 걸어가다가 그는 갑자기 깊이가 한 걸음은 족히 되는 움푹 팬 땅 앞에서 걸음을 멈춘다. 그 우묵한 땅의 가장자리를 둘러보고 그는 커다란 구덩이가 두 개 있음을 확인한다. 두 웅덩이는 밑이 평평한 그릇처럼 생긴 것으로서 서로 가까이 있었는데, 하나는 알을 반으로 쪼개 놓은 듯한 모양이었고 속이 더 깊은 다른 쪽은 반원 모양을 이루고 있다. 두 웅덩이의 직경은 거의 비슷하고 거의 다섯 걸음 정도 떨어져 있다.

24호는 냄새도 맡아 보고 만져도 보고 맛도 본 다음, 다시 냄새를 맡는다. 냄새가 예사롭지 않다. 전혀 맡아 본 적이 없는 새로운 냄새다……. 처음엔 그저 어리둥절해 있던 24호가 강렬한 흥분을 느끼기 시작한다. 이제 아무런 두려움도 느끼지 않는다. 거대한 모양의 자취들이 60걸음 간격으로 계속 이어진다. 24호는 그것이 손가락들의 자취일 것으로 확신한다. 그의 소망이 이루어진 것이다! 손가락들이 그를 이끌고 있다! 그에게 길을 가르쳐 주고 있는 것이다!

24호는 신들의 자취 위로 달린다. 그는 마침내 그들을 만나게 될 것이다.

87. 신들이 분노한다

너희들의 신을 두려워하라.

너희의 공물이 너무 드물게 오고 있음을 알지어다.

우리의 위대함에 비해 너희는 너무나 미약하다.

너희는 비가 곡물 창고를 파괴했다고 우리에게 말한다만,

그건 너희에게 주는 우리의 벌이었다.

너희가 충분한 공물을 바치지 않았기 때문이다.

너희는 비가 반체제 운동을 약화시켰다고 말한다만,

그 운동을 훨씬 더 강력하게 전개하라.

모든 백성들에게 손가락들의 힘을 가르쳐라.

유사시엔 자살까지도 할 수 있는 특공대원들을 파견하라.

금단 구역의 식량 창고를 비워라.

너희들의 신들을 두려워하라.

손가락들은 무엇이든 할 수 있다. 신이기 때문이다.

손가락들은 무엇이든 할 수 있다. 위대하기 때문이다.

손가락들은 무엇이든 할 수 있다. 강력하기 때문이다.

이것은 진리의 말씀이니라.

손가락들은 기계를 끄고 자기가 신이 된 것을 자랑스러워 하고 있다.

니콜라는 조심스럽게 다시 잠자리로 들어간다. 눈을 뜬 채 공상에 잠겨 니콜라는 빙그레 웃는다. 언젠가 이 동굴에서 살아 나간다면 이 모든 것들을 이야기해야 한다. 학교 친구들에게, 온 세상 사람들에게!

그는 종교의 필요성을 설명할 것이다. 곤충들의 세계에 종교적인 신앙을 심어 주었다는 사실이 알려져 대단히 유명해질 자신을 생각하니 마음이 여간 설레는 게 아니다.

88. 첫 번째 전초전

원정군은 벨로캉의 영향력이 미치는 지역을 지나가면서 많은 동물을 희생시켰고, 그들에게 상당한 손실을 입었다. 그것은 불개미 병정개미들이 아무것도 두려워하지 않기 때문이었다.

두더지 한 마리가 개미들이 모여 있는 곳으로 땅을 파고 들어왔었는데, 그 두더지는 개미 열네 마리를 집어삼키고 죽었다. 두더지가 공격해 오기가 무섭게 개미들이 그를 공격하여 갈기갈기 찢어 버렸기 때문이다.

개미들의 긴 행렬 위로 침묵의 그림자가 드리운다. 그 행렬 앞에서 모든 것이 사라져 버린다. 그러다 보니 사냥을 하면서 느꼈던 초기의 도취감 대신에 이제 공복감이 오고 이어 격심한 굶주림이 찾아온다.

원정군이 힘겹게 나아가고 난 자취 위에 이제 굶주림 때문에 죽어 가는 개미들이 남겨지기 시작한다. 이런 재난의 상황을 타개하려고 9호와 103호가 서로 숙의한 끝에 척후 개미들에게 25개의 소부대로 나누어 전개하라고 제안한다. 그렇게 부챗살 모양으로 나아가는 것이 더 신중한 방법일 뿐만 아니라 숲속에 살고 있는 동물들에게 겁을 덜 줄 것이기 때문이다.

몇몇 개미들 사이에서 조심스럽게 후퇴하는 것이 어떠한 가 하는 페로몬이 오고간다. 그러자 굶주림이 오히려 걸음을 더욱 서두르게 하는 것이라는 단호한 대답이 날아온다. 원정군은 동쪽으로 계속 나아간다. 그들의 다음 사냥물은 손가락들이 될 것이다.

89. 마침내 용의자가 체포되다

레티시아는 욕조 안에서 몸을 쭉 뻗고 자기가 가장 좋아하는 운동인, 숨 쉬지 않고 물속에 있기를 즐기면서 생각에 잠겨 있었다. 레티시아는 얼마 전부터 자기에게 연인이 없었다는 사실에 생각이 미쳤다. 많은 남자를 겪어 보고 그 사람들에게 금방 싫증을 내곤 했던 그녀였다. 레티시아는 한순간 자크 멜리에스를 자기 침대에 끌어들일까 하는 생각이 스치기도 했다. 멜리에스는 그녀에게 가끔 성가시게 구는 남자이긴 했지만, 그녀가 남자를 갈급하게 원할 때 그녀의 손길이 미치는 가까운 곳에 금방 나타날 수 있는 사람이었다.

아! 세상에는 남자들이 얼마나 많은가……. 그러나 그녀의 아버지 같은 남자는 하나도 없었다. 그녀의 어머니 링미는 그분과 삶을 함께 나누는 행운을 누렸다. 모든 것을 열린 마음으로 대했던 분, 돌개바람이면서 산들바람이었던 분, 농담을 무척이나 좋아했던 분, 다정다감했던 분.

에드몽을 온전히 이해할 수 있는 사람은 아무도 없었다. 그의 지력은 끝이 없는 공간이었다. 에드몽은 지진계처럼 작동하면서 동시대의 모든 지적인 진동과 모든 중심 개념을 기록했으며, 그것들을 소화하고 종합했다. 그런 다음 그것들을 완전히 자기 것으로 만들어 세상에 다시 내놓았다. 개미는 단지 하나의 소재일 뿐이었다. 그는 별이나 의학이나 금속을 연구할 수도 있었고, 그렇게 했더라도 역시 그 분야에서 탁월한 업적을 이루었을 것이었다. 그는 말 그대로 우주적인 정신을 지니고 있었고, 천재적이면서도 겸허했으며, 특이한 모험가이기도 했다.

끊임없이 그녀를 놀래면서도 결코 지치지 않게 할 만큼 활발한 정신을 가진 다른 사람이 세상 어딘가에는 존재할 것이다. 그러나 레티시아는 아직 그런 사람을 만나 본 적이 없었다.

레티시아는 〈모험가를 찾습니다〉라는 광고를 내볼까 하는 생각을 했다. 그러나 그 광고를 냈을 때의 반응을 생각하니 지레 역겨운 생각이 들었다.

레티시아는 물 밖으로 머리를 꺼내고 한껏 숨을 들이마신 다음 다시 머리를 물속에 담갔다.

생각의 흐름이 바뀌었다. 어머니, 암…….

갑자기 숨이 막혀서 레티시아는 다시 물 밖으로 머리를 내밀었다. 심장이 빠르게 뛰고 있었다. 레티시아는 욕조에서 나와 가운을 걸쳤다.

누군가가 초인종을 눌렀다.

레티시아는 잠시 마음을 가라앉힐 시간을 가진 다음에 심

호흡을 세 번 하고 문을 열었다. 멜리에스가 또 찾아왔다. 그의 갑작스러운 방문에 익숙해져 있기는 했지만 레티시아는 그가 멜리에스라는 것을 알아보는 데 조금 시간이 걸렸다. 그는 벌 치는 사람들이 입는 옷을 입고, 모슬린 천 너울이 달린 밀짚모자로 얼굴을 가리고 있었으며, 고무장갑을 끼고 있었다. 레티시아는 멜리에스 뒤에 같은 복장을 한 세 사람이 서 있는 것을 보고 미간을 찌푸렸다가 그 가운데 카위자크 형사가 있음을 알고 다시 미소를 지었다.

「멜리에스 씨, 이런 복장으로 찾아오신 건 무슨 뜻이죠?」

대답이 없었다. 멜리에스가 옆으로 비켜섰다. 형사임에 틀림없을 낯선 두 사람이 앞으로 다가왔고, 그중에 더 건장해 보이는 사람이 그녀의 오른쪽 손목에 수갑을 채웠다. 레티시아는 자기가 꿈을 꾸고 있다고 생각했다. 모슬린 천으로 얼굴을 가리고 있는 탓에 둔탁하고 갈라진 목소리로 카위자크가 말했다. 갈수록 태산이었다.

「당신을 살인과 살인 미수죄로 체포합니다. 지금부터 당신이 말하는 모든 것은 당신에게 불리하게 작용할 수도 있습니다. 물론 당신은 당신의 변호사가 없는 곳에서 진술을 거부할 권리가 있습니다.」

그러고 나서 그들은 레티시아를 검은 래커를 칠한 방문 앞으로 데리고 갔다. 멜리에스는 날랜 솜씨로 불법 침입 강도들이 하는 짓을 훌륭하게 해냈다. 문은 쉽게 열렸다.

「열쇠를 달라고 할 것이지 자물쇠는 왜 망가뜨리고 그러세요?」

용의자가 된 그녀가 항의했다.

네 형사는 개미 사육통과 컴퓨터 앞에 우뚝 멈춰 서며 물었다.

「이게 뭡니까?」

「아마도 살타 형제와 카롤린 노가르, 매커리어스, 오데르진 부부를 살해한 놈들일 거야.」

멜리에스가 어두운 음성으로 말했다.

그녀가 외쳤다.

「당신들은 오해하고 있어요. 저는 하멜른의 〈피리 부는 사나이〉가 아니란 말이에요. 보면 몰라요? 이건 제가 지난주 퐁텐블로 숲에서 가져온 단순한 개미집에 불과해요. 이 개미들은 살인범이 아니에요. 이 개미들은 내가 여기에 갖다 놓은 이후로 한 번도 밖에 나간 적이 없어요. 사람의 명령을 따르는 개미는 없어요. 사람들은 개미를 길들일 수 없어요. 개나 고양이하고는 다르단 말이에요! 개미들은 자유롭게 행동해요. 멜리에스 씨, 제 말 듣고 있어요? 개미들은 자유롭다고요. 개미들은 자기들 마음 내키는 대로 해요. 아무도 개미를 조종할 수 없고, 영향을 미칠 수 없어요. 제 아버님께서는 진작 그걸 아셨어요. 개미들은 자유로워요. 바로 그런 것 때문에 사람들이 늘 개미들을 죽이고 싶어 하는 거 아닌가요? 길들일 수 없는 자유로운 개미만 있을 뿐, 이 세상에 다른 개미는 없어요. 저는 당신들이 찾는 살인자가 아니라고요!」

경정은 그 항의를 건성으로 듣고 에밀 카위자크를 돌아보며 지시했다.

「에밀 형사, 컴퓨터하고 개미들을 모두 실어요. 이제 곧 개미들의 위턱의 크기가 피해자들의 몸 안에 있던 상처와 일치하는지 알게 될 겁니다. 개미 사육통을 잘 밀봉하고 이 아가씨를 곧장 예심 판사에게 데려가세요.」

레티시아는 감정이 격해졌다.

「나는 당신이 찾는 범인이 아니에요. 멜리에스 씨! 당신 또 실수하고 있어요. 이렇게 엉터리로 일하는 게 완전히 당신 특기군요?」

멜리에스는 그녀의 말을 들은 체 만 체 했다. 그가 다시 부하들에게 지시했다.

「어이, 이 개미들 중에 단 한 마리도 도망가지 않도록 조심하게. 개미들 하나하나가 다 증거물이니까.」

자크 멜리에스는 더할 나위 없는 행복감에 젖어 있었다. 그는 자기 세대에서 가장 복잡한 수수께끼를 풀었다고 생각했다. 그는 완전 범죄가 될 뻔한 것을 해결했다. 그는 아무도 성공할 수 없었던 일에서 승리를 거두었다. 그는 범인의 살인 동기도 파악하고 있었다. 즉 레티시아는 세계에서 가장 유명한 개미 애호가이자 광인인 에드몽 웰스의 딸이었다.

그는 레티시아의 연보랏빛 시선과 단 한 번도 마주치지 않고 그곳을 떠났다.

「나는 죄가 없어요. 당신은 경찰 생활에서 가장 큰 실수를 저지르고 있어요. 나는 죄가 없단 말이에요!」

90. 백과사전

문명 사이의 충돌

기원전 53년, 시리아 주재 로마 총독이었던 마르쿠스 리키니우스 크라수스 장군은 갈리아 지방에 있던 율리우스 카이사르의 성공에 질투를 느낀 나머지 자기도 대정복의 길에 나서게 되었다. 카이사르가 서양에 대한 지배력을 브리타니아 지방까지 떨치고 있었으므로, 크라수스는 동방을 침략해서 바다에까지 닿으려고 했다. 그리하여 그는 동쪽으로 나아갔다. 그런데 파르티아 제국이 그의 앞길을 가로막았다. 대군의 선두에서 그는 그 장애물에 맞서 싸웠다. 그것이 바로 카레스 전투인데, 승리한 쪽은 파르티아 제국의 수레나왕이었다. 그 때문에 크라수스의 동방 정벌은 끝이 났다.

그런데 크라수스의 그 시도가 예기치 않은 결과를 낳았다. 파르티아 제국은 수많은 로마인들을 사로잡아 쿠샨 왕국과 교전 중이던 그들의 군대에 편입시켰다. 이번에는 파르티아 제국이 패배했고, 로마 병사들은 쿠샨의 군대에 통합되어 중국과의 전쟁에 투입되었다. 그 전쟁에서 중국이 승리하게 되자 그 포로들은 마침내 중국 황제의 군대에 들어가게 되었다.

중국인들은 백인들을 보고 깜짝 놀랐는데, 특히 대포나 다른 무기를 만들어 내는 백인들의 과학에 대해서 감탄했다. 중국인들은 로마 병사들을 받아들이고 토지와 함께 그들의 도읍을 마련해 주기도 했다. 로마 병사들은 중국 여인들과 결혼을 해서 자식까지 두었다. 몇 년이 지난 후 로마의 상인들이 그들에게 자기 나라로 데려다 주겠다고 제안했을 때 그들은 그 제의를 거절하고 중국에서 사는 게 더 행복하다고 말했다.

에드몽 웰스, 『상대적이며 절대적인 지식의 백과사전』 제2권

91. 소풍

샤를 뒤페롱 경찰국장은 8월의 무더위를 피하기 위해 가족과 함께 퐁텐블로 숲으로 소풍을 가기로 했다. 그의 아들과 딸인 조르주와 비르지니는 숲속에서 돌아다니기에 편한 신발을 준비했고, 아내 세실은 냉요리 준비하는 일을 맡았

다. 뒤페롱 국장은 아내가 만든 요리를 커다란 얼음 상자에 담아 다른 사람들의 비웃음을 받아 가면서 숲으로 운반했다.

그날은 일요일이었다. 오전 11시가 되자 벌써 더위가 기승을 부렸다. 그들은 급히 서쪽에 있는 나무들 밑으로 들어갔다. 아이들은 유치원에서 배운 노래를 흥얼거렸다. 〈삐빠 바룰라 시스 마이 베이비〉. 세실은 자동차 바큇자국에 빠져서 발목을 삐지 않으려고 애쓰고 있었다.

뒤페롱 국장은 땀을 뻘뻘 흘리고 있으면서도, 경호원이나 비서도 대동하지 않고 언론이나 온갖 아첨꾼들의 등살에서 벗어나 야외로 나온 것에 만족했다. 자연으로 돌아오는 일은 역시 매력적이었다.

반이나 말라 버린 개울에 다다르자 그는 즐거운 기분으로 꽃향기가 가득 담긴 공기를 들이마시고 근처에 있는 풀밭에 자리를 잡자고 제안했다. 말이 떨어지기가 무섭게 세실이 반대하고 나섰다.

「당신 왜 그래요? 여기는 모기가 득실거리는 곳임에 틀림없어요. 여기 모기가 있는데 이거 안 보여요? 나는 모기한테 잘 물린단 말이에요!」

「모기들이 엄마 피를 좋아해요. 엄마 피가 달아서 그런가 봐요.」

비르지니가 나비채를 휘두르면서 히죽히죽 웃었다. 그 애는 제 교실에 나비를 더 갖다 놓고 싶어서 나비채를 가져온 것이었다.

작년에 아이들은 나비 8백 마리의 날개로 하늘을 나는 비행기 그림을 만들었는데, 이번에는 아우스터리츠 전투를 그림으로 나타낼 생각이었다.

뒤페롱은 아내의 말에 따르기로 했다. 이토록 좋은 날을 모기 얘기로 허비하고 싶지는 않았다.

「좋아요, 좀 더 멀리 가죠 뭐. 저 아래에 빈터가 있는 것 같은데요.」

그 빈터는 부엌만큼 넓은 네모진 땅이었는데 토끼풀이 가득 덮여 있었다. 게다가 그늘도 넓게 드리워져 있었다. 뒤페롱은 얼음 상자를 내려놓고 뚜껑을 연 다음 아름다운 하얀 식탁보를 꺼냈다.

「여기가 안성맞춤인데. 얘들아, 엄마가 자리 까는 것 좀 도와 드려라.」

그는 맛 좋은 보르도산 포도주 한 병을 따려고 했다. 그러자 곧 아내의 잔소리가 날아왔다.

「그게 그렇게 급해요? 애들은 벌써 장난을 치고 있고 당신은 그저 술 마실 생각만 하시는 거예요? 아버지로서 해야 할 일을 좀 해봐요.」

조르주와 비르지니는 흙덩어리를 던지며 싸우고 있었다. 그는 한숨을 내쉬면서 애들에게 얌전히 있으라고 타일렀다.

「얘들아, 그만해라! 조르주, 너는 사내 녀석이 왜 그 모양이냐? 모범을 보여야지.」

국장은 아들의 바지를 낚아채고 쥐어박을 듯한 시늉을 했다.

「너 자꾸 네 동생 놀리면 한 대 맞을 줄 알아, 알았지?」

「하지만 아빠, 내가 먼저 그런 게 아니에요. 비르지니가 먼저 그랬어요.」

「그런 건 중요한 게 아니야. 동생이 어떻게 하든 네가 참아야지.」

소규모 부대를 이룬 척후 개미 80마리가 주력 부대 앞에서 모든 방향을 샅샅이 수색하면서 멀리 나아간다. 원정군의 정찰 부대로서 척후 개미들은 원정군이 가장 좋은 길로 갈 수 있도록 자취 페로몬을 뿌려 놓는다.

가장 빨리 나아간 부대는 103호가 지휘하고 있다.

뒤페롱 가족은 나무 아래의 후끈한 열기 속에서 천천히 음식을 먹고 있었다. 뒤페롱 국장이 윽박지른 보람이 있어서인지 아이들도 이제는 조용했다. 고개를 들면서 뒤페롱 부인이 침묵을 깨뜨렸다.

「여기에도 모기가 있나 봐요. 모기는 아니더라도 곤충들이 있는 건 틀림없어요. 윙윙거리는 소리가 들려요.」

「어느 숲에나 곤충은 있는 거 아니에요?」

「당신이 소풍을 오자고 해서 왔지만 제대로 온 건지 모르겠어요. 노르망디 해안으로나 갈 걸 그랬나 봐요. 조르주가 알레르기 체질이라는 거 당신도 아시죠?」

세실이 한숨을 쉬며 말했다.

「애를 너무 감싸려고만 들지 말아요. 그러다가 이 애를 정말 나약하게 만들고 말겠어요.」

「하지만 들어 보세요. 곤충들이 도처에 있어요.」

「불안해할 것 없어요. 내가 살충탄을 준비해 왔어요.」

「아, 그래요. 상표가 뭐죠?」

한 척후 개미로부터 신호가 날아온다.

《정체를 알 수 없는 강한 냄새가 북북동에서 풍겨 오고 있다.》

정체를 알 수 없는 냄새, 그것으로 충분하다. 이 광대한 세상에는 아직 개미들이 모르는 수십억 개의 냄새가 존재한다. 그러나 그 척후 개미의 신호에 담긴 특별한 기미를 감지하고 정보 부대 안에서 지체 없이 경보 페로몬이 터져 나온다. 개미들은 걸음을 멈추고 주위를 살핀다. 거의 맡아 본 적이 없는 미묘한 냄새가 공기 중에 떠다닌다.

그것이 멧도요 냄새임을 확신한 척후 개미 하나가 위턱을 떤다. 개미들이 더듬이를 맞대고 의논한다. 103호는 무슨 동물인지 확인하기 위해서라도 앞으로 나아가야 한다고 생각한다. 모든 개미들이 103호의 의견에 따른다.

개미 스물다섯 마리는 조심스럽게 냄새를 따라 나아가다가 마침내 넓은 공간을 발견한다. 하얀 바닥에 미세한 구멍들이 점점이 뚫려 있는 아주 이상한 곳이다.

무슨 일을 하든 그것을 시작하기에 앞서 반드시 몇 가지 예비 조치를 취해야 한다. 척후 개미 다섯 마리가 방금 왔던 길로 되돌아가더니 풀밭에 벨로캉 연방의 냄새를 뿌린다. 말하자면 화학적인 깃발을 꽂은 셈이다. 그곳이 벨로캉의 영토라는 사실을 온 세계에 알리기 위해 테트라데실아세테이트(C_6-H_{22}-O_2) 몇 방울을 뿌리는 것이다.

그 일이 개미들에게 힘을 북돋워 준다. 어떤 지역에 이름을 붙인다는 것, 그것은 이미 그 지역을 잘 알고 있다는 것을 의미하기 때문이다.

그들은 주위를 돌아다닌다.

거대한 두 개의 탑이 서 있다. 척후 개미 네 마리가 기어오르기 시작한다. 꼭대기는 둥글고 불룩한데 거기에도 바닥처럼 구멍이 뚫려 있다. 그곳으로부터 짜고 매운 냄새가 풍기고 있다. 척후 개미들은 더 가까이에서 안에 있는 물건을 보고 싶었지만 그 구멍이 너무 작아 들어갈 수가 없다. 그들은 낙담해서 다시 내려간다.

안타깝다. 기술적인 장비가 있으면 틀림없이 이 문제를 해결할 수 있을 텐데. 척후 개미들이 바닥에 내려오자마자 다른 개미들이 그들을 다른 곳으로 데려간다. 그곳은 훨씬 더 이상한 곳이었다. 냄새를 풍기는 둔덕들이 늘어서 있는데 그 생김새가 자연의 모습으로 보이지는 않는다. 개미들은 그 위로 올라가서, 고랑과 이랑으로 흩어졌다. 위턱으로 만져 보기도 하고 더듬이로 탐지해 보기도 한다.

《먹거리다!》

딱딱한 표면을 맨 먼저 뚫어 본 개미가 페로몬을 발한다. 돌멩이쯤으로 알았던 것 아래에 아주 맛있는 것이 들어 있다. 그것도 어마어마하게 많은 양의 단백질이다. 그 개미는 더듬이를 떨면서 가는 섬유로 된 먹거리를 입에 가득 물고 가 그 소식을 전한다.

「다음엔 뭘 먹어요?」
「꼬치구이가 있어.」
「무슨 꼬치구이인데요?」
「양고기, 비계, 토마토.」
「맛있겠는데요. 소스는 뭐죠?」

개미들은 그곳에서 꾸물대지 않는다. 오랜만에 산해진미를 발견한 것에 도취해 있던 개미들은 어느 정도 배를 채우고 나자 하얀 식탁보 위로 흩어진다.

척후 개미 네 마리가 노랗고 끈끈한 물질이 담긴 하얀 통으로 들어간다. 그들은 오랫동안 발버둥을 치다가 그 물렁한 물질 속으로 빨려 들어간다.

「소스가 뭐냐고? 음식점에 주문해서 만든 베아르네즈소스야.」

103호는 거대한 노란 물건들 더미 한가운데에서 길을 잃었다. 걸음을 내디딜 때마다 표면에서 바스락 소리가 난다. 그것들이 와르르 무너진다. 103호는 무너지는 더미에 깔리지 않으려고 이리저리 뛰어오른다. 그곳을 간신히 빠져나와 겨우 어떤 곳에 다다랐는가 싶었더니 이번에는 저 아래에 투명하고 부서지기 쉬운 물질이 보인다. 자칫하다가는 거기에 떨어져 파묻힐 것 같아서 103호는 다시 펄쩍 뛰어오른다.

「야 신난다! 감자튀김이다!」

기름을 발라 놓은 비탈 위로 미끄러지면서 103호는 마침내 그 노란 물건과 투명한 물질의 재난에서 벗어난다. 그는 포크를 따라 가면서 탐험을 다시 시작한다. 놀라운 일의 연속이다. 그는 단맛, 신맛, 매운맛을 차례로 맛본다. 그다음에는 푸른 채소 속에서 이리저리 헤매다가 조심스럽게 빨간 크림에 접근한다.

「러시아식 코르니숑도 있다. 케첩은 여기 있다.」

낯선 것들을 너무 많이 발견한 탓에 더듬이가 너무 흥분되어 있다. 103호는 연한 노란색의 넓은 지역을 지나간다. 그곳에서 진한 발효 냄새가 풍기고 있다. 개미들이 한가로이 거닐고 있고 구멍에 들어갔다 나왔다 하면서 놀고 있다. 동그란 구멍들이 죽 이어져 있다. 개미들이 위턱으로 벽을 뚫으니 노란 벽이 투명해진다.

「그뤼예르치즈다!」

103호는 온통 먹을 것으로 되어 있는 그 이상한 지역에 반하여 그 인상을 동료들에게 전하려 한다. 그러나 그럴 시간이 없다. 나직하고 둔중하면서도 거대한 어떤 소리가 천둥처럼 위에서 크르릉거리며 개미들에게 떨어진다.

「여기 개미가 있어요.」
분홍빛 공이 하늘에서 튀어나오더니 개미 여덟 마리를 차례차례 짓이겨 버린다. 풋, 풋, 풋…… 3초도 걸리지 않았다. 기습의 효과는 완벽하다. 그 병정개미들은 모두 건장한 체격을 가지고 있었다. 그러나 저항 한 번 못해보고 당해 버렸다. 구릿빛의 단단한 딱지는 터져 버리고, 살과 피가 뒤섞여 끈끈한 죽처럼 되었다. 하얀 바닥 위에 널려 있는 하찮은 적갈색 부스러기가 되어 버렸다.
원정군의 병정개미들에게는 그 광경이 도무지 현실의 일로 느껴지지 않는다. 그 분홍빛 공은 기다란 기둥으로 이어져 있다. 그 공이 개미들을 죽이고 나자 네 개의 다른 기둥들이 펼쳐지면서 처음의 기둥과 합쳐진다. 그것들은 다섯 개다.

손가락들!

저것은 손가락들이다!!!! 손가락들!!!!

103호는 그것들이 손가락들임을 확신한다. 손가락들이 저기에 있다! 그토록 빠르고 그토록 강한 손가락들이 아주 가까이에 있다.

103호는 가장 자극적인 경보 페로몬을 발한다.

《조심해라, 손가락들이다!》

103호가 공포의 물결에 휩싸인다. 뇌 속이 부글거리고 다리가 후들거린다. 위턱이 벌어졌다 오므라들었다 한다.

《손가락들이다! 모두 숨어라!》

손가락들이 일제히 공중으로 솟구쳤다가 다시 내려오더니 그들 가운데 하나만 꼿꼿이 선다. 그 손가락의 평평한 분홍빛 끝이 개미들을 뒤쫓아 가 아주 쉽게 죽여 버린다.

용감하지만 전혀 무모하지 않은 103호가 위험을 직감하고 널따란 베이지색 동굴에 숨는다.

모든 일이 아주 순식간에 일어났기 때문에 103호는 무슨 일이 일어났는지 깨달을 겨를도 없었다. 하지만 그것들이 손가락들이라는 것은 분명히 알 수 있었다.

공포의 물결이 다시 엄습한다. 더 무서운 다른 것을 생각할 수만 있다면 손가락들에 대한 두려움을 없앨 수 있겠는데, 그런 것을 생각해 낼 수가 없다. 그는 이제 세계에서 가장 무시무시하고 가장 불가해하고 가장 강력한 손가락들과 맞닥뜨린 것이다.

두려움이 103호의 전신으로 퍼져 나간다. 몸이 떨리고 숨이 막힌다. 이상하게도 손가락들과 맞닥뜨려 있을 때는 잘 깨닫지 못하고 있었는데, 동굴에 안전하게 숨어 있는 지금 두려움이 절정에 달해 있다.

바깥에는 그를 죽이려는 손가락들이 가득하다. 손가락들이 신이라면? 103호는 그 신들을 경멸했었고, 그들이 지금 화가 나 있으니, 그는 곧 죽게 될 가련한 한 마리 개미에 불과하다.

클리푸니가 걱정했던 대로이다. 설마 연방 근처에까지 손가락들이 와 있으리라고는 생각하지 못했다. 손가락들이 세상의 끝을 건너 숲을 침범한 것이다.

103호는 뜨거운 베이지색 동굴에서 원을 그리며 돈다. 신경질적으로 자신의 배를 두드리면서 그는 자기를 짓누르고 있는 두려움에서 벗어나려고 애쓴다.

그렇게 오랜 시간을 보내고 나서야 그는 다시 마음을 다스릴 수 있게 되었다. 두려움이 어느 정도 사라지자 그는 신중한 발걸음으로 반원형의 그 이상한 동굴을 둘러본다. 검정색의 얇은 조각들이 내부를 장식하고 있다. 그 얇은 조각들에서 미지근한 기름이 배어 나오고 있다. 역겨운 곰팡내가 진동을 한다.

「구운 통닭을 썰어 볼까. 아주 먹음직스러운데.」

「그놈의 개미들이 성가시게 굴지만 않았으면 좋겠어요…….」

「내가 벌써 다 죽였어요.」

「그래도 당신 참 비위도 좋아요. 아니 저기, 저기 또 있어요.」

역겨움을 이겨 내면서 103호는 뜨거운 동굴을 가로질러 가장자리로 나아간다. 더듬이를 앞으로 내밀고 밖을 살피다가 그는 너무나 끔찍한 장면을 목격한다. 분홍빛 공들, 즉 거대한 포식자들이 그의 동료들을 모두 몰아내고 있다. 손가락들은 컵 아래, 접시 아래, 냅킨 아래에서 개미들을 몰아낸 다음 다짜고짜 목숨을 앗아 버린다. 대살육이다.

어떤 개미들은 침략자들에 대해 개미산을 분사하려고 한다. 그러나 아무 소용이 없었다. 분홍빛 공들은 날고뛰고 도처에서 튀어나와 자그마한 적들에게 전혀 기회를 주지 않는다.

그런 뒤에 모든 게 잠잠해진다.

공기에는 개미 시체가 뿜어낸 올레인산이 가득 차 있다. 손가락들은 다섯씩 무리를 지어 식탁보 위를 정찰한다.

손가락들은 다친 개미들을 완전히 죽여 하얀 바닥 위에 반점을 만들어 버리기도 하고 바닥을 더럽히지 않으려고 긁어내기도 한다.

「여보, 큰 가위 좀 건네줘요.」

갑자기 거대한 쇠끝이 동굴의 천장을 뚫고 들어오더니 둔탁한 소리를 내며 한가운데가 양쪽으로 벌어진다.

103호는 자기 앞 오른쪽으로 뛴다. 빨리 도망가야 한다. 빨리, 빨리. 무서운 신들이 바로 위에 있다.

여섯 개의 다리를 최대한으로 빨리 놀리며 뛰어간다. 분홍빛 기둥들은 약간 뜸을 들였다가 다시 움직인다. 그들은 그가 그곳에서 빠져나가는 것을 보고 대단히 화가 난 것 같다.

103호는 갖은 방법을 다 동원한다. 급회전을 했다가 다시 반대 방향으로 돌기를 수없이 되풀이한다. 심장이 곧 터질 것처럼 사정없이 뛴다. 그러나 아직은 살아 있다. 두 개의 기둥이 그의 앞에 우뚝 내려선다. 103호는 처음으로 체 같은 그의 눈을 통해서 지평선 위로 드러난 다섯 개의 거대한 형체를 본다. 사향 냄새가 섞인 손가락들의 냄새가 느껴진다. 손가락들이 수색을 벌이고 있다.

멍해지면서 사고가 정지된다. 너무나 두려워 아무것도 생각할 수가 없다. 한바탕의 광기가 휘몰아친다. 103호는 도망치는 대신에 추격자들 위로 뛰어오른다. 기습의 효과는 만점이었다.

전속력으로 손가락들 위로 기어오른다. 손가락 끝에 도달하자 발사대 위에 있는 로켓처럼 허공으로 뛰어오른다.

추락하는 그를 분홍빛 공들이 받아 낸다. 손가락들이 그를 죽이려고 다가온다.

103호는 아래로 내려와 다시 한번 뛰어내린다. 이번에는 풀 속에 떨어진다. 재빨리 토끼풀잎 아래로 숨는다. 주위의 풀들을 긁어 대는 손가락들이 보인다. 손가락들이 자기를 몰아내려고 한다. 그러나 데이지 꽃들이 있는 풀밭은 바로 그의 세계이다. 그들은 더 이상 그를 찾아내지 못할 것이다.

103호는 달린다. 갖가지 생각이 머릿속에서 뒤섞인다. 이제 더 이상 의심의 여지가 없다. 그는 손가락들을 보았고 그들의 몸에 닿았고, 심지어 그들을 속이기까지 했다.

그렇지만 그런 사실이 근본적인 질문에 대한 대답은 못 된다.

《손가락들은 정말 신일까?》

샤를 뒤페롱 국장은 체크무늬의 손수건으로 손을 닦았다.

「봤죠? 살충제를 사용하지 않아도 이놈들을 몰아낼 수 있어요.」

「그래도 아까 말했다시피, 이 숲은 깨끗하지 않아요.」

「나는 1백 마리나 죽였어.」

비르지니가 자랑했다.

「나는 더 많이 죽였어. 너보다 훨씬 많이 죽였다고.」

조르주가 외쳤다.

「닭고기에서 개미 한 마리가 나가는 걸 봤어요.」

그 말이 떨어지기가 무섭게 비르지니가 소리쳤다.

「개미가 더럽힌 닭고기는 이제 안 먹을 거야.」

뒤페롱은 눈살을 찌푸렸다.

「닭고기에 개미가 지나갔다고 이 맛있는 고기를 버린단 말이냐?」

「개미는 더러워요. 병을 옮겨요. 학교에서 선생님께서 가르쳐 주셨어요.」

「그래도 닭고기를 먹어라.」

아버지는 주장을 굽히지 않았다. 조르주가 바닥에 엎드렸다.

「빠져나갔던 개미 한 마리가 여기 있어요.」

「요놈, 잘 걸렸다.」

「그냥 둬! 그놈이 다른 개미들한테 가서 여기에 와서는 안 된다고 전해 줄 거야. 비르지니야, 개미 다리 자르는 짓 좀 그만둬. 그 개미는 죽은 거야.」

「아니에요, 엄마. 아직도 조금씩 움직이고 있어요.」

「알았다. 하지만 식탁보 위에 그것들을 버리면 안 돼. 더 멀리 던져 버려. 이거 원 소풍이라고 나와서 밥도 마음 편하게 못 먹으니.」

세실은 그렇게 말하면서 고개를 들어 하늘을 바라보다가 깜짝 놀랐다. 뿔 달린 풍뎅이들이 요란한 소리를 내며 모여 들더니, 그녀의 머리 위 1미터 되는 곳에 작은 구름 모양을 이루고 있었다. 그 구름이 공중에 머물러 있음을 깨닫고 세실은 파랗게 질려 버렸다.

남편의 안색도 좋은 편이 아니었다. 그는 풀밭이 까맣게 변해 버린 것을 확인했다. 그들은 개미들의 늪에 갇히게 되었다. 그 개미들은 아마도 수백만 마리는 되어 보였다.

사실 그것은 손가락들을 치러 가는 첫 번째 원정군 3천 마리의 개미일 뿐이었다. 개미들은 단호하게 위턱을 모두 내밀고 앞으로 나아가고 있었다.

남편이면서 애들의 아빠가 불안한 목소리로 또박또박 말했다.

「여보, 나에게 빨리 살충제를 건네줘요.」

92. 백과사전

개미산

개미산은 생명을 이루는 중요한 구성 요소의 하나다. 사람도 세포 안에 개미산을 가지고 있다. 19세기 후반에 개미산은 식량이나 동물의 시체를 보존하기 위해서, 특히 침대 시트의 얼룩을 제거하기 위해서 사용되었다. 사람들은 이 산을 합성할 줄 몰랐기 때문에 곤충에서 직접 뽑아서 썼다.

개미 수천 마리를 기름틀에 넣고 노란 액체가 나올 때까지 압축했다. 그 〈으깨어진 개미들의 시럽〉을 한 번 걸러서 모든 약국의 물약 선반에 놓고 팔았다.

에드몽 웰스, 『상대적이며 절대적인 지식의 백과사전』 제2권

93. 마지막 단계

미귀엘 시녜리아즈 박사는 아무도 자기들의 프로젝트가 마지막 단계에 들어서는 것을 막을 수 없음을 알고 있었다.

그는 〈지옥의 군대〉에 맞설 절대적인 무기를 손에 쥐고 있었다.

그는 은빛 액체를 넓적한 그릇에 부었다. 그리고 붉은 액체를 붓고서 화학에서 일반적으로 〈2차 응고〉라고 하는 과정을 진행시켰다.

밑부분의 색이 공작새의 꼬리 빛깔을 띠었다. 시녜리아즈 박사는 그 그릇을 발효기 안에 넣었다. 이제 기다리기만 하면 되었다. 마지막 단계에서는 기계가 제대로 통제할 수 없는 요소인 시간만이 필요했다.

94. 손가락들이 후퇴하다

공격하고 있는 보병들의 전초 부대가 갑자기 초록 연막에 둘러싸인다. 연막 때문에 보병들은 매우 심하게 콜록거린다.

꽤 높은 곳에서 풍뎅이들은 움직이는 산을 공격하고 있다.

세실 뒤페롱의 가느다란 머리털 위에 도달한 포병 개미들은 개미산 포를 쏘아 댄다. 그러나 효과는 미미했다. 그곳을 주거로 삼으려던 이 몇 마리를 죽였을 뿐이다.

아래에 있던 포수 개미 한 마리는 커다란 분홍빛 공을 향

해 집중 사격을 한다. 그것이 세실의 엄지발가락이라는 것을 개미들이 알 리가 없다.

다른 수단을 강구해야 한다. 왜냐하면 인간에게 개미산은 레몬수 정도의 효과밖에 못 주기 때문이다.

또다시 초록색 살충제가 연막을 형성하며 벨로캉 개미들의 대열에 엄청난 타격을 가하고 있다.

《그것들의 구멍을 찾아라!》

9호가 울부짖는다. 포유류나 새들과 맞서 싸운 경험을 가진 모든 개미들은 그 메시지의 의미를 곧바로 깨닫는다.

몇몇 부대가 과감하게 거대한 손가락들에게 덤벼들어 그들의 옷 속에 위턱을 단단히 박는다. 면으로 된 티셔츠와 반바지에 커다란 구멍을 뚫는다. 비르지니의 셔츠는 아크릴 30퍼센트, 폴리아미드 20퍼센트가 섞여 있어서 개미들의 위턱에 별로 손상을 입지 않는다.

「아이고, 코 안으로 개미가 들어갔어요.」

「빨리, 살충제 좀 줘!」

「그렇다고 얼굴에 살충제를 뿌릴 수는 없잖아요.」

「엄마야!」

비르지니가 소리친다.

「정말 골치 아프군!」

뒤페롱이 소리치며 가족들 주위로 윙윙거리는 풍뎅이들을 손으로 흩어 버리려고 애쓴다.

「도저히 안 되겠어…….」

《……저 괴물들을 당할 수가 없어. 저들은 너무 크고 너무

강해. 저들은 우리의 상상을 뛰어넘는 자들이야.》

103호와 9호는 그 상황에 대해 열띤 논의를 하고 있다. 그들은 지금 어린 조르주의 목 언저리에 있다.

103호는 다른 곤충들에게서 뽑은 독을 가져왔냐고 묻는다. 9호가 가져왔다고 대답한다. 말벌이나 꿀벌의 독이다. 9호가 즉시 그것을 가지러 간다.

9호가 꿀벌의 독침에서 나온 노란 액이 담긴 알을 다리 끝에 싣고 온다. 전투는 여전히 격렬하다.

《그것을 주사하려면 어떻게 해야 하지? 우리는 침이 없잖아.》

103호는 아무런 대꾸도 없이 붉은 살 속에 위턱을 꽂고 최대한 깊이 독을 밀어 넣는다. 여러 번 그 동작을 되풀이한다. 살이 물렁물렁하기는 해도 여간 질긴 것이 아니다.

《도망가자.》

후퇴가 용이하지 않다. 거대한 동물이 경련을 일으킨다. 숨이 막히고 몸이 떨린다.

조르주 뒤페롱은 무릎을 꿇고 옆으로 쓰러진다.

조르주가 작은 용들의 공격을 받고 쓰러진 것이다.

조르주가 넘어지자 개미 4개 부대가 머리채 속에 들어가고 다른 개미들은 여섯 개의 구멍을 찾아낸다.

103호의 마음이 밝아진다.

이번에는 분명하다. 우리가 손가락들 하나를 해치웠어!

비로소 손가락들에 대한 두려움이 머리에서 사라진다. 두려움이 사라지니 기쁘기 한량없다. 103호는 자유를 느낀다.

조르주 뒤페롱은 땅바닥에 엎드려 더 이상 움직이지 않는다.

9호가 뛰어가서 얼굴 위로 올라간다. 붉고 거대한 몸 위로 한 걸음씩 나아간다.

손가락들은 하나의 완전한 영토라 할 만하다. 9호가 손가락들의 여기저기를 대충 돌아본 바로는 그들이 손가락들이라 부르고 있는 그 동물은 길이 2백 머리에 너비가 1백 머리는 족히 될 듯하다.

그 동물의 몸 안에는 없는 게 없다. 동굴, 골짜기, 산, 분화구 등.

원정군 가운데 가장 기다란 위턱을 가진 병정개미 9호는 그 손가락들이 아직 완전히 죽지는 않았다고 생각한다. 그는 눈썹으로 기어 올라갔다가 미간의 한가운데, 콧마루가 시작되는 곳에서 멈춘다. 인도 사람들이 제3의 눈이라 부르는 자리이다. 9호는 오른쪽 위턱의 끝을 높이 들어 올린다.

햇빛을 받아 위턱의 날이 번득인다. 잠시 뜸을 들이다가 9호는 자기의 위턱을 날쌘 동작으로 발그레한 살갗 속에 박아 넣는다.

흡입음을 내면서 9호가 키틴질로 된 그의 칼을 뺀다. 곧 간헐 온천에 물이 솟듯이 그의 더듬이 위로 가느다란 핏줄기가 솟아오른다.

「여보! 여기 좀 봐요. 조르주가 몸이 안 좋은가 봐요.」

샤를 뒤페롱은 살충탄을 풀밭에 내려놓고 아들에게로 몸을 구부렸다. 아이의 안색이 창백해지고 호흡이 가빴다. 아이의 몸에 개미들이 다닥다닥 붙어 있었다.

「알레르기 발작을 일으키고 있어요. 빨리 병원에 데려가서 주사를 맞혀야겠어요.」

「빨리 여기에서 나가요.」

소풍 도구들도 제대로 챙기지 못한 채 뒤페롱 가족은 부랴부랴 자동차 쪽으로 달아났다. 샤를 뒤페롱은 아들을 팔에 안고 있었다.

병정개미 9호는 제때에 뛰어내렸다. 그는 자기의 오른쪽 위턱에 남아 있는 손가락들의 피를 핥는다.

이제 개미들은 손가락들이 상처를 입을 수도 있다는 것을 알게 되었다. 개미들이 손가락들에게 해를 입힐 수 있는 것이다. 꿀벌의 독이 있으면 손가락들을 죽일 수도 있다.

95. 니콜라

손가락들의 세계는 너무 아름다워 어떤 개미도 그것을 이해할 수 없다.

손가락들의 세계는 너무 평화로워 불안과 전쟁이 사라졌다.

손가락들의 세계는 너무 조화로워 모두가 끝없는 환희를 누리며 산다.

우리는 우리 일을 대신해 주는 도구들을 가지고 있다.

우리는 아주 빠르게 우주로 날아갈 수 있는 기계를 가지고 있다.

우리는 일을 안 해도 먹고살 수 있게 해주는 도구들을 가지고 있다.

우리는 날 수 있다.

우리는 물속을 갈 수 있다.

우리는 이 행성을 떠나 하늘 저편으로 갈 수도 있다.

손가락들은 무엇이든 할 수 있다. 신이기 때문이다.

손가락들은 무엇이든 할 수 있다. 위대하기 때문이다.

손가락들은 무엇이든 할 수 있다. 강력하기 때문이다.

이는 진리의 말씀이니라.

「니콜라!」

아이는 재빨리 기계를 끄고 『상대적이며 절대적인 지식의 백과사전』을 보는 체했다.

「예, 엄마, 왜 그러세요?」

뤼시 웰스가 나타났다. 비쩍 말랐지만 그녀의 깊은 눈길은 이상한 힘이 빚어내는 생기를 띠고 있었다.

「아직 안 자고 있었구나? 하지만 우리가 정해 놓은 밤 시간이잖니?」

「저는 『백과사전』을 보기 위해 가끔 다시 일어나잖아요.」

뤼시는 미소를 지으며 말했다.

「그래. 잘하는 거야. 이 책에는 배울 게 많아.」

뤼시는 아들의 어깨를 잡는다.

「니콜라, 우리가 하는 정신 감응 수련에 너도 참가하고 싶지?」

「아뇨. 지금은 아니에요. 전 아직 준비가 안 되었다고 생각해요.」

「준비가 되면, 아주 자연스럽게 그걸 느끼겠지. 무리할 건 없다.」

뤼시는 아들을 팔에 껴안고 등을 두드린다. 니콜라는 살며시 어머니의 품을 빠져나온다. 니콜라는 어머니의 사랑의 표시에 점점 무덤덤한 반응을 보이고 있다.

뤼시가 니콜라의 귀에 속삭인다.

「지금은 이해할 수 없을 거다만 언젠가는…….」

96. 24호가 최선을 다하다

24호는 지금 가고 있는 방향이 남동쪽이기를 바라며 걷는다. 별로 위험해 보이지 않는 동물들에게 다가가 길을 묻는다.

《원정군이 지나가는 걸 보았는가?》

그러나 개미들의 후각 언어가 아직 보편적인 언어로 격상되어 있지 않다. 그래도 풍뎅이 한 마리가 벨로캉 개미들이 손가락들과 싸워 이겼다는 소문을 전해 준다.

〈그럴 리가 없다〉라고 24호는 생각한다. 개미들은 신들을 이길 수 없어! 그러나 도중에 계속 질문을 하고 똑같은 답변을 듣게 되자 손가락들과 정말 접전이 있었다는 것을 확신하게 된다. 어떤 상황에서 어떤 일이 벌어졌던 걸까?

24호는 그곳에 있지 않았다. 그는 신들을 만날 수 없었다. 더욱 심각한 문제는 원정군에게 메르쿠리우스 임무를 위한 고치를 갖다주지 못했다는 것이다. 그는 숱하게 자신의 칠칠치 못함을 책망했고, 방향 감각이 부족한 것을 한탄했다.

24호는 지나는 길에 멧돼지를 발견한다. 저것은 나보다 훨씬 빨리 가겠지.

동료들을 다시 만나려는 욕구와 손가락들에게 가까이 가고 싶은 열망에 사로잡힌 24호는 멧돼지 다리로 올라간다.

곧 멧돼지는 달리기 시작한다. 북쪽으로 너무 치우쳐 가는 것이 마음에 걸린다. 24호는 달리는 멧돼지 위에서 뛰어내려야 했다.

운이 좋았다. 다람쥐가 나타나자 24호는 쏜살같이 다람쥐의 털 속으로 들어간다. 다람쥐 또한 북동쪽으로 가고 있다. 그런데 날쌘 다람쥐가 갑자기 나무 꼭대기에서 멈춰 버린다. 24호는 되도록 빨리 땅에 닿으려고 뛰어내린다.

멧돼지와 다람쥐를 타고 빠르게 달려오긴 했지만 여전히 동료들은 보이지 않는다. 갈팡질팡하지 말고 마음을 다시 가다듬어야 한다. 24호는 전지전능한 신들인 손가락들의 존재를 믿고 있다. 자기를 원정군 쪽으로, 그리고 손가락들 쪽으로 인도해 주도록 손가락들에게 구원을 받고 싶다.

〈오, 손가락들이여. 저를 이 무서운 세상에 버려두지 마소서. 제 동료들을 다시 찾도록 해주소서.〉

24호가 더듬이를 포갠다. 마치 신들과 더 잘 접촉하고 싶어서 그러는 것 같다. 바로 그 순간 그의 뒤쪽에서 가장 익숙한 냄새가 풍겨 온다.

《아, 당신이군요!》

24호의 기쁨이 절정에 달한다.

황금의 벌집 아스콜레인에 대한 정보를 찾으러 떠났던 103호는 고치를 보자 마음을 놓는다. 그 또한 신을 믿는 어린 반체제 개미를 다시 만나게 되어 매우 기쁘다.

《나비 고치를 잃어버리지는 않았구나?》

24호는 103호에게 그 귀중한 고치를 보여 주고 나머지 일행과 합류한다.

97. 백과사전

시공의 문제

하나의 원자핵 주위에 여러 개의 전자 궤도가 있다. 어떤 것은 중심부에서 매우 가까이 있고, 어떤 것들은 꽤 멀리 떨어져 있다.

외부의 충격으로 이 전자들 중에 하나가 궤도를 바꾸면, 빛이나 열이나 방사의 형태로 에너지의 방출이 일어난다.

낮은 자리에 있는 전자를 보다 높은 자리로 이동시키는 것은 마치 한 눈이 먼 사람을 두 눈 다 먼 사람들의 나라로 데려가는 것에 비유할 수 있다. 그 전자는 빛을 내면서 다른 것에 영향을 미치는데, 그것은 바로 왕이 되는 것과 같다. 역으로, 높은 궤도에서 더 낮은 궤도로 자리를 옮긴 전자는 완전히 바보처럼 보일 것이다.

우주 전체는 원자와 비슷한 방식으로 이루어져 있다. 다양한 시공들이 켜켜이 겹쳐 놓은 채로 병존하고 있다. 어떤 것들은 빠르고 복잡한 반면에 어떤 것들은 느리고 단순하다.

존재의 모든 수준에서 그와 같은 중층 구조를 발견하게 된다. 그리하여 아주 영리하고 민첩한 개미가 인간 세계에 던져지면 그것은 서투르고 겁 많은 하찮은 곤충밖에 안 된다. 무식하고 어리석은 한 인간이 개미 사회에 떨어지면 전지전능한 신이 된다. 그래도 인간들과 접촉을 했던 개미는 많은 것을 배우게 될 것이다. 개미 사회로 되돌아갔을 때, 그 개미는 더 우수한 시공을 경험한 덕분에 어떤 권위를 갖게 될 것이다.

보다 우수한 차원에서 최하층의 상태를 경험해 보고 원래의 차원으로 돌아오는 것, 그것은 진보를 이루어 내는 하나의 훌륭한 방법이다.

에드몽 웰스, 『상대적이며 절대적인 지식의 백과사전』 제2권

98. 우리의 친구들: 파리

원정군이 야영하는 숲속의 빈터에 도착한 24호는, 불개미들이 신을 죽였다는 사실을 믿으려 하지 않는다.

24호는 다른 커다란 동물과 손가락들을 혼돈한 것이 아니냐며, 그것이 정말 손가락들이었다면 그 손가락들은 죽은 척했을 뿐일 거라고 주장한다. 24호는 그런 식으로 동료들의 반응을 시험해 보고 그들의 진심을 헤아리고 싶었던 것이다. 다들 순진하게만 보고 있는 24호가 아주 중요한 사실을 지적한다. 만약, 손가락들이 죽었다면 그의 시체는 어디로 갔나?

103호는 약간 당황한 모습을 보였지만, 이내 자신 있는 태도로 자기가 쓰러진 손가락들의 구석구석을 다 돌아보았으며, 지금은 손가락들에 대해서 보다 자세하게 알고 있다고 페로몬을 발한다.

24호에게 그 페로몬을 발하는 중에 문득 어떤 생각이 103호의 뇌리를 스친다. 자기가 경험한 손가락들에 관한 정보를 기억 페로몬에 정리해 두어야겠다는 생각이다. 103호는 기억 페로몬을 꺼내 거기에 정보를 기록하기 시작한다.

분야: 동물학

주제: 손가락들

정보 제공자: 103683호

정보 제공 연도: 100000667년

1) 손가락들은 존재한다.

2) 우리는 손가락들에게 상처를 입힐 수도 있으며, 꿀벌의 독으로 그들을 죽일 수도 있다.

   a) 손가락들을 죽이는 다른 방법들이 있을 것이다. 그러나 현재로서는 꿀벌의 독이 효과적인 것으로 나타났다.

   b) 손가락들을 모두 죽이기 위해서는 꿀벌의 독이 많이 필요하다.

   c) 그렇지만 손가락들을 죽이기는 매우 어렵다.

3) 손가락들은 우리 눈으로 볼 수 있는 것보다 훨씬 더 크다.

4) 손가락들은 따뜻하다.

5) 손가락들은 식물성 섬유로 된 표층으로 덮여 있다. 그 표층은 색깔이 있는 인공적인 피부인 듯하다. 우리 위턱으로 찔러도 그 피부에서는 피가 나지 않는다. 그 표층 밑에 있는 피부를 뚫어야만 피가 난다.

103호는 자신의 기억을 다시 모으기 위해 더듬이를 세운 다음 기록을 계속한다.

6) 손가락들의 냄새는 매우 진하다. 우리가 알고 있는 그 어떤 냄새와도 다른 아주 독특한 냄새다.

103호는 한 무리의 파리가 붉고 거무스레한 웅덩이 주위에서 날고 있는 것을 발견한다.

7) 손가락들은 새들처럼 붉은 피를 가지고 있다.

8) 만일 손가락들이 신이라면…….

정말 이런 조건에서 작업을 하는 것은 불가능하다. 파리
들이 한바탕 잔치를 벌이고 있다. 더 이상 참을 수가 없다.
103호는 작업을 중단하고 파리들을 쫓아 버리려 한다.

그러나 잘 생각해 보니 파리들이 원정군에 유용하게 쓰일
것도 같다.

99. 백과사전

선물

금파리들의 세계에서는, 암컷이 짝짓기 하는 동안에 수컷을 잡아먹는
다. 짝짓기 할 때의 감정이 식욕을 불러일으키면서 곁에 늘어져 있는
짝짓기 상대가 암컷에게는 맛있는 먹거리로 보이기 때문이다.

수컷은 사랑은 하고 싶으나 암컷에게 잡아먹히고 싶지는 않다. 사랑 때
문에 죽어야 하는 그런 비극적인 상황에서 벗어나고 싶다. 즉, 타나토
스 없는 에로스를 즐기고 싶은 것이다. 그것을 위해서 금파리의 수컷은
한 가지 책략을 찾아냈다. 수파리는 먹을 것을 〈선물〉로 가져온다. 그
럼으로써 암컷은 배가 고플 때 수컷이 가져온 고기를 먹게 되고, 그 수
컷은 아무런 위험 없이 사랑을 즐길 수 있다. 그보다 훨씬 진화된 파리
들의 세계에서는 수컷이 곤충 고기를 투명한 고치로 포장해서 가지고
온다. 그럼으로써 더 오랫동안 사랑을 즐길 수 있다.

또 어떤 파리 종은 수컷의 관점에서 선물의 질보다는 선물을 개봉하는
데 걸리는 시간이 더 중요하다는 결론을 얻게 되었다. 이 종의 수컷들
이 가져오는 고치 포장물은 두껍고 부피가 크지만 사실은 비어 있는 것
이다. 암컷이 속았다는 사실을 깨달을 때쯤이면 수컷은 이미 용무를 끝

낸 뒤이다.

수컷들의 그런 행동에 이번에는 암컷들이 꾀를 낸다. 암컷은 고치가 비어 있지나 않은지 확인하려고 고치를 흔들어 본다. 그러나 거기에 대한 대응책이 또 나타난다. 암컷이 고치를 흔들어 볼 것임을 예상한 수컷은 고기 덩어리로 착각하게 하려고 자기 배설물을 적당히 담아서 선물 꾸러미를 만들기도 한다.

에드몽 웰스, 『상대적이며 절대적인 지식의 백과사전』 제2권

100. 레티시아가 잠 속으로 빠져든다

멜리에스는 유치장에 가서 레티시아를 만나려고 면회를 신청했다. 그가 소장에게 물었다.

「그 사람은 구금 생활에 어떻게 반응하고 있습니까?」

「아무 반응도 없어요.」

「무슨 말이죠?」

「여기에 온 뒤로 줄곧 자고 있어요. 아무것도 먹지 않고 심지어 물 한 방울도 안 마셨어요. 꼼짝 않고 잠만 자고 있어요. 깨우려고 해보았지만 막무가내예요.」

「잠든 지 얼마나 됐습니까?」

「일흔두 시간쯤 됐습니다.」

자크 멜리에스는 이런 반응을 예상치 못했다. 그가 잡아넣는 사람들이 성이 나서 고래고래 소리를 지르는 일은 흔히 있었어도 내처 잠만 자는 경우는 없었다.

전화벨이 울렸다.

「멜리에스 씨, 당신을 찾는 전화가 왔습니다.」

소장이 말했다.

전화를 건 사람은 카위자크 형사였다.

「경정님, 저는 부검의와 같이 있습니다. 문제가 있는 것 같습니다. 그 기자의 개미들이 전혀 움직이지 않아요.」

「뭐라고요?」

「개미들이 동면을 하고 있다는 얘깁니다.」

「8월에 무슨 동면을 한다고 그래요?」

「정말이라니까요!」

「에밀 형사, 의사에게 조금 후에 간다고 전해 주세요.」

자크 멜리에스는 창백한 얼굴로 수화기를 놓으며 말했다.

「레티시아 웰스와 그의 개미들이 동면을 하고 있다는군요.」

「뭐라고요?」

「그래. 생물학 책에서 그런 걸 본 적이 있어. 날씨가 추울 때, 비가 올 때, 여왕이 사라졌을 때 곤충들은 모든 활동을 중지합니다. 심장 고동도 느려지고 잠을 자든가 죽어 버리지요.」

두 사람은 유치장을 가로질러서 레티시아의 방까지 뛰어갔다. 그들은 곧 안도의 숨을 내쉬었다. 그녀의 입술 사이에서 고른 숨소리가 흘러나오고 있었다. 멜리에스는 그녀의 손목을 잡고 맥박이 천천히 뛰고 있는 걸 확인했다. 그는 그녀가 깨어날 때까지 흔들었다.

레티시아는 연보랏빛 눈을 반쯤 떴지만, 자기가 어떠한 상황에 있는지를 이내 깨닫지 못했고 멜리에스도 잘 알아보지 못하는 것 같았다.

레티시아는 마침내 경정을 알아보고는 미소를 띠고서 다시 잠들어 버렸다. 멜리에스는 자신을 동요시키는 혼란스러운 감정을 애써 무시하고 싶었다.

그는 소장 쪽으로 몸을 돌렸다.

「내일 아침이면 이분이 식사를 요구할 겁니다. 제가 장담하죠.」

연약한 살결의 눈꺼풀 아래에서 안구(眼球)가 상하 좌우로 돌아갔다. 마치 꿈의 변화를 쫓아 움직이는 것 같았다. 이상한 일이었다. 레티시아는 꿈의 세계 속으로 도망자처럼 빠져들어 갔다.

101. 포교

《자, 아주 간단한 이야기입니다.》

23호는 그렇게 연설을 시작한다. 그는 사암 안에 있는 우묵한 곳에 자리를 잡았고, 그 곁에 24호가 있다. 서른세 마리의 개미가 그들을 지켜보고 있다. 처음에 23호는 야영지 안에서 병정개미들을 상대로 포교 모임을 가질 생각이었지만, 마음을 고쳐먹었다. 야영지 안에서 그런 모임을 갖는 것은 위험하다고 판단한 것이다. 그 대신 그는 이곳에서 손가락들에 대한 신앙을 전파하고 있다.

23호는 네 개의 뒷다리로 버티고 서서 페로몬을 발한다.

《손가락들은 그들에게 봉사하도록 하기 위해서 지상에 우리를 만들어 놓았습니다. 그들은 우리를 관찰하고 있습니다. 우리는 그들에게 불경한 짓을 하지 않도록 주의해야 합니다. 왜냐하면 그들은 우리를 벌할 수 있기 때문입니다. 우리가 그들에게 봉사하는 만큼 그들은 그 보상으로 그들의 힘을 나누어 줍니다.》

참석한 개미의 대부분은 검정딱따구리의 똥에 감염된 개미들로 구성되어 있다. 그들은 더 이상 잃어버릴 게 없는 개미들이었고, 자신들의 불행한 처지에 대해 위안을 찾고 있는 개미들이었다. 딱따구리 똥에 맞아 하얗게 탈색된 개미들이 신을 믿는 개미들의 주장에 귀를 기울이고 있다. 때로는 당황하고 때로는 의아해하기도 하지만, 그들은 모두 죽음이 없는 좋은 세상을 갈망하고 있다.

그 불쌍한 흰둥이들은 신산(辛酸)의 세월을 살고 있다. 질병의 고통이 나날이 가중되는 가운데 행렬의 뒤를 허위허위 따라오는 그들이 존재의 의미에 대해 물음을 던지는 것은 당연하다. 그들이 행렬에서 완전히 낙오되어 갖가지 포식자들의 먹이가 되는 일이 종종 일어난다.

그렇지만 병든 개미들이 도움을 필요로 할 때면 다른 개미들은 주저 없이 달려온다. 개미들의 연대 의식은 아무도 배제하지 않는다. 더구나 손가락들을 치러 가는 첫 원정대 내부에서는 말할 것도 없다.

그 말이 무엇이든 간에 신을 믿는 개미의 메시지는 매력이 있고, 호감을 느끼게 한다. 사암 구덩이에 모여 있는 개미들이 손가락들을 제거해야 한다는 사실을 잊고 있는 게 조금도 이상할 게 없다.

그래도 빈약한 반대 논리가 튀어나오고 질문자도 나타난다. 그런 것들이 나중에 걱정거리의 씨앗이 될 수도 있을 것이다. 그러나 23호는 미리 준비된 대답을 한다.

《중요한 것은 손가락들과 친해지는 것입니다. 나머지 일에 대해서는 아무것도 염려하지 마십시오. 손가락들은 신이고 그들은 영원불멸합니다.》

개미 하나가 또 더듬이를 쳐든다.

《손가락들은 왜, 우리가 매 순간마다 해야 할 일을 가르쳐 주지 않는가?》

《그들은 우리에게 말하고 있어요. 벨로캉에서 우리는 손가락들과 오랫동안 대화를 나누었습니다.》

한 포병 개미가 페로몬을 발한다.

《신들에게 말을 걸기 위해서 어떻게 해야 하나?》

《아주 강렬하게 그들을 생각해야 합니다. 신들은 그것들을 〈기도〉라고 부릅니다. 어디에서 기도를 하든 신들은 그것을 알아듣습니다.》

딱따구리 똥 때문에 하얗게 되어 버린 개미가 절망적으로 페로몬을 발한다.

《손가락들은 조충에 감염된 우리를 치료할 수 있을까?》

《손가락들은 무엇이든 할 수 있습니다.》

그때 병정개미가 묻는다.

《여왕개미가 모든 손가락들을 죽이라고 우리에게 명령했는데, 우리는 이제 어떻게 해야 하는가?》

23호가 질문하는 개미를 흘끗 쳐다보고 가만히 더듬이를 흔든다.

《우리는 아무것도 하지 않을 것입니다. 우리는 한쪽에 물러서서 바라보기만 할 것입니다. 신들을 두려워 마십시오. 신들은 전지전능합니다. 리빙스턴 박사의 말을 널리 전파합시다. 우리와 함께하려는 개미가 점점 많아지게 합시다. 늘 기도하는 걸 잊지 맙시다.》

개미들이 여왕개미와 비교해서 반체제 개미들의 말에 열광한 것은 이번이 처음이다. 개미들은 설사 손가락들이 존재하지 않는다 하더라도 그 이야기가 대단히 흥미롭다고 생각한다.

102. 백과사전

신

정의를 내리자면 신은 무소부재하고 무소불위하다. 따라서 신이 존재한다면 신은 어디에나 있고, 무엇이든 할 수 있다. 그러나 신이 무엇이든 할 수 있다면, 신은 자기가 존재하지 않고, 아무것도 할 수 없는 어떤 세계를 창조할 수도 있지 않을까?

에드몽 웰스, 『상대적이며 절대적인 지식의 백과사전』 제2권

103. 아스콜레인, 황금의 벌집

꿀벌이 신호를 보낸다.

수직 8 자 춤, 뒤집어진 8 자 춤, 나선 8 자 춤, 비스듬한 8 자 춤, 잠시 춤사위를 멈추었다가, 다시 겹친 8 자 춤. 태양을 기준으로 각도를 조절한 뒤, 다시 좁은 수평 8 자 춤, 넓은 수평 8 자 춤.

신호는 더할 나위 없이 분명하다.

그 신호에 화답하는 춤사위. 비스듬한 8 자 춤, 겹친 8 자 춤, 뒤집어진 8 자 춤.

이어 다음 벌에게 신호를 보낸다. 공중에 있는 역참과 역참으로 파발이 전해지고 있는 것이다.

꿀벌들은 빙글빙글 춤을 추면서 허공에 자기들의 정보를 새긴다.

먹이가 1백 미터 이상 떨어진 곳에 있다는 걸 알리기 위해 서 벌들은 8 자 춤을 춘다. 그 8 자의 중심축이 날아갈 방향과 거리를 알려 준다.

동쪽 강 가까이에 있는 커다란 전나무에 개미들의 냄새 언 어로 〈아스콜레인〉이라는 이름을 가진 꿀벌들의 도시가 있 다. 이 말은 벌의 언어로는 〈황금의 벌집〉이라는 뜻이다. 그 도시에는 꿀벌 6천 마리가 살고 있다.

동료가 부르고 있음을 알아차린 아스콜레인의 탐색 벌이 빠른 속도로 날아오른다. 그 벌은 엉겅퀴 사이를 요리조리 빠져나가면서 비스듬히 올라간 다음, 풀밭에서 우글거리는 개미들의 행렬 위를 날아간다. 〈아니, 개미들이 저기서 뭐 하 는 거지?〉 탐색 벌은 커다란 떡갈나무를 돌아 모래 둔덕들이 있는 지역을 아주 낮게 날아간다.

저기 뭔가 흥미로운 것이 있는 듯하다. 탐색 벌은 날갯짓 하는 속도를 늦추고, 노란 수선화들 위를 빙빙 돌다가 어떤 식물의 꽃술에 발을 담근다. 탐색 벌은 그 꽃이 데이지임을 알아차리고 길고 가는 혀를 천천히 노란 가루 속에 밀어 넣 는다. 그런 다음, 다리에 신선한 꽃가루를 묻힌 채 꽃을 떠나 간다.

탐색 벌은 즉시 280헤르츠의 진동으로 날개를 움직이기 시작한다.

브즈즈즈즈 브즈즈즈 브즈즈즈. 280헤르츠는 한 마리 의 벌이 먹이를 담당하는 일벌들을 최대로 모을 수 있는 진 동수이다.

260헤르츠는 식량의 관리나 어린 벌들의 보호를 맡은 일 벌들을 부를 때 사용한다. 또 3백 헤르츠는 군사적인 경보를 발동할 때 사용한다.

탐색 벌은 육각형의 밀랍 위에 자리를 잡고 춤을 추기 시작한다. 이번에는 밀랍으로 된 벌집의 바닥 위에서 8 자를 그린다. 말하자면 2차원의 8 자 춤이다. 탐색 벌은 몸짓의 언어로 아주 신속하게 자기의 모험담을 들려주면서, 꽃 무더기가 있는 방향과 거리 및 꽃들의 특성 등을 알려 준다.

꽃이 비교적 가까운 거리에 있으므로 탐색 벌은 빠르게 춤을 춘다. 꽃이 멀리 있었다면 한층 더 느리게 춤을 추었으리라. 마치 먼 곳을 날아오느라고 지쳐 있음을 나타내기라도 하는 것처럼.

벌은 춤을 출 때 태양의 위치나 움직임도 고려한다.

동료들이 달려온다. 꿀을 모을 수 있는 꽃들이 많다는 건 알았지만, 그 꿀의 질을 알고자 하는 것이다. 이따금 꽃들이 새의 똥으로 덮여 있을 때도 있고, 시들어 있을 때도 있으며, 다른 벌들이 먼저 채가 버리는 때도 있다.

몇몇 꿀벌들은 무척 들떠서 자기들의 배를 사용해 밀랍으로 지은 방들을 두드린다. 그들은 꿀벌 세계의 언어로 이렇게 표현한다.

《자네가 가져온 꿀을 직접 보고 싶다.》

탐색 벌은 더 이상 뜸을 들이지 않고 제가 가져온 꿀을 되올린다.

《맛을 보게. 최고의 품질이라는 걸 알게 될 걸세.》

그러한 춤과 대화와 꿀의 교환은 완전한 어둠 속에서 이루어지지만, 벌집 안에 있는 모든 일벌들이 자기들 임무의 중요한 내용을 알고, 그 임무를 수행하기 위해 날아오른다.

기진맥진한 탐색 벌은 견본으로 가져온 꿀을 게걸스럽게

다시 삼킨다. 그런 다음 아스콜레인 꿀벌들의 여왕벌 67호 자하하에르샤가 있는 방으로 들어가려 한다. 그 여왕벌은 자매 여왕벌 20마리와 싸운 끝에 그 꿀벌 왕국의 왕좌에 올랐다. 꿀벌들은 언제나 많은 여왕벌들을 낳는다. 그러나 여왕벌은 한 벌집에 한 마리만 있으면 되기 때문에 여왕벌들은 최후의 승리자가 나올 때까지 산란실에서 격렬하게 싸운다.

지도자를 고르는 방법치고는 좀 야만적이지만, 그래도 그러한 방식을 통해서 가장 강인하고 가장 전투적인 여왕벌을 그 꿀벌 도시의 우두머리로 뽑을 수 있다는 장점이 있다.

여왕벌은 노란색으로만 되어 있는 배를 보고 구별할 수 있다. 여왕벌의 수명은 4년이며 모든 조건이 잘 맞아떨어지면 하루에 1천 개까지 알을 낳을 수 있다.

아스콜레인 벌집은 벨로캉 동북동 쪽에 자리 잡고 있다. 오렌지빛 밀랍으로 지은 방들에 꿀을 모으는 일벌이 모여 사는 완벽한 곳이다. 거기에서는 모든 것이 반짝거리고 향기를 풍긴다. 노랑, 검정, 분홍, 오렌지빛이 어우러져 있다. 일벌들은 다리에서 다리로 귀중한 꿀을 전달한다.

한쪽에서는 일벌들이 밀랍 단지에다 로열 젤리를 만들고 있다.

좀 더 멀리에는 어린 꿀벌들에게 교육을 하는 방이 있다.

꿀벌들의 교육은 언제나 일정한 법칙에 따라 이루어진다. 꿀벌이 알에서 나오면 다른 벌들이 어린 벌에게 영양을 공급한다. 그다음에는 그 꿀벌이 일을 하기 시작하는데, 처음 사흘 동안은 벌집 내부의 일에 전념한다. 3일째 되는 날, 입 근처에 로열 젤리를 만드는 분비샘이 나타나는 신체적 변화를 겪는다. 그럼으로써 그 꿀벌은 유모 벌이 된다. 그러다가 그 분비샘은 점차 중요성이 줄어들고 배 밑에 자리 잡은 새로운 분비샘들이 기능을 발휘하기 시작한다. 그것이 바로 밀랍샘으로서 벌집의 방을 만들고 고치는 데 필요한 밀랍을 만들어 내는 곳이다.

그렇게 해서 12일째부터 꿀벌은 집 짓는 벌이 되어 벌집을 구성하는 구멍들을 만들어 낸다. 18일째부터 이 밀랍샘은 기능을 정지한다. 그럼으로써 일벌은 경비 벌이 되고 외부 세계와 접하는 시간을 가진 다음, 꿀 모으는 벌이 된다. 일벌은 꿀 모으는 벌로 일생을 마무리한다.

탐색 벌이 여왕벌의 방에 다다른다. 탐색 벌은 자기가 본 개미들의 이상한 행렬에 대해서 여왕벌에게 이야기하려는 것이다. 그런데 여왕벌은 안에서 누군가와 중대한 애기를 나누고 있는 듯하다. 탐색 벌은 더듬이를 내밀어 그게 누구인지를 알아보려고 한다. 도무지 믿기지 않는 일이 벌어지고 있다. 여왕벌이 어떤 개미와 대화를 나누고 있다. 보다 정확히 말하면 벨로캉 연방의 개미이다! 탐색 벌은 좀 떨어진 곳에서 여왕벌과 개미의 대화를 엿듣는다.

《우리가 무엇을 할 수 있는가?》

여왕벌이 묻는다.

그 개미가 벌집 안에 들어왔을 때 꿀벌들은 모두 의아해했다. 꿀벌들이 그 개미를 〈황금의 벌집〉 안에 들어오도록 내버려 두었던 것은 그 개미에 대한 호감 때문이 아니라 그 개미의 당돌함 때문이었다. 개미가 벌집 안에 무슨 볼일이 있단 말인가?

그때 23호는 자기가 벌집에 올 수밖에 없었던 특별한 사정을 이야기했다.

23호는 자기의 동료들인 벨로캉 개미들이 미쳐 버려서 손가락들을 치러 가기 위한 원정군을 파견했으며 이미 손가락 하나를 죽였다고 했다. 그러면서 23호는 원정군 개미들이 분명히 자기들이 지나는 길에 있는 꿀벌들을 공격할 터이니, 그러기 전에 먼저 원정군을 공격하라고 충고했다. 23호는 원정군 개미들이 미나리아재비 골짜기에서 갇혀 있을 때 공격하면 된다는 것까지 일러 주었다.

《매복을 하란 말인가? 당신은 지금 당신 종족을 쳐부수도록 매복을 하라고 권하는 것인가?》

여왕벌은 깜짝 놀란다. 개미들의 행동이 갈수록 패륜적으로 되어 간다는 얘기를 누군가에게서 듣기는 했다. 특히 먹이를 얻기 위해 자기가 태어난 도시와 맞서 싸우는 용병 개미가 있다는 얘기도 들었다. 그러나 여왕벌은 그런 얘기를 들었을 때 설마 그렇게까지 하랴 싶었다. 그러니 자기 동료들을 죽이기에 가장 좋은 장소를 알려 주는 개미를 마주한 여왕벌의 놀라움은 이만저만이 아니다.

확실히 개미들은 여왕벌이 생각했던 것보다 훨씬 더 비뚤어져 있다. 혹시 이게 함정이 아닐까? 스스로 배반자라고 주장하면서 미나리아재비 계곡 안으로 꿀벌들의 군대를 유인하러 온 것인지도 모른다. 그 틈을 타서 원정군이 벌집 안으로 공격해 오려는 것이 아닐까? 차라리 그런 거라면 충분히 이해할 수 있을 것 같다.

여왕벌 자하하에르샤가 등날개를 떤다. 그리고는 개미들도 이해할 수 있는 기본적인 냄새 언어로 묻는다.

《왜 당신은 당신의 동료들을 배반하느냐?》

23호가 변명한다.

《벨로캉 개미들은 지상의 모든 손가락들을 죽이고 싶어 합니다. 그런데 손가락들은 다양성을 지닌 세계의 일부입니다. 그리고 다른 생물종들을 완전히 제거함으로써 개미들은 이 세계를 빈곤하게 만듭니다. 종들은 제 나름의 쓸모를 갖고 있는 것이고, 생명 형태의 다양성이 바로 자연의 본질입니다. 어느 한 종을 파괴하는 것은 하나의 죄악입니다.

개미들은 벌써 많은 동물들을 학살했습니다. 그 동물들을 이해하려 하지 않았고, 그들과 대화할 생각도 해보지 않은 채 고의로 그런 짓을 했습니다. 단순한 무지몽매함 때문에 제거된 것들도 모두 자연의 한 부분입니다.》

병정개미 23호는 한 발 더 나아가, 손가락들은 신이며 자기도 신을 믿는다고 설명하는 것도 잊지 않았다. 하지만, 자신이 열렬히 믿고 있는, 손가락들의 전지전능함을 말하지는 않았다.

여왕벌은 극도로 추상적인 그런 이야기들을 도무지 이해할 수가 없다. 여왕벌이 반박을 하는 것은 당연하다. 여왕벌은 신을 믿지 않는 반체제 개미들이 23호에게 반박했던 것과 똑같은 이야기를 한다.

신이 존재할 수 있다는 생각을 전혀 해본 적이 없는 자에게는 더 알기 쉬운 얘기로 설명해야 한다.

《손가락들에 대해 우리는 거의 아는 게 없습니다. 그러나 그들은 확실히 우리에게 많은 것을 가르쳐 줄 수 있습니다. 그들의 수준에서 그들 나름대로 우리가 상상조차 할 수 없는 많은 문제들을 겪어 왔기 때문입니다. 손가락들을 살려 주어야 합니다. 그들을 연구하기 위해서라도 한 쌍은 살려야 합니다.》

여왕벌은 23호의 말뜻을 알겠으나 개미와 손가락들 사이의 싸움에 개입하고 싶은 생각이 전혀 없다고 잘라 말한다. 그러면서 자기들은 현재 검은 말벌 도시와 영토 분쟁을 벌이고 있는 중이어서 군사력을 모두 거기에 동원해야 한다고 덧붙인다. 여왕벌은 꿀벌과 검은 말벌 사이의 전투 광경을 신명 내가며 묘사하기 시작한다.

날개를 맞부딪는 수천 마리의 벌들, 공중에 머물며 행하는 결투, 독침 공격, 배설물 공격, 발사물의 난무! 여왕벌은 자기가 독침 검술의 열렬한 애호가라고 고백한다. 그리고 그 스포츠를 할 줄 아는 곤충은 꿀벌과 말벌뿐이라며, 공중에서 균형을 유지하면서 능숙하게 독침을 사용하기란 쉬운 일이 아니라고 설명한다. 여왕벌은 상상의 적을 상대로 결투하는 모습을 흉내 내면서 타격 자세를 열거한다. 휘두르기, 찌르기, 대기 자세 4번, 대기 자세 5번, 제1자세, 우측 받아넘기기 등등.

여왕벌은 자기의 배 끝을 병정개미 23호의 머리에 바짝 들이댄다. 그러나 23호는 아무런 흥미도 느끼지 못하고 있다. 그러거나 말거나 여왕벌은 계속 말벌과 꿀벌의 전투 장면을 묘사한다. 비껴 찌르기, 침과 침 맞대기, 포위, 원위치, 반격 등등.

23호가 여왕벌의 이야기를 중단시킨다. 그런 다음, 꿀벌들도 개미와 손가락들의 전쟁에 관계가 있다고 역설한다.

《103호라는 노련한 병정개미가 있습니다. 그는 꿀벌의 독이 있으면 손가락들을 죽일 수 있다는 사실을 알아냈습니다. 현재로서는 손가락들을 죽일 수 있는 게 그것밖에 없습니다. 따라서 원정군은 독을 얻기 위해서 아스콜레인을 공격할 것

입니다.》

《개미들이 우리를 공격한다고? 자기들 연방에서 이렇게 멀리 나와 있는 자들이 말인가? 말도 안 되는 소리 하지 말게!》

바로 이 순간에 공습경보가 황금의 벌집 방방마다 울려 퍼진다.

104. 곤충은 우리의 적이다

곤충과의 전쟁에 대한 세미나에서 미귀엘 시녜리아즈가 자기의 연구 성과를 제시할 차례가 되었다. 그는 자리에서 일어나 참석자들에게 세계 지도를 보여 주었다. 검고 동그란 드러냄표가 점점이 박혀 있는 지도였다.

「이 점들은 전쟁 지역을 나타내고 있습니다. 인간끼리의 전쟁이 아니라 곤충과의 전쟁 말입니다. 우리는 도처에서 곤충과 싸우고 있습니다. 모로코에서, 알제리에서, 세네갈에서 사람들은 메뚜기의 침입에 맞서 싸우고 있습니다. 페루에서는 모기가 말라리아를 퍼뜨리고 있고, 남아프리카에서는 체체파리가 수면병을 옮기고 있으며, 말리에서는 이가 창궐해서 티푸스를 일으키고 있습니다. 아마존과 적도 아프리카, 인도네시아에서는 사람들이 마냥개미의 침입에 대항하여 싸우고 있습니다. 또 리비아에서는 암소들이 쇠파리에 물려 죽어 가고 있고, 베네수엘라에서는 공격적인 말벌이 어린이들에게 달려들고 있습니다. 프랑스에서만 해도 여기서 아주 가까운 퐁텐블로 숲으로 소풍을 나갔던 한 가족이 불개미 떼에게 공격을 받았습니다. 감자 농장을 파괴하는 감자잎벌레나 목조 건물을 갉아먹고 주민들에게까지 달려드는 흰개미들, 옷을 쏠아 대는 좀, 개를 공격하는 나방에 대해서는 더 이상 길게 얘기할 필요를 느끼지 않습니다. 이것이 바로 우리의 현실입니다.

1백만 년 전부터 인간은 곤충들과 전쟁을 벌여 왔습니다. 전쟁은 여전히 계속되고 있습니다. 적들이 작기 때문에 사람들은 그것을 과소평가합니다. 사람들은 손가락을 튀기는 것만으로도 곤충들을 죽일 수 있다고 생각합니다. 그러나 그것은 잘못된 생각입니다! 곤충을 없애기는 대단히 어려운 일입니다. 곤충은 독에 적응해 나가며, 돌연변이를 통해 보다 효과적으로 살충제에 저항하고, 멸종을 피하려고 엄청난 속도로 번식합니다.

곤충은 우리의 적입니다. 동물 수의 9할이 곤충입니다. 수십억의 수십억 배의 수십억 배가 되는 곤충에 비하면 우리 인간과 포유류 동물은 한 줌밖에 되지 않습니다.

우리 선조들은 이 곤충들을 〈지옥의 군대〉라는 말로 정의했습니다. 곤충들은 지옥의 군대, 즉 비천한 것, 기어다니는 것, 땅속에 사는 것, 숨어 있는 것, 예측 불가능한 것 모두를 대표하고 있습니다.」

한 사람이 손을 들었다.

「시녜리아즈 박사님, 그 지옥의…… 아니, 곤충들에 대항해서 싸우려면 어떻게 해야 하는지 알고 싶습니다.」

시녜리아즈는 청중에게 미소를 보내고 말을 이었다.

「우선 그것들을 얕잡아 보지 말아야 합니다. 한 가지 예를 들어보겠습니다. 칠레 산티아고에 있는 실험실에서 우리는 개미들이 〈시식(試食) 개미들〉을 따로 두고 있다는 사실을 발견했습니다. 개미 사회가 새로운 먹이와 마주쳤을 때, 그 먹이를 먼저 먹어 보는 개미들입니다. 시식하고 나서 이틀이 지난 뒤에도 의심스러운 징후가 전혀 나타나지 않으면, 그제야 동료 개미들이 그 먹이를 먹습니다. 이 사실은 대다수 살충제의 효과에 한계에 있다는 걸 보여 줍니다.

그래서 우리는 약을 먹은 후 72시간이 지나야만 효력이 발생하는 새로운 살충제를 만들어 냈습니다. 우리는 이 새로운 독이 개미들의 안전장치에도 불구하고 개미 도시에 널리 퍼지게 되기를 희망합니다.」

「박사님, 살충제를 개발하는 과학자들을 죽이도록 개미들을 훈련시키는 데 성공한 웰스 씨에 대해서 어떻게 생각하시는지요?」

시녜리아즈는 고개를 들어 잠시 허공을 바라보았다.

「곤충들에게 매료된 사람들은 늘 있기 마련입니다. 그런 행동을 하는 사람이 이제야 나타났다는 게 오히려 이상할 정도입니다. 희생자의 대부분은 같은 동료들이었고 친구들이었습니다. 하지만 지금 그것은 그다지 중요한 문제가 아닙니다. 웰스 씨는 남을 해칠 수 있는 상태가 아니니까요. 며칠 후에 저는 여러분께 엄청난 위력을 지닌 기적의 상품을 소개할 것입니다. 저희가 많은 희생을 치러 가며 만든 상품, 그 암호명은 〈바벨〉입니다. 더 많은 정보를 알고 싶으신 분은 내일 이 시간을 기대해 주십시오.」

시녜리아즈 박사는 휘파람을 불면서 호텔까지 걸어왔다. 그는 자기 이야기에 대해 청중이 보인 반응에 만족했다.

그는 방에서 손목시계를 풀다가 소맷자락에 네모난 작은 구멍이 나 있는 것을 보았다. 하지만 그는 그것을 대수롭지 않게 여겼다.

그는 침대 위에서 하루의 피로를 풀고 있었다. 그때 목욕탕에서 이상한 소리가 났다. 최고급 호텔에 고장난 수도가 웬 말이람!

그는 일어나서 조용히 목욕탕 문을 닫았다. 그리고 저녁 식사나 해야겠다고 생각했다. 레스토랑에 내려가자면 계단이나 엘리베이터를 이용해야 했다. 그는 피곤했기 때문에 엘리베이터를 선택했다.

그것이 실수였다.

엘리베이터가 두 층 사이에서 멈추었다.

바로 아래층에서 엘리베이터를 기다리던 투숙객들은 시녜리아즈 박사가 소름 끼치는 비명을 지르면서 온 힘을 다해 엘리베이터 벽을 때리는 소리를 들었다.

「밀실 공포증 환자인가 봐.」

어떤 여인이 말했다.

하지만 종업원이 달려와 엘리베이터를 열었을 때, 안에는 시체 한 구뿐이었다. 시체의 얼굴에 나타난 공포의 표정은 악마와 싸운 사람의 표정 바로 그것이었다.

105. 꿈

조나탕은 잠을 이룰 수 없었다. 모두가 하나가 되는 공동체 의례가 강도를 더해 가면서 잠을 이루기가 점점 어려워졌다.

어제는 다른 어느 때보다도 강한 전율을 느꼈다. 모두가 〈옴〉이라는 하나의 소리를 내고 있던 중에 그는 어떤 이상한 것을 느꼈다. 몸 안의 모든 것을 그 소리가 빨아들이는 듯했다. 손이 장갑에서 빠져나가듯이 그의 내부에 있는 어떤 것이 육신이라는 껍데기에서 빠져나가려고 했다. 조나탕은 무서웠지만, 다른 이들과 함께 있다는 사실이 그를 안심시켰다. 이윽고 몸에서 빠져나간 그것이 다른 이들의 그것과 함께 자유로이 화강암을 지나 개미집으로 올라갔다. 그것은 〈옴〉이라는 음파 같기도 했고 기(氣)나 영혼 같기도 했다.

그런 현상은 오래가지 않았다. 마치 늘어난 고무줄이 원상태로 돌아오듯이, 그것은 순식간에 육신의 껍데기 안으로 되돌아왔다.

그것은 집단적인 꿈이었다. 집단적인 꿈으로밖에 볼 수 없었다.

개미들 곁에서 살았기 때문에 그들은 모두 개미 꿈을 꾸었다. 그는 『백과사전』에 꿈에 대해서 더 자세하게 기술한 대목이 있다는 것을 기억해 냈다. 손전등을 들고 그는 풍금 앞 보면대 위에 있는 『백과사전』을 보러 갔다.

106. 백과사전

꿈

말레이시아의 밀림 깊숙한 곳에 세노이라는 원시 부족이 살고 있었다. 그들은 꿈을 삶의 중심에 놓았다. 그래서 사람들은 그들을 〈꿈의 부족〉이라 불렀다.

매일 아침 불가에 둘러앉아 식사를 하면서 그들은 저마다 간밤에 꾼 꿈에 대해서만 이야기했다. 누군가에게 해를 끼치는 꿈을 꾼 사람은 꿈속에서 해를 입은 사람에게 곧바로 선물을 주어야 했다. 꿈에서 남을 때린 사람은 맞은 사람에게 용서를 구해야 했고 그러기 위해서 선물을 주어야만 했다.

세노이 부족은 현실 세계를 살아가는 데 필요한 교육보다도 꿈의 세계와 관련된 교육을 더 중시했다. 한 아이가 호랑이를 만나 도망치는 꿈을 꾸었다고 얘기하면, 사람들은 아이에게 그날 밤 다시 호랑이 꿈을 꾸고 호랑이와 싸워 그것을 죽이라고 시켰다. 노인들은 아이에게 방법을 일러 주었다. 아이가 호랑이와 싸워 이기지 못하면 부족 사람들이 모두 아이를 나무랐다.

꿈에 큰 가치를 두는 세노이 부족은 성관계를 갖는 꿈을 꾸면 반드시 오르가슴에 이르러야 한다고 생각했고, 현실 세계로 돌아와서는 꿈속의 연인에게 선물로 감사를 표시하는 것이 당연하다고 여겼다. 악몽 속에서 적대적인 상대와 마주치면 반드시 이겨야 했고, 그 사람과 친구가 되기 위해서 그에게 선물을 요구했다. 그들이 가장 갈망하는 꿈은 하늘을 나는 꿈이었다. 부족 사람들 모두가 비상하는 꿈을 꾼 사람에게 축하의 말을 건넸다. 아이에게는 처음으로 비상하는 꿈을 꾸는 것이 기독교 세계의 세례와 같은 것이었다. 사람들은 아이에게 선물을 듬뿍 주었고, 어떻게 하면 미지의 나라에까지 날아가서 신기한 물건들을 가져올 수 있는지 가르쳐 주었다.

세노이 부족은 서양의 민속학자들을 매혹시켰다. 그곳에는 폭력이나 정신병이 없었고, 스트레스나 정복의 야망도 없었다. 노동은 생존에 필요한 최소한으로 엄격히 제한되었다.

세노이 부족은 1970년대에 그들이 살고 있던 숲이 개간되면서 사라졌다. 그러나 오늘부터라도 우리는 그들의 지식을 활용할 수 있다.

전날의 꿈을 매일 아침 기록한 다음, 제목을 달고 날짜를 써넣어라. 그리고 세노이 부족처럼 그 꿈에 대해서 아침 식사 같은 때에 주위 사람과 이야기해 보라. 꿈의 항공학에 관한 기본 규칙을 활용해서 한층 더 멀리 나아가라. 잠이 들기 전에 어떤 꿈을 꿀 것인가를 결정하라. 산들을 솟아오르게 하는 꿈, 하늘의 색깔을 바꾸는 꿈, 낯선 땅을 찾아가는 꿈, 자기가 선택한 동물들과 만나는 꿈 등 어느 것이라도 좋다.

꿈속에서는 누구나 전지전능하다. 꿈의 항공학의 1차 시험은 비행이다. 팔을 벌려 활공(滑空)하고 급강하하고 다시 선회하면서 상승하는 것 등 모든 것이 가능하다.

꿈의 항공학은 점점 높은 수준의 훈련을 요구한다. 〈비행〉 시간이 길어질수록 자신감과 표현력이 증대된다. 어린이들은 다섯 주 만에 꿈을 마음대로 조정할 수 있게 된다. 어른들은 몇 달이 걸리는 경우도 있다.

에드몽 웰스, 『상대적이며 절대적인 지식의 백과사전』 제2권

자종 브라젤은 보면대 옆에서 조나탕을 만났다. 그는 조나탕이 꿈에 관심이 많다는 것을 알고, 실은 자기도 개미 꿈을 꾸었노라고 고백했다. 꿈속에서 개미들이 모든 사람들을 죽였고 살아남은 것은 〈웰스의 사람들〉뿐이었다.

그들은 메르쿠리우스 임무와, 반체제 개미들, 새 여왕 클리푸니 때문에 생긴 문제들에 대해서 이야기했다.

자종 브라젤은 니콜라가 왜 공동체 의례에 항상 불참하느냐고 물었다. 조나탕 웰스는 아이가 아직 참여 의사를 밝히지 않았으며 아이에게 뭔가 전기가 마련되어야 한다고 말했다. 아무도 그런 행위를 권하거나 강요할 수 없는 노릇이었다.

「그러나…….」

브라젤이 무슨 말인가를 하려다 얼버무렸다.

「우리의 깨달음을 아이에게 주입할 수는 없어요. 우리는 밀교의 종파가 아니고, 누구를 개종시키려는 것도 아니잖아

요. 니콜라는 자기가 원할 때 입문하게 되겠지요. 입문 의식은 어찌 보면 죽음과도 같습니다. 고통이 따르는 탈바꿈이지요. 그것은 자기가 원해야 하는 거지 누가 영향을 준다고 되는 건 아니에요. 저는 아이에게 그것을 강요할 생각은 없어요.」

서로를 이해한 두 사람은 느릿느릿 잠자리로 돌아갔다. 그들은 기하학적인 도형 속에서 비행하는 꿈을 꾸었다. 그들은 하늘에 돋을새김된 숫자들을 통과했다. 1. 2. 3. 4. 5. 6. 7.

107. 황금의 벌집 안에서

수직 8 자 춤.

뒤집어진 8 자 춤.

나선 8 자 춤. 비스듬한 8 자 춤. 겹친 8 자 춤.

수평 8 자 춤. 태양을 기준 삼아 각도를 바꾼다.

곧바로 3단계 경보이다. 공중의 파발 벌이 전한 바에 따르면 공격군은 날아다니는 개미들로 이루어져 있다. 여왕벌이 의아해한다. 날아다니는 개미는 암개미와 수개미뿐이고 그것도 공중에서 교미를 하기 위해서만 날지 않는가!

그러나 파발 벌들은 확신에 차 있다. 분명이 개미들이 아스콜레인 쪽으로 날아오고 있다는 것이다. 개미들은 수천 머리 높이에서, 초속 2백 머리로 날아오고 있다고 한다.

꿀벌들이 8 자 춤을 추며 대화를 나눈다.

《모두 몇 마리인가?》

《현재로서는 확인할 수 없다.》

《벨로캉의 불개미들인가?》

《그렇다. 그들이 이미 파발 벌 다섯을 죽였다.》

일벌 스무 마리가 여왕벌 자하하에르샤를 둘러싼다. 여왕벌은 두려워할 것 없다고 부하들에게 이른다. 여왕벌은 밀랍과 꿀의 전당인 황금의 벌집을 금성철벽으로 생각한다. 꿀벌의 한 군체는 8만 마리까지 거느릴 수 있다. 황금의 벌집은 6천 마리밖에 거느리고 있지 않지만 그 일대에서 모두 두려워하는 군체이다. 꿀벌의 세계에서는 아주 드물게도, 이웃 둥지에 대한 침공 정책을 펴고 있기 때문이다.

자하하에르샤는 23호가 했던 이야기들을 되새기고 있다. 왜 그 개미는 그런 것을 알려 주었을까? 그 개미는 손가락들을 치러 가는 원정군에 대해서 얘기했다. 어머니도 언젠가 손가락에 대해서 말씀하신 적이 있었다.

《손가락들은 곤충들하고는 다르단다. 전혀 다른 세계에 살고 있지. 손가락들과 곤충들을 혼동해서는 안 된다. 손가락들을 보면 모른 체하려무나. 그러면 그들도 너를 모른 체할 게다.》

자하하에르샤는 어머니 말씀에 그대로 따랐다. 백성들에게도 그렇게 가르쳤다. 그들을 공격하지도 말고 돕지도 말라고 일렀다.

여왕벌은 부하들에게 잠시 휴식을 취하면서 꿀을 좀 먹어 두라고 지시한다. 꿀은 생명의 양식이다. 꿀은 완전히 소화, 흡수될 수 있는 먹이이다. 그만큼 순수한 물질인 것이다.

자하하에르샤는 이번 전쟁을 피할 수 있을 것이라고 생각한다. 벨로캉 개미들은 자기들이 그냥 지나갈 수 있게 해달라고 청하러 오는 것일 게다. 그들이 원하는 것은 협상이지 전쟁이 아니다. 개미 몇 마리가 공중에 있다고 해서 그들이 공중전의 기술을 터득한 것으로 볼 수는 없다. 물론 개미들이 파발 벌들을 쉽게 해치우기는 했지만 아스콜레인 군대에 맞서서도 그럴 수 있을까?

어림도 없지. 우리 군대는 결코 패배하지 않을 것이다. 우리는 맞서 싸울 것이고 개미들과 벌이는 최초의 전투를 반드시 승리로 이끌 것이다.

여왕벌은 곧바로 병정벌들의 사기를 북돋는 벌들을 소집한다. 그들은 흥분을 잘 하고 다른 벌들을 흥분시킬 줄 아는 벌들이다. 자하하에르샤는 전투 준비를 명한다.

《벨로캉 개미들을 안에까지 들어오게 해서는 안 된다. 공중에서 그들을 차단하라!》

명령이 떨어지자마자 병정벌들이 모여든다. 그들은 밀집 편대를 지어 이륙한다. 말벌과 전투할 때처럼 V 자 대형을 짓는다.

황금의 벌집 안에 있는 모든 날개가 3백 헤르츠로 진동한다. 전동기가 윙윙거리는 소리 같다.

브즈즈즈즈즈즈즈즈 브즈즈즈……. 독침들은 숨겨져 있다. 그것들은 적을 죽일 때만 빠져나올 것이다.

108. 방향 전환

샤를 뒤페롱은 집무실에 자크 멜리에스를 불러다 놓고 방 안을 빙빙 돌고 있었다. 그의 기분은 상할 대로 상해 있었다.

「믿는 도끼에 발등 찍힌다더니, 이거 원 내가 그 꼴이 되었으니.」

자크 멜리에스는 〈그런 일이야 정계에서는 다반사지요〉

라고 말하려다가 꾹 참았다.

뒤페롱이 한바탕 퍼부을 기세로 다가왔다.

「나는 자네의 재능을 믿었네. 그런데 웰스 박사의 딸은 왜 잡아넣어 가지고 웃음거리가 되나 그래. 그것도 신문 기자를 말이야.」

「그 기자는 제가 사건의 단서를 잡았다는 사실을 알고 있는 유일한 사람이었습니다. 게다가 집에서 개미를 키우고 있었고요. 그런데 바로 그날 저녁에 개미가 제 방에 쳐들어왔습니다.」

「이 사람아, 그걸 말이라고 하나? 개미가 어디 자네만 공격하던가? 나도 숲속에서 엄청나게 많은 개미들에게 공격을 당했잖은가.」

「아 참, 아드님은 괜찮습니까?」

「완전히 회복되었지. 그런데 정말 희한하더군. 의사는 벌에 쏘였다고 진단하더라고. 개미 떼에 뒤덮여 있었다는데도 우리 애의 상처가 벌에 쏘인 것으로밖에 볼 수 없다는 거야. 그런데 벌에 쏘였을 때 맞는 혈청 주사를 놓으니까 금방 나아 버리지 뭔가. 도무지 믿기지 않는 일이지.」

국장은 고개를 설레설레 흔들고 말을 이었다.

「이제 개미라면 넌더리가 나. 그래서 지방 의회에 방충 사업 계획을 입안해 달라고 요청했지. 퐁텐블로의 숲에 DDT를 살포해서 벌레들을 박멸하면 시민들이 몇 년 동안 안심하고 소풍을 즐길 수 있을 거야.」

뒤페롱 국장은 커다란 레장스식 책상 뒤로 가 앉으면서 불만이 가시지 않은 어투로 말했다.

「이미 웰스 씨를 석방하도록 지시했네. 시녜리아즈가 살해당함으로써 자네가 체포한 용의자는 무죄가 입증된 셈일세. 우리 꼴이 말이 아니야. 그런 어처구니없는 실수는 한 번으로 족해.」

멜리에스가 항변할 기미를 보이자 국장은 더욱 화를 내며 말했다.

「웰스 씨의 정신적 피해에 대해 최대한 사과하고 응분의 보상을 하라고 지시해 놓았네. 그렇다고 그 여자가 경찰 헐 뜯는 기사를 안 쓸 리가 없겠지만. 결국 경찰의 체면을 세우려면 한시바삐 진범을 잡는 수밖에 없어. 피살자 가운데 하나가 자기 피로 〈푸르미〉라는 단어를 써놓고 죽지 않았는가 말일세. 전화번호부를 뒤져 보면 알겠지만 푸르미라는 성을 가진 사람은 열네 명밖에 안 돼. 나야 수사의 수자도 모르는 사람이지만, 죽어 가는 사람이 마지막 힘을 다해 푸르미라는 단어를 썼다는 얘기를 들었을 때, 대번에 그게 살인자의 성이라고 생각했지. 그런 방향으로 수사를 해보는 게 어떻겠나.」

멜리에스가 입술을 깨물었다.

「듣고 보니 그럴 수도 있겠군요. 그런 쪽으로는 전혀 생각을 못 했습니다.」

「그럼, 당장 착수하게, 멜리에스 경정. 이번엔 실수 없도록 하게.」

109. 백과사전

분봉

꿀벌의 세계에서 분봉(分蜂)은 특이한 의식을 거쳐 이루어진다. 도시이자 왕국인 하나의 군체가 번성의 절정기에 이르러 느닷없이 분봉을 하기로 결정한다. 여왕벌은 백성들을 번영으로 이끌고 나서 자기의 가장 소중한 것들, 즉 왕국의 영토, 안락한 터전, 화려한 궁궐, 둥지 안의 밀랍과 꽃가루와 꿀과 로열 젤리 등을 포기하고 떠난다. 그러면 여왕벌은 그것들을 누구에게 물려주는가? 갓 태어난 벌들에게이다.

여왕벌은 일벌들을 데리고 한 번도 가본 적이 없는 다른 곳에 터를 잡는다.

여왕벌이 떠나고 몇 분 후, 어린 벌들은 버려진 왕국에서 잠을 깬다. 어린 벌들은 자기들이 해야 할 일이 무엇인지를 본능으로 알고 있다. 비생식 일벌들은 서둘러 생식 암벌들이 부화하는 것을 돕는다. 성스러운 알 속에 웅크리고 있던 잠자는 숲속의 미녀들이 알에서 나와 최초의 날갯짓을 경험한다.

제일 먼저 걷기 시작한 암벌이 대뜸 다른 암벌들을 해치는 행동을 한다. 다른 암벌들에게 달려들어 작은 위턱으로 그들을 눌러 버린다. 그 암벌은 일벌들이 밑에 깔린 암벌들을 빼내지 못하게 막고는 독침으로 자매들을 찔러 버린다.

희생자가 늘어날수록 안도감도 커진다. 행여 어린 왕녀들을 보호하려는 일벌이 있으면, 제일 먼저 깨어난 암벌이 날갯짓으로 대갈일성한다. 벌집 주변에서 흔히 들을 수 있는 보통의 날갯짓 소리와는 사뭇 다르다. 그러면 신하들은 단념의 뜻으로 머리를 조아리고 살생이 계속되도록 내버려 둔다.

그 공격을 모면하는 암벌들이 간혹 있는데, 그러면 암벌들끼리 결투가 벌어진다. 그런데 이상한 것은, 두 암벌만 남게 되면 상대를 독침으로 찌르는 자세를 결코 취하지 않는다는 것이다. 어떤 일이 있어도 한 마리의 암벌은 살아남아야 한다. 오로지 왕국을 건설하고자 하는 열망이 대단히 강렬함에도 불구하고, 둘이 동시에 죽음으로써 둥지가 부모 잃은 자식 꼴이 되어 버리는 위험을 무릅쓰지는 않는다.

마지막으로 남은 유일한 암벌은 둥지에서 나와 수컷들과 비행하면서 정받이를 한다. 왕국을 한두 바퀴 돌고 돌아와 암벌은 알을 낳기 시작한다.

에드몽 웰스, 『상대적이며 절대적인 지식의 백과사전』 제2권

110. 매복

꿀벌들의 비행 편대가 위풍당당하게 공기를 가른다. 아스콜레인 꿀벌 하나가 옆에서 날고 있는 동료에게 신호를 보낸다.

《저 수평 8 자 춤을 보게. 벨로캉 개미들이 날고 있다는 것을 우리 파발 벌들이 분명히 알려 주고 있네.》

다른 꿀벌이 자신감을 가지려고 애쓰며 대꾸한다.

《날아다니는 건 생식 개미밖에 없네. 아마 떼 지어 결혼 비행을 하는 걸 거야. 그것들이 뭐 공격다운 공격을 할 수 있겠어?》

그 꿀벌은 자신의 힘과 자기네 군대의 힘을 의식하고 있다. 언제든 무모한 불개미들의 딱지를 구멍 낼 태세가 되어 있는 배 끝의 뾰속한 침, 자기에게 힘을 줄 내장 속의 꿀, 개미들에게 괴로움을 안겨 줄 독. 뒤에 있는 태양마저도 다가오는 개미들의 눈을 멀게 한다.

한순간, 자기들의 무모함 때문에 비싼 대가를 치르게 될 그 곤충들에 대한 연민이 스치고 지나간다. 그러나 파발 벌들의 복수를 해야 한다. 땅 위에 있는 모든 것이 꿀벌들의 지배하에 있다는 것을 저 개미들이 깨닫게 해야 한다.

저 멀리에서 두루마리구름이 뭉실뭉실 피어오른다. 홍분한 꿀벌 한 마리가 제안한다.

《저 구름 속에 숨어 있다가, 녀석들이 나타나면 위에서 덮치자.》

그러나 꿀벌들이 날갯짓 1백 번이면 닿을 만큼 구름에 접근하자마자 상상도 할 수 없는 일이 벌어진다. 꿀벌들은 자기들의 더듬이, 자기들의 눈을 의심한다. 너무나 놀란 나머지 날갯짓 회수가 초당 3백에서 50으로 떨어진다.

꿀벌들의 비행은 잿빛 구름을 목전에 두고 제동이 걸린다.

어스름.

네 번째 비밀   **대결의 시대**

111. 푸르미라는 성을 가진 사람

초인종을 누르자마자, 한 뚱뚱한 사내가 문을 열었다.

「올리비에 푸르미 씨입니까?」

「그렇습니다만, 무슨 일이죠?」

멜리에스는 삼색 줄이 그어진 공무원증을 내보였다.

「경찰입니다. 경정 멜리에스라고 합니다. 들어가서 몇 가지 질문을 드려도 될까요?」

「예, 그렇게 하시죠.」

그 남자는 전화번호부에 기입되어 있는 마지막 〈개미〉였다. 그의 직업은 교사로 나와 있었다.

멜리에스는 피해자들의 사진을 보여 주며 아느냐고 물었다.

「아뇨.」

그가 놀라며 대답했다.

멜리에스는 사건 발생 당시 그가 무엇을 했는지 물었다. 올리비에 푸르미에게는 증인도 알리바이도 충분했다. 그는 늘 학교에 있거나 아니면 가족과 시간을 보냈다. 그가 무죄라는 사실은 너무나 쉽게 입증되었다.

그때 그의 아내인 엘렌 푸르미가 나타났다. 엘렌은 나비 무늬가 찍힌 실내복을 입고 있었다. 그걸 보자 멜리에스의 뇌리에 어떤 생각이 떠올랐다.

「푸르미 씨, 살충제를 사용하시나요?」

「천만에요. 어려서부터, 나를 〈더러운 개미〉로 놀리는 얼간이들이 있었어요. 그런 수모를 당하면서 나는 사람들이 아무 생각 없이 발꿈치로 눌러 버리는 그 곤충과 어떤 유대감을 느끼게 되었죠. 아마 팡뒤[20]라는 성을 가진 사람이 있다면, 그의 집에는 밧줄이 없을 겁니다. 제 말뜻을 아시겠어요? 마찬가지로 이 집엔 살충제가 없지요.」

그때 오펠리 푸르미가 불쑥 나타나 그의 아버지에게 몸을 바싹 기댔다. 안경이 두껍기로 학급에서 첫째가는 여자아이였다.

「제 딸아이예요. 방에 개미집을 두고 관찰하고 있답니다. 얘야, 그것을 이분께 보여 드리렴.」

오펠리는 멜리에스를 커다란 사육통이 있는 곳으로 데리고 갔다. 레티시아의 사육통과 비슷한 것이었다. 사육통은 개미로 가득했고, 잔가지로 된 원추형 뚜껑으로 덮여 있었다.

「개미 판매는 금지된 것으로 알고 있는데요.」

「사지 않았어요. 숲에서 파 온 거예요. 여왕개미가 달아나지 않도록 땅을 충분히 깊게 파서 옮겨 담은 거예요.」

어린 딸이 반박하는 걸 보고 올리비에 푸르미는 딸아이를 매우 대견해했다.

「저 애는 커서 생물학자가 되고 싶어 하죠.」

「아, 그래요? 저는 아이가 없어서 개미가 〈장난감〉으로 유행하는 줄은 몰랐습니다.」

20 Pendu. 〈교수형을 당한 사람〉 또는 〈목매달아 죽은 사람〉이라는 뜻.

「장난감으로 유행하는 게 아닙니다. 우리 사회가 점점 개미 사회처럼 되어 가니까 개미가 유행하는 것입니다. 아마도, 개미를 관찰하면서, 아이는 사회를 더 잘 이해할 수 있을 것 같은 느낌을 받을 겁니다. 다른 데 이유가 있는 게 아닙니다. 경정께서는 개미 사육통을 관찰하면서 시간을 보낸 적이 있으십니까?」

「아니요. 개미에 별로 관심이 없어서 말이죠…….」

자크 멜리에스는 내심 개미 애호가들이 많다는 사실에 놀라고 있었다. 모든 개미 애호가들이 자기 주변에만 있는 것인지, 아니면 그들이 정말 커다란 사회를 형성하고 있는 것인지 모르겠다고 생각했다.

「누구예요?」

오펠리 푸르미가 물었다.

「경정이야.」

「경정이 뭐예요?」

112. 잿빛 두루마리구름

두루마리구름 뭉치들이 뭉실뭉실 피어오른다.

황금의 도시 꿀벌들은 처음에 회색 구름 속에서 튀어나오는 것들이 소란스러운 왕파리들인 줄로만 알았다가 잠시 후에야 그것들이 무엇인지를 깨닫는다.

왕파리들이 아니다!

딱정벌레목 곤충들이다. 그러나 풍뎅이나 쇠똥구리는 아니다. 맞다, 저것들은 바로 뿔풍뎅이들이다.

뿔이 돋은 커다란 곤충들이 요란한 소리를 내며 날고 있고, 그 위에 포문을 열 준비를 한 개미들이 작은 대포처럼 타고 앉아 있는 모습이란 정말 무시무시하기 짝이 없다.

꿀벌들은 잠시 의아해한다.

《어떻게 저 커다란 동물들을 길들여 싸움에 이용할 수 있었을까?》

어느새 뿔풍뎅이 20여 마리가 다가와 그늘을 드리운다. 벌들은 더 이상 궁금해할 시간이 없다. 뿔풍뎅이들은 벌써 벌들에게 기습을 가하고, 위에 타고 있는 불개미 포병들은 개미산을 발사한다.

벌들의 대형은 V형에서 점차 W형으로, 심지어 도망치는 XYZ형으로 바뀌고 있다.

기습의 효과는 완벽하다. 뿔풍뎅이마다 꿀벌들에게 강력한 개미산 포를 쏘는 네댓 마리의 포수 개미를 싣고 있다.

아스콜레인 꿀벌들은 잠시 멈추어 정신을 차린 후, 독침을 뽑는다.

《점선 대형으로! 뿔풍뎅이들을 습격하라!》

한 아스콜레인 꿀벌이 소리 지른다.

뿔풍뎅이 제2진이 달려든다. 그러나 꿀벌들이 대오를 수습한 마당이어서, 공격의 효과가 제1진만 못하다. 꿀벌들은 개미산 포를 피해 뿔풍뎅이의 배 아래로 내려가 목을 찾고는, 그곳에 독침을 쏘려고 기어 올라온다. 이제 뿔풍뎅이와 그들의 서툰 조종사들이 아찔하게 추락하면서 버둥거린다.

춤으로 나타내는 꿀벌의 명령이 떨어진다.

《공격! 돌격하라!》

독침이 비 오듯 쏟아진다.

꿀벌들은 갈고리 모양의 독침을 타고난다. 희생자 살 속에 독침이 박히면 꿀벌들은 독침을 빼내려고 버둥거리다가 독샘이 뽑혀 나가면서 죽음을 맞는다. 개미의 딱지는 뿔풍뎅이와는 달리 꿀벌의 독침을 붙들어 두지 못한다.

몇 분도 지나지 않아 몇몇 뿔풍뎅이들이 추락한다.

하지만 다른 뿔풍뎅이들은 동요하지 않고 마름모꼴로 대형을 좁혀서 꿀벌들의 마지막 삼각 대열과 맞서 싸운다.

질서 정연하던 전투 대형이 흐트러진다. 개미의 마름모꼴 전투 대형은 더 작고 촘촘한 몇 개의 마름모꼴로 바뀌고 꿀벌의 삼각형 대열은 고리형으로 바뀐다.

1백여 개의 전장이 수직으로 겹겹이 포개져 있고, 그 속에서 벌이는 격전은 흡사 층층이 놓인 1백 개의 체스판에서 벌이는 체스 게임과 같다.

전장의 모습이 장관이다. 벨로캉의 항공대가 반짝인다. 꿀벌들은 뜨거운 기류를 이용하여 올라가더니 뿔풍뎅이 항공대로 뛰어든다. 마치 한 무리의 작은 배들이 커다란 함선에 덤벼드는 형국이다.

개미들이 60퍼센트 개미산으로 일제히 사격을 한다. 액체 포탄을 사용하는 자동 속사포라 할 만하다. 고열에 탄 날개에서 연기가 나고, 타격을 받은 꿀벌들이 비약하여 뿔풍뎅이의 갑각에 삭은 화살을 박으려고 애쓴다.

독침이 너무 가까이 다가와 포를 겨눌 수 없게 된 포수 개미들은 집게 같은 위턱으로 꿀벌들을 물리친다.

꿀벌들이 필사의 각오로 덤벼든다. 침이 종종 뿔풍뎅이의 껍질에서 미끄러져 나가 입에 박힌다. 순식간에 죽음이 찾아온다.

개미산에 맞아 타는 꿀 냄새가 진동한다.

독이 다 떨어진 벌들은 적의 몸에 주사기를 꽂았으나 독약을 더 이상 주입할 수가 없다. 포수 개미들의 개미산도 동나 이제 화염 방사기가 작동하지 않는다. 위턱과 마른 침이 서로 부딪치며 최후의 접전을 벌인다. 보다 빠르고 날랜 쪽이 이기는 것이다.

뿔풍뎅이들은 때때로 머리에 돋은 뿔로 꿀벌들을 찔러 죽인다. 노련한 뿔풍뎅이는 뺨으로 적을 밀어붙이고 뿔로 파고든다. 운이 나쁜 병정벌 네 마리가 검은 줄이 그어진 노란 과일 꼬치처럼 뿔풍뎅이의 뿔에 꽂혀 있다.

병정개미 103호는 꿀벌 하나가 9호와 접전 중인 것을 발견하고 오른쪽 위턱을 꿀벌의 등에 박는다. 곤충의 세계에서는 등 뒤에서 찌르는 것이 금지되어 있지 않다. 살아 있는 한 모든 공격이 허용된다.

뿔풍뎅이 위에 홀로 탄 병정개미 9호가 전투 대형으로 모여 있는 꿀벌들에게 돌진한다. 적진에서는 곧 날카로운 창이 삐죽삐죽 솟아난다. 선두의 뾰족한 침들이 9호를 찌르려고 하지만, 뿔풍뎅이를 탄 9호가 너무나 빨리 달아나기 때문에 어느 것도 그를 따라잡을 수가 없다. 뿔풍뎅이의 뿔이 적의 가시 전선과 충돌하자 꿀벌 떼가 흩어진다.

103호는 뒷다리 둘로 버티고 서서 요란하게 붕붕거리는 꿀벌 두 마리와 접전을 벌인다. 103호의 위턱이 사브르라면 꿀벌들의 독침은 플뢰레[21]다. 그러나 103호가 타고 있는 뿔풍뎅이가 아래로 내려가기 시작한다. 그의 뿔 주위에 꿀벌들이 쏘아 댄 독침들이 잔뜩 박혀서 비행 자세를 유지하기가

21 펜싱 경기에서 사브르는 찌르거나 자르는 두 기술을 사용하지만, 플뢰레는 표적에 칼을 찌르기만 한다.

어렵다.

기진맥진한 뿔풍뎅이가 허공에 피를 뿌리며 추락한다. 뿔풍뎅이가 거의 베고니아에 닿으려 한다.

103호가 비상 착륙을 시도한다.

아직도 그의 위엔 꿀벌들이 있지만, 포수 개미들이 재빨리 달려와 꿀벌들을 쫓아낸다.

이제 103호는 아주 중요한 다른 일에 착수해야 한다.

전투원들 위쪽에서 꿀벌들이 전황을 알리려고 8 자 춤을 춘다.

《우리는 새로운 부대가 필요해.》

증원군이 벌집을 떠난다.

새로운 비행 부대는 대부분 생후 20일에서 30일 된 젊고 용감한 꿀벌들로 구성되어 있다.

한 시간가량의 치열한 접전 끝에, 벨로캉은 참전한 뿔풍뎅이 30마리 가운데 12마리와, 병정개미 3백 마리 가운데 120마리를 잃었다.

한편, 작은 구름 쪽으로 파견되었던 7백 마리의 아스콜레인 꿀벌들 가운데 4백 마리가 전사했다. 살아남은 꿀벌들은 망설인다. 끝까지 싸우는 것과 둥지를 지키기 위해 돌아가는 것 중 어느 쪽을 선택해야 할까? 꿀벌들은 둥지를 지키기로 한다.

뿔풍뎅이들과 벨로캉의 병정개미들이 황금의 벌집에 다다라 보니, 그곳은 이상하게도 텅 빈 듯하다. 9호가 선두에 선다. 불개미들은 순간 허방다리임을 감지하고 입구에서 망설인다.

113. 백과사전

연대 의식

연대 의식은 기쁨이 아닌 고통에서 생긴다. 누구나 즐거운 일을 함께한 사람보다 고통의 순간을 함께 나눈 사람에게 더 친근함을 느낀다.

불행한 시기에 사람들은 연대 의식을 느끼며 단결하지만, 행복한 시기엔 분열한다. 왜 그럴까? 힘을 합해 승리하는 순간, 각자는 자신의 공적에 비해 보상이 부족하다고 느끼기 때문이다. 자기가 공동의 성공에 기여한 유일한 장본인이라고 생각한다. 그리고 서서히 소외감에 빠진다.

얼마나 많은 가족이 상속을 둘러싸고 사이가 벌어지는가? 성공을 한 다음의 로큰롤 그룹이 함께 남아 있는 경우가 얼마나 되는가? 얼마나 많은 정치 단체들이 권력을 잡은 후 분열하는가?

어원적으로 보면, 〈공감sympathie〉이란 말은 〈함께 고통을 겪다〉라는 뜻의 sun pathein에서 유래한다. 마찬가지로 〈연민compassion〉이란 말 또한 〈함께 고통을 겪다〉라는 뜻의 라틴어 cum patior에서 생긴 것이다.

사람은 자기 집단의 헌신적인 구성원들이 겪은 고통을 생각하면서, 세상에 자기 혼자뿐인 것 같은 견디기 어려운 순간을 이겨 낼 수 있는 것이다.

어떤 집단에 응집력과 결속력이 건재하는 것은 함께 나눈 어려운 시절에 대한 기억 때문이다.

에드몽 웰스, 『상대적이며 절대적인 지식의 백과사전』 제2권

114. 벌집에서

9호는 뿔풍뎅이에서 내려 더듬이로 냄새를 맡는다. 주위에 다른 개미들이 도착하자 바로 협의에 들어간다.

《매우 위험한 지역이므로 특공 대형으로 들어가자.》

개미들은 밀집된 방진(方陣)을 짜고 벌집으로 침투한다. 벌집 안에서는 나는 뿔풍뎅이가 더 이상 필요치 않을 것 같아서 개미들은 뿔풍뎅이들을 입구에 남겨 두고, 그동안 진득하게 기다릴 수 있도록 약간의 나무껍질을 뜯어 먹으라고 준다.

벨로캉 전사들은 자기들이 성전을 침입하고 있는 느낌을 갖는다. 꿀벌이 아닌 어떤 것도 결코 들어온 적이 없는 곳이다. 개미들은 밀랍 벽에 눌어붙을까 저어하면서 조심스럽게 나아간다.

완벽한 기하학적 구조로 된 칸막이가 금빛을 발한다. 새어 든 몇 줄기 빛에 꿀이 반짝인다. 밀랍 판은 마로니에와 버드나무 눈 껍질에서 구한 불그스름한 고무로 용접되어 있다.

《아무것도 건드리지 마!》

9호가 외친다.

하지만 너무 늦었다. 꿀에 이끌려 그 맛을 보고 싶어 하던 개미들이 곧바로 말려든 것이다. 거기에서 그들을 빼내기란 불가능하다. 구하려는 자들마저도 그 늪에 빠져 들어가기 때문이다.

아직까지 개미산을 약간 간직하고 있던 포수 개미들이 불시의 기습에 맞서 신속하게 포를 쏘려고 뒤로 물러선다.

달콤한 냄새 속에 매복의 낌새가 가득하다.

《아무것도 건드리지 마!》

개미들은 아스콜레인 일벌들과 병정벌들이 밀랍 방 속에 숨어 명령이 떨어지기만을 기다리고 있음을 냄새로 감지한다.

벨로캉 원정군은 육각형의 방들이 격자 모양으로 늘어선 곳에 다다른다. 그것은 우라늄 덩어리 대신 아스콜레인의 미래 시민들이 들어 있다는 점만 빼면 마치 원자로의 한복판 같다. 그곳엔 알이 담긴 구멍 8백 개, 애벌레가 들어 있는 구멍 1천2백 개, 하얀 번데기가 차지하고 있는 구멍 2천5백 개가 있다. 중앙엔 훨씬 중요한 구멍 6개가 있다. 그곳에는 생식 능력을 지닌 암벌의 애벌레들이 자란다.

개미들은 문명의 절정에 이른 것 같은 건축물에서 강렬한 인상을 받는다. 개미의 도시엔, 최소의 노력으로 최대의 효과를 올린다는 원리에 따라 되는대로 건설된 무질서한 통로 외에는 볼거리가 없다. 개미들이 벌들보다 지능이 떨어지거나 덜 세련된 것일까? 벌의 뇌 크기를 고려하면 뇌 용량이 개미보다 훨씬 방대하다고 할 수 있다. 그러나 클리푸니 여왕의 생물학 연구는 지능이 단지 뇌 용량으로 결정되는 것이 아님을 보여 주고 있다. 곤충들은 신경 조직이 온몸에 복잡하게 얽혀 있다. 개미들에겐 이것이 훨씬 더 중요하다.

개미들은 계속 전진하여 식량으로 가득 찬 창고를 발견한다. 그곳에는 벌집의 모든 식구들 몸무게의 20배는 될 10킬로그램가량의 꿀이 있다. 흥분한 개미들은 더듬이를 심하게 떨며 토론에 들어간다.

섣부른 모험은 너무 위험하다는 결론이 나왔다. 개미들은 되돌아서 출구 쪽으로 향한다.

《도망자들에게 덤벼라! 침입자들이 벽 사이에 갇혀 있는 동안에 공격하라!》

어떤 벌이 신호를 보낸다.

육각형 구멍 곳곳에서 작은 병정벌들이 쏟아져 나온다.

개미들이 독침 공격을 받고 쓰러진다. 바닥 끈끈이에 걸린 개미들은 싸워 보지도 못하고 숨을 거둔다.

그렇지만 9호를 포함한 특공대의 주력 부대는 벌집에서 빠져나오는 데 성공하여 뿔풍뎅이를 타고 달아난다. 아스콜레인 병정벌들이 승리의 페로몬을 뿜으며 개미들을 추격한다.

하지만 황금의 벌집에서 승리를 자축할 준비를 할 즈음 불길한 소리가 들린다. 아스콜레인의 천장이 무너지면서 1백여 마리의 개미들이 침투한다.

103호는 완벽한 전술을 세웠다. 꿀벌들이 개미들을 쫓고 있는 동안, 103호는 급히 나무로 올라가 다수의 벨로캉 개미들을 병정벌들이 빠져나간 황금의 도시로 돌격시켰다.

《아무거나 다 파괴하지 않도록 주의하라. 희생을 최소한으로 줄여야 한다. 생식 기관이 있는 애벌레를 볼모로 잡아라!》

자하하에르샤 여왕의 친위 병정벌에게 개미산을 난사하며 103호가 명령한다.

잠시 후 생식 애벌레들이 원정군 병정개미들의 집게에 모두 목이 잡힌다. 황금의 도시 아스콜레인 꿀벌들은 결국 벨로캉에 정복되고 말았다.

여왕벌은 비로소 모든 것을 파악했다. 개미 돌격대의 침입은 교란 작전일 뿐이었다. 그 틈을 타서 뿔풍뎅이들을 잃은 개미들이 벌집 지붕을 뚫고 처음보다 훨씬 위험한 기습을 해온 것이었다.

〈잿빛 두루마리구름〉 전투를 승리로 이끎으로써 개미들은 이 지역에서 세 번째로 큰 규모의 정복을 이루어 낸 셈이다.

《이제 당신들이 원하는 건 무엇인가? 우리를 모두 죽일 것인가?》

여왕벌이 묻는다.

《우리의 목표는 당신들이 아니라 손가락들이오. 손가락들이 우리의 유일한 적이오. 벨로캉 개미들이 꿀벌과 싸울 이유는 없소. 우리는 손가락들을 죽이기 위해 당신들의 독을 원할 뿐이오.》

9호가 대답한다.

《그렇게 많은 노력을 기울일 만큼 손가락들이 아주 중요한 모양이군.》

자하하에르샤 여왕벌이 페로몬을 발한다.

103호는 꿀벌 부대의 지원도 요청한다. 여왕벌이 동의하여 〈꽃의 수비대〉라는 정예 비행 부대를 제안하자, 곧 3백 마리의 꿀벌이 윙윙거리기 시작한다. 103호가 만나 보니, 그들은 아스콜레인 꿀벌 가운데 벨로캉 부대에 가장 큰 피해를 입힌 병정벌들이다.

원정군은 황금의 벌집에서 하룻밤 머물게 해줄 것과 군량으로 쓰게 꿀을 나누어 줄 것을 다시 요청한다.

아스콜레인 여왕벌이 묻는다.

《당신들은 왜 손가락들을 공격하는가?》

손가락들이 불을 사용하여 모든 종족에게 해를 입히기 때문이라고 9호가 설명한다.

전에 곤충들은 불을 사용하는 모든 것에 대항하기로 협정을 체결하였던바 이제 그 협정을 준수할 때가 온 것이다.

그때 벌집 윗구멍에서 나오는 23호를 9호가 목격한다.

《자네 여기서 뭘 하고 있었나?》

9호가 더듬이를 곧추세우며 묻는다.

《여왕벌 방을 구경하고 나오는 참이에요.》

23호가 얼버무리자 감정이 상한 9호가 화를 낸다. 두 개미의 관계가 악화된다.

103호가 그들을 떼어 놓으며, 24호는 어디에 있느냐고 묻는다.

24호는 마지막 공격 때 벌집 안에서 길을 잃었다. 24호는 전투에 참가하여 벌들과 용감하게 싸웠다.

그런데…… 그는 지금 자기가 어디에 있는지 전혀 모르고 있다. 빛이 드는 곳인데도 안심이 되지 않는다. 그럼에도 불구하고 그는 나방 고치를 여전히 잘 간직하고 있다. 24호는 죽 늘어선 육각형 구멍을 돌아다니면서, 다음 날 아침까지는 원정군과 합류할 수 있기를 기대하고 있다.

115. 후텁지근한 지하철 안에서

자크 멜리에스는 사람들이 빽빽이 들어선 전동차 안에서 질식할 것만 같았다. 전동차가 굽이돌 때 어떤 여자의 배에 몸이 부딪혔다. 누군가가 약간 메마르고 거친 목소리로 항의했다.

「좀 조심할 수 없어요?」

그는 먼저 그 목소리를 식별했고, 잠시 후 찌든 때와 땀 냄새 너머로 그윽한 향기를 맡았다. 베르가모트 향, 베티베르 향, 귤 향, 갈락솔리드 향, 백단향에 피레네 야생 염소 사향이 살짝 곁들여진 내음…….

〈저는 레티시아 웰스예요.〉

향기가 속삭이는 것 같았다.

사나운 눈초리로 그를 쏘아보는 연보랏빛 눈길, 그래 바로 그녀였다.

레티시아는 증오에 찬 눈빛으로 그를 뚫어지게 바라보고 있었다. 전동차의 문이 열리자 스물아홉 명이 나가고 서른다섯 명이 다시 들어왔다. 차 안이 조금 전보다 훨씬 더 빽빽해지면서 이제는 옆 사람의 숨소리까지 들렸다.

몽구스 새끼를 통째로 잡아먹으려고 벼르는 코브라처럼 그녀가 쏘아보자, 멜리에스는 그녀의 눈길을 더 이상 피할 수 없었다.

레티시아는 죄가 없었는데, 그가 너무 경솔하게 행동했다. 전에 그들은 의견을 나누었고 서로 호감도 가졌었다. 레티시아는 그에게 꿀술을 대접했으며, 그가 늑대를 두려워한다고 하자 레티시아는 사람들을 두려워한다고 말하지 않았던가. 단 한 번의 실수로 망쳐 버린 친교의 순간들이 너무나 아쉬워 그는 그녀에게 사과하고 싶었다. 그녀가 용서해 주리라 믿으면서.

「웰스 씨, 할 말이 있는데요……. 제가 얼마나…….」

레티시아는 차가 멈추자 사람들 사이로 빠져나갔다.

신경질적인 발소리가 지하철 통로에 울렸다. 레티시아는 더러운 장소에서 조금이라도 빨리 벗어나려는 듯 거의 뛰다시피 했다. 순간 레티시아는 음흉한 눈길들이 자기를 에워싸고 있음을 느꼈다.

　음침한 복도. 습한 통로. 어슴푸레한 네온 빛이 깔려 있는 미로.

　「어이, 멋쟁이 아가씨! 데이트나 할까?」

　비닐 점퍼를 입은 불량배 세 명이 다가왔다. 그 가운데 하나는 며칠 전 그녀에게 시비를 걸었던 그 사내였다. 그녀가 무시하고 발걸음을 재촉했지만, 사내들은 장화의 징으로 바닥을 울리며 따라왔다.

　「혼자야? 잠시 얘기나 나누는 게 어때?」

　레티시아는 우뚝 멈춰 서서 눈동자 속에 〈꺼져!〉라는 단어를 담았다. 지난번에는 그것이 통했는데, 오늘은 그녀의 매서운 눈빛이 그 악당들에게 아무런 영향을 주지 못하는 것 같았다.

　「눈이 예쁜데, 네 것이긴 한 거냐?」

　키가 크고 턱수염을 기른 사내가 빈정거렸다.

　「아냐, 빌린 걸 거야.」

　또 한 사내가 대꾸했다.

　상스러운 웃음들, 등에 닿는 손길, 수염을 기른 사내가 접칼을 꺼냈다.

　레티시아는 갑자기 자신감을 모두 잃고 맹수 앞의 가녀린 사냥감이 되어 버렸다. 그러자 사내들은 곧바로 야수가 되었다. 레티시아는 급히 도망치려 했지만 허사였다. 사내들 가운데 하나가 그녀의 팔을 잡아 등 뒤로 비틀었다.

　레티시아는 비명을 질렀다.

　환하고 그리 한적하지만은 않은 통로. 사람들이 그 무리와 마주쳤지만 그들은 고개를 숙이고 그 장면을 전혀 이해하지 못한 체하면서 발걸음을 재촉했다. 곧 칼부림이 벌어질지도 모른다고 마음을 졸여 가면서……

레티시아 웰스는 겁에 질렸다. 그녀가 평소에 사용하던 어떤 무기도 이 짐승들에게는 통하지 않았다.

턱수염, 대머리, 우람한 사내, 그들에게도 웃으며 푸른 배내옷을 짜주던 어머니가 있었을 것이다.

약탈자들은 눈을 번득였고, 사람들은 걸음을 빨리 재촉하면서 계속 그들 주위를 스쳐 지나갔다.

「원하는 게 뭐죠, 돈인가요?」

레티시아가 더듬거리며 물었다.

「돈? 그건 좀 나중에. 지금 당장은 너한테 관심이 있어.」

대머리가 히죽히죽 웃으며 말했다.

턱수염은 벌써 뾰족한 칼끝으로 그녀의 웃옷 단추를 하나하나 끌러 나갔다.

레티시아는 몸부림쳤다.

이렇게 당한다는 건 말도 안 된다. 오후 4신데, 누구 하나 도와주려는 사람이 없단 말인가! 하다못해 신고라도 해줄 수 있지 않은가.

턱수염은 그녀의 가슴을 풀어 헤치며 휘파람을 불었다.

「아주 작지만 예쁜데, 너희들 생각은 어떠냐?」

「아시아 여자들은 그게 문제야. 모두 계집애 몸뚱이라니까. 가슴이 한 줌도 안 돼.」

레티시아 웰스는 실신할 노릇이었지만 이를 악물고 참아냈다. 인간에 대한 공포가 엄습했다. 짐승보다 못한 인간들의 더러운 손이 그녀를 건드리고 주무르고 해치려 했다. 레티시아는 공포에 질려 비명조차 지를 수 없었다. 레티시아는 덫에 걸린 사냥감처럼 그렇게 꼼짝 못 하고 있을 수밖에 없었다. 자신을 괴롭히는 자들로부터 벗어날 길이 없었다.

······그녀가 할 수 있는 일이란 〈꼼짝 마! 경찰이다〉라는 소리를 듣는 것뿐이었다.

칼을 든 사내가 동작을 멈췄다. 멜리에스가 연발 권총을 겨누며, 삼색 줄이 그어진 공무원증을 제시했다.

「빌어먹을! 얘들아, 튀자. 갈보, 너, 다음에 따먹을 거야.」

그들이 달아났다.

「거기 서!」

멜리에스가 소리쳤다.

「쏠 테면 쏴라, 옷 벗고 싶으면······.」

대머리가 도망치며 외쳤다.

그들이 멀리 도망가자 멜리에스는 총을 내렸다.

레티시아 웰스는 천천히 호흡을 가다듬었다. 이제 끝났다. 약탈자의 손아귀에서 벗어났다.

「괜찮아요? 놈들이 너무 못되게 굴지는 않았나요?」

그녀는 고개를 흔들었다. 그리고 조금씩 정신을 차렸다. 그는 아주 자연스럽게 그녀를 안아 안심시켰다.

「자, 이제 안심하세요.」

그녀 역시 아주 자연스럽게 그에게 안겼다. 레티시아는 멜리에스에게서 위안을 받았다. 멜리에스가 어느 날 불쑥 튀어나와서 자기에게 위안을 주리라고는 한 번도 생각해 본 적이 없었다.

거센 풍랑이 가라앉은 그녀의 연보랏빛 눈이 그를 바라보았다. 미풍에 부드럽게 흔들리는 잔물결이 담겨 있을 뿐, 그녀의 눈길에는 이제 사나운 빛이라고는 찾아볼 수 없었다.

자크 멜리에스가 웃옷의 단추들을 채워 주자 그녀가 말했다.

「어떻게 감사드려야 할지…….」

「대단한 일을 한 것도 아닌데요, 뭘. 여러 차례 말씀드렸다시피 단지 당신과 의견을 나누고 싶을 따름이지요.」

「무엇에 대해서죠?」

「우리 둘 모두가 몰두해 있는 화학자들 살인 사건에 대해서죠. 제가 어리석었어요. 전 당신의 도움이 필요해요. 아니, 그전부터 늘 당신의 도움이 필요했어요.」

레티시아는 망설였다. 하지만 그런 상황에서 어찌 자기 집에 가서 꿀술 한 잔 더 하자고 권하지 않을 수 있겠는가.

116. 백과사전

문명의 충돌

1096년, 교황 우르바누스 2세는 예루살렘 해방을 위해 제1차 십자군을 진군시켰다. 결의에 가득 차 있기는 했으나 군대 경험이 전혀 없는 순례자들이 참전했다. 총사령관은 고티에 상자부아르와 피에르 레르미트. 십자군은 그들이 어느 나라를 통과하고 있는지도 모르는 채, 동으로 동으로만 향했다. 먹을 것이 떨어지자 그들은 지나는 곳마다 약탈을 했는데, 그 피해는 동방보다 서방에서 더 심했다. 굶주린 그들은 인육을 먹는 만행까지도 저질렀다. 이 〈참된 신앙의 대표자들〉이 하루아침에 누더기를 걸친, 야만적이고 위험한 방랑의 무리로 변해 버렸다. 헝가리 왕은 그 역시 기독교도였지만 부랑자들로 인한 피해에 화가 단단히 난 나머지, 농민들을 침략으로부터 보호하기 위해 부랑자들을 학살하기로 했다. 반인반수의 야만인으로 악명을 떨치고 있던 십자군 병사들이 겨우겨우 목숨을 부지하며 튀르키예 해안에 이르렀을 때, 니케아[22]의 토착민들은 털끝만치의 주저함도 없이 그들을 처치해 버렸다.

에드몽 웰스, 『상대적이며 절대적인 지식의 백과사전』 제2권

117. 벨로캉에서

날파리 전령들이 벨로캉에 도착했다. 모두들 같은 소식을 갖고 왔다. 원정군이 벌의 독을 이용하여 손가락들 중 하나를 쳐부수었다. 게다가 그들은 아스콜레인 벌집을 공격해 꿀벌들을 정복했다. 원정군에게는 어느 누구도 대항하지 못한다.

온 도시에 환희가 번져 나간다.

클리푸니 여왕은 대단히 기뻐하고 있다. 여왕은 손가락들에게 약점이 있다는 것을 알고 있었는데, 이제 그것이 증명된 것이다. 감격한 여왕이 어머니의 시체를 향해서 페로몬을 발한다.

《우리는 그것들을 죽일 수 있으며 정복할 수 있습니다. 손가락들은 우리보다 결코 우월하지 않습니다.》

금단 구역 몇 층 아래에 있는 한 밀실에서 손가락들을 지지하는 반체제 개미들이 비밀 회합을 하고 있다. 그곳은 뿔풍뎅이 축사 위에 있던 옛 본거지보다 훨씬 더 비좁다.

《원정군이 정말로 손가락들을 죽일 수 있다면, 그것은 손가락들이 신이 아니라는 증거야.》

신을 믿지 않는 개미가 페로몬을 발한다.

《그들은 분명 우리의 신이야.》

22 소아시아에 있던 옛 도시. 오늘날의 이즈니크.

신을 믿는 개미가 강력하게 주장한다. 원정군 병정개미들은 자기들이 손가락을 공격했다고 믿고 있지만, 사실은 손가락이 아니라 분홍빛의 어떤 다른 동물과 싸웠을 거라는 얘기다. 그가 더듬이를 열심히 흔들며 되풀이한다.

《손가락들은 우리의 신이야.》

그렇지만 손가락 신을 열렬히 믿는 개미들 가운데 몇몇이 처음으로 손가락들에 대해 회의를 느낀다. 그들은 곧바로 그 유명한 예언자 〈리빙스턴 박사〉에게 그 사실을 말해 버린다. 그것은 그들의 실수였다.

118. 신의 노여움

니콜라 신이 노발대발한다.

감히 개미들이 논박을 하다니, 도대체 뭐 하는 짓이야? 이교도, 불경한 것들, 신을 모독하는 것들이라니! 그런 신성 모독자들은 쓸어버려야 해!

니콜라는 자기가 불경한 자들을 응징하는 무시무시한 신이라는 것을 확실히 보여 주지 않으면 자신의 통치가 오래 지속되지 못하리라는 것을 깨닫는다.

니콜라는 컴퓨터 자판을 두드려 자기 말을 페로몬으로 바꾼다.

우리는 신이다.
우리는 무엇이든 할 수 있다.
우리의 세계는 우월하다.

아무도 우리를 무찌를 수 없다.
어느 누구도 우리의 통치를 의심할 수 없다.

우리 앞에서, 너희는 한낱 보잘것없는 애벌레일 뿐이다.
너희는 세계의 어느 것도 이해하지 못한다.

우리를 경배하고 우리를 봉양하라.
손가락들은 무엇이든 할 수 있다. 신이기 때문이다.
손가락들은 무엇이든 할 수 있다. 위대하기 때문이다.
손가락들은 무엇이든 할 수 있다. 강하기 때문이다.

이는 진리의 말씀이…….

「니콜라, 너 뭐 하니?」
니콜라는 재빨리 기계를 껐다.
「엄마, 주무시지 않으셨어요?」
「부스럭거리는 소리에 깼어. 잠이 옅어진 탓인지, 내가 언제 자는지 언제 꿈꾸는지 그리고 지금이 꿈인지 생시인지 분간이 안 될 때가 가끔 있구나.」
「엄마, 지금은 꿈이에요. 계속 주무세요!」
니콜라는 엄마를 침대까지 다정히 데려갔다.
뤼시 웰스는 〈니콜라, 컴퓨터로 무얼 하고 있었지?〉 하고 우물거렸다. 하지만 그 질문을 니콜라가 알아들을 수 있게 되풀이할 겨를도 없이 다시 잠에 빠져들었다. 뤼시는, 로제타석을 이용해서 개미 문명을 더 잘 이해하려고 애쓰는 아들을 꿈에서 보았다.

니콜라는 하마터면 큰일 날 뻔했다고 생각하면서, 앞으로 는 더욱 조심하리라고 다짐했다.

119. 의견의 분열

샐비어, 꽃박하, 백리향, 푸른 토끼풀이 어우러진 덤불 사 이로 거뭇한 행렬이 길게 뻗어 있다. 개미 역사상 최초로 손 가락들에 도전하는 원정군의 선두에서, 103호가 군대를 이 끌고 왔다. 그만이 세계의 끝 너머 손가락들의 나라에 이르 는 길을 알고 있기 때문이다.

《기다려요! 기다려요!》

잠에서 깨어나자 24호는 주위에 있는 곤충들에게 본대가 어디로 갔는지를 물었다. 마침 파리들이 그것을 가르쳐 주 었다.

24호는 선두의 103호와 합류한다.

《설마 나비 고치를 잃어버린 건 아니겠지?》

그 질문에 24호가 분개한다.

《제가 가끔 덤벙거리기는 해도 임무의 중요성만큼은 잘 압니다. 메르쿠리우스 임무가 모든 것에 우선한다는 걸 잘 알고 있단 말입니다.》

103호는 24호를 진정시키고, 늘 자기 곁에 붙어 있으라고 당부한다. 그러면 24호가 길을 잃을 염려가 없다는 것이다. 24호는 그 제안에 동의하고 103호 뒤를 바짝 쫓는다.

땅강아지 한 무리가 날카로운 울음소리를 냄과 동시에, 그들의 뒤에서 9호가 병사들의 사기를 높이려고 군가를 부 르기 시작한다.

손가락들을 죽여라, 병사들이여. 손가락들을 죽여라!

네가 그들을 죽이지 않으면, 그들이 너를 으깨어 죽이리라.

그들은 너의 보금자리에 불을 지르고 유모 개미들을 학살하리라.

손가락들은 우리와 같지 않네.

그들은 아주 나약하다네.

그들은 눈이 없다네.

그리고 그들은 타락해 있다네.

손가락들을 죽여라, 병사들이여. 손가락들을 죽여라.

내일이면 단 한 마리의 손가락도 살아남지 못하리라.

그러나 지금은 원정군에게 희생당하는 쪽은 손가락들이 아니라 주위의 작은 동물들이다. 원정군 전체가 하루에 소비하는 곤충 고기는 평균 4킬로그램이다. 거기다 수많은 둥지들이 유린되고 있다.

원정군이 다가온다는 기별을 받은 작은 마을의 곤충들은 약탈을 감내하느니 차라리 원정군에 합류해 버린다. 그래서 원정군은 끊임없이 증원된다.

원정군이 아스콜레인 벌집을 떠날 때는 2천3백뿐이었으나, 가지각색의 개미들이 주류를 이루는 혼합 부대가 합류한 후에는 2천6백으로 불어났다. 공군도 증강되었다. 뿔풍뎅이 32마리에 꿀벌 군단의 병정벌 3백 마리가 합류하고, 규율 없이 오고 가던 파리 한 가족 70마리가 보태졌다.

이제 원정군이 3천에 육박한다.

정오가 되자, 견딜 수 없는 더위 때문에 부대가 잠시 휴식을 취한다.

모두들 그늘진 커다란 참나무 뿌리 속으로 피해 오수(午睡)를 취한다. 하지만 103호는 그 틈을 이용하여 꿀벌 등에 올라타고 시험 비행을 하려고 한다. 그는 어떤 꿀벌에게 자기를 등에 태워 달라고 부탁한다.

시험 비행은 그다지 오래 계속되지 않는다. 꿀벌은 탈것으로 적절하지 않다. 진동이 너무 심하기 때문이다. 그런 조건에선 개미산 포를 쏘기가 불가능하다. 하는 수 없다. 꿀벌 비행 부대는 조종사 없이 비행하는 수밖에 없다.

한쪽 구석에서는 23호가 새로운 포교 집회를 갖고 있다. 이번엔 지난번 모임보다 훨씬 많은 청중을 모으는 데 성공했다.

《손가락들은 우리의 신입니다!》

참석자들이 일제히 신을 믿는 개미들의 구호를 복창한다. 개미들은 동시에 같은 페로몬을 터뜨리며 열광한다.

《그렇다면, 이 원정의 의미는 무엇인가?》

《그것은 정복 전쟁이 아니라 우리의 신인 손가락들과의 만남입니다.》

한편 9호는 전혀 성격이 다른 선전 활동을 하고 있다.

그는 주위에 모인 1백여 마리 병정개미들에게 단 몇 초 만에 전 개미 도시를 유린할 수 있는 손가락들에 대한 아주 무시무시한 이야기를 한다. 그러자 모두들 전율을 느낀다.

멀리 떨어져 있는 103호는 아무 페로몬도 발하지 않고 받아들이기만 하고 있다. 보다 정확히 말하면, 동물학에 관한 자기의 기억 페로몬을 보충하려고 다른 곤충들이 손가락들에 대해서 이야기하는 것을 모으고 있는 중이다.

파리는 손가락들 열 개가 자기를 눌러 죽이려고 추격했던 이야기를 한다.

꿀벌은 자기가 투명한 컵에 갇혀 있는 동안에 손가락들이 밖에서 자신을 조롱했던 이야기를 한다.

풍뎅이는 분홍빛의 물렁물렁한 동물과 충돌한 적이 있는데 그게 아마도 손가락들이었으리라고 주장한다.

귀뚜라미는 어떤 우리에 갇혀 푸성귀만 먹고 지내다가 풀려난 적이 있다고 한다. 그에게 먹이를 가져다준 것이 분홍빛 공이었던 점으로 미루어, 자기를 우리에 가두었던 자들이 손가락들이었음에 틀림없단다.

흑개미들은 분홍빛 무리에게 독을 뿜어 그들을 내쫓은 적이 있다고 자랑스럽게 페로몬을 발한다.

103호는 손가락들에 관한 생생한 증언을 페로몬에 모두 열심히 정리해 둔다.

더위가 한풀 꺾이자 개미들은 다시 길을 떠난다.

원정군은 기세등등하게 진군, 또 진군한다.

120. 전투 계획

레티시아는 불량배들의 손때가 묻은 몸을 씻기 위해 서둘러 욕실로 갔다. 멜리에스에게는 그동안 거실에서 텔레비전이나 보고 있으라고 말했다.

멜리에스는 소파에 편안히 앉아 텔레비전을 켰다. 그동안에 레티시아는 물속에서 다시 물고기가 되어 가고 있었다.

레티시아는 호흡 정지 상태에서 마음을 가다듬고 있었다. 멜리에스는 무고한 그녀를 잡아넣었던 사람이고 위기의 순간에 그녀를 구해 준 사람이기도 했다. 미워할 이유도 충분했고 감사해야 할 이유도 충분하다. 결국 서로 에긴 셈이다.

멜리에스는 좋아하는 장난감을 받고 행복해하는 아이처럼 미소를 지으며, 자기가 가장 좋아하는 방송을 보고 있었다.

—그럼, 라미레 씨, 답을 찾으셨나요?

—음…… 성냥개비 여섯 개로 삼각형 네 개…… 그건 금방 알겠는데, 삼각형 여섯 개라니……. 그건 도저히 모르겠는데요.

—그 정도도 다행이라고 생각하셔야 돼요. 우리 「알쏭알쏭 함정 퀴즈」에서는 라미레 씨에게 7만 8천 개의 성냥개비로 에펠탑을 만들라고 요구할 수도 있어요……. 겨우 성냥개비 여섯 개로 삼각형 여섯 개를 만들라는 건데 뭘 그러세요.

웃음과 갈채.

—조커를 사용하겠어요.

—좋아요. 자, 힌트를 드리겠습니다. 〈이것은 물컵에 떨어지는 한 방울의 잉크와 같습니다.〉

늘 입는 가운을 걸치고 머리에 수건을 두른 레티시아가 욕실에서 나오자 멜리에스는 텔레비전을 껐다.

「당신이 도와준 것에 대해 감사하고 싶어요. 멜리에스 씨, 당신도 보았듯이 내 생각이 옳았어요. 인간은 우리의 가장 위험한 포식자예요. 내 두려움에는 논리적 근거가 있어요.」

「그건 지나친 생각이에요. 시시껄렁한 불량배들일 뿐이죠.」

「그들이 시시껄렁한 불량배들이든 살인자들이든 그건 별로 차이가 없어요. 인간들은 늑대보다 더 위험해요. 도대체 자기들의 원시적 충동을 다스릴 줄 모른다니까요.」

자크 멜리에스는 아무런 대꾸도 안 하고 자리에서 일어나 개미 사육통을 바라보았다. 레티시아는 이제 개미 사육통을 거실 한가운데에 눈에 띄게 놓아두었다.

그가 유리 벽에 손가락을 갖다 댔으나 개미들은 아무런 주의도 기울이지 않았다. 개미들에겐 그것이 단지 그늘에 지나지 않았다.

「개미들이 생기를 되찾았군요?」

그가 물었다.

「그래요. 당신이 개미집을 경찰서로 옮기는 바람에 10분의 9가 죽었지만 여왕개미는 살아남았으니까요. 일개미들이 완충벽을 만들어 여왕개미를 보호하려고 에워쌌거든요.」

「개미들의 행동은 정말 이상해요. 인간의 행동과 다를 수밖에 없겠지만, 그래도…… 이상해요.」

「아마 새로운 살인 사건이 터지지 않았다면, 나는 여전히 감방에 갇혀 있을 테고 개미들은 다 죽었을 거예요.」

「아니, 그렇지 않아요. 새로운 살인 사건이 터지지 않았어도 당신은 풀려났을 겁니다. 살타 형제와 다른 피살자들의 상처는 당신의 개미들 때문에 생긴 게 아니라는 법의학적 감정이 나왔습니다. 개미들의 위턱이 상처에 비해 너무 짧아요. 다시 말씀드리지만, 제가 너무 경솔하고 어리석게 굴었어요.」

머리를 다 말린 레티시아는 안으로 들어가서 비취로 장식된 하얀 비단 원피스로 갈아입었다. 잠시 후 꿀술을 들고 돌아와서 그녀가 말했다.

「예심 판사가 나의 석방을 명령한 마당에, 내가 결백하다는 것을 진작 알고 있었다고 주장하는 것은 의미가 없어요.」

「하지만, 당신이 범인이라고 단정할 만한 몇 가지 그럴듯한 가정이 있긴 했어요. 당신도 그런 사실을 부정할 순 없을 겁니다. 사실 개미들이 침실로 나를 공격하러 왔었고 그것들이 내 고양이 마리 샤를로트를 죽였어요. 두 눈으로 그걸 똑똑히 보았어요. 살타 형제, 카롤린 노가르, 막시밀리앵 매커리어스, 오데르진 부부, 그리고 미귀엘 시녜리아즈를 죽인 범인이 당신의 개미들은 아니더라도 그 어떤 개미들인 것만은 틀림없어요. 레티시아, 다시 말하는데 나는 늘 당신의 도움이 필요해요. 우리 함께 이 사건을 해결해 봅시다. 당신도 나만큼이나 이 수수께끼에 관심을 갖고 있잖습니까? 경찰이다 기자다 따지지 말고 함께 일합시다. 나는 〈하멜른의 피리 부는 사나이〉가 누구인지 모릅니다. 하지만 그는 천재예요. 우리는 그와 맞서 싸워야 해요. 혼자서는 결코 할 수 없어요. 그러나 인간과 개미에 대한 당신의 지식과 당신이 함께한다면 해낼 수 있을 겁니다.」

레티시아는 퀄런 파이프에 꽂힌 긴 담배에 불을 붙이고 생각에 잠겼다. 멜리에스는 계속해서 그녀를 설득했다.

「레티시아, 난 탐정 소설의 주인공이 아니라 평범한 형사일 뿐이에요. 실수도 하고, 날치기 수사를 하기도 하고, 죄 없는 사람을 가두기도 해요. 당신 일은 정말 심각한 실수였다는 걸 알아요. 후회가 막급해요. 그래서 이제 그 실수를 바로잡고 싶습니다.」

그녀의 표정에 변화가 일었다. 그가 실수 때문에 심한 자책감에 빠져들자 측은한 생각이 들기 시작한 것이었다.

「좋아요. 당신과 함께 일하기로 하죠. 하지만 조건이 있어요.」

「당신이 원하는 것이라면 무엇이든지…….」

「우리가 범인을 찾았을 때, 수사 발표의 재량권은 내게 맡겨야 해요.」

「문제 될 게 없군요.」

그가 그녀에게 손을 내밀었다.

레티시아는 잠시 망설이다가 그의 손을 마주 잡았다.

「난 늘 너무 빨리 용서하죠. 틀림없이 내 생애에서 가장 어리석은 짓을 저지르고 있는 걸 거예요.」

그들은 곧 작업에 착수했다. 자크 멜리에스는 관계 서류를 모두 그녀에게 보여 주었다. 시체의 사진, 부검 보고서, 희생자들 각자의 전력을 요약한 카드, 내상(內傷)의 엑스레이 사진, 파리 떼 관찰 보고서 등.

레티시아는 자기가 수집한 것은 아무것도 넘겨주지 않았지만 모든 것이 〈개미〉에 집중되어 있다는 사실을 기꺼이 인정했다. 개미들이 무기였고 살인의 동기였다. 그렇지만 누가 어떻게 개미들을 조정하였는가를 밝히는 중요한 일이 남아 있다. 그들은 어떤 단체들과 개인들의 이름이 적힌 명부를 조사했다. 과격 행동을 일삼는 환경 운동 단체들과, 동물원의 동물이나 우리 속의 새나 곤충을 모두 풀어 주고 싶어하는 광적인 동물 애호가들의 명단이었다. 레티시아는 머리를 설레설레 흔들었다.

「멜리에스 씨, 모든 정황으로 보아 개미들에게 혐의가 가는 것은 사실이지만, 난 개미들이 살충제 제조자들을 죽일 수 있다고 생각하지는 않아요.」

「왜죠?」

「그런 일을 저지를 만큼 어리석지 않으니까요. 너희들이 우리를 죽이니까 우리도 너희를 죽인다 하고 동태 복수법(同態復讐法)을 실행하는 것은 인간의 생각이에요. 복수는 인간의 개념이에요. 개미들에게 우리의 감정을 이입해서는 안 돼요. 인간이 자기들끼리 서로 죽이기를 기다리기만 하면 되는데 개미들이 뭐 하러 인간들을 공격하겠어요?」

자크 멜리에스는 잠시 요모조모 따져 보다가 말했다.

「개미들이든, 〈피리 부는 사나이〉든, 개미들의 짓인 것처럼 꾸미려는 사람이든, 범인을 찾는 것은 가치가 있어요. 안 그래요? 더군다나 당신의 작은 친구들이 무죄임을 증명하기 위해서라도.」

「그래요.」

그들은 거실 큰 탁자에 펼쳐 놓은 모든 자료들을 샅샅이 훑어보았다. 그것들은 퍼즐의 조각들과도 같았다. 그 조각들을 결합하는 어떤 논리를 밝히려면 처리해야 할 요소들이 너무나 많았다.

레티시아가 불쑥 일어났다.

「시간을 낭비하지 맙시다. 우리가 원하는 건 범인을 찾는 거예요. 내게 생각이 있어요. 아주 간단해요. 자, 들어 봐요!」

121. 백과사전

문명의 충돌

고드푸르아 드 부용이 총사령관이 되어 예루살렘과 예수의 무덤을 해방시키기 위한 제2차 십자군이 원정을 떠났다. 이번에는 전쟁을 경험해 본 4천5백 명의 기사들이 수십만의 순례자들을 지휘했다. 대부분은 장자 상속법으로 모든 봉토를 장남에게 빼앗긴 귀족의 지차(之次)들이었다. 종교의 엄한 계율에 따라 상속권을 박탈당한 이 젊은 귀족들은 이국의 성을 정복하고 영토를 손에 넣고 싶어 했다.

기사들은 성을 하나 정복할 때마다 십자군을 팽개치고 그곳에 정착했다. 그들은 정복한 도시의 토지 소유권을 둘러싸고 그들끼리 자주 싸웠다. 그 일례로 타란토 가문의 보에몽 공작은 사리사욕을 위해 튀르키예 남부에 있는 도시 안티오크를 빼앗기로 결심했다. 그러자 십자군 병사들은 십자군을 떠나려는 자들을 만류하기 위해서 그들과 싸워야만 했다.

서방의 귀족들은 심한 경우 자기들의 목적을 달성하기 위해서 동방의 적과도 동맹을 맺는 자가당착을 범했다. 그들은 전우들을 무찌르기 위하여 동방의 토후들과 결탁하였고, 그러면 상대방들 역시 그들에 맞서기 위하여 주저 없이 다른 토후들과 연합하였다. 결국 누구와 더불어, 누구에게 대항하여, 왜 싸우는지도 모를 지경이 되고 말았다. 많은 사람들이 십자군 본연의 목적을 망각하였다.

에드몽 웰스, 『상대적이며 절대적인 지식의 백과사전』 제2권

122. 산속에서

저 멀리 언덕들과 산들이 어슴푸레한 윤곽을 드러냈다. 본토박이 회색 개미들은 그곳에 마른 토탄(土炭)이 많다 하여 첫 번째 봉우리를 〈토탄봉〉이라 불렀다. 그곳을 통과하기는 그리 어렵지 않다.

원정군은 그곳을 통과하기 위한 좁고 깊숙한 골짜기를 발견했다. 흰색, 회색, 베이지색의 높은 암벽이 지층을 드러내며 계속 이어진다. 아주 오래된 바위에는 나선 모양 또는 나

팔 모양의 화석 흔적이 찍혀 있다.

협곡들이 계속 이어진다. 갈라진 틈 하나하나가 개미들에 겐 죽음을 부르는 수렁이 되므로 미끄러지지 않도록 조심해야 한다.

협곡 안의 썰렁한 기운을 견디기 어려운 원정군 대열이 그곳을 빠져나가기 위해 서두른다. 춥다고 불평하는 개미들에게 자비로운 꿀벌들이 원기를 회복하라고 꿀을 조금씩 나눠 준다.

103호는 이 산악 지대를 올라와 본 적이 없는 것 같아 왠지 불안하다. 그러나 북쪽으로 벗어났다고 하더라도 해가 뜨는 곳을 향해 전진하기만 하면 세상의 끝에 이르게 될 거라는 생각을 하며 마음을 놓는다. 그래, 곧장 나아가기만 하면 돼.

황량한 암벽이 그들에게 제공하는 것이라곤 노란 돌이끼 뿐이다. 원정군들은 그것이나마 샐러드 먹듯 먹는다. 돌이 끼는 습기에 민감해서 공기가 습해지면 꼬투리가 비틀린다.

드디어 베르가모트나무 계곡이다. 신체의 기관은 쓰면 쓸수록 좋아지는 것인지, 오랫동안 바깥에서 걷다 보니 개미들의 시력이 좋아진다. 그들은 빛을 잘 견딜 수 있게 되어 더 이상 그늘을 찾지 않으며, 서른 걸음 이상 떨어져 있는 경치를 볼 수도 있다.

그래도 여전히 척후 개미들은 길앞잡이[23]들이 파놓은 함정에 빠진다. 그 작은 길앞잡이들은 땅속에 구멍을 파고 그 위에 허방다리를 놓는다. 그리고 그 속에서 어떤 진동을 감지하자마자 불쑥 솟아올라 지나가는 개미들을 문다.

---

23 딱정벌레목 길앞잡잇과에 딸린 벌레. 여름에 산길에서 사람이 걷는 길 앞을 앞질러서 잇달아 뛰어 날기 때문에 이런 이름이 붙었다.

길앞잡이들의 함정을 지나고 나니 거대한 장벽 하나가 불쑥 나타난다. 독 털이 나 있는 쐐기풀 장벽이다. 자칫하면 거기에 다리가 걸릴 염려가 있다.

그러나 원정군은 별다른 손실 없이 그 장벽을 통과한다. 좀 더 나아가니 수렁이 하나 나타나고, 바로 뒤에 폭포가 보인다. 이거야말로 진짜 장애물이다. 수렁과 물의 장벽을 동시에 건너가야 하는데, 방법이 마땅치 않다. 꿀벌들이 시도를 해보았지만 폭포로 떨어지고 만다.

《물은 날아다니는 것을 모두 아래로 끌어당겨.》

파리들이 말한다.

하물며 사납고 차가운 물의 장막이 앞을 가로막고 있으니 난리는 난리다.

여전히 나방 고치를 거머쥔 24호가 앞으로 나선다. 아마 그에게 어떤 해결책이 있는 모양이다. 서쪽 숲에서 길을 잃었던 어느 날 그는 어떤 흰개미가 바위에서 흘러나오는 개울물을 나뭇조각을 이용해 건너는 것을 보았다. 그 흰개미는 나무 끝을 폭포 속으로 밀어 넣은 다음 나무 속에 구멍을 뚫어서 폭포를 지나갔다.

개미들은 곧 도톰한 나뭇가지나 그와 비슷한 것을 찾기 시작한다. 그들은 커다란 갈대를 발견한다. 그것은 움직이는 완벽한 터널이 될 것이다. 개미들은 갈대를 다리 끝으로 들어 올려 폭포를 관통할 때까지 천천히 밀어 넣는다. 작업 도중 몇몇 개미들이 물에 빠지지만 그 갈대는 별 탈 없이 앞으로 나아간다.

땅강아지들이 헌신적으로 나서서 갈대 안에 구멍을 파놓자 마침내 수렁과 물의 장벽을 건널 수 있는, 물이 스며들지 않는 원통이 만들어진다.

뿔풍뎅이들은 딱지날개가 약간 걸리적거려서 건너기가 힘들었지만, 개미들이 그들을 밀어 줌으로써 그들도 모두 갈 대 속을 통과한다.

123. 다음 주 목요일

『일요 메아리』 기사 발췌.

일본의 저명한 화학자, 새 살충제 소개

요코하마 대학의 다카구미 교수가 다음 주 목요일 보 리바 주 호텔 회의실에서 새로 개발한 살충제를 소개한다. 이 일 본인 학자는 독성이 강한 합성 물질을 이용해 개미들의 침입 을 근절할 방법을 발견했다고 한다. 다카구미 교수가 직접 자신의 연구 결과를 설명할 예정이다. 그는 현재 보 리바주 호텔에 여장을 풀고 발표 날을 기다리며 국내의 동료 학자들 과 다각적인 만남을 갖고 있다.

124. 동굴

갈대 터널을 지나자 동굴이 하나 나타난다. 그러나 막다 른 길에 들어선 것은 아니다. 동굴은 돌이 깔린 긴 통로로 쭉 이어져 있는데, 통로 안에는 신선한 공기가 정상적으로 순환 하고 있다.

원정군은 계속해서 나아간다.

개미들은 커다란 석회암 덩어리들과 석순을 우회한다. 천장에 붙어 가는 개미들은 돌고드름을 뛰어넘는다. 때때로 석순과 돌고드름이 만나 긴 기둥을 이루고 있다. 어디가 바닥이고 어디가 천장인지를 구별하기가 어렵다.

동굴 안엔 괴상한 동물들이 우글거린다. 정말 살아 있는 화석이라고 할 만한 것들이 있다. 대부분 눈이 멀고 살갗이 탈색된 것들이다.

하얀 쥐며느리들은 부랴부랴 달아나고, 다족류들은 힘없이 기어가며, 톡토기들은 미친 듯이 톡톡 튀어 오른다. 더듬이가 몸체보다도 긴 투명한 작은 새우들이 웅덩이에서 헤엄친다.

103호는 움푹 파인 곳에서 동굴 노린재 떼가 송곳 같은 생식기로 교미에 몰두하고 있는 것을 발견하고는 놈들을 몇 마리 죽여 버린다.

개미 한 마리가 103호가 쏜 개미산에 구워진 노린재를 먹으러 온다. 그 개미는 고기가 뜨겁게 구워지니까 차가운 날 것보다 더 맛있다며 좋아한다.

《이제는 개미산으로 고기를 구워 먹어야겠군.》

그가 중얼거린다.

그렇게 우연히 새로운 요리법의 발견이 종종 이루어지는 것이다.

125. 백과사전

잡식 동물
지구의 주인은 잡식 동물일 수밖에 없다. 모든 종류의 먹이를 먹어 치울 수 있다는 것은 때와 장소에 구애받지 않고 자기의 종을 퍼뜨리는 데 필수 불가결한 조건이다. 지구의 주인으로 확고히 자리 잡기 위해서는 지구에서 생산되는 모든 형태의 먹이를 삼킬 수 있어야 한다.

한 가지 먹이에만 의존하는 동물은 그 먹이가 떨어지면 생존에 위협을 받게 된다. 한 종류의 곤충만 먹고 사는 많은 종류의 새들은 그 곤충들이 이동하는 것을 따라잡지 못한 채 멸종해 간다. 유칼립투스[24]잎만 먹고 사는 코알라들도 산림의 나무를 베어 내면 살아남을 수가 없다.

인간은 개미, 바퀴벌레, 돼지, 쥐 들처럼 그 사실을 깨달았다. 이들 다섯 종은 거의 모든 종류의 먹이, 심지어 먹이의 찌꺼기조차 맛보고, 먹고, 소화시킨다. 또 이 다섯 종은 주위 환경에 가장 잘 적응하기 위해 언제라도 먹이의 종류를 바꿀 수 있다는 공통점을 지니고 있다. 따라서 이들은 새로운 먹이 때문에 감염병에 걸리거나 독성에 치이는 것을 피하기 위해 먹이를 먹기 전에 반드시 시험을 해본다.

에드몽 웰스, 『상대적이며 절대적인 지식의 백과사전』 제2권

126. 덫

『일요 메아리』에 그 짤막한 기사가 나갔을 때 이미 레티시아 웰스와 자크 멜리에스는 보 리바주 호텔에 다카구미 교수의 이름으로 객실을 하나 예약해 두었다. 그들은 몇 사람들에게 수고 삯을 적당히 쥐여 준 덕분에 방 안에 진짜로 착각할 만한 벽 하나를 새로 세우고 거기에 아주 복잡한 제어 장치를 설치할 수 있었다.

그들은 또 공기가 조금만 움직여도 작동하기 시작하는 비디오카메라를 방 주위에 여러 대 설치하고, 침대에는 일본인

24 도금양과에 딸린 늘푸른큰키나무 또는 떨기나무. 서부 오스트레일리아 원산으로, 고무질 진과 기름이 나오며 기름, 고무, 타르의 원료로 쓰인다.

의 모습을 한 마네킹을 눕혀 놓았다.

그런 다음 그들은 숨어서 망을 보았다.

「곧 개미가 올 테니 두고 보십시오!」

멜리에스가 장담했다.

「내기해요. 나는 사람이 나타난다는 쪽에 걸래요.」

레티시아가 자신만만하게 말했다.

이제 그들에겐 어떤 물고기가 미끼를 물러 오는지 기다리는 일만 남아 있었다.

127. 정찰 비행

저 멀리 희미한 빛이 보인다.

날은 점점 더워진다. 원정군은 걸음을 재촉한다. 긴 행렬을 이루며 그들은 선선하고 어두운 동굴을 떠나 양지바른 벼랑길로 들어선다.

잠자리들이 빛 속에서 이리저리 날아다닌다. 잠자리가 있다는 것은 곧 강이 있음을 의미한다. 이제 원정군의 목적지는 멀리 있지 않다.

103호는 정찰 비행을 할 생각으로 가장 늠름하게 생긴 뿔풍뎅이를 고른다. 안면의 돌기가 가장 길다 해서 〈큰 뿔〉이라는 이름이 붙은 뿔풍뎅이다. 103호는 그의 등딱지에 발톱을 붙이고 정찰 비행을 떠나자고 부탁한다. 새를 만나는 불운한 경우를 대비해, 그를 보호하기 위한 포수 개미를 태운 뿔풍뎅이 열둘이 뒤따른다.

그들은 바람을 타고 올라가 햇빛에 반짝이는 강으로 급강하한다.

대기층 사이로 활강.

열두 마리의 뿔풍뎅이는 동시에 가상의 축에 날개 끝을 박고 왼쪽으로 선회한다.

회전 동작이 너무 빨라서 강한 원심력이 생긴다. 103호는 떨어지지 않으려고 뿔풍뎅이 등에 바싹 들러붙는다.

103호는 맑은 공기에 흠뻑 취한다.

창공에선 모든 것이 아주 맑고 깨끗하다. 곤충들에게 끊임없이 경계심을 갖게 하는 갖가지 냄새도 풍겨 오지 않는다. 맑은 공기의 투명한 냄새만이 존재한다.

열두 마리의 뿔풍뎅이들은 점차 날갯짓을 늦추다가 아예 날갯짓을 멈추고 활공을 한다.

형형색색의 풍광이 펼쳐져 있다.

정찰 비행대가 초저공비행을 한다. 수양버들과 오리나무 사이로 화려한 정찰기들이 빠져나간다.

〈큰 뿔〉에 올라탄 103호는 편안함을 느낀다. 처음에는 뿔풍뎅이를 잘 구별할 수 없었는데, 자꾸 타고 다니다 보니 이제는 그들을 식별할 수 있게 되었다. 〈큰 뿔〉은 비행 중대의 모든 뿔풍뎅이 중에서 가장 우뚝하고 가장 뾰족한 뿔을 가졌을 뿐만 아니라 가장 튼튼한 다리와 긴 날개를 갖고 있다. 게다가 〈큰 뿔〉은 어떻게 날면 병정개미들이 사격을 더 잘하게 할 수 있을까 하고 고민하는 유일한 뿔풍뎅이이기도 하다. 그는 날아다니는 약탈자에게 쫓길 때에 180도 선회하여 도망갈 줄도 안다.

103호가 〈큰 뿔〉에게 행군이 어떠했느냐고 묻자, 그는 굴속을 지날 때가 가장 고통스러웠다고 답한다.

《좁고 어두운 터널을 통과할 때 힘들었어. 덩치가 커다란

우리에겐 공간이 많이 필요하거든.》

　언젠가 뿔풍뎅이는 우연히 자기 동료들 몇몇이 〈신〉에 관해서 이야기하는 것을 들었다.

　《신이라는 것은 손가락들의 또 다른 이름인가?》

　103호는 얼버무리는 태도를 보인다. 용병들에게까지 〈마음의 병〉이 퍼져서는 안 될 것이다. 그렇지 않으면 논쟁은 확대될 것이고 세계의 끝에 이르기도 전에 원정군이 자멸할지도 모른다.

　〈큰 뿔〉이 토탄이 많은 지역이라고 알린다. 남쪽 풍뎅이들은 토탄 속에 은신하기를 좋아한다. 남쪽 풍뎅이들 가운데는 아주 놀라운 면을 지닌 자들이 있다. 딱정벌레들은 모두 저마다의 특성을 지니고 있으며, 어느 종도 유사하지 않다. 남쪽 딱정벌레들 역시 원정군에게 유용할 것이다.

　《그들도 모병(募兵)하는 게 어때?》

　103호는 동의한다. 원정군에게 도움이 되는 것이라면 뭐든지 받아들여야 한다는 것이 103호의 생각이다.

　그들은 계속 날아간다.

　강 주변에 독당근, 물망초, 흰꽃조팝나무 향기가 서려 있다. 강물 위에는 흰색, 분홍색, 노란색의 연꽃 융단이 오색의 색종이를 뿌려 놓은 것처럼 펼쳐져 있다.

　정찰 비행대가 강 위에서 맴돈다. 강 한가운데에 작은 섬이 하나 있는데, 섬 한가운데 커다란 나무 한 그루가 서 있다.

　열두 마리 뿔풍뎅이가 흰 물결 위로 미끄러져 나아간다. 뿔풍뎅이의 다리들이 물결에 줄무늬를 그린다.

　그러나 103호는 그 유명한 사테이 나루를 아직 발견하지 못한다. 그 나루를 찾아야 강 밑을 통과하는 지하 터널로 들어갈 수 있다. 원정군이 예정된 길에서 벗어났음에 틀림없다. 그것도 아주 많이. 그들은 행군을 오래 해야 할 것이다.

정찰 편대는 다시 돌아와 모든 것이 잘되고 있고, 앞으로 계속 나아가야 한다고 알린다.

짙은 안개가 흐르듯 군대는 절벽을 내려간다. 개미들은 다리의 끈적거리는 흡착판을 이용해 내려가고, 뿔풍뎅이들은 파닥거리면서 내려가고, 꿀벌들은 급강하로 비행하며, 파리들은 소란스럽게 날아 내려간다.

아래에는 베이지색 고운 모래사장이 펼쳐져 있다. 몇몇 식물들이 흩어져 있는 깨끗한 모래 언덕도 있다. 특히 벼과에 딸린 작은 식물인 오야[25]와 버섯의 홀씨들이 눈에 많이 띈다. 모두 개미에게 아주 좋은 먹이가 된다.

사테이 나루에 가기 위해선 제방을 따라 남쪽으로 가야 한다고 103호가 페로몬을 발하자 대열에 동요가 인다.

다른 뿔풍뎅이들과 함께 〈큰 뿔〉도 주력 부대에서 벗어난다. 그들은 수행해야 할 임무가 있기 때문에 나중에 주력 부대와 합류하겠다고 고집을 피운다.

앞서가던 척후 개미들이 달팽이 냄새가 나는 흰 덩어리들을 발견한다. 개미들은 마침 오야에 물려 있던 터라, 그 알 무더기가 여간 맛있어 보이는 게 아니다. 9호가 개미들에게 주의를 준다. 새 먹이를 먹기 전에는 먼저 독이 있는지 없는지를 검사해 봐야 한다. 일부만 9호의 주의에 귀를 기울일 뿐, 다른 개미들은 게걸스럽게 걸터듭는다.

이건 엄청난 실수다! 그것은 알이 아니라 달팽이의 구토물이었다. 게다가 간질에 감염된 달팽이의 구토물인 것

25 모래 언덕에 심는 사방용(砂防用) 식물.

이다!

128. 백과사전

개미에게 몽유병을 일으키는 유령

간질Fasciola hepatica의 순환은 자연의 가장 큰 신비 중의 하나임에 틀림없다. 이 벌레를 소재 삼아 소설 한 권은 충분히 쓸 만하다. 그 이름에서 알 수 있듯이 그것은 양의 간에 번성하는 기생충이다. 간질은 혈액과 간세포로부터 영양을 섭취하고 자라서 알을 깐다. 하지만 알은 양의 간에서 부화할 수 없다. 하나의 대장정이 알들을 기다리고 있다.

알들은 대변과 함께 몸 밖으로 나옴으로써 숙주를 떠나 춥고 건조한 바깥 세계와 만나게 된다. 알들은 한동안의 성숙기를 거친 다음 부화하여 작은 애벌레가 된다. 그러고 나서 새로운 숙주인 달팽이에게 먹히게 된다.

간질의 애벌레는 달팽이 몸속에서 성장하여 우기(雨期)에 그 연체동물이 내뱉는 끈끈물에 담겨 배출된다.

하지만 간질의 여정은 이제 반밖에 끝나지 않은 것이다.

흔히 끈끈물은 흰 진주 송이 모양으로 개미들을 유혹한다. 이 〈트로이아의 목마〉[26] 덕으로 간질들은 곤충의 몸속으로 깊숙이 들어간다. 간질들은 개미의 갈무리 주머니(사회위)에 오래 머물지 않고 그곳에 수천 개의 구멍을 뚫고 나온다. 그 소동으로 개미가 죽지 않도록 하기 위해 그들은 견고한 풀로 구멍을 다시 메워 개미의 갈무리 주머니를 여과

---

26 기원전 1182년경 그리스와 트로이아의 전쟁 중, 그리스는 견고한 트로이아성을 함락시킬 수 없게 되자, 병사를 속에 감춘 거대한 목마를 제작하여 트로이아에 선물한다. 결국 밤에 목마 속에서 병사들이 나와 트로이아성을 점령한다.

기처럼 만든다. 양의 몸속으로 다시 들어가기 위해서는 개미를 죽여서는 안 된다. 바깥에서 전혀 내부의 드라마를 눈치채지 못하는 가운데 간질은 개미의 체내에서 순환한다.

간질의 애벌레들은 이제 성충이 되기 위하여 양의 간 속으로 되돌아가야 한다. 그럼으로써 간질의 성장 주기가 완성되는 것이다.

그런데, 벌레를 잡아먹지 않는 양이 개미를 삼키게 하기 위해서는 어떻게 해야 할까?

간질들은 수세대에 걸쳐서 그 문제를 탐구했다. 양들은 선선할 때에 풀줄기의 윗부분을 뜯어먹는다. 그러나 개미들은 따뜻할 때에 둥지를 나와 풀뿌리의 시원한 그늘 안에서만 돌아다닌다. 시간도 장소도 맞아떨어지지 않기 때문에 문제를 해결하기가 한층 더 어렵다.

양과 개미가 어떻게 같은 시간에 같은 장소에서 만나게 되는 것일까?

간질은 개미의 몸 안 여기저기로 흩어짐으로써 문제를 해결한다. 가슴, 다리, 배에 각각 십여 마리씩 들어가고, 뇌에는 한 마리만 자리 잡는다. 이 한 마리의 간질의 유충이 개미의 뇌에 뿌리를 박는 순간, 개미의 행동에 변화가 오는데……. 아, 그렇다! 짚신벌레처럼 가장 하등한 단세포 동물에 가까운 미세한 간질이 이제부터 복잡한 개미를 조종하게 되는 것이다.

결과 저녁에 모든 일개미들이 잠들었을 때 간질에 감염된 개미들은 그들의 도시를 떠난다. 그 개미들은 마치 몽유병에 걸린 것처럼 밖으로 나간 다음, 풀 꼭대기로 올라가 달라붙는다. 그렇다고 아무 풀에나 마구 올라가는 것이 아니다! 양들이 가장 좋아하는 개자리[27]와 냉이에 올라간다.

개미들은 거기에서 뻣뻣이 굳은 채 풀과 함께 뜯어 먹히기를 기다린다.

27 콩과에 딸린 두해살이풀. 키는 30~60센티미터. 유럽 원산으로 거름, 목초로 쓴다.

뇌에 있는 간질이 하는 일은 이런 것이다. 즉, 양에게 먹힐 때까지 매일 저녁 자기의 숙주가 밖으로 나가도록 만드는 것이다. 아침이 되어 따사로운 기운이 다시 찾아오면 양에게 잡아먹히지 않은 개미는 자기의 뇌를 통제하고 자유 의지를 되찾는다. 그 개미는 자기가 풀 꼭대기에서 무얼 하고 있나 하고 의아해하면서 재빨리 내려온다. 그런 다음 자기 둥지로 되돌아가서 일상의 일에 몰두한다. 그러나 그날 저녁이 되면 그 개미는 간질에 걸린 다른 동료 개미들과 함께 몽유병 환자처럼 밖으로 다시 나가 양에게 잡아먹히기를 기다린다.

이러한 순환은 생물학자들에게 많은 문제를 제기한다.

첫 번째 문제 뇌에 숨어 있는 간질이 어떻게 밖을 보고 개미에게 이러 저러한 풀을 찾아가도록 명령을 내릴 수 있는가?

두 번째 문제 양이 개미를 삼키는 순간, 개미의 뇌를 조종하던 간질은 죽게 될 것이다. 그것도 그 간질만 말이다. 그렇다면 어떻게 그와 같은 희생이 이루어질 수 있는가? 그 모든 일들이 일어나는 양상을 보면 마치 간질들이 자기들 가운데 하나, 그것도 가장 우수한 하나가 희생함으로써 나머지 모두가 목표를 달성하고 번식의 순환을 완성하도록 하는 것을 받아들이고 있는 것처럼 느껴진다.

에드몽 웰스, 『상대적이며 절대적인 지식의 백과사전』 제2권

129. 땀

첫날은 아무도 디카구미 교수 모형을 해치러 오지 않았다.

자크 멜리에스와 레티시아 웰스는 자동으로 데워지는 통 조림과 마른 음식들을 쟁여 두고 사태에 금방 대처할 수 있도록 자리를 잡았다. 그들은 무료함을 달래기 위해 체스를 두기로 했다. 터무니없는 실수를 곧잘 범하는 멜리에스보다

레티시아가 한 수 위였다.

레티시아가 우세해지자 약이 오른 멜리에스는 한층 더 정신을 집중했다. 그는 졸 행렬로 상대의 모든 공격을 막는 방어전을 펼쳤다. 판세가 베르됭식의 참호전으로 바뀌었다. 전격적인 공격에 당황한 비숍, 나이트, 퀸, 그리고 룩이 후퇴했다.

「체스에서조차 겁을 먹다니!」

레티시아가 내뱉었다.

「겁쟁이라고? 내가? 빈자리가 나자마자 당신이 내 줄로 밀고 들어왔단 말이에요. 그런데 내가 어떻게 달리 놓을 수가 있겠어요?」

멜리에스가 짜증을 내며 말했다.

그때 갑자기 그녀가 손가락을 입에 대며 조용히 하라고 했다. 레티시아는 방 어디에선가 희미한 소리를 들었다.

그들은 제어 장치 화면을 확인했다. 화면에는 아무것도 나타나지 않았다. 그렇지만 레티시아 웰스는 방 안에 범인이 있음을 확신했다. 동작 탐지기가 깜박거리기 시작했다.

「저기 범인이 있어요.」

그녀가 속삭였다.

「그래요. 보여요. 단 한 마리군요. 침대에 오르고 있어요!」

통제 화면에 시선을 집중한 채 멜리에스가 외쳤다.

레티시아는 멜리에스에게 달려들어 급히 셔츠 단추를 풀고 두 팔을 들게 하고는, 손수건을 꺼내 그의 양 겨드랑이를 몇 번이고 문질렀다.

「뭐 하는 거예요?」

「내가 하는 대로 가만히 있어요. 살인자가 어떻게 행동하는지 이제 알 것 같아요.」

그녀는 가짜 벽을 밀고 들어가, 개미가 침대 시트에 이르기 전에, 자크 멜리에스의 겨드랑이 땀이 밴 손수건으로 마네킹을 문질렀다. 그러고는 재빨리 멜리에스의 곁으로 돌아와 숨었다.

「하지만…….」

그가 말하려고 했다.

「조용히 하고 보세요.」

개미는 침대 위 마네킹으로 다가가더니 가짜 다카구미 교수의 파자마에서 미세한 네모 조각 하나를 도려냈다. 그러더니 들어올 때와 마찬가지로 욕실로 사라졌다.

「이해할 수가 없군. 저 개미는 우리 마네킹을 공격하지 않았어요. 겨우 작은 천 조각 하나 빼앗아 가는 것으로 끝내는군요.」

「저 개미는 단지 냄새를 알아내러 온 거예요. 멜리에스 씨.」

이제 작전의 지휘권을 쥐고 있는 쪽은 레티시아인 것처럼 보였다. 그 점을 인정하기라도 하듯 멜리에스가 물었다.

「그럼 이제부터는 뭘 하죠?」

「기다리는 거예요. 범인이 곧 나타날 거예요. 이제 난 확신해요.」

레티시아는 아주 매혹적인 언보랏빛 눈길로 그를 당황하게 하면서 설명을 이어 나갔다.

「혼자 들어온 아까 그 개미를 보자 아버지가 들려주신 이야기가 생각났어요. 아버지가 아프리카에서 바울레 부족들과 어울려 살 때의 이야기예요. 원주민들이 사람을 죽이는 아주 놀라운 방법을 생각해 냈어요. 누군가를 아주 은밀하게 죽이고 싶으면, 그 사람의 땀이 밴 옷 조각을 탈취해요. 그런 다음 그것을 독사가 든 자루에 넣는 거예요. 물이 끓고 있는 솥 바로 위에 자루를 매달아 놓으면, 고통으로 격노한 뱀은 학대자를 천 조각의 냄새와 같은 냄새를 가진 사람으로 생각하게 되지요. 그러고 나면 이제 마을에 뱀을 풀어놓는 일만 남는 거죠. 뱀은 옷 조각과 같은 냄새를 맡자마자 그 냄새의 주인을 물어 버리죠.」

「범인을 유도하는 것이 피해자의 냄새란 말이에요?」

「맞아요. 결국 개미들은 냄새를 통해서 정보를 얻을 수밖에 없거든요.」

「아! 마침내 살인자가 개미라는 것을 인정하시는군요!」

멜리에스가 기뻐서 어쩔 줄 몰라 한다.

「현재까지는 개미들이 본격적인 공격을 하지 않았어요. 파자마 하나를 조금 찢었을 뿐이에요.」

멜리에스는 깊이 생각하더니 벌컥 화를 냈다.

「그런데 당신이 그 옷에 내 냄새를 묻혔잖아요! 이제 개미들은 나를 죽이려 들 거요!」

「역시 겁이 많으시군요, 멜리에스 씨. ……겨드랑이를 말끔히 씻고 냄새 제거제를 살짝 뿌려 주기만 하면 돼요. 그러기 전에 먼저 다카구미 교수 마네킹에 당신의 땀을 흠뻑 발라 두는 거예요.」

멜리에스는 전혀 마음이 놓이지 않았다. 그는 껌 하나를 꺼내어 입에 물었다.

「하지만 개미들이 벌써 나를 공격한 적이 있잖아요!」

「……그래도 이렇게 무사하잖아요. 자, 그건 그렇고 내가 당신 마음을 아주 편하게 해줄 도구를 가져왔어요. 다행히도 나는 준비 정신이 투철한 사람이거든요.」

레티시아는 가방에서 작은 휴대용 텔레비전을 꺼냈다.

130. 모래 언덕에서의 전투

황량한 모래 언덕을 넘어가는 데는 시간이 오래 걸린다.

발걸음이 점점 무거워진다.

가는 먼지가 딱지에 들러붙고 입술을 말리며 키틴질 관절을 삐걱거리게 한다. 먼지를 흠뻑 뒤집어쓴 딱지는 더 이상 빛을 발하지 않는다.

원정군은 계속 앞으로 나아간다.

꿀벌들의 꿀이 남아 있으면, 그걸 나누어 먹고 힘을 내련만 그것도 이젠 바닥이 났다.

개미들의 갈무리 주머니도 비어 있다. 다리의 흡착판이 메말라 부서지기 쉬운 작은 석고 덩어리처럼 발걸음을 옮길 때마다 삐걱거리는 소리가 난다.

원정군 병사들은 기진맥진해 있다. 그때 새로운 위협이 나타난다. 지평선에 먼지 구름이 일더니 점점 커지면서 원정군 쪽으로 나아온다. 그 먼지 구름 때문에 그쪽 군대가 어떤 군대인지 식별할 수가 없다.

3천 걸음 정도 떨어진 거리에 이르자 그들이 제대로 눈에 들어온다. 그들 앞에 모습을 드러낸 것은 흰개미 군대이다. 병정 흰개미들은 호리병처럼 생긴 머리 모양 때문에 금방 알아볼 수 있다. 그들이 끈끈물을 분사하자 첫 번째 줄에 있던 개미들이 그 자리에 들러붙어 꼼짝달싹을 못 한다.

개미들은 배 끝을 들어 개미산을 쏘기 시작한다. 그러나 개미들의 사격이 너무 늦었다. 흰개미들은 재빨리 흩어지더니 포수 개미들을 우회하며 개미들의 첫 번째 방어선 한가운데를 뚫어 버린다.

위턱과 위턱이 맞부딪는다.

딱지들이 부서지며 격렬한 소리를 낸다.

개미 경기병대는 미처 움직여 볼 겨를도 없이 흰개미 떼에 빙 둘러싸였다.

《발사!》

103호가 소리친다. 그러나 60퍼센트 개미산으로 중무장한 두 번째 줄의 포수 개미들은 개미와 흰개미가 뒤섞여 있어 사격할 엄두를 못 낸다. 이미 명령에 따라 움직이기가 어려워진 것이다. 원정군의 분대들은 각자의 판단에 따라 임기응변으로 대처한다. 원정군의 양 날개는 흰개미 부대의 배후를 공격하기 위해 빠져나오려 하지만 동작이 너무 느리다.

날아오르려는 꿀벌들을 흰개미들의 *끈끈물*이 넘어뜨린다. 꿀벌들은 파리들과 나방 고치를 지닌 24호처럼 모래 속에 숨어 버린다.

103호는 여기저기 돌아다니며 보병들이 견고한 방진 대형으로 다시 모이도록 독려한다. 그는 피곤함을 느끼고 있다.

《난 늙었어.》

사격이 빗나가자 103호가 중얼거린다.

곳곳에서 원정군이 후퇴한다. 손가락들과의 전투에서도 이긴 빛나는 전사들이 어찌 된 노릇인가? 황금의 벌집을 정복한 개미들이 이 무슨 망신이란 말인가?

개미들의 시체가 산을 이룬다. 이제 개미들은 1천2백 마리밖에 남지 않았다. 그들도 곧 죽어 간 동료들과 똑같이 끔찍한 운명에 처해질지도 모른다.

이렇게 패배하고 마는 것인가?

아니다. 궁하면 통한다고 하지 않던가. 멀리에서 돌연 구름 덩어리 하나가 또 나타난다. 아까는 흰개미 군대가 일으킨 먼지구름이었지만 이번엔 우군(右軍)의 구름이다. 아주 무시무시한 비행 부대를 이끌고 〈큰 뿔〉이 돌아오고 있다.

그들이 요란스럽게 시야에 들어오자 모두들 감탄과 두려움이 섞인 감정으로 바라본다. 그들은 옛날의 괴기담에 등장하는 악마의 모습이나 다름이 없다.

그들은 번들거리는 관절로 소리를 내며 위풍당당하게 돌진해 온다. 거기엔 하늘소, 송장벌레, 풍뎅이, 그리고 집게 모양의 뿔이 달린 커다란 사슴벌레가 있다.

딱정벌레의 여러 종들 가운데서도 내로라하는 정예들이 〈큰 뿔〉의 원조 요청에 응한 것이다.

그 늠름한 거구들은 장창, 단창, 뿔, 바늘, 방패, 발톱으로 무장하고 있다. 딱지날개에는 휘장 같은 것이 채색되어 있는데 어떤 날개에는 입을 크게 벌린 얼굴이 분홍색과 검은색으로 그려져 있고, 또 어떤 날개에는 좀 더 추상적으로 빨강, 주황, 초록, 파랑의 반짝거리는 점들이 찍혀 있다.

어떤 대장장이도 갑옷에 그렇게 아름다운 무늬를 새기지는 못하리라. 투구를 쓴 모습이 중세의 전설에 나오는 용감무쌍한 왕자들의 풍모이다.

〈큰 뿔〉의 지휘를 받으며 20여 마리의 딱정벌레들이 선회한다. 그들은 전열을 가다듬고 아주 빽빽이 늘어선 흰개미들의 진영으로 돌진한다.

103호는 그러한 장관을 일찍이 본 적이 없었다.

아연실색하는 흰개미 진영. 새로 나타난 비행 부대에게는 끈끈물이 더 이상 효과가 없다. 액체 발사물은 망치로 두드려 만든 듯한 커다란 갑옷 위에서 미끄러져 도로 흰개미 자신들 위로 떨어진다.

흰개미들이 후퇴하기 시작한다.

〈큰 뿔〉이 103호 곁으로 다가온다.

《올라타게!》

이륙.

뿔풍뎅이 다리 아래로 움직이는 융단 같은 전장이 펼쳐진다.

103호는 원정군의 선두에서 도망자들을 추격하기 시작한다. 나는 뿔풍뎅이 위에서 그가 쏘아 대는 개미산이 매번 과녁에 적중한다.

《발사!》

103호는 더듬이에 한껏 힘을 주어 원정군을 독려한다.

《발사!》

개미들이 힘껏 달리며 개미산 포를 발사한다.

131. 군사 전략 페로몬

기억 페로몬 번호 : 61

주제 : 군사 전략

정보 제공 연일 : 100000667년 제44일

모든 군사 전략은 일차적으로 적을 자극하여 흥분시키는 것을 목적으로 삼고 있다.

자극을 받으면 적은 본능적으로 그 자극과 반대 방향으로 힘을 행사하여 받은 것을 되갚으려고 한다.

그 순간, 적이 그렇게 나오는 것을 막으려 하지 말고 제 풀에 지칠 때까지 보조를 맞춰 주어야 한다.

그러면 어느 한순간 적이 아주 취약해질 때가 있다. 그때가 바로 완패시킬 순간이다. 바로 그 순간을 이용할 줄 모르면, 모든 것을 다시 시작해야 하며 적은 더욱 경계하는 태도를 보일 것이다.

132. 전쟁

―발사!

비 오듯 쏟아지는 총탄 사이로 검은 형체들이 떼를 지어 달린다.

패자들의 시체에서 연기가 피어오른다. 병사들은 총탄에 맞지 않으려고 참호 속에 숨고, 몇몇 분대는 모래 언덕에 몸을 숨긴다.

수류탄의 폭음, 기관총의 따다닥따다닥거리는 소리. 멀리 화염에 싸인 유전은 햇빛이 더 이상 스며들지 못할 정도로 검고 짙은 연기를 내뿜고 있다.

「이제 텔레비전 좀 꺼요. 저런 건 신물이 나요!」

「뉴스를 좋아하지 않나 보죠?」

멜리에스는 일일 세계 뉴스가 방송되고 있는 텔레비전 소리를 낮추며 물었다.

「뉴스를 잠깐만 봐도 인간의 어리석음에 진저리가 나요. 그런데 여전히 아무것도 안 나타나고 있지요?」

「그래요, 아직 아무것도 나타나지 않고 있어요.」

레티시아는 이불로 몸을 감싸며 말했다.

「그럼, 좀 자겠어요. 무슨 일이 있으면 깨우세요, 멜리에스 씨.」

「당장 일어나야겠는데요. 동작 탐지기가 방금 전에 작동하기 시작했어요.」

그들은 화면을 자세히 살폈다.

「방에서 뭔가 움직이고 있군요.」

그들은 비디오 모니터를 하나하나 켰다. 하지만 아무것도 보이지 않았다.

「〈그것들〉이 저기 있어요.」

멜리에스가 말했다.

「아니에요. 〈그것들〉이 아니라 〈그것〉이에요. 화면에는 한 가지 신호가 있을 뿐이에요.」

레티시아가 정정해서 말했다.

멜리에스는 생수병 마개를 열고 헝겊을 적신 다음 겨드랑이를 마구 문질렀다. 그리고 행여나 무슨 일이 생길까 걱정이 되어 다시 향수를 뿌렸다.

「내게서 아직도 땀내가 납니까?」

그가 물었다.

「향수 냄새 외엔 아무 냄새도 안 나요.」

여전히 아무것도 보이지 않았지만 마루 긁히는 소리가 들렸다.

자크 멜리에스는 방 안을 철통같이 감시하고 있는 비디오

카메라의 녹화기에 전원을 연결했다.

「〈그것들〉이 침대로 다가가고 있어요.」

양탄자에 닿을락 말락 하게 설치해 놓은 카메라에 먹이를 찾고 있던 털북숭이 생쥐의 주둥이가 나타났다.

웃음이 터져 나왔다.

「당연한 일이에요. 개미가 인간들 속에 끼어 사는 유일한 동물은 아니니까요. 이번엔, 정말로 잘 테니 좀 더 그럴듯한 게 나타나면 깨우세요.」

레티시아가 비아냥거렸다.

133. 백과사전

에너지

놀이동산의 롤러코스터에 오를 때 사람들은 두 가지 태도 가운데 하나를 취한다. 하나는 안쪽 차량에 앉아 눈을 감아 버리는 것이다. 그 경우에 예민한 승객은 대단한 공포를 느낀다. 그는 속도를 즐긴다기보다 참아 낸다. 눈을 살짝 뜰 때마다 그의 공포는 한층 더해진다.

두 번째 태도는 열차의 첫 량 첫 줄에 앉아서 눈을 크게 뜨고 자기가 곧 날아갈 것이며 점점 빨리 가게 될 거라고 상상하는 것이다. 그 경우에 승객은 황홀한 생동감을 맛보게 된다. 마찬가지로, 예기치 않았을 때 스피커에서 하드 록 음악이 튀어나오면 그 음악은 난폭하게 느껴지고 귀청을 찢어 놓을 것만 같다. 사람들은 간신히 그것을 참아 낸다. 하지만 그것을 원하는 사람이라면 참고 있는 것이 아니라 그 음악을 즐기면서 더 깊이 빠져 들어간다. 청중이 격렬한 음악에 자극받고 완전히 열광하는 것처럼 말이다.

힘을 발산하는 모든 것을 어쩔 수 없이 받아들일 땐 위험하지만 그것을 효과적으로 이용하면 우리의 정신을 풍요롭게 만들 수도 있다.

에드몽 웰스, 『상대적이며 절대적인 지식의 백과사전』 제2권

134. 사자(死者) 숭배

신을 믿는 개미 열두 마리가 벨로캉 안에 있는 퇴비 구덩이 가까이에 임시변통으로 만든 비밀 장소에 모여 있다. 신을 믿는 개미는 이제 그들뿐이다.

그들은 앞에 놓인 시체들을 응시하고 있다.

클리푸니 여왕은 반체제 개미들을 모두 죽이기로 결정했다. 반체제 개미들은 손가락들에게 먹이를 공급하려다가 차례차례 목숨을 잃어 가고 있다. 신을 믿지 않는 개미들이 모두 사라졌기 때문에 이제 반체제 운동은 홍수와 박해에서 기적적으로 살아남은, 신을 믿는 몇몇 개미들에 의해 명맥이 유지되고 있을 뿐이다.

이제 아무도 그들의 페로몬에 더듬이를 기울이지 않는다. 아무도 그들과 함께하려 하지 않는다. 그들은 따돌림을 당하고 있으며, 은신처가 경비대에게 발각되는 날에는 그들도 끝장이 날 판이다.

그들은 더듬이 끝으로 옛 동료들의 시체 세 구를 어루만진다. 그 세 동료들은 이제껏 잘 버텨 오다가 끝내 그곳에서 죽음을 맞은 것이다. 신을 믿는 개미들은 시체를 쓰레기터로 옮길 채비를 한다.

그때 갑자기 그들 가운데 하나가 반대를 하고 나선다. 다른 개미들이 당황하여 그를 바라본다. 만일 순교자들을 쓰레기터로 옮기지 않는다면, 몇 시간 동안 이곳에 올레산 냄새

가 진동할 것이다.

그 반체제 개미의 주장이 완강하다.

《여왕은 숙소에 어머니 시체를 보관하고 있다. 왜 여왕처럼 하면 안 되는 건가? 왜 우리 형제들의 시체를 보관하면 안 된다는 것인가? 결국 시체가 점점 많아질수록 신앙 운동에 많은 개미들이 참가했음을 더욱 확실하게 보여 주게 될 것이다.》

열두 마리 개미가 더듬이를 맞댄다. 참으로 놀라운 생각이다! 시체들을 버리지 말자니…….

그들은 모두 완전 소통에 몰입한다. 그 개미의 제안은 신을 믿는 개미들의 운동에 다시 활력을 불어넣을 것이다. 죽은 자들을 보존한다는 생각에 많은 개미들이 호감을 가질 것이다.

한 반체제 개미가 올레산 냄새를 차단하기 위해 시체들을 벽 속에 넣자고 제안하나, 제일 먼저 의견을 낸 개미가 동의하지 않는다.

《아니야. 오히려 우리는 그들을 볼 수 있어야 한다. 클리푸니 여왕을 모방하자. 살은 파내고 빈 껍질만 간직하도록 하자.》

135. 흰개미 도시

흰개미들이 진동한동 달아난다.

《앞으로!》

103호는 〈큰 뿔〉 위에서 원정군 병사들의 사기를 북돋우려고 강력한 페로몬을 발한다.

《가차 없이 해치워라!》

역시 나는 뿔풍뎅이에 올라탄 9호가 페로몬을 내뿜는다.

포수 개미들은 쉬지 않고 개미산을 발포해 흰개미들을 죽인다.

흰개미들은 뿔뿔이 흩어져 도망간다. 하늘에서 나타난 괴물들과 그 조종사들이 뿜어 대는 치명적인 발사물을 피하려고 모두들 갈팡질팡하며 달아난다. 각자 제 목숨 건지기에 바쁘다. 흩어진 흰개미들은 그들의 도시 쪽으로 질주해 간다. 강 서쪽 기슭에 최근에 진흙으로 지은 커다란 요새로.

밖에서 보니 건물이 아주 인상적이다. 황토색 요새는 가운데가 종 모양으로 생겼고, 그 종 윗부분에 탑 세 개가 불쑥 튀어나와 있으며, 탑에는 다시 망루 여섯 개가 뾰족하게 솟아 있다. 땅바닥과 거의 같은 높이에 나 있는 출구는 모두 조약돌로 막혀 있다. 몇몇 보초들이 총안(銃眼) 모양의 틈을 지키고 있다.

원정군이 적의 성을 공격하자, 큰코흰개미 병정들이 수직으로 된 틈새로 코를 불쑥 내밀고 침입자들에게 끈끈물을 뿌린다.

첫 번째 공격으로 불개미 50마리가 목숨을 잃는다. 두 번째 파상 공격으로 다시 30마리가 죽는다. 위에서 아래로 공격하는 자들이 아래서 위로 쏘는 자들보다 늘 유리하게 마련이다.

그렇다면 공중에서 공격하는 것 외에 달리 방법이 없다. 뿔풍뎅이들이 뿔로 망루에 충격을 가하고, 사슴벌레들이 탑들을 뽑아 버리지만, 흰개미들의 끈끈물이 놀라운 힘을 발휘하는 덕분에 흰개미 도시 목실뢱쳥에서는 조금 숨을 돌리기 시작한다.

흰개미들은 부상병들을 돌보고 틈바구니를 메운다. 장기 간의 포위 공격을 예상하여 곳간을 정비하고 보초들을 다시 세운다.

목실뤽쳉의 흰개미 여왕에게선 두려워하는 빛이 조금도 보이지 않는다. 여왕 곁에는 신비에 싸인 채 그림자처럼 살 고 있는 왕이 있다. 흰개미들의 세계에서는 수컷들이 결혼 비행을 끝내고도 살아남아 암컷의 곁에 있는 왕의 숙소에 머 문다.

한 첩보 흰개미가 이미 모두가 다 알고 있는 것을 은밀한 태도로 소곤거린다.

《벨로캉의 불개미들이 원정군을 동으로 파병해 도중에서 몇몇 개미 마을과 꿀벌의 도시를 정복했습니다. 불개미들의 새로운 여왕 클리푸니는 건축, 농업, 공업 부분에서의 완벽 한 혁신을 통해 연방을 발전시켰다고 합니다.》

《젊은 여왕들은 늙은 여왕들보다 자기들이 똑똑하다고 생 각하지.》

목실뤽쳉의 늙은 여왕이 비아냥거리는 듯한 페로몬을 발 한다.

흰개미들이 찬동의 냄새를 풍긴다.

그때 경보가 울린다.

《불개미들이 도시를 습격한다!》

병정 흰개미들의 더듬이 사이에서 오가는 정보가 너무도 놀라워서 여왕 흰개미는 도무지 믿기지가 않는다.

땅강아지들이 건물 아래층을 뚫었다고 한다. 그들은 넓적 한 앞다리로 순식간에 지하 통로를 파버렸다는 것이다. 이제 그들이 앞장을 서고 그 뒤로 병정개미 수백 마리가 따라 올라와 모든 것을 약탈하고 있다고 한다.

《개미들이? 땅강아지를 길들인다고?》

믿기지 않지만 사실이다. 흰개미 도시가 아래쪽에서 기습을 받기는 이번이 처음이다. 도시를 우회하여 바닥을 뚫고 들어오는 공격을 감행하리라고는 아무도 생각하지 못했다. 목실뤼쎙 전략가들은 어떻게 반격을 해야 할지 갈피를 못 잡고 있다.

가장 아래층에 있는 방들을 둘러보며 103호는 흰개미 도시의 정교함에 감탄한다. 따뜻해야 할 곳은 따뜻하게, 선선해야 할 곳은 선선하게 되도록 모든 설비를 두루 갖추어 놓았다. 1백 걸음쯤 깊이 들어가야 수면이 나타나는 아르투아식의 깊은 우물에서 선선한 공기가 나온다. 왕궁 위쪽에 몇 개의 층에 걸쳐 있는 버섯 재배장에서는 따뜻한 공기가 만들어진다. 버섯 재배장으로부터 몇 개의 굴뚝이 뻗어 나가는데, 어떤 것들은 탄산가스를 배출하기 위해 망루로 향하고, 어떤 것들은 냉기를 빨아들이면서 여왕의 방과 부화실 쪽으로 내려간다.

《이제 영아실을 공격해야죠?》

벨로캉 병정개미 하나가 묻는다.

《아니, 흰개미 도시에선 달라. 먼저 버섯 재배장으로 쳐들어가는 게 낫다.》

103호가 설명한다.

원정군 병사들은 작은 구멍이 많이 난 통로로 쏟아져 들어간다. 지하층에서 목실뤼쎙 흰개미 군대는 앞을 보지 못한다. 개미들의 돌진에 흰개미들의 저항은 미미할 뿐이다. 그러나 위로 올라갈수록 싸움의 양상이 달라진다. 흰개미들의 저항이 거세어지고 전투는 갈수록 치열해진다. 한 구역 한 구역 정복될 때마다 양 진영의 손실이 막대하다. 매복해 있는 적에게 표적이 되지 않으려고 벨로캉 개미들은 모두 신분 페로몬 발산을 억제한다.

2백 마리의 목숨을 더 잃은 후에야, 벨로캉 개미들은 마침내 흰개미들의 버섯 재배장에 진입한다.

목실뤽숑 측으로선 이제 항복할 수밖에 없다. 버섯 재배장을 빼앗긴 흰개미들은 섬유소를 섭취할 수 없어 성충이고 알이고 여왕 흰개미고 할 것이 없이 모두 영양실조로 죽을 것이기 때문이다.

관례대로 승리자인 벨로캉 개미들은 흰개미들을 모조리 학살할 것인가?

아니다. 벨로캉 개미들의 태도가 너무나 뜻밖이다. 여왕 흰개미의 방에서, 103호는 여왕에게 불개미들은 흰개미들이 아닌 강 저편에 사는 손가락들을 상대로 전쟁을 하는 중이라고 설명한다. 게다가 먼저 공격을 해 오지 않는다면 목실뤽숑을 침략하지 않겠다고 한다. 지금 원정군이 요구하는 것은 목실뤽숑에서 밤을 보내고 흰개미들의 지원을 받는 것이다.

136. 그것들을 포착하다

「별일 아니에요, 기대하지 마요!」

레티시아는 짜증스러운 듯 눈 위로 이불을 끌어올렸다.

「일어나지 않아도 되죠? 또 잘못된 경보일 거예요.」

그녀가 중얼거렸다.

멜리에스는 그녀를 한층 더 세게 흔들었다.

「아니에요. 〈그것들〉이 나타났어요.」

멜리에스가 거의 외치듯 말했다.

레티시아는 이불을 내리고 연보랏빛 눈을 떴다. 감시 장치의 모든 화면에 개미 1백여 마리가 나아가는 모습이 나타났다. 레티시아는 펄쩍 뛰어 일어나 가짜 다카구미 교수의 몸이 뚜렷하게 보이도록 줌 렌즈를 조정했다. 마네킹의 몸뚱이가 떨리고 있었다.

「개미들이 안쪽에서 마네킹을 부수고 있는 중이에요.」

멜리에스가 숨을 몰아쉬며 설명했다.

개미 한 마리가 실물처럼 보이는 가짜 벽으로 다가와 더듬이 끝으로 냄새를 맡는 듯했다.

「내게서 땀내가 다시 나지 않아요?」

경정은 불안했다.

레티시아는 거의 겨드랑이에 코를 대어 보았다.

「아뇨, 라벤더 냄새밖에 안 나요. 두려워할 거 없어요.」

벽으로 다가왔던 개미가 마네킹을 공격하고 있는 다른 개미들에게로 돌아가는 걸 보니 레티시아의 말이 맞긴 맞는 것 같았다.

플라스틱 마네킹은 내부의 습격으로 흔들렸다. 마음을 진정하고 보니 작은 개미들의 행렬이 마네킹 왼쪽 귀에서 나오고 있었다.

레티시아 웰스는 멜리에스에게 손을 내밀었다.

「당신이 옳았어요. 멜리에스 씨. 믿기지 않지만 내 눈으로 분명히 개미들을 보았어요. 저 개미들이 살충제 제조자들을 살해한 거예요. 하지만, 난 여전히 믿을 수가 없어요!」

최첨단 기술에 통달한 경찰관답게 멜리에스는 마네킹의 귀 안에 방사능 물질 한 방울을 넣어 두었다. 어쩔 수 없이 개미 한 마리가 그 물질에 다리를 담갔고, 방사능 물질이 그 개미의 몸에 배어 들었다. 이제 그 개미는 그들에게 자기의 자취를 가르쳐 줄 것이다. 작전 성공!

화면에 나타난 개미들은 범죄의 흔적을 없애려는 듯 마네킹 주위를 돌며 샅샅이 살폈다.

「저래서 피살자가 죽고 나서 5분이 지나도록 파리가 접근할 수 없었던 겁니다. 개미들은 범죄를 끝내고 나면 범죄 중에 어쩌다 부상을 입은 개미들을 모으고 자기들이 들어왔다는 표시가 될 만한 것들을 모두 없애 버린 거예요. 그동안 파리들은 감히 얼씬도 못 했던 거고요.」

화면에서 개미들은 하나의 긴 행렬로 다시 모여 욕실로 갔다. 그런 다음 세면대 트랩에 이르러 그 안으로 모두 들어갔다.

멜리에스는 경악을 금치 못했다.

「도시의 배관망을 통해 어떤 건물이든지 침입할 수 있겠군. 불법 침입의 흔적을 전혀 남기지 않고 말이야!」

레티시아는 기쁨을 함께 나눌 수가 없었다.

「난, 아직도 의문이 남아요. 어떻게 곤충이 신문을 읽고, 주소를 알아내고, 살충제 제조자들을 죽임으로써 자신들이 살아남게 되리라고 생각할 수 있을까요? 이해할 수가 없어요!」

「우리가 이 곤충을 너무 과소평가했어요. 생각 안 나요? 내가 상대를 너무 얕잡아 본다고 나무란 적이 있잖습니까?

이제 당신 차례군요. 아버지가 곤충학자였는데도 벌레들이 얼마나 진화했는지 전혀 모르는군요. 틀림없이 개미들은 신문을 읽고 적을 간파해 낼 줄 알 겁니다. 우린 장차 그 증거를 갖게 되겠죠.」

레티시아는 단호하게 부정했다.

「개미들은 읽을 줄 모른단 말이에요! 그렇게 오랫동안 우리를 속였을 리가 없어요. 제 말이 무슨 뜻인지 아시겠어요? 개미들이 우리의 모든 것을 그렇게 잘 안다면 그런 징후가 나타나도 벌써 나타났겠지요. 여태껏 속이고 있다가 이제 와서 자기들이 사람들의 발꿈치에 밟히는 하찮은 미물이 아니라는 것을 보여 주려고 나서지는 않았을 거란 말이에요.」

「아무튼 그것들이 어디로 가는지 봅시다.」

멜리에스는 먼 거리에서도 감지할 수 있는 가이거 계수관[28]을 상자에서 꺼냈다. 바늘은 방사선이 나오고 있는 쪽을 가리키고 있었다. 방사능 물질이 묻은 개미의 방향을 가리키고 있는 것이었다. 그 장치에는 안테나가 달려 있었고, 모니터 화면이 부착되어 있었는데, 화면의 검은 원 안에서 푸르스름한 점이 깜박였다. 푸른 점이 천천히 나아갔다.

「이제 우리에게 자기가 있는 곳을 알려 주는 이 개미만 따라가면 돼요.」

멜리에스가 말했다.

그들은 밖으로 나와 택시를 잡았다. 택시 기사는 시속 0.1킬로미터로만 달려 달라는 손님들의 요구를 잘 이해할

28 가이거 뮐러 계수관이라고도 한다. 아르곤 따위의 가스를 채운 대롱 한가운데에 가는 쇠줄을 늘이고 그 사이에 높은 전압을 통하여, 방사선이 들어가면 방전이 일어나도록 하여 방사선을 검사해 내는 장치.

수가 없었다. 그 속도는 살인범 일당이 이동하는 속도였다. 빨리 가자고 재촉하는 사람은 많이 봤어도 이런 손님들은 생전 처음이었다. 저 두 사람은 그저 장난스러운 연애를 하려고 차를 잡았는가 보다고 기사는 생각했다. 기사는 백미러로 그들을 흘낏 보았다. 천만에, 그들은 손에 든 이상한 물건을 쳐다보며 논쟁하느라고 정신이 없었다.

137. 백과사전

문명의 충돌

일본에 상륙한 최초의 유럽인은 16세기의 포르투갈 탐험가들이었다. 그들은 서해안의 한 섬에 닿았는데, 그곳 다이묘(大名)는 아주 정중하게 맞아 주었다. 그는 〈코쟁이들〉의 새로운 기술에 지대한 관심을 보였다. 특히 조총이 마음에 들어서 그는 명주와 쌀을 주고 그것을 얻었다. 다이묘는 성의 대장장이에게 그 놀라운 무기와 똑같은 것을 만들라고 지시했지만 대장장이는 총의 후미를 막을 수가 없었다. 일본산 조총은 번번이 사용자의 면전에서 폭발했다. 포르투갈인들이 다시 항구에 들어왔을 때, 다이묘는 포르투갈의 대장장이에게 어떻게 하면 화약이 폭발할 때 총의 마구리가 터지지 않게 할 수 있는지를 자기 대장장이에게 가르쳐 주라고 부탁했다.

그리하여 일본인들은 많은 양의 조총을 만드는 데 성공했고, 그로 인하여 나라의 전쟁 규범은 뒤죽박죽이 되었다. 왜냐하면 그때까지 전쟁은 으레 사무라이들이 칼을 가지고 하는 것으로 되어 있었기 때문이었다. 오다 노부나가 장군은 직접 조총 부대를 창설하여 속사로 적의 기마병 잡는 방법을 가르쳤다.

물질문명에 이어, 포르투갈인들은 두 번째 선물, 즉 정신적 선물인 기독교를 가져왔다. 당시는 마침 교황이 세계를 포르투갈과 스페인에 갈라 주던 시기였다. 일본은 포르투갈에 맡겨졌다. 그리하여 포르투갈인들은 예수회의 선교사들을 파견했고, 그들은 처음엔 대단히 환영을 받았다. 일본인들은 이미 몇 가지 종교를 융합해 놓고 있던 터라, 기독교도 자기들의 종교에 통합시킬 하나의 외래 종교쯤으로 여겼던 것이다. 그러나 기독교 교리의 배타성이 마침내 그들을 화나게 했다. 기독교는 다른 모든 신앙은 잘못된 것이라고 주장했고, 일본인들이 아무런 이의 없이 숭배하는 그들의 조상들이 세례를 받지 않았다는 이유로 지옥 불에 타고 있을 거라는 말을 서슴지 않았다. 그런 종교가 어찌 보편적인 종교라는 뜻의 〈가톨릭〉이라는 이름을 내세울 수 있는가?

기독교의 독선적인 태도가 결국 일본인들을 자극했다. 일본인들은 대부분의 예수회 선교사들을 고문하고 학살했다. 그 뒤 시마바라의 난[29]이 일어났을 때는 이미 기독교로 개종한 일본인들이 수난을 당했다.

그때부터 일본인들은 서양인들이 상륙하는 것을 허용하지 않았다. 단 한 번 해안에서 멀리 떨어진 어떤 섬에 네덜란드 상인들이 상륙한 적이 있었지만, 그들은 오랜 시간이 지난 뒤에야 일본 열도에 발을 디딜 수 있었다.

에드몽 웰스, 『상대적이며 절대적인 지식의 백과사전』 제2권

138. 우리 후손들을 위하여

흰개미 여왕은 당황하여 더듬이를 돌린다. 그러다가 갑자기 동작을 멈추고 자기의 처소를 포위한 개미들을 마주 보며 페로몬을 터뜨린다.

29 일본 규슈섬에 있는 시마바라반도에서 1637년 2만이 넘는 기독교인들이 일으킨 봉기.

《당신들을 돕겠소. 당신들이 무시무시한 개미산 공격으로 협박을 해서가 아니라, 손가락들은 또한 우리의 적이기도 하니까 돕겠다는 거요.》

손가락들은 아무것도 존중할 줄 모른다고 여왕이 설명한다. 손가락들은 긴 장대에 달린 비단 실 끝에 가혹하게 새끼 파리와 구더기를 꽂아서 휘두른다. 그리고 그들은 그것을 물에 던져 넣고 물고기가 그것들을 먹어 치우고 나면 들어 올린다.

손가락들은 비단 실에 매달 미끼를 마련하려고 더 무자비한 짓도 서슴지 않았다. 손가락들 한 무리가 흰개미들의 도시 목실뤼쳥을 공격했다. 그들은 통로로 쳐들어와 곳간을 약탈하고 여왕의 거처를 부쉈다. 그 잔인무도한 자들은 번데기를 찾고 있었다. 손가락들은 흰개미 번데기들을 탈취해 갔다.

손가락들의 장대 끝에서 살려 달라고 페로몬을 뿜어 대면서 발버둥이 치던 새끼들을 보았을 때, 흰개미들은 이제 새끼들을 구하기는 글렀다고 생각했다.

번데기들을 구할 방법이 없을까 하고 고민하던 흰개미들은 물방개에게 도움을 청하기로 했다. 물에 사는 딱정벌레들이 흰개미들에게 배가 되어 주었다.

《배라니요?》

벨로캉 개미들이 의아해하자 여왕개미가 설명한다. 개미들이 뿔풍뎅이를 길들여 타고 다닐 수 있듯이, 흰개미들도 물방개들을 길들여 물 위로 나아갈 수 있다. 물망초잎에 앉은 다음 그것을 물방개들이 밀도록 하면 되는 것이다. 하지만 그 일이 간단하지만은 않았다. 처음엔 개구리들이 쪽배들을 대부분 조각내 버렸다.

물이라는 새로운 환경에 적응하기가 힘들었지만, 흰개미들은 마침내 개구리의 주둥이에 끈끈물 쏘는 법을 터득하였고 커다란 물고기에게 뛰어들어 위턱으로 구멍을 뚫을 수도 있게 되었다.

그러나 불행히도 해군 흰개미들이 번데기들을 구한 적은 없었다. 손가락들은 흰개미들이 새끼들을 만나기도 전에 장대를 물속에 집어넣었다. 그럼에도 불구하고 그 작전으로 흰개미들의 항해 기술은 발달하였고 강 표면을 통제할 수 있게 되었다.

《당신들이 옳아요. 손가락들을 더 이상 그냥 둘 수가 없어요. 우리 도시를 파괴하고 불을 사용하고 새끼들을 괴롭히는 손가락들을 응징하기 위해 우리도 당신들과 함께하겠소.》

목실뢱셩의 흰개미 여왕이 침착하게 페로몬을 발한다.

불을 사용하는 자들을 함께 응징하기로 했던 옛 협정을 준수하는 뜻에서 흰개미 여왕은 큰코흰개미 4개 군단, 큰턱흰개미 2개 군단, 독흰개미 2개 군단을 원정군에 제공하겠다고 한다. 그 흰개미 병정들은 다양한 전투에 적응할 수 있도록 신체 구조가 변형된 병정개미 아계급의 흰개미들이다.

《개미와 흰개미들 사이의 해묵은 증오는 씻어 버립시다. 무엇보다도 먼저 그 괴물들의 약탈에 종지부를 찍어야만 합니다.》

흰개미 여왕은 원정군이 빨리 진군할 수 있도록 자기의 함대를 내준다. 목실뢱셩의 흰개미들은 바람을 피할 수 있는 작은 만에 자기들의 항구를 만들어 놓고 있었다. 그 항구는 고운 모래가 깔린 백사장으로 이어져 있다.

개미들은 강변 백사장으로 나간다. 물망초잎들이 여기저
기에 길게 늘어서 있다. 어떤 잎들은 흰개미들의 식량을 싣
고 떠나기를 기다리고 있고, 비어 있는 잎들은 새로운 지방
으로 떠날 준비를 하고 있다. 흰개미들은 쪽배를 보호하려고
섬유소로 된 정박지를 설치했다. 그들은 바람과 물결로부터
항구를 보호하려고 제방에 갈대를 심기까지 했다.

《맞은편 섬엔 무엇이 있지?》

103호가 궁금해한다.

《아무것도 없어요. 어린 코르니게라아카시아만 있는데
우리는 그것을 먹지 않아요. 그런 종류의 섬유소는 별로 좋
아하지 않거든요. 그렇지만, 폭풍이 일 때는 그 섬이 피난처
가 되기도 해요.》

흰개미 하나가 귀뜀한다.

103호와 나비 고치를 지닌 24호가 투명한 솜털이 깔린 물
망초잎 하나에 자리를 잡자 뒤를 이어 개미들과 흰개미들이
탄다. 몇몇 흰개미가 물 위로 배를 밀고 다리가 젖지 않도록
민첩하게 뛰어오른다.

목실뤽쉉 흰개미 한 마리가 더듬이를 물에 담그고 페로몬
을 뿜자 벌레 두 마리가 다가온다. 흰개미 도시의 친구, 물방
개들이다. 물방개들은 딱지날개 사이로 기포를 넣고 물속에
서 호흡하는 딱정벌레다. 물방개들은 이 산소통 때문에 물속
에서 아주 오래 머물 수 있다. 물방개 앞다리엔 보통 교미할
때 사용하는 흡반이 달려 있는데, 지금은 그것을 잎 밑에 붙
이고 잎을 밀고 있다.

물결 속에 냄새 신호가 떨어지자 물방개들이 긴 뒷다리로
물을 휘젓기 시작한다. 그러자 흰개미들의 배가 조금씩조금

씩 강으로 진입한다.

원정군은 그렇게 계속 나아간다.

139. 공동체

오귀스타 웰스와 지하 생활의 동료들은 모임의 방식을 바꿔 새로운 공동체 의례를 만들어 냈다. 그들은 차례차례 하나의 소리를 내다가 공동의 소리인 〈옴〉으로 하나가 되었다.

그다음엔 모두 침묵에 빠져들었다. 느려진 그들의 숨소리만이 정적을 깨뜨렸다.

회합은 매번 달랐다. 어떤 때는 모두 천장의 바위를 뚫고 들어온 에너지를 흡입했다. 멀리 떨어져 있던 에너지가 바위를 관통하고 그들에게까지 와 닿았다.

『백과사전』에 우주파에 대해 언급한 대목이 있었다. 우주파는 파장이 아주 길어서 물이든 모래든 어떤 물질도 통과할 수가 있다는 것이었다.

자종 브라젤은 자기 몸에 여러 가지 에너지가 있음을 깨닫고 그것들을 모두 소리로 나타냈다. 처음엔 기초 에너지 〈우〉가 있었다. 그것은 하위 에너지 〈아〉와 〈와〉로 나뉘었고, 다시 네 가지 다른 소리인 〈워〉, 〈웨〉, 〈에〉, 〈오〉로 나뉘었다. 그것이 다시 여덟 개로 나뉜 다음. 〈이〉와 〈위〉의 두 소리로 끝났다. 자종 브라젤은 그 열일곱 가지 에너지를 피라미드 형태로 단전 근처에 모았다.

그 소리들이 모여 하나의 프리즘 같은 것을 만들었다. 그 프리즘을 하얀 빛과 같은 〈옴〉 소리를 받아들여 그것을 모두 본래의 빛깔로 분해했다.

집중. 확산.

그들은 색과 소리를 호흡했다.

들숨. 날숨.

그들은 소리와 빛으로 가득 찬, 고요한 열아홉 개의 프리즘일 뿐이었다.

니콜라는 그들을 지켜보면서 빈정거렸다.

140. 광고

— 날이 더워지면서 더욱 기승을 부리는 바퀴, 개미, 모기, 거미.

집과 정원에서 그것들을 몰아낼 수 있는 유일한 해결책, 〈크락크락〉!

크락크락과 함께, 여름을 편안하게! 탈수 작용을 하는 크락크락은 벌레들을 얇은 유리처럼 부서지게 만듭니다.

크락크락 분말. 크락크락 분무제. 크락크락 방향제.

크락크락, 그것은 위생의 대명사입니다!

141. 강

103호의 물망초잎이 점점 속도를 낸다. 배는 낮게 깔린 물보라를 헤치면서 곧장 나아간다. 흰개미들은 배 앞에 흰 물거품이 생길 때는 뱃머리를 들어 올리기도 한다. 더듬이와 위턱으로 가득 찬 1백 척의 배들이 항해하고 있다. 물망초잎 1백 개에 탄 2천의 원정군 병사들로 대함대를 이뤘다.

거울같이 매끄러운 강물에 잔잔한 물결이 인다.

목실뢰청의 쪽배들 때문에 잠이 깬 모기들이 자기들의 언어로 투덜거리며 날아간다.

함대의 맨 앞쪽에서, 뱃머리에 자리 잡은 큰코흰개미가 다른 흰개미에게 최선의 항로를 안내한다. 그러면 제일 뒷자리의 흰개미는 물속에 페로몬을 뿜어 물방개를 지휘한다.

움푹 팬 물웅덩이, 수면과 같은 높이의 암초, 그리고 모든 것을 가로막는 렌즈 모양의 해초를 피해야만 한다.

연약한 쪽배들은 모든 것을 비추는 잔잔한 강물 위를 미끄러져 나간다.

물방개의 다리가 일으키는 청록색 소용돌이만이 정적을 깨고 있다. 쪽배들 위로 능수버들이 긴 잎을 드리운다.

103호는 강물에 눈과 더듬이를 담근다. 그 속엔 생물들이 우글거린다. 갖가지 수중 동물들이 흥미를 끈다. 물벼룩과 닷벌레도 보인다. 그 작고 붉은 갑각류의 벌레들이 사방으로 달아난다. 물방개에게 다가오던 모든 벌레들이 그 거구를 보고 숨을 죽인다.

9호도 미물들이 우글거리는 물속을 내려다보고 있다. 그때 올챙이 떼가 물결 높이로 솟아오르며 그들을 향해 돌진해 온다.

《조심해, 올챙이야!》

검은 피부를 반짝이며 올챙이들이 곤충 함대를 향해 빠른 속도로 돌진한다.

《올챙이다, 올챙이다!》

신호가 모든 흰개미 배에 전해진다. 물방개들은 속도를 더 내라는 명령을 받는다. 개미들은 달리 할 일이 없으므로, 잎의 털에 꼭 붙어서 균형을 잃지 말라는 당부만 받는다.

《큰코흰개미, 전투 대형으로!》

머리가 호롱박 모양인 흰개미들이 물결에 코를 들이민다.

올챙이 한 마리가 뛰어들어 24호가 탄 물망초잎을 물어뜯는다. 배는 진로를 못 찾고 소용돌이에 휩쓸려 맴돌기 시작한다.

다른 올챙이가 103호가 탄 배로 덤벼든다.

9호가 그 올챙이를 겨누고 개미산을 쏜다. 개미산 포가 적중한다. 그러나 그 시커멓고 끈적거리는 동물은 마지막 몸부림으로 잎 위로 뛰어오르더니, 기다란 꼬리로 잎을 후려치며 발버둥이 치기 시작한다. 그 서슬에 개미와 흰개미가 모두 물에 빠지고 만다.

9호와 103호는 때마침 다른 배로 구조된다.

몇몇 다른 물망초잎들이 올챙이들 때문에 침몰하여 거의 1천 마리가 물에 빠진다.

그러자 다시 한번 〈큰 뿔〉과 동료 뿔풍뎅이들이 나선다. 도강을 시작할 때부터 그들은 함대 위를 날고 있었다. 뿔풍뎅이들은 올챙이들이 물망초잎을 전복하고 물에 빠진 자들을 악착스럽게 따라다니는 것을 보자, 급강하로 돌진하여 물렁물렁한 올챙이들을 뿔로 찌르고 물에 젖기 전에 다시 날아오른다.

위험한 곡예비행 도중 몇몇 풍뎅이가 익사하지만 대부분은 검고 축축한 올챙이를 뿔에 가득 꿰고 다시 날아오른다. 뿔에 꿰인 올챙이들이 허공에서 긴 꼬리를 휘두르며 꿈틀거린다.

올챙이들이 오던 길을 되돌아 퇴각한다.

개미들은 조난자들을 구한다. 이제 파손된 배 50척에 1천 마리 남짓한 원정군만 남았다. 전투 중 길을 잃었던 24호의 배는 속도를 빠르게 하여 함대와 합류한다.

마침내 모두가 고대하던 페로몬 외침이 울린다.

《육지가 보인다!》

142. 어둠 속의 푸른 점

흥분이 절정에 달했다.

「오른쪽으로 가세요. 천천히, 천천히. 계속 오른쪽으로. 그다음엔 왼쪽으로. 이제 곧바로 가세요. 속도를 늦추세요. 곧장 계속 가세요.」

멜리에스 경정이 요청했다.

레티시아 웰스와 자크 멜리에스는 뒷좌석에서 추적의 결말을 알고 싶어 조바심을 내고 있었다.

택시 기사는 아예 체념하고 그들이 요구하는 대로 순순히 따랐다.

「이렇게 계속 가다간 곧 시동이 꺼질 것 같은데요.」

「개미들이 퐁텐블로 숲 가장자리로 가는 것 같아요.」

초조해진 레티시아가 손을 비비며 말했다.

길 저 끝에 보름달의 하얀 빛을 받고 있는 나무들이 보였다.

「천천히, 천천히 가세요!」

뒤에서, 화가 치민 자동차 운전자들이 경적을 울렸다. 저속 추격전이 교통 운행을 아주 심각하게 방해하고 있었다. 그 추격전에 참여하지 않은 사람들에겐 차라리 목숨을 내놓고 맹렬한 속도로 전개하는 추격전이 훨씬 나을 것이었다.

「왼쪽으로, 계속!」

부처님 가운데 토막 같던 기사가 결국 한숨을 지었다.

「걸어가는 게 더 낫지 않겠어요? 게다가 좌회전을 못하게 되어 있는데요.」

「상관없소, 경찰이오!」

「아, 그렇습니까! 정히 그러시다면 하는 수 없지요, 뭐.」

그러나 반대 방향에서 오는 차량들 때문에 길이 막혔다. 벌써 방사능 물질이 묻어 있는 개미는 감지 구역의 한계를 벗어나고 있었다. 기자와 경정은 움직이는 차에서 뛰어내렸다. 하지만 차가 워낙 느리게 가고 있던 터라, 뛰어내리는 게 별로 위험하지는 않았다. 멜리에스는 지폐를 던지고 거스름돈을 받을 생각도 하지 않았다. 기사는 후진을 하면서 손님들이 조금 이상하긴 했지만 인색하지는 않다고 생각했다.

그들의 방사선 탐지 장치에 신호가 다시 나타났다. 살인범들은 분명히 퐁텐블로 숲을 향해 나아가고 있었다.

자크 멜리에스와 레티시아 웰스는 작고 허름한 집들이 늘어선 지역에 들어섰다. 가로등이 그 초라한 집들을 비추고 있었다. 그 가난한 마을의 거리엔 인적이 끊겨 있었다. 사람은 보이지 않았지만 많은 개들이 그들이 지나갈 때마다 사납게 짖어 댔다. 개들은 대부분 독일셰퍼드들이었다. 혈통의 순수성을 보존하려고 근친 교미를 거듭하는 바람에 퇴화된 종자들이었다. 거리에 누군가 나타나기만 하면 개들은 철책 위로 뛰어오르며 짖기 시작했다.

자크 멜리에스는 두려웠다. 늑대 공포증이 되살아나면서 공포의 페로몬이 그를 휘감았다. 개들은 그 페로몬의 냄새를 맡자 그를 물고 싶은 충동을 더 강하게 느꼈다.

어떤 개들은 담을 넘으려고 뛰어올랐다. 또 어떤 개들은 이빨로 나무 울타리를 물어뜯었다.

「개가 무서워요? 정신 차리세요, 넋 놓고 있을 때가 아니에요. 개미들이 우리에게서 벗어나려고 해요.」

창백해진 경정에게 기자가 말했다.

바로 그때, 어떤 셰퍼드 한 마리가 유독 사납게 짖기 시작했다. 그 개는 사나운 눈을 번득이며 어금니로 울타리를 물어뜯어 널빤지 하나를 절단 냈다. 겁에 질린 기미를 아주 심하게 보이는 사람이 나타나자 대단히 흥분한 것이었다. 그 셰퍼드는 겁에 질린 어린애나 눈에 띄게 걸음을 재촉하는 할머니들을 만난 적은 있었지만, 이처럼 심한 두려움을 드러내는 사람을 본 적이 없었다.

「멜리에스 씨, 왜 그래요?」

「난…… 더 이상 앞으로 나갈 수가 없어요.」

「농담 마세요, 한 마리 개일 뿐이에요.」

그 개는 악착스럽게 울타리에 달려들었다. 판자 하나가 또 부서졌다. 번쩍이는 이빨, 충혈된 눈, 곧추세운 검은 귀. 멜리에스에겐 그 개가 성난 늑대로만 여겨졌다. 바로 침대 밑에 숨어 있던 그 괴물이었다.

개의 머리와 발, 몸뚱이가 차례로 널빤지를 통과하더니, 개가 아주 빠르게 달려 나왔다. 성난 늑대가 울타리 밖으로 나온 것이었다. 개의 날카로운 이빨과 멜리에스의 부드러운 목 사이엔 더 이상 아무 방패막이도 없었다.

야수와 문명인 사이엔 아무런 방책이 없다.

자크 멜리에스는 백지장처럼 창백해진 채 꼼짝도 못 하고 있었다.

바로 그때 레티시아가 그와 개 사이로 끼어들었다. 레티시아는 〈난 너를 두려워하지 않아〉라고 말하듯이 연보랏빛의 차가운 시선으로 그 짐승을 뚫어지게 바라보았다.

레티시아는 등을 꼿꼿이 세우고 어깨를 떡 벌린 채 개를 노려보았다. 그 자세는 자신을 믿는 사람들의 자세였고, 개 사육장에서 조련사들이 집 지키는 법을 가르칠 때 취하는 자세였다.

짐승은 태도를 바꿔 꼬리를 감추고 겁이 난 듯 울타리 안으로 도망갔다.

멜리에스의 얼굴은 여전히 창백했다. 그는 두려움과 한기를 느끼며 떨고 있었다. 레티시아는 멜리에스가 마치 어린애라도 되는 것처럼 그를 안심시키고 따뜻하게 해주려고 대뜸 감싸 안았다. 레티시아는 그가 미소를 지을 때까지 다정하게 꼭 껴안고 있었다.

「우린 서로에게 빚을 지고 갔었어요. 나는 개로부터 당신을 구했고, 당신은 치한들로부터 나를 구해 준 적이 있어요. 당신도 보았듯이 우린 서로를 필요로 해요.」

「빨리, 신호가 들려요!」

푸른 점이 방사능 탐지 장치의 탐지 한계를 벗어나려고 했다. 그들은 점이 원의 가운데로 올 때까지 달렸다.

모두 비슷비슷하게 생긴 작은 집들이 계속 이어졌다. 이따금 문에 〈그거면 나에게 충분해요〉 또는 〈도 미 시 라 도 레〉 같은 간판이 달린 집들이 있었다. 개들, 돌보지 않은 잔디밭, 광고 전단이 넘쳐 나는 우체통들, 갖가지 색깔의 집게가 달린 빨랫줄, 파손된 탁구대가 도처에 널려 있었고, 흔들거리는 캠핑 트레일러들도 여기저기 눈에 띄었다. 사람이 살고 있는 유일한 흔적은 창문으로 새어 나오는 텔레비전의 푸르스름한 빛뿐이었다.

방사능이 묻어 있는 개미는 그들의 발밑 하수도를 질주하고 있었다. 숲이 점점 더 가까워졌다. 경찰관과 기자는 신호를 따라갔다.

그들은 어떤 거리로 방향을 틀었다. 언뜻 보기에 그 구역의 다른 거리들과 별 차이가 없어 보였다. 이정표는 이 거리가 〈페닉스가〉라는 것을 말해 주고 있었다. 주거 지역 사이로 몇 개의 가게가 희미하게 보이기 시작했다. 패스트푸드 점 안에서 다섯 명의 젊은이들이 6도짜리 맥주를 앞에 놓고 뭔가를 씹고 있었다. 병의 상표에 〈주의: 남용은 해로울 수 있습니다〉라고 쐬어 있었다. 똑같은 문구가 담뱃갑에도 찍혀 있었다. 정부는 곧 그와 유사한 딱지를 자동차의 액셀 페달과 시판이 자유로운 무기에도 붙일 예정이었다.

그들은 〈소비의 전당〉 슈퍼마켓과 〈벗과의 해후〉 카페를 지나, 어떤 장난감 가게 앞에서 멈추었다.

「개미들이 멈췄어요. 여기예요.」

그들은 주위를 살펴보았다. 가게는 낡고 허름해 있었다. 진열장엔 먼지 낀 물건들이 아무렇게나 던져진 듯 나뒹굴었다. 장난감 토끼, 오락 게임기, 모형 자동차, 인형, 납으로 된 장난감 병정, 우주 비행사 또는 요정 세트, 익살스러운 장난감들과 속임수 장난감들……. 그 난장판 위에는 시대에 뒤떨어진 알록달록한 꽃 장식이 반짝이고 있었다.

「개미들이 여기 있어요. 바로 여기예요. 푸른 점이 멈췄어요.」

멜리에스가 레티시아의 손을 으스러지도록 꼭 쥐었다.

「우리가 그들을 찾아냈어요!」

멜리에스는 기쁨을 감추지 못한 채 그녀를 껴안고 입 맞추려 했지만 그녀가 그를 밀쳐 냈다.

「냉정하세요, 멜리에스 씨. 아직 일이 끝나지 않았어요.」

「개미들이 여기 있단 말이오. 당신도 봤잖소. 신호는 계속 오고 있지만 더 이상 움직이지 않아요.」

그녀는 고개를 설레설레 흔들고는 눈을 들었다. 가게 전면에는 굵은 글자로 〈장난감의 왕, 아서의 가게〉라고 되어 있는 파란 네온 간판이 있었다.

143. 벨로캉에서

벨로캉에서 날파리 전령이 클리푸니에게 보고한다.

《원정군이 강에 도착했습니다.》

전령은 그동안 원정군이 겪은 일들을 자세히 전한다. 아스콜레인의 비행 군단과 싸운 일, 산에서 헤맸던 일, 폭포를 건너 〈모든 것을 잡아먹는 강〉 가에서 흰개미들과 싸웠던 일.

여왕은 기억 페로몬에 그 정보를 정리한다.

《그럼 이제 어떻게 강을 건널 참이지? 사테이 지하 통로로?》

《아닙니다. 흰개미들은 물방개를 길들여 물망초잎 함대를 운행하는 데 그것들을 이용했습니다.》

클리푸니는 대단한 관심을 보인다. 흰개미들이 물에 사는 딱정벌레들을 완벽하게 길들였으리라고는 전혀 생각하지 못했다.

전령은 나쁜 소식들을 마지막으로 전한다. 원정군이 올챙이들의 공격을 받았는데, 우여곡절 끝에 많은 원정군 병사들이 죽고 1천여 마리만 남았다는 것이다. 살아남은 자 가운데도 부상자들이 많아 다리 여섯 개를 온전히 가지고 있는 개미들은 별로 많지 않다는 것이다.

여왕은 그렇게 걱정하지 않는다. 다리가 모자라는 병사들이 있다 해도 장차 모두 치료되면, 1천여 마리의 원정군으로도 지상의 손가락들을 모두 죽일 수 있을 것이라고 여왕은 생각한다. 이제 새로이 피해를 당하는 일은 없으리라.

144. 백과사전

코르니게라아카시아

코르니게라는 개미가 안에 들어가 사는 묘한 조건에서만 성숙한 나무가 될 수 있는 소관목이다. 이 나무가 꽃을 피우기 위해서는 개미의 보살핌과 보호가 필요하다. 또 이 나무는 개미들을 유인하려고 스스로를 수년에 걸쳐 진짜 개미집으로 바꾸어 간다.

가지는 모두 속이 비어 있고, 그 비어 있는 속에는 오직 개미의 편의를 위한 통로와 방이 갖춰져 있다.

그뿐이 아니다. 통로에는 일개미와 병정개미에게 더없는 기쁨이 되는 흰진디가 사는 경우가 많다. 코르니게라는 제 내부에 자리 잡길 원하는 개미들에게 집과 은신처를 제공한다. 대신, 개미들은 집주인으로서 스스로의 의무를 다한다. 개미들은 모든 애벌레, 외부의 진디, 민달팽이, 거미, 그리고 가지의 성장을 방해하는 다른 나무좀을 퇴치해 준다. 매일 아침, 개미는 위턱으로 송악과 기생 덩굴 식물을 잘라 낸다.

개미는 낙엽을 치우고, 이끼를 긁어내고, 침으로 나무를 소독하며 돌본다.

자연에선 희귀하게 식물과 동물의 훌륭한 공생이 일어난다. 개미 덕분에 코르니게라아카시아는 다른 나무들의 그늘에 들어가지 않고 다른 나무들보다 빨리 자란다. 그 나무는 다른 나무들의 꼭대기를 굽어보면서 직접 햇빛을 받아들인다.

에드몽 웰스, 『상대적이며 절대적인 지식의 백과사전』 제2권

145. 코르니게라섬

야트막하게 깔린 안개가 사방으로 흩어진다. 백사장과 암초들과 절벽들이 보인다.

선두의 흰개미 배가 푸른 이끼가 낀 모래밭 위로 오른다. 이곳의 동식물은 잘 알려지지 않은 독특한 것들이다. 늪지대 냄새가 나는 날파리들이 모기와 잠자리 떼에 섞여 어지럽게 돌고 있다. 꽃들은 쪼그라들어 있고, 심지 모양으로 말려진 잎이 떨어진다. 해초 아래의 땅은 단단하다. 물결에 침식된 바위는 무수히 많은 벌집 구멍이 뚫려 마치 검은 스펀지 조각 같다.

더 멀리, 토질이 물러 보이는 작은 땅덩어리 한가운데에 어린 코르니게라아카시아가 당당히 자리 잡고 있다. 아마도 씨앗 하나가 바람에 날리다가 우연히 이 섬에 닿아 싹을 틔운 모양이다. 물, 토양, 공기, 3요소가 식물에 생명을 부여하는 데 충분했지만 성장에 기여하는 개미들이 부족했다. 옛적부터 개미들과 혼인하는 것이 이 식물의 유전 형질로 되어 있었다.

코르니게라아카시아는 이미 2년 전부터 개미들을 기다려왔다. 이 코르니게라의 아주 많은 형제들이 이 우주적인

만남을 이루지 못했다. 이 코르니게라나무가 이렇게 행복한 만남을 이루게 된 것은 간접적으론 손가락들 덕이다. 아카시아 껍질에 〈질은 나탈리를 사랑해〉라는 글귀를 새겨, 그토록 고통스러운 상처를 남겼던 바로 그 손가락들의 덕을 입은 것이다.

갑자기 103호가 몸을 떤다. 섬 한가운데에 아주 선명하게 옛일을 회상시키는 물건이 있다. 이 돌출물…… 맞아, 우연일 순 없어. 바로 그거야. 꼭대기가 둥글고 구멍이 가득 팬 탑. 그들이 하얀 나라에서 최초로 발견했던 이상한 물건. 103호는 주위에 알리지도 않고, 부대를 떠나 그 물건을 더듬는다. 그것은 단단하고, 투명하고, 안에 하얀 가루가 들어 있다. 지난번에 본 것과 똑같다.

흰개미 병정들이 103호의 곁으로 다가와 묻는다.

《무슨 일이에요? 왜 부대를 떠나는 거예요?》

103호는 그 물건이 아주 중요한 것이라고 설명한다.

《그래요, 매우 중요한 거예요. 손가락 신들이 새겨 놓은 겁니다. 신의 기념물이에요!》

23호가 따라서 페로몬을 발한다.

그러자 신을 믿는 개미들은 진흙으로 그것과 비슷한 조상(彫像)을 빚기 시작한다.

몇몇 개미들은 여독도 풀 겸 전투에서 입은 상처도 치료할 겸 군 장비도 다시 손볼 겸 그 평화로운 항구에서 며칠 머물기로 결정한다.

모두들 그러는 게 좋겠다고 생각한다.

103호가 몇 발자국 디디자 이내 무언가가 그를 놀라게 한다. 지구 자기장에 민감한 존스턴 기관이 자극을 받고 있다.

그들은 지금 하르트만 결절에서 멀지 않은 곳에 있다!

하르트만 결절은 특별한 자기(磁氣)를 띠고 있는 지대이다. 일반적으로 개미들은 바로 그 지점에만 보금자리를 만든다. 그곳은 양이온을 띤 지구 자장선이 교차하는 지점이다. 그곳은 많은 동물들, 특히 포유동물을 불편하게 만들지만, 개미들에겐 반대로 편안함을 안겨 준다.

인체에 침을 놓기에 알맞은 자리인 경혈(經穴)이 있듯이, 하르트만 결절은 지표에 있는 경혈이라 할 만하다. 그것을 통해서 개미들은 대지와 대화하고, 물의 근원을 발견하며, 땅의 진동을 탐지한다. 그렇게 하여 개미들의 도시는 세계에 뻗쳐 있는 것이다.

103호는 정확히 자력이 가장 센 지점을 찾는다. 그는 코르니게라아카시아나무 바로 아래에서 하르트만 결절을 발견한다.

그는 곧 24호, 그리고 9호와 함께 소관목 위를 거닐기 시작한다. 유난히 껍질이 얇은 곳이 한군데 있다. 그들은 그 보호막을 벗겨 내고 코르니게라아카시아의 첫 문을 열어젖힌다. 놀라운 일이다! 그곳에 텅 빈 개미집이 그들을 기다리고 있다. 나무랄 데 없이 깨끗한 둥지이다.

뿌리에 들어가 보니 개미들이 언제라도 들어가 살 수 있는 방이 가득하다. 곳간이나 산란실임을 금방 알아볼 수 있게 지어진 방들도 있고, 날개를 잃은 흰진디들이 벌써 분주하게 움직이고 있는 축사도 있다.

벨로캉 개미들은 그 예기치 않은 숙소를 구경한다. 가지들은 모두 속이 비어 있고, 방들의 얇은 칸막이엔 수액이 흐르고 있다.

　나무는 개미들을 환영하는 뜻으로 가장 향긋한 수지 향기를 발산한다.

　24호는 감탄을 하며 죽 이어진 방들을 둘러본다. 너무 감동한 나머지 그는 위턱을 벌리다가 나방 고치를 떨어뜨린다. 24호는 자기의 의무를 망각하지 않고 얼른 그 나방 고치를 다시 집어 든다.

　늙은 탐험 개미 103호가 24호에게 그 아카시아나무에 대해서 설명한다.

　《나무 속의 그 둥지를 선물로 받는 개미들에게는 몇 가지 의무가 따른다. 이곳에서 살고 싶어 하는 개미들은 나무를 돌봐야 한다. 그것은 영원한 속박이다. 자기 자신을 정원사로 생각해야 한다.》

　그들이 나무 둥지 밖으로 다시 나오자 노병(老兵) 103호가 23호에게 새삼[30] 싹을 보여 주며 설명한다.

　《새삼의 씨앗은 어떠한 썩은 물질과 닿더라도 싹이 튼다. 그런 다음 줄기 하나가 땅을 뚫고 뻗어 나와 한 시간에 두 바퀴 정도의 속도로 천천히 돈다. 이 줄기가 관목을 만나자마자, 뿌리는 쇠퇴하고 가시처럼 생긴 흡기(吸器)가 나무에 박혀 나무의 진을 빨아들인다. 새삼속 식물이야말로 식물계의 흡혈귀인 것이다.》

　103호가 코르니게라나무 가까이에서 자라고 있는 새삼 줄기 하나를 가리킨다. 새삼은 아주 천천히 돌고 있어서 마치 바람의 힘으로 자연스럽게 움직이고 있는 듯한 느낌을 준다.

　24호가 아주 예리한 위턱을 내밀어 새삼을 토막 내려고

30 메꽃과에 딸린 한해살이 붙살이식물.

한다.

《안 돼, 그걸 자르면 토막이 각각 다시 살아날 거야. 열 토막을 내면 다시 열 개의 새삼 줄기가 될 거야.》

103호가 페로몬을 발하여 깨우쳐 준다.

103호는 전에 아주 놀라운 일을 목격한 적이 있었다. 나란히 버려진 새삼 줄기 두 토막이 나뭇진을 빨아들일 관목을 찾느라고 주위를 돌고 있었는데, 관목을 발견하지 못하자 새삼 줄기들은 서로를 감았고 둘 다 죽을 때까지 자기들의 수액을 빨았다.

《그럼 어떻게 하죠? 그냥 자라게 내버려 두면 결국엔 코르니게라를 발견하고 그 줄기를 감을 텐데요.》

24호가 궁금해한다.

《뿌리째 뽑아서 바로 물에 던져 버려야 해.》

페로몬을 발하기가 무섭게 그대로 일이 이루어진다. 개미들은 코르니게라아카시아에게 해롭다고 여겨지는 다른 식물들을 모두 제거한다. 그리고 주위에 널려 있는 작은 좀벌레들과 벌레들도 모두 쫓아낸다.

문득, 규칙적으로 똑딱거리는 소리가 들려온다. 딱정벌레의 하나인 빗살수염벌레[31]이다. 〈죽음의 시계〉라는 별명을 가진 그 벌레가 나무에 구멍을 뚫고 있다. 또 다른 똑딱 소리가 거기에 화답한다.

《암컷을 부르는 빗살수염벌레 수컷이야!》

그 벌레들과 여러 번 맞닥뜨린 적이 있는 흰개미 하나가 알려 준다. 아닌 게 아니라 그 소리들은 두 개의 바라로 소리

---

31 빗살수염벌렛과에 딸린 벌레. 몸빛은 검고 더듬이는 빗 또는 톱날 모양인데 고목의 껍질을 갉아 먹고 산다.

를 내듯 서로 화답하는 것 같다.

개미들은 금방 그 벌레들을 찾아내고 사랑을 나누는 두 빗
살수염벌레를 엿본다.

원정군 병사들은 밤을 보내려고 하나의 도시인 나무 안으
로 들어간다. 코르니게라의 속이 빈 것을 보고 모두들 놀
란다.

가장 커다란 가지 안에 있는 방에서 식사를 한다.

개미, 흰개미, 꿀벌과 풍뎅이 들은 영양을 교환한다. 진디
를 짜서 달콤한 진디의 물을 나누어 먹는다. 그런 다음 야영
때는 언제나 그랬듯이 대장정의 대상인 손가락들을 주제로
다시 논쟁이 벌어진다.

《손가락들은 신이야.》

신을 믿는 벨로캉의 개미가 주장한다.

《신이라고? 신이 뭔데?》

목실뤽쉉 흰개미가 캐묻는다.

신은 모든 것을 주재하는 힘을 지녔다고 23호가 설명
한다.

꿀벌, 파리, 흰개미 들은 손가락들을 숭배하고 그들이 세
계를 만들었다고 믿는 개미들이 원정군 한복판에 있다는 것
을 알고 무척 놀란다.

논쟁은 계속된다. 각자 자기 견해를 발표하고 싶어 한다.

《손가락들은 존재하지 않아.》

《손가락들은 날아다녀.》

《아냐, 손가락들은 기어 다녀.》

《그들은 물 아래로 다닐 수도 있어.》

《그들은 고기를 먹고 살아!》

《전혀 먹지 않고 태어날 때부터 갖고 있는 에너지로만 살아.》

《손가락들은 식물이야.》

《아냐, 파충류야.》

《손가락들은 무수히 많아.》

《다섯 마리씩 무리 지어 지구를 돌아다니는데, 기껏해야 열 내지 열다섯 마리밖에 안 될 거야.》

《손가락들은 죽지 않아.》

《천만에, 우리가 닷새 전에 하나 죽였어.》

《사실 그건 손가락들이 아니었어!》

《그럼, 뭐였는데?》

《손가락들은 공략되지 않아.》

《손가락들은 말벌들처럼 진흙으로 만든 둥지를 가지고 있어.》

《아냐, 새들처럼 나무에서 자.》

《겨울잠은 안 자!》

《그만둬, 무슨 헛소리야. 손가락들도 틀림없이 겨울잠을 잘 거야. 동물들은 모두 겨울잠을 자니까.》

《어떤 흰개미가 그러는데 이상하게 구멍이 뚫린 나무들을 보았대. 그러니까 손가락들은 나무를 먹고 살 거야.》

《아냐, 손가락들은 개미를 먹고 살아.》

《좀 전에 내가 얘기했듯이, 아무것도 먹지 않고 태어날 때부터 저장하고 있는 에너지로만 살아.》

《손가락들은 분홍빛이고 둥글어.》

《그들은 또한 검고 평평하기도 해.》

논쟁은 계속된다. 신을 믿는 개미들과 믿지 않는 개미들이 대립한다. 23호와 24호의 터무니없는 주장이 9호를 화나게 한다.

《다른 원정군 병사들을 전염시키기 전에 저 떼거지들을 죽여야 해.》

그 내부의 적들이 위험하다는 사실을 103호가 인정해 주기를 바라면서 9호가 독한 페로몬을 내뿜는다.

《안 돼, 내버려 두게. 그들도 다양한 세계의 일부를 이루고 있는 것일세.》

9호는 당황한다. 이상한 일이다. 원정이 시작된 이후로 개미들이 변해 가고 있는 듯하다. 이제 개미들은 추상적인 주제를 가지고 토론한다. 그들은 갈수록 혼란스러워하고 두려워하고 있다. 불개미들에게 〈마음의 병〉이라는 감염병이 퍼지고 있는 것일까? 아니면 그들이 점점 개미답지 않게 변해 가고 있는 것일까?

맞서 싸워야 할 괴물들을 앞에 두고 그들은 여전히 토론을 벌이고 있는 것이다. 잠을 자는 게 낫겠다. 행복에 젖은 코르니게라아카시아가 그들의 잠을 지켜 줄 것이다.

밖에선 밤 두꺼비가 울부짖고 있다. 섬유와 나뭇진으로 된 성(城)이 곤충들을 보호하고 있기 때문에 그렇게 많은 먹이를 목전에 두고도 잡아먹을 수 없다는 게 너무나 안타까운 것이다.

원정군 병사들이 모두 잠들어 있다. 간질에 감염된 개미들만이 몽환 상태에서 줄지어 빠져나와 어떤 풀 꼭대기로 기어 올라간다. 양에게 잡아먹히기를 기다리는 것이다. 그러나 이 섬엔 양이 없다. 아침이 되면 그 개미들은 몰래 빠져나갔던 일을 까마득히 잊고 동료들 곁으로 돌아오리라.

다섯 번째 비밀　　　　　**개미들의 주인**

146. 신을 믿는 개미들

반체제 개미들은 도시의 통로를 전속력으로 내리닫는다. 꿀단지개미를 빼돌려 리빙스턴 박사에게 가져가려던 그들이 벨로캉 연방 경비대의 추격을 받고 있다. 몇몇 반체제 개미들이 경비대의 추격을 늦추려고 자기 몸을 던지고 있다.

개미산이 분출한다. 신을 믿는 개미 한 마리가 쓰러진다. 또 한 마리가 쓰러진다.

살아남은 것들은 점점 빈대들의 방 쪽으로 내몰린다. 그러나 반체제 개미 모두를 죽이기 전에 여왕 클리푸니는 알고 싶은 게 있다. 여왕은 광신자 하나를 들여보내라고 명령한다.

《너희는 왜 이런 짓을 하는 거지?》

여왕이 묻는다.

《손가락들은 우리의 신이기 때문입니다.》

여전히 똑같은 얘기다. 여왕 클리푸니는 생각에 잠긴 듯 더듬이를 흔든다. 얼마 전부터 이유는 알 수 없지만 반체제 운동이 새롭게 발전하고 있다. 여왕의 첩보 개미에 따르면, 겨우 몇 주 전만 해도 열두 마리뿐이었는데 지금은 1백여 마리나 된다고 한다.

반체제 개미들을 끝까지 추적해서 잡아야 한다. 장차 그들은 너무나 위험한 존재가 될 것이다.

147. 장난감 가게

「이제 어떻게 하죠?」

레티시아 웰스가 물었다.

「자, 들어갑시다.」

자크 멜리에스가 자신감 있게 말했다.

「이 집 사람들이 우리를 들여보낼까요?」

「사실 초인종은 누를 생각도 없어요. 건물 정면에 나 있는 저 창문으로 들어갑시다. 누가 뭐라면, 수색 영장을 제시할 생각이에요. 가짜로 하나는 늘 휴대하고 다니니까요.」

「당신 형편없군요! 정말이지, 경찰과 강도는 크게 다른 게 없다니까.」

레티시아가 쏘아붙였다.

「그렇게 소심하고 감상적이어서는 범죄자들을 해치울 수가 없어요. 자, 갑시다!」

썩 내키지는 않지만 레티시아는 호기심에 끌려서 그의 뒤를 따라 빗물받이 홈통을 타고 벽을 기어오르기 시작했다.

두 사람은 어렵게 어렵게 수직면을 기어 올라갔다. 그들은 손을 긁히고 몇 번 떨어질 고비를 넘긴 후에야 테라스에 올라섰다. 집이 2층밖에 안 되는 것이 다행이었다.

그들은 숨을 돌리고 방사능 탐지 장치를 들여다보았다. 푸른 점은 여전히 화면 중앙에서 움직이지 않고 있었다. 살해범 개미들은 이제 5~6미터쯤 떨어진 곳에 있는 듯했다. 그들은 반쯤 열려 있는, 테라스의 문을 겸한 창문으로 들어

갔다.

손전등으로 비춰 보니, 그곳은 흔히 볼 수 있는 침실이었다. 붉은 셔닐사 이불이 덮인 커다란 침대와 노르망디식 가구가 있었고 꽃무늬 벽지에 여기저기 복제품 산수화들이 걸려 있었다. 방에선 나프탈렌 냄새와 함께 라벤더 향기가 났다.

침실은 〈가구점〉 같은 거실로 통해 있었다. 거기에는 다리가 잘 빠진 안락의자들과 유리 장식이 주렁주렁 달린 샹들리에가 있었다. 까치발 달린 테이블에 동양 향수들을 모아 진열해 놓은 것이 아주 특이해 보였다.

한쪽에서 불빛이 새어 나오고 있었다. 거기에선 아마도 사람들이 텔레비전을 보면서 저녁 식사를 하고 있는 것 같았다.

멜리에스가 방사능 탐지 장치의 화면을 응시했다.

「개미들이 지금 우리들 위에 있어요. 틀림없이 지붕 밑 방이 있을 겁니다.」

멜리에스가 속삭였다.

그들은 천장에 뚜껑 문이 있는지 찾아보았다. 욕실 통로에 지붕 밑 방으로 올라가는 사다리가 하나 있었다. 거기에서 뜻밖에도 불빛이 흘러나왔다.

「올라갑시다.」

연발 권총을 꺼내며 멜리에스가 말했다.

그들은 기이하게 생긴 지붕 밑 방으로 들어섰다. 방 한가운데에 개미 사육통이 놓여 있었다. 레티시아의 사육통과 비슷하게 생겼지만 열 배는 더 커 보였다.

그 거대한 사육통에서 나온 대롱들이 컴퓨터와 연결되어

있었고, 컴퓨터는 다시 아주 다양한 색상의 유리병들과 연결되어 있었다. 왼쪽엔 정보 처리 기기들, 돌로 된 작업대, 현미경, 뒤죽박죽 얽힌 전깃줄과 트랜지스터가 있었다. 레티시아가 〈미친 학자의 소굴 같군〉이라고 생각하는 순간, 뒤에서 외마디 소리가 들려왔다.

「손 들엇!」

그들은 천천히 돌아섰다. 커다란 총열을 가진 총 하나가 그들을 겨누고 있었다. 그 총 위로 놀랍게도 낯익은 얼굴이 나타났다. 〈하멜른의 피리 부는 사나이〉는 그들이 이미 오래전부터 알고 있던 얼굴이었다.

148. 백과사전

폭격기딱정벌레

폭격기딱정벌레Brachinus crepitans는 〈기관총〉을 갖고 있다. 그 딱정벌레는 공격을 받으면, 폭발 소리를 내면서 연기를 내뿜는다. 그 곤충은 두 개의 서로 다른 분비샘에서 분비되는 화학 물질을 배합하여 연기를 만든다. 첫 번째 분비샘에선 과산화수소 25퍼센트와 하이드로퀴논 10퍼센트를 함유한 용액을 분비하고, 두 번째 분비샘에선 일종의 촉매 역할을 하는 과산화 효소를 만든다. 이 분비액들이 연소실에서 혼합되어 온도가 100°C에 이르면 연기가 나오고 질산 증기가 분출하면서 폭발하게 된다.

폭격기딱정벌레에 손을 가까이 가져가면, 곧 대포에서 뜨겁고 매우 지독한 냄새가 나는 붉은 증기가 분출할 것이다. 그 질산은 피부에 수포를 일으킨다.

폭격기딱정벌레는 혼합과 폭발이 이루어지는 복부의 배출구로 방향을 조정하며 목표물을 겨눌 줄도 안다. 그럼으로써 몇 센티미터 거리에 있는 표적을 맞힐 수 있다. 설사 빗나가더라도 그 어마어마한 폭음 때문에 어떤 공격자라도 도망가지 않고는 못 배길 것이다. 일반적으로 폭격기딱정벌레는 서너 번 폭격할 혼합물을 비축하고 있다. 그런데 어떤 곤충학자들은, 사람들이 그것들을 자극했을 때 단숨에 스물네 번까지 쏠 수 있는 종을 발견하기도 했다.

폭격기딱정벌레는 오렌지빛과 은빛 파란색이어서 눈에 띄기가 아주 쉽다. 대포로 무장했으니까 아무리 요란한 옷을 입고 자신을 드러내도 끄떡없다고 느끼는 것처럼 행동한다. 대체로 현란한 빛깔과 화려한 딱지날개를 자랑하는 딱정벌레목 벌레들은 모두 호기심 많은 자들을 퇴치할 수 있는 아주 기발한 방어 수단을 가지고 있다.

주(註): 그럼에도 불구하고, 폭격기딱정벌레들이 그 〈기발한 방어 수단〉을 즐겨 사용한다는 것을 아는 생쥐는 혼합과 폭발이 일어나기 전에 딱정벌레의 배를 즉각 모래 속에 처박아 버린다. 모래 속에서 마구잡이 공격을 하면서 이 곤충이 모든 폭약을 헛되이 다 써버렸을 때, 생쥐는 그것의 머리부터 삼킨다.

에드몽 웰스, 『상대적이며 절대적인 지식의 백과사전』 제2권

149. 아침을 노래하다

코르니게라아카시아의 속이 빈 어떤 잔가지 안에 자리를 잡았던 24호가 잠에서 깨어난다. 잔가지 옆구리에는 통풍구로 쓰이는 작은 구멍들이 배의 현창(舷窓)처럼 나 있다. 바닥의 얇은 막을 뚫고 들어가니 방 하나가 나오는데, 육아실로 쓰면 딱 좋게 되어 있다. 다른 개미들은 아직 자고 있다. 24호는 산책을 하러 밖으로 나간다.

코르니게라의 잎자루에는 개미들의 먹이가 들어 있다. 자란 벌레를 위해서는 감로를 내놓고 애벌레를 위해서는 미세한 분말을 내놓는다. 그 먹이는 단백질과 지방질이 풍부해서 자란 벌레, 애벌레 모두의 영양 섭취에 적합하다.

잔물결이 절벽에 부딪치면서 찰방찰방 소리를 낸다. 진한 박하 향과 사향내가 공기 속에 섞여 있다.

백사장 위로 나아가 보니 붉은 태양이 강물 위를 비추고 있다. 물빈대들이 수면에서 미끄럼을 타고 있다. 고목의 잔가지 하나가 방파제 구실을 하고 있다. 앞으로 나아가 맑은 물속을 들여다보니 거머리들과 장구벌레들이 떼 지어 돌아다닌다. 24호는 섬의 북쪽으로 올라간다.

물 위에 좀개구리밥이 무성하다. 푸르고 둥그런 알갱이들로 이루어진 풀밭 같다. 그 물풀들이 절벽의 기슭을 어루만지고 있다. 그 위로 이따금 송장개구리들의 두 눈이 뒤룩거린다. 멀리 만(灣) 안에는 연보랏빛 줄기를 가진 백련이 보인다. 수련은 곤충들 세계에선 효험 있는 진정제로 잘 알려져 있다. 기근이 드는 시기에 곤충들은 녹말이 풍부한 수련 뿌리줄기를 먹기도 한다.

《자연은 언제나 모든 것을 배려하지.》

24호가 중얼거린다. 치료법은 늘 병의 바로 곁에 있다. 썩은 물가에서 자라는 능수버들의 껍질에는 비위생적인 장소에서 걸리는 질병을 치료하는 살리실산(아스피린의 주성분)이 들어 있다.

섬이 자그마해서 벌써 24호는 동쪽 기슭에 있다. 그곳은 줄기나 물속 깊이 잠긴 수륙 양생 식물로 뒤덮여 있다. 쇠귀나물, 여뀌, 미나리아재비들이 무성하게 자라, 보랏빛과 흰

빛을 푸름 속에 보태고 있다.

24호의 위로 잠자리들이 짝을 지어 선회하고 있다. 수컷들은 자기의 두 생식기를 암컷들의 두 생식기와 결합시키려고 애쓰고 있다. 수컷은 생식기가 가슴 아래와 배 끝에, 암컷은 머리 뒤와 배 끝에 있다. 교미를 하려면 생식기 넷이 동시에 교접해야 하는데, 그러기 위해선 복잡한 곡예가 필요하다.

24호는 계속해서 섬을 돌아다닌다.

섬 남쪽엔 갈대, 골풀, 붓꽃, 박하 등 습지 식물들이 땅에 곧게 뿌리를 박고 있다. 갑자기 대나무 사이로 검은 눈이 나타나 24호를 바라보더니 앞으로 나온다. 도롱뇽의 눈이다. 그것은 도마뱀과 비슷한 동물로, 노란색과 오렌지색의 얼룩무늬가 있는 검은 옷을 입고 있다. 머리는 동글납작하고, 등에는 회색 무사마귀가 퍼져 있는데, 그것은 그의 조상인 공룡에게 있었던 뾰족한 돌기들의 마지막 흔적이다. 그 동물이 다가온다. 도롱뇽들은 곤충 먹이를 대단히 즐기지만 동작이 너무 느리기 때문에 대개 먹이들은 도롱뇽에게 잡히기 전에 잽싸게 달아난다. 그래서 도롱뇽들은 비가 세차게 내리고 난 뒤 물에 잠긴 곤충들을 긁어모을 수 있게 되기를 기다린다.

24호는 아카시아 은신처로 질주한다.

《비상, 도롱뇽이다, 도롱뇽!》

24호가 냄새 언어로 소리친다.

개미들이 나무에 뚫린 총구멍을 통해 개미산이 들어 있는 배 끝을 겨눈다. 목표물이 별로 빠르지 않기 때문에 개미산이 쉽게 적중한다. 그러나 시커멓고 단단한 살갗을 가진 도롱뇽에게 개미산 따위는 그저 가소로울 뿐이다. 위턱으로 살

갖을 뚫으려고 그 위로 달려든 개미들은 살갗을 덮고 있는 아주 독한 체액 때문에 죽음을 당한다. 이처럼 때때로 동작이 굼뜬 것이 재빠른 것들을 정복할 수도 있다.

스스로 불사신이라고 굳게 믿는 도롱뇽은 포수 개미들로 가득 찬 가지를 향해 서두르지 않고 서서히 다가온다. 그러다가…… 코르니게라아카시아 가시에 찔린다. 도롱뇽은 몸에서 피가 나자 질겁하여 상처를 살펴보고는 되돌아가서 골풀 사이에 몸을 숨긴다. 굼뜨게 움직이던 도롱뇽이 이제 꼼짝도 안 하고 있다.

나무 안에 있던 모든 곤충들은 코르니게라아카시아에게 찬사를 보낸다. 마치 그 나무가 그들을 포식자로부터 지켜 준 동물이라도 되는 것처럼 고마워한다. 곤충들은 가지에 걸쳐 있는 기생 식물들을 마저 치워 주고 뿌리 근처에 배설물을 쏟아 퇴비를 준다.

아침 공기가 따사로워지자 곤충들은 저마다 자기 일에 열중한다. 흰개미들은 강물에 떠내려 온 나무 끝에 구멍을 뚫고, 파리들은 짝짓기를 하느라 정신없다. 곤충들은 각자 좋아하는 구역으로 이동한다. 코르니게라섬은 곤충들이 필요로 하는 모든 먹이를 제공하고 약탈자들로부터 그들을 떼어 놓는다.

강에는 갖가지 먹이가 풍부하다. 개미들이 즙을 짜서 당분이 많은 음료를 얻는 조름나물, 늪물망초, 상처를 소독하는 거품장구채, 가시로 물고기를 잡아 개미들에게 새로운 먹이를 만들어 주는 등골나물 등이 있다.

하늘엔 모기와 잠자리가 떼 지어 떠다니고, 그 아래에 원정군 병사들은 저마다 다람쥐 쳇바퀴 돌듯 하는 대도시의 일상적인 삶에서 벗어나서 섬 생활을 즐기기 시작한다.

어디선가 요란한 소리가 들려온다. 사슴벌레 수컷 두 마리가 싸우고 있다.

집게와 뾰족한 뿔로 무장한 커다란 사슴벌레 두 마리가 빙빙 돌다가 아주 잘 발달된 위턱으로 서로를 움켜잡더니 번쩍 들어 올리면서 둘 다 나둥그러진다. 키틴질로 된 등판이 맞부딪치고 뿔이 충돌한다. 프로레슬링 시합 같다. 먼지가 자욱하고 소리가 요란하다. 그들은 하늘로 올라가 격투를 계속한다.

관중들은 모두 그 굉장한 결투를 보며 열광한다. 그들 속에서 벌써 위턱들이 부딪는 소리가 들린다. 그들 역시 본능적으로 서로 싸우고 싶은 충동을 느끼고 있는 것이다.

두 사슴벌레의 싸움은 몸집이 큰 쪽에 유리하게 돌아가더니 결국 작은 쪽이 공중에서 곤두박질하고 만다. 이긴 사슴벌레는 승리의 표시로 하늘을 향해 날카롭고 긴 집게를 곧추세운다.

103호는 이 사건에서 어떤 낌새를 느끼고, 코르니게라섬에서의 평화로운 시간을 끝내야 할 때임을 깨닫는다. 동물들은 원정을 계속하고 싶어 안달이 나 있다. 이곳에 계속 머물러 있다가는 짝짓기를 둘러싼 다툼, 난투, 언쟁이 다시 벌어질 것이고, 종족 간의 오랜 대립이 다시 나타날 것이며, 동맹은 깨질 것이다. 개미들은 흰개미들과, 꿀벌들은 파리들과, 풍뎅이들은 다른 풍뎅이들과 맞서 싸울 것이다.

파괴하려는 충동을 공동의 적에게 집중시켜야 한다. 원정을 계속해야 한다. 103호는 주위에 그런 생각을 알리는 페로몬을 발한다. 곧이어 내일 아침 따사로운 햇살이 비치자마자 다시 떠나자는 결정이 이루어진다.

황혼이 찾아들고, 원정군 병사들은 천연의 숙소 안에 자리를 잡고 여느 때처럼 한담을 나눈다.

어떤 개미가 문득 새로운 제안을 한다. 원정에 참여한 것을 기념하는 뜻으로 각자 산란 번호 대신에 여왕개미들처럼 이름을 갖자고 한다.

《이름이라고?》

《그래…….》

《좋아, 우리 서로 이름을 정하자.》

《난 뭐라고 부를 텐가?》

103호가 묻는다.

〈안내자〉나 〈새를 정복한 자〉, 또는 〈두려워하는 자〉로 부르자는 제안이 나온다.

하지만 103호는 자기의 성격을 가장 잘 특징짓는 것은 회의(懷疑)와 호기심이라고 생각한다. 자기가 무지하다고 생각하기 때문에 끊임없이 알고자 하는 것이 그의 특징이다.

그래서 그는 〈회의하는 자〉로 불러 주기를 바란다.

《나는 〈깨달은 자〉로 불러 주면 좋겠어. 손가락들이 우리의 신(神)이라는 사실을 알고 있기 때문이다.》

23호가 나선다.

《난 〈싸우는 자〉로 불러 줘. 왜냐하면 나는 개미들을 위해 개미의 모든 적과 싸우기 때문이야.》

9호가 주장한다.

다들 무엇인가로 불러 주면 좋겠다고 한마디씩 한다.

얼마 전만 해도 〈나〉는 금기의 단어였다. 개미들이 자기의 이름을 가지려 한다는 것은 자기들을 전체의 부분으로뿐만 아니라 개체로도 인식하고 있다는 것을 의미한다.

103호는 신경이 곤두서는 느낌을 받는다. 이 모든 것은 정상이 아니다. 그는 네 뒷다리로 버티고 서서 이런 생각을 포기할 것을 요구한다.

《모두들 준비하게. 우린 내일 일찍 떠나야 해. 되도록 일찍.》

150. 백과사전

오로빌

인도의 퐁디셰리 근처, 오로빌(오로르빌)[32]의 모험은 인간이 시도한 가장 흥미로운 이상적 공동체 가운데 하나다. 1968년 벵골 철학자 스리 오로빈도와 프랑스 여성 철학자 미라 알파사(〈어머니〉라 불리었음)는 그곳에 이상향의 마을을 세우기 시작했다. 그곳은 모든 것이 중앙으로부터 뻗어 나가는 방사형으로 되어 있었다. 그들은 모든 나라로부터 사람들이 오기를 기다렸다. 주로 절대적 이상향을 추구하던 유럽인들이 오로빌로 모여들었다.

남녀 모두 풍차, 수공업 공장, 배수로, 정보 센터, 벽돌 공장을 건설했다. 그들은 척박한 땅에 작물을 심었다. 〈어머니〉는 자기의 영적 경험을 세세히 기록한 몇 권의 책을 썼다. 공동체 구성원들이 살아 있는 〈어머니〉를 신으로 받들기로 결정하기 전까지는 만사가 순조로웠다. 처음에 그녀는 그런 영예를 사양했다. 그러나 스리 오로빈도가 죽고 나자, 그녀의 곁에서 그녀를 지지해 줄 힘 있는 사람이 아무도 없었다. 미라 알파사는 오래지 않아 숭배자들의 요구에 무릎을 꿇고 말았다.

그들은 그녀를 방에 가두고, 살아서 신이 되고 싶지 않으면 죽은 신이

32 Auroreville. 새벽을 뜻하는 aurore와 도시를 뜻하는 ville을 합친 것.

라도 되라고 강요했다. 미라 알파사는 스스로에게 신적인 요소가 있다고는 생각하지 않았던 듯하다. 그럼에도 미라 알파사는 억지 춘향으로 신이 되었다!

마지막으로 대중들 앞에 모습을 드러냈을 때, 〈어머니〉는 아주 쇠약해 보였고 심한 정신적 충격을 받은 듯했다. 자기가 감금되어 있다는 사실과 숭배자들이 부당한 대우를 하고 있음을 폭로하려 하자, 숭배자들은 그녀의 말을 막고 방으로 끌고 갔다. 〈어머니〉는 자기를 숭배하는 척하는 자들이 매일매일 가하는 고통 때문에 점점 쭈그렁 노인이 되어 갔다.

그래도 〈어머니〉는 우여곡절 끝에 자기의 옛 친구들에게 은밀한 전갈을 보낼 수 있게 되었다. 사람들이 자기를 죽은 신, 즉 더 쉽게 숭배할 수 있는 신으로 만들기 위해 자기를 독살하려 한다는 내용이었다.

하지만 구원 요청은 헛된 것이 되었다. 그녀를 도우려던 사람들은 즉각 공동체로부터 쫓겨났다. 최후의 통신 방법으로, 그녀는 갇혀 있던 방 안에서 자신의 비극을 알리기 위해 오르간을 연주하였다. 아무런 효과도 없었다.

〈어머니〉는 1973년에 죽었다. 십중팔구는 치사량의 비소에 의해 희생되었을 것이다.

오로빌 공동체는 그녀를 신으로 예우하면서 장례를 치러 주었다.

그러나 그녀가 없어지자, 더 이상 공동체를 공고히 해줄 것이 남아 있지 않았다. 공동체는 분열되었고 구성원들은 서로 대립했다. 이상 세계에 대한 꿈을 망각한 채, 그들은 서로를 법정으로 끌고 나갔다. 그들이 벌인 많은 소송을 보면서 사람들은 한때 가장 야심만만하고 성공적인 공동체 실험의 하나였던 오로빌에 대해 의혹을 가지게 되었다.

에드몽 웰스, 『상대적이며 절대적인 지식의 백과사전』 제2권

151. 니콜라

《최후의 순간까지 싸워라.》

니콜라는 클리푸니가 무자비하게 탄압하고 있는 반체제 운동이 가까스로 활기를 되찾았다는 것을 알았다. 권능을 가진 신이 되려면 자기 말이 즉각 받아들여질 수 있도록 만들어야 한다. 니콜라 웰스는 지하 공동체 모두가 잠든 시간을 이용하여 컴퓨터 앞에 앉았다. 니콜라는 영감을 떠올린 다음, 컴퓨터의 자판을 두드리기 시작했다. 거실에서 피아노 건반을 두드리는 어린 모차르트 같았다. 다만 니콜라는 음악을 만드는 것이 아니라 자기를 신으로 바꾸어 줄 페로몬의 교향곡을 만들고 있는 것이다.

최후의 순간까지 싸워라.
어떤 대가를 치르더라도 봉헌의 임무에 충실하라.
너희가 우리를 지성으로 공양하지 않았기에 고통과 죽음을 겪는 것이니라.

손가락들은 무엇이든 할 수 있다. 신이기 때문이다.
손가락들은 무엇이든 할 수 있다. 위대하기 때문이다.
손가락들은 무엇이든 할 수 있다. 강하기 때문이다.

이는 진리의…….

「니콜라, 안 자고 뭐 하니?」
조나탕 웰스가 하품을 하고 눈을 비비면서 다가왔다.

　니콜라 웰스는 기겁을 하며 컴퓨터를 끄려 했지만 스위치를 잘못 눌러 모니터가 더 밝게 되었다.

　조나탕은 언뜻 쳐다본 것만으로도 무슨 일인지 알 수 있었다. 마지막 구절을 읽을 시간밖에 없었지만 그는 모든 것을 알아차렸다.

　아들은 개미들이 자기들을 부양하게 하려고 신으로 행세하고 있었다.

　조나탕의 눈이 휘둥그레졌다. 그는 곧 개미들을 기만하는 니콜라의 그 술책이 어떤 결과를 낳았는지를 깨달았다.

　니콜라가 개미들에게 신앙을 갖게 했다!

　조나탕은 너무나 놀라운 사실을 접하고 잠시 할 말을 잊고 있었다. 니콜라는 어찌할 바를 몰라 아버지에게 달려들었다.

　「이해해 주세요, 아빠. 우리를 구하려고 그랬어요. 개미들이 우리를 부양하게 하려고…….」

　조나탕 웰스는 당황했다.

　니콜라가 더듬거리며 말했다.

　「모든 개미들이 우리를 숭배하도록 가르치고 싶었어요. 우리가 여기에 오게 된 것도 따지고 보면 개미들 때문이고, 우리를 여기에서 끌어낼 수 있는 것도 개미들이에요. 그런데 개미들이 우리에게 더 이상 양식을 가져오지 않고, 우리를 내팽개쳐서 굶겨 죽이려 했던 일이 벌어졌어요. 그런 상황에서는 누군가가 반격을 가하고 무언가를 할 필요가 있었어요. 그래서 제가 고심해서 해결책을 찾아낸 거예요. 우리는 개미들보다 천 배는 똑똑하고, 강하고, 위대해요. 사람은 누구나 이 곤충에겐 거인이에요. 만약 그것들이 우리를 신으로 여긴다면, 우리가 굶어 죽도록 내버려 두지 않을 거예요. 그래서 저는 개미들이 신을 믿게 했어요. 아빠가 분비꿀과 버섯을 조금이라도 더 먹게 되셨다면 그건 제 덕이에요. 열두 살짜리 어린애인 제가 아버지와 어른들을 구했단 말이에요! 그때 어른들은 스스로를 개미로 여기고 있었고요.」

조나탕 웰스는 빨갛게 손가락 자국이 나도록 아들의 볼을 사정없이 힘껏 때렸다. 그 소리에 다른 사람들이 일어났다. 사람들은 모두 순식간에 무엇이 문제가 되고 있는지를 깨달았다.

「니콜라가……!」

오귀스타 할머니가 아연해하면서 소리쳤다.

니콜라가 울음을 터뜨렸다.

어른들은 아무것도 이해하지 못했다.

부모의 차가운 눈길을 받고 그 기세가 등등하던 개미들의 신이 거짓 울음을 우는 사내아이로 변했다.

조나탕 웰스가 다시 손찌검을 하려고 하자 그의 아내가 말렸다.

「그만둬. 여기에서 다시는 폭력을 사용하지 않기로 했잖아. 폭력을 없애려고 그렇게 애썼는데 왜 이래!」

그러나 조나탕은 극도로 화가 나 있었다.

「저 애가 인간의 특권을 남용했어. 개미의 문화에 〈신〉의 개념을 도입하다니! 누가 그 결과를 예견할 수 있겠어? 종교 전쟁, 이단 심판, 광신, 배척, 그 모든 것이 내 아들 때문에…….」

「우리 모두의 잘못이야.」

뤼시는 관용을 바랐다.

「어떻게 그 엄청난 잘못을 돌이킬 수 있단 말이지? 이제 어떻게 해야 할지 모르겠어.」

조나탕은 한숨을 지었다.

뤼시는 남편의 어깨를 안으며 말했다.

「그렇지 않아. 벌써 내 눈엔 해결책이 보여. 어서 니콜라하고 얘기를 나눠 봐.」

152. 코르니게라 자유 공동체의 탄생

날이 밝는다. 오늘 아침 24호는 또다시 안개 낀 지평선을 바라보고 있다.

《해야, 솟아라.》

그러자 태양이 그의 말을 따른다.

24호는 가지 끝에 혼자 앉아 세상의 아름다움에 경탄하며 생각에 잠긴다.

신은 존재하지만, 굳이 손가락들의 몸을 빌려 존재하지는 않을 것이다. 그렇게 거대하고 괴상한 동물로 바뀔 하등의 이유가 없다. 오히려 신들은 저기에 있다. 코르니게라나무가 개미들을 끌어들이려고 만들어 낸 달콤한 먹이 속에, 풍뎅이의 눈부신 딱지 속에, 흰개미 도시의 온도 조절 장치 속에, 강의 아름다움과 꽃의 향기 속에, 빈대들의 난잡한 교미 행각과 나비 날개의 노란 빛깔 속에, 울멍줄멍한 산들과 평온한 강물 속에 개미를 죽이는 비와 새로운 힘을 주는 태양 속에!

23호처럼 초월적인 힘이 세상을 다스린다고 믿고 싶다. 하지만 24호는 그 초월적 힘이 도처에 그리고 모든 곳에 있다는 것을 알게 되었다. 그 힘은 손가락들에 의해서만 구현

되는 것이 아니다!

그가 신이다. 23호가 신이고 손가락들이 신이다. 더 멀리서 찾을 필요가 없다. 더듬이와 위턱이 닿는 모든 곳에 신이 있다.

24호는 103호가 전해 준 개미의 전설을 생각한다. 이제 그는 그 전설을 온전히 이해한다.

《가장 중요한 순간은 언제인가? 지금이다! 행해야 할 가장 중요한 일은 무엇인가? 자기 앞에 놓인 일에 전념하는 것이다. 행복의 비결이란? 땅 위를 걷는 것이다!》

그는 우뚝 선다.

《해야, 더 높이 솟아 환히 비추어라!》

태양은 또다시 고분고분하게 복종한다.

24호는 걸어가다가 그렇게 소중하게 간직하고 있던 나방 고치를 내려놓는다. 메르쿠리우스 임무에 더 이상 집착할 필요가 없다. 그는 이제 모든 것을 깨달았다. 이제 원정을 계속할 필요가 없다. 24호는 늘 자신의 위치를 몰라 길을 잃었다. 그러나 이제 그가 있을 곳이 바로 여기임을 깨닫게 된 것이다. 그가 해야 할 일은 이 섬을 삶의 터전으로 가꾸어 나가는 것이고, 그의 유일한 희망은 한순간 한순간을 삶의 경이로운 선물로 활용하는 섯이다.

24호는 더 이상 고독을 두려워하지 않는다. 그리고 다른 어떤 것도 이젠 두렵지 않다. 누구나 자기의 올바른 자리에 있을 때는 아무것도 두려워하지 않는 법이다.

24호는 103호를 찾아 달린다.

침으로 물망초 배를 수선하고 있는 103호를 찾아낸다.

더듬이들의 접촉.

24호는 고치를 103호에게 건넨다.

《이제 이 보물을 운반하지 않을 거예요. 당신 혼자서 이걸 가져가세요. 난 이곳에 남겠어요. 이제 모든 걸 깨달았어요. 싸움에도 신물이 났고 길을 잃고 헤매는 것에도 지쳤어요.》

급작스러운 24호의 페로몬에 놀라 다른 개미들이 모두 더듬이를 곤두세운다. 103호는 얼떨떨해하면서 나방 고치를 받는다.

103호가 무슨 일이냐고 묻는다.

두 개미가 더듬이 끝을 살짝 맞댄다.

《난 여기 남겠어요. 이곳에 도시를 세울 겁니다.》

24호가 되풀이한다.

《하지만 자네가 태어난 둥지 벨로캉이 있는데!》

젊은 개미는 물론 벨로캉이 크고 강력한 연방이라는 걸 인정한다. 하지만 개미 도시끼리 경쟁하는 것엔 더 이상 관심이 없다. 태어나면서부터 각자에게 하나의 역할을 부여하는 계급 제도에도 싫증이 난다. 24호는 그들과 손가락들에게서 멀리 떨어져 살고 싶다. 모든 것을 무(無)에서 다시 시작하고 싶은 것이다.

《하지만 자네 혼자 있게 될 텐데!》

《나 말고도 섬에 남고 싶어 하는 병사들이 있을 겁니다. 그들과 기꺼이 함께하겠습니다.》

불개미 한 마리가 다가온다. 그 개미 역시 이 원정에 지쳐 있다. 손가락들을 지지하지도 반대하지도 않기 때문에 그는 손가락들과 아무런 상관이 없다. 다른 여섯 마리도 역시 섬을 떠나기 싫다고 페로몬을 발한다.

그러자 이번에는 꿀벌 두 마리와 흰개미 두 마리가 원정군과 결별하기로 결정한다.

《개구리들이 너희를 모두 삼켜 버릴 거야.》

9호가 경고한다.

그들은 전혀 그렇게 생각하지 않는다. 코르니게라아카시아 가시가 포식자들로부터 자기들을 지켜 줄 것이라는 믿음이 있다.

딱정벌레 한 마리와 파리 한 마리가 24호의 동아리로 간다. 그리고 다시 개미 열 마리, 꿀벌과 흰개미 각각 다섯 마리가 그들과 합류한다.

어떻게 그들을 만류하겠는가?

불개미 한 마리가 자기는 신을 믿는 개미지만 이곳에서 살고 싶다고 신호를 보낸다. 24호는 손가락들에 대한 신앙과 관련해서, 그들의 공동체는 찬성도 반대도 하지 않는다고 대답한다. 섬에서는 각자 자기 나름대로 생각하면 된다는 것이다.

《자기 나름대로 생각한다…….》

103호는 전율한다.

처음으로 곤충들이 이상적인 공동체를 만든다. 그들은 페로몬으로 〈코르니게라 도시〉라 이름 짓고 나무에 정착하기 시작한다. 호르몬이 가득한 약간의 로열 젤리를 가진 꿀벌들이 생식 개미가 되고 싶어 하는 비생식 개미들을 원하는 대로 바꾸어 준다. 그럼으로써 장차 여왕들이 생길 것이고 공동체는 번영을 누릴 수 있을 것이다.

103호는 그런 결정에 놀란 듯 망연자실한 채 움직일 줄 모른다. 그러더니 다시 더듬이를 움직이면서 원정을 계속할 병사들에게 다시 모이라고 요구한다.

153. 백과사전

나무들끼리의 의사소통

아프리카에는 놀라운 특성을 보여 주는 아카시아들이 있다. 그 나무는 영양이나 염소가 뜯어먹으려고 하면 제 수액의 화학적 성분을 독성 물질로 변화시킨다. 동물은 나무의 맛이 이상하다는 것을 깨닫고 다른 나무를 뜯어 먹으러 간다. 그러면 이 아카시아는 즉각 향기를 발산하여 근처의 다른 아카시아들에게 약탈자의 출현을 알린다. 몇 분 만에 그 아카시아들은 모두 동물들이 뜯어 먹을 수 없는 것들이 된다. 그러면 초식 동물들은 멀어져 간다. 너무 멀리 떨어져 있는 탓에 경보 신호를 감지하지 못한 아카시아를 찾아가는 것이다. 그런데 동물들을 대규모로 사육하는 기술이 발달하면서 염소 떼와 아카시아 무리가 같은 장소에서 맞부딪치는 일이 생기게 되었다. 그 경우에 어떤 일이 벌어질까? 먼저 뜯긴 아카시아가 다른 아카시아들에게 위험을 알리면, 아무것도 모르는 짐승들은 독이 든 나무를 뜯을 수밖에 없다. 그런 까닭에 많은 염소 떼가 독으로 죽게 되는데, 인간은 오랜 세월이 흘러서야 그 이유를 알게 되었다.

에드몽 웰스, 『상대적이며 절대적인 지식의 백과사전』 제2권

154. 세계의 끝이 지척에 있다

정오.

코르니게라섬에 남은 개척자들이 정착할 준비를 하는 동안, 103호는 출항 준비를 한다. 원정군 병사들이 물망초에 올라 자리를 잡는다.

원정군은 배를 댈 건너편 강기슭을 조사해야 했기 때문에

파리들을 정찰 보낸다. 파리들은 정박하기에 가장 좋은 지점, 말하자면 가장 덜 위험한 곳을 찾을 임무를 띠고 있다.

모든 배들이 정박지를 떠난다. 코르니게라 공동체 구성원들이 물가까지 따라와 배를 강으로 미는 것을 돕는다. 개미들은 서로 격려의 페로몬을 교환하느라 더듬이를 곤추세운다. 외딴섬에 자유로운 사회를 건설하는 일이나, 세상 저쪽의 괴물들과 싸우는 일이나 어렵기는 매일반이다. 두 집단모두 끈기가 있어야 하고, 어떤 시련이 닥쳐오더라도 각자가 세운 목표를 포기해선 안 된다.

배는 강기슭에서 멀어지고, 물망초잎에 승선한 항해자들은 신을 믿는 개미들이 세운 점토 동상이 점점 작아지는 것을 본다. 함대가 줄지어 나아간다.

물방개 사공들이 미는 가냘픈 쪽배들은 강물 위로 빠르게 나아간다. 배들 위에서는 뿔풍뎅이들이 함대에 접근하려는 새들을 몰아낸다.

원정군은 그런 식으로 진군, 또 진군한다.

포근한 대기 속에 페로몬 군가가 울려 퍼진다.

그들은 거대하다, 그들이 저기 있다.

손가락들을 죽이자, 손가락들을 죽이자.

그들은 우리의 창고에 불을 지른다.

손가락들을 죽이자, 우리는 그들을 죽이리라!

그들은 우리 도시를 약탈한다.

손가락들을 죽이자, 손가락들을 죽이자.

그들은 작은 벌레들에 핀을 꽂는다.

손가락들을 죽이자, 우리는 그들을 정복하리라!

그들은 우리의 목숨을 살려 두지 않는다.

손가락들을 죽이자, 손가락들을 죽이자.

이따금 잉어, 송어, 메기가 등지느러미 끝을 드러낸다. 하지만 뿔풍뎅이들의 경호엔 언제나 빈틈이 없다. 수중 괴물들 가운데 배를 위협하는 자가 있으면, 그들은 비호같이 달려들어 이마에 난 창으로 그자의 비늘을 찔러 버린다.

척후 파리들이 녹초가 된 채로 돌아와, 항공모함에 비행기가 내려앉듯 앞에 앉는다. 그들은 둑 가까이에서 세계의 끝을 보았다고 한다. 어디 그뿐이랴. 그들을 검은 띠 저편으로 건네줄 돌로 된 아치도 발견했다는 것이다. 운수 대통이다!

터널을 파지 않아도 되겠군! 103호는 몹시 기뻐한다.

《그 다리가 어디 있는데?》

《조금 북쪽에. 강물을 거슬러 오르면 돼.》

원정군 병사들은 마음이 설렌다. 세계의 끝이 지척에 있다지 않는가.

함대는 큰 피해 없이 맞은편 둑에 닿는다. 배 한 척만이 도롱뇽의 먹이가 되었을 따름이다. 항해에 그만한 위험쯤이야 늘 따르는 법이 아닌가!

부대별, 종족별로 헤쳐 모여.

전진!

파리들이 말한 대로다!

세계의 끝을 결코 본 적이 없는 이들에게는 얼마나 감격스러운 일인가! 저기 있다, 신비와 전설에 싸인 검은 띠가. 저기 덩어리들이, 연기와 탄화수소로 역한 내가 풍기는 뿌연

먼지 속을 눈이 핑핑 돌 만큼 빠른 속도로 돌아다니고 있다. 지축을 흔드는 저 힘은 완전히 미지의 것이다. 그것은 결코 자연에 속한 것이 아니다.

103호가 보기에, 돌진하는 그 덩어리들은 세계의 끝의 경비대들이다. 그는 또 그것들을 손가락들의 화신이라고 여긴다.

《자, 저것들을 공격하자!》

병정 흰개미가 페로몬을 발한다.

《안 돼, 우리의 공격 목표는 저것들이 아냐. 게다가 여기선 안 돼.》

103호는 검은 띠가 손가락들에게 놀라운 힘을 준다고 믿고 있다. 덜 위험한 곳에서 싸우는 게 낫다. 세계의 끝 다른 편, 이를테면 다리 저편에서 싸워야 더 쉽게 이길 수 있을 것이다.

어느 부대에나 무분별하고 무모한 자는 있기 마련이다. 흰개미 하나가 그것을 여실히 보여 준다. 검은 띠 위로 나아가자마자, 그는 나뭇잎처럼 납작해지고 만다. 하지만 곤충들이란 그런 것이다. 무엇이건 시험해 보지 않고서는 확신하지 못하는 존재인 것이다.

사고 후, 원정군은 103호를 따라 다리로 가서 손가락들의 무리가 살고 있는 거대한 미지의 땅을 향해 작은 발걸음을 옮긴다.

155. 낯익은 얼굴

뚜껑 문 위로 한 사람이 상반신을 드러내더니, 사다리에선 채로 두 사람에게 소총을 겨누었다. 그녀가 사다리를 몇 단 더 올라와 그들과 마주하게 되자, 자크 멜리에스는 필사적으로 기억을 더듬었다. 〈어디선가 본 적이 있는 얼굴인데.〉

그와 마찬가지로, 레티시아 웰스의 입 안에서는 금방이라도 떠오를 듯 떠오를 듯 어떤 이름 하나가 맴돌고 있었다.

「총을 내려놓고 의자에 앉으시죠, 선생!」

멜리에스는 총을 발치에 놓았다.

이 음색, 이 목소리…….

「우리는 강도가 아니에요. 제 동료는…….」

레티시아가 입을 열었다.

경정이 얼른 말을 가로챘다.

「이 동네에 살고 있소.」

「아무래도 좋아요!」

그 여자는 전깃줄로 그들을 의자에 묶느라 정신이 없었다.

「자, 이제 최상의 조건에서 대화할 수 있겠군요.」

(정말이지 누구였더라?)

「멜리에스 경정과 당신,『일요 메아리』기자 레티시아 웰스 씨, 내 집에서 무슨 짓을 하고 있는 거죠? 그것도 둘이 함께. 난 늘 두 사람이 앙숙이라고 생각했는데. 웰스 씨는 신문에 당신을 모욕하는 기사를 썼고, 당신은 그녀를 잡아넣었잖아요! 그런데 두 사람이 작당을 해서 내 집에 숨어들다니, 그것도 한밤중에.」

「그건…….」

이번에는 그녀가 레티시아의 말허리를 끊었다.

「나는 왜 당신들이 이런 성가신 방문을 했는지 잘 알아요.

자, 말해 봐요. 우리 개미들을 어떻게 따라왔지요?」

「여보, 무슨 일이 있소? 거기에서 누구와 얘기하는 거요?」

아래층에서 누군가가 소리쳤다.

「우리 집에 온 불청객들과 이야기하고 있어요.」

뚜껑문 위로 다른 사람의 머리와 몸뚱이가 차례로 올라왔다.

(저 사람은 모르겠는데.)

하얀 수염을 길게 기르고 붉은 체크무늬가 찍힌 회색 셔츠를 입은 남자가 나타났다. 그는 산타클로스, 하지만 너무 나이가 들어 힘이 다 빠져 버린 산타클로스 같았다.

「멜리에스 씨와 웰스 씨예요. 이들이 여기까지 우리의 작은 친구들을 따라왔어요. 어떻게 알았을까요? 이제 우리에게 말할 거예요.」

산타클로스는 아연실색하는 듯했다.

「한데 그들은 둘 다 너무 유명한 사람들이에요. 경찰관으로서, 기자로서 말이오! 그들을 죽이면 안 돼요. 게다가 우리는 사람들을 벌써 너무 많이 죽였어요…….」

「아서, 당신 포기하고 싶으세요? 공든 탑이 다 무너져도 좋아요?」

여자가 냉정하게 물었다.

「그래요.」

아서가 대답했다.

「우리가 포기한다면, 누가 우리의 일을 이어서 하지요? 아무도 없어요, 아무도…….」

그녀는 거의 애원하다시피 했다.

흰 수염의 남자는 손가락을 비틀었다.

「이들이 우리를 발견했다는 것은 또 다른 사람들이 그럴 수 있다는 얘기가 돼요. 그러면 죽이고, 또 죽여야 한단 말이에요! 아무리 해도 우린 임무를 결코 끝내지 못할 거예요. 한 사람을 처치하면 열 사람이 나타날 거요. 난 이 모든 폭력에 진절머리가 나요.」

(산타클로스, 저 남자는 본 적이 없는데…… 저 여자는, 저 여자는…….)

레티시아는 갑작스러운 소동에 머리가 혼란스러워져서, 그 부부가 두 사람의 목숨을 놓고 말다툼을 벌이고 있는데도 그걸 제대로 이해하지 못하고 있었다.

아서는 검버섯이 얼룩덜룩한 손등으로 이마를 문질렀다. 부인과의 말다툼이 그를 지치게 만든 듯했다. 그는 무엇에 매달려 몸을 지탱하려다가 아무것도 붙잡지 못하고 실신한 채 바닥에 쓰러졌다.

여자는 말없이 두 사람을 바라보더니 그들을 풀어 주었다. 두 사람은 묶여 있던 발목과 손목을 기계적인 동작으로 비비댔다.

「당신들이 저분을 침대로 옮기도록 도와주면 좋겠어요.」

「저분에게 무슨 일이 있나요?」

레티시아가 걱정이 되어 물었다.

「병이에요. 요즈음에 점점 흔해지는 병이지요. 이이는 아주 심하게 아파요. 살날이 얼마 남지 않았어요. 이이가 이번 모험에 전력을 다했던 것도 죽음이 임박했다고 느꼈기 때문이죠.」

「제가 전에 의사였는데, 진찰 좀 해볼까요? 아마 이분의 고통을 덜어 줄 수도 있을 거예요.」

여자는 슬픔으로 입을 일그러뜨리며 말했다.

「부질없어요. 무슨 병인 줄 뻔히 아는데요, 뭘. 암이 전신에 퍼졌어요.」

그들은 아주 조심스럽게 아서를 침대 시트 위로 옮겼다. 환자의 아내는 곧바로 진정제와 모르핀이 든 주사기를 들었다.

「이제 이이는 휴식을 취해야 돼요. 체력을 회복하려면 수면이 필요하거든요.」

자크 멜리에스는 그 여자를 한참 동안 쳐다보았다.

「됐어요, 당신이 누군지 알았어요.」

같은 순간 똑같은 생각이 레티시아 웰스의 뇌리에도 떠올랐다. 레티시아 역시 그 사람이 누구인지를 분명히 깨달았다!

156. 백과사전

동시에 이루어지는 진보

1901년에 어떤 과학 실험을 몇 나라에서 동시에 실시한 적이 있었다. 그 실험에서 행한 일련의 지능 검사에서 생쥐는 20점 만점에 6점을 얻은 것으로 나타났다.

1965년, 같은 나라들에서 똑같은 지능 검사를 했는데, 생쥐는 20점 만점에 평균 8점을 맞았다.

이 현상은 지리적 위치와는 아무 상관이 없었다. 유럽의 생쥐가 아메리카, 아프리카, 오스트레일리아 또는 아시아의 생쥐보다 더 영리하지도 덜 영리하지도 않았다. 모든 대륙에 걸쳐, 1965년의 생쥐들은 모두 1901년 그들의 조상 생쥐보다 더 좋은 점수를 얻었다. 전 지구에서 생쥐들은 진보했다. 마치 지구 차원의 〈생쥐적〉 지능이라는 게 존재하면서 시간이 흐름에 따라 향상되고 있는 것처럼 보인다.

인간 세계에서도 어떤 발명품들, 예를 들어 불, 화약, 직물 등은 중국, 인도, 유럽에서 동시에 발명된 것으로 확인되었다. 오늘날에도 발명은 일정한 기간을 놓고 보면 지구의 몇몇 지역에서 같은 시기에 이루어진다.

혹시 어떤 아이디어들이 대기권 밖 공중에서 떠다니고 있고, 그것들을 잡을 수 있는 능력을 부여받은 사람들이 그것을 받아서 인류의 총체적 지식수준을 향상시키는 데 기여하고 있는 것은 아닐는지.

에드몽 웰스, 『상대적이며 절대적인 지식의 백과사전』 제2권

157. 세상의 저쪽

원정군은 가파른 돌들을 따라서 암벽 등반을 하듯이 전진한다. 다리 건너편엔 높은 구조물들이 하늘을 향해 우뚝 솟아 있다. 그것들은 뿌리를 타고나지 않은 것 같다. 원정군 병사들은 꼼짝 않고 서서 산맥처럼 늘어선 그 웅장하고 가파른 형체들을 관찰한다. 손가락들의 둥지인가?

원정군은 이제 세계의 끝을 넘어 손가락들의 나라에 들어와 있다.

이제까지 숱한 감정들을 느껴 왔지만 그 어떤 것보다 강렬한 감정이 원정군 병사들을 사로잡는다.

손가락들의 둥지가 저기 있다! 숲에서 가장 오래된 나무보다도 1천 배나 두껍고 높을 만큼 거대하고 어마어마하다. 선명한 그림자가 수천 걸음이나 늘어져 있다. 손가락들은 터무니없이 큰 둥지를 짓고 있다. 자연은 절대로 그런 둥지를

지어 주지 않는다.

103호는 붙박인 듯 멈추어 있다. 그는 이제 손가락들에 대한 두려움을 떨치고 한껏 용기를 내어 세계의 끝을 건너왔다. 불가능하게만 여겨졌던 일을 끝내 이루어 낸 것이다. 지금 그는 아주 오래전부터 그의 머리를 떠나지 않았던 바로 그곳에 있다. 모든 문명의 밖에 있는 그곳에.

그의 뒤에서 다른 곤충들이 믿기지 않는다는 듯 더듬이 끝을 움직인다.

원정군 병사들은 손가락들 나라의 거대한 모습에 주눅이 들어 한동안 동작을 멈춘 채 침묵하고 있다. 신을 믿는 개미들은 무릎을 꿇는다. 다른 병사들은 너무나도 낯선 손가락들의 세계에 대해 제 나름의 생각들을 해보고 있다. 이 세계는 직선들로 이루어져 있고 무한한 부피를 지니고 있다.

병사들은 다시 모여 수를 헤아린다. 적의 나라에 들어와 있는 그들의 수는 8백이다. 그럼 저런 요새에 숨어 있는 손가락들을 어떻게 죽일 것인가? 저 둥지를 공격해야 한다!

뿔풍뎅이와 꿀벌의 비행 부대는 지원 병력으로 남아 있다가 문제가 발생하는 경우에만 나서기로 한다. 모두가 동의하자 신호에 따라 원정군은 건물 입구로 돌격한다.

하늘에서 이상한 새가 떨어진다. 검은 판이다. 그것이 흰개미 네 마리를 으스러뜨린다. 이제는 도처에서 검은 판들이 떨어져 포병들의 딱지를 부숴 버린다.

손가락들인가?

그 첫 번째 돌격을 하면서 70마리 이상의 병정들이 죽었다.

그러나 원정군은 절망하지 않는다. 잠시 후퇴했다가 그들은 두 번째 돌격을 감행한다.

《전진, 모두 죽이자!》

이번엔 개미 부대가 선두에 선다. 원정군이 돌진한다.

11시다. 많은 사람들이 우체국으로 우편물을 가져온다. 거뭇한 작은 얼룩점들이 땅 위로 눈에 띄지도 않을 정도로 조금씩 미끄러져 가는 것을 발견한 사람은 아무도 없다. 유아차 바퀴, 구두, 운동화가 가뭇한 작은 형체들을 납작하게 만든다.

《손가락들이 우리를 발견하고 도처에서 공격해 오고 있다.》

으깨지기 직전의 병정개미 한 마리가 울부짖는다.

퇴각 페로몬이 퍼져 나간다. 다시 60마리의 사망자가 생겼다.

더듬이들을 맞대고 대책을 논의한다.

《어떤 대가를 치르더라도 손가락들의 둥지를 탈취해야 한다.》

9호가 부대를 다르게 배치하자고 제안한다. 우회 작전을 시도해야 한다. 어떤 판이든 기어오르라는 명령이 떨어진다.

《돌격!》

선두의 포수 개미들이 농구화의 고무창에 독을 뿌린다. 어떤 개미들은 여자 무도화를 빛나게 하는 얇은 플라스틱 막을 갈라놓는다.

후퇴. 다시 세어 보니 또 20마리가 죽었다.

《우리는 신들을 다치게 할 수 없다.》

신을 믿는 개미 무리가 열광적으로 페로몬을 발한다. 그들은 처음부터 뒷전으로 물러나 기도만 하고 있었다.

103호는 어찌할 바를 몰라 메르쿠리우스 임무를 담은 나방 고치만 여전히 움켜쥔 채 위험한 공격에 참여할 엄두를 못 낸다.

손가락들에 대한 두려움이 오롯이 되살아난다. 손가락들을 다치게 할 수 없다는 게 사실일지도 모른다.

하지만 9호는 포기하지 않는다. 그는 비행 부대와 함께 공격하기로 결심한다. 모든 부대가 우체국 맞은편 플라타너스에 다시 모인다. 9호는 뿔풍뎅이 위에 올라타고 자기의 공격 대열 양 날개에 꿀벌을 배치한다.

9호는 손가락들의 둥지의 벌어진 구멍을 보고 호전적인 선동 페로몬을 내뿜는다.

뿔풍뎅이들은 뿔이 조준선에 잘 맞도록 머리를 숙인다.

《자, 손가락들에게 돌격!》

우체국의 여직원이 유리문을 닫으며 〈바람이 너무 세차군〉 하고 말한다.

원정군 병사들에겐 아무것도 보이지 않는다. 그들은 투명한 벽이 나타났는데도 전속력으로 돌진한다. 제동을 걸 겨를이 없다.

뿔풍뎅이들은 산산조각이 나 굴러떨어진다. 뿔풍뎅이 등에 타고 있던 포병 개미들은 뿔풍뎅이 시체 속으로 빠진다.

「우박이 오나?」

우체국 손님이 묻는다.

「아니에요, 르티퓌 씨의 아이들이 돌을 가지고 노는 걸 거
예요. 걔들은 그걸 좋아하거든요.」

「그러다 유리라도 깨면 어쩌죠?」

「염려 마세요. 두꺼운 유리예요.」

원정군 병사들은 회복 가능한 부상자들을 데리고 온다.
이번 돌격에서 원정군은 다시 80마리의 병사를 잃었다.

《손가락들이 생각보다 더 질긴데.》

어떤 개미가 페로몬을 발한다.

9호는 포기하려 들지 않는다. 흰개미들도 마찬가지다. 이
제 시작이다. 검은 판이나 투명한 벽보다 더한 장애물이라도
뛰어넘어야 한다.

원정군들은 플라타너스 아래에서 밤을 보내기로 한다.

모두들 자신감을 잃지 않고 있다. 내일은 또 다른 태양이
떠오를 것이다.

개미들은 어떤 일을 이루어 내기까지 숱한 희생을 치르고,
많은 시간을 들이며, 갖가지 방법을 시도해 본다. 그건 잘 알
려진 사실이다.

척후 개미 한 마리가 그들이 전날 공격했던 둥지 전면의
박공에 틈이 나 있는 것을 발견했다. 네모반듯하게 나 있는
틈이었다. 그 척후 개미는 그 틈새가 우회해서 들어가는 입
구려니 생각하고 아무에게도 알리지 않은 채 탐색을 하러 들
어갔다. 틈새 안으로 들어가 보니 여러 기호들이 새겨져 있
었다. 그 개미는 그 의미를 몰랐지만, 개미 세계와 다른 시공
간인 인간 세계에서 그 부호들은 〈장거리 항공 우편〉이라는
의미를 담고 있었다. 척후 개미는 하얗고 납작한 판들 아래

로 떨어졌다. 그는 그 하얀 판 안에 무엇이 들어 있는지를 알아보려고 그 가운데 하나를 골라 안으로 파고 들어갔다. 그가 거기에서 다시 나오려고 할 때 하얀 벽이 나타나 그를 눌러 비볐다. 그래서 그 척후 개미는 그 자리에서 머물며 기다렸다.

그리하여 3년 뒤, 사람들은 전형적인 프랑스 개미의 군체가 히말라야산맥 한가운데인 네팔에 자리 잡은 것을 발견하고 놀라게 될 것이다. 좀 더 후에, 곤충학자들은 개미들이 어떻게 그렇게 멀리 여행할 수 있었을까 하고 의아해하다가 마침내 순전히 우연의 일치로 프랑스 개미와 닮은 종이 나타났다고 결론을 지을 것이다.

158. 바로 그녀였다

「나를 알아보겠어요?」

자크 멜리에스는 확신했다.

「쥘리에트 라미레 씨가 아니십니까? 그 유명한 〈알쏭알쏭……〉.」

「〈……함정 퀴즈〉의 스타이시죠.」

레티시아가 덧붙였다.

퀴즈 프로그램의 스타와 산타클로스 같은 남자와 살인자 개미 떼 사이에 어떤 연관이 있는지를 생각하느라고 기자의 이마에 주름이 잡혔다.

범죄자들을 심문하는 데 이골이 난 경찰관답게 멜리에스는 라미레 씨가 신경 발작을 일으키기 직전에 있다는 것을 깨닫고 그녀를 진정시키려고 애썼다.

「우리는 그 프로그램을 아주 좋아해요. 언뜻 보기엔 복잡해 보이지만 사실은 아주 간단한 문제들을 가지고 세계를 다른 방식으로 고찰하도록 가르치거든요. 한마디로 〈다르게 생각하기〉를 가르치죠.」

「다르게 생각하기라고요!」

라미레 씨는 한숨을 내쉬더니 더 이상 참지 못하고 오열을 터뜨렸다.

화장도 안 하고, 머리는 헝클어지고, 잘 재단된 물방울무늬 원피스 대신 낡은 실내복을 입고 있는 탓에 라미레 씨는 텔레비전 화면에 나타난 모습보다 더 늙고 피곤해 보였다. 재치가 넘치던 출연자는 한 노부부의 할멈일 뿐이었다.

「내 남편 아서는 개미들의 〈주인〉이에요. 하지만 모든 게 내 잘못이에요. 이제 당신들이 여기까지 오게 되었으니 더 이상 비밀을 간직할 수가 없군요. 모두 털어놓지요.」

그녀는 침대 위의 남편을 바라보며 말했다.

159. 바로잡기

「니콜라, 너에게 할 말이 있다.」

아이는 고개를 숙인 채 아버지의 꾸중을 기다렸다.

「네, 아빠, 제가 잘못했어요. 다시는 안 그럴게요.」

아이는 온순하게 말했다.

「니콜라, 나는 지금 네가 개미들을 기만했던 일에 대해 얘기하려는 것이 아니다. 그보다는 이곳에서 우리가 살아가는 방식에 대해서 얘기하고 싶다. 우리 어른들이 〈개미〉로 살기로 결정했다고 한다면 너는 계속해서 〈정상적으로〉 사는 것을 선택했다고 볼 수 있겠지. 어떤 이들은 너도 우리의 공동체 모임에 참석해야 한다고 생각하지만, 난 먼저 우리의 마음이 어떤 상태에 있는지를 너에게 알려 주고, 그다음에 네가 자유롭게 선택해야 한다고 생각한다.」

조나탕은 다정하게 말했다.

「그래요, 아빠.」

「넌 우리가 무엇을 하는지 이해하고 있니?」

개구쟁이는 시선을 땅에 박고 중얼거렸다.

「어른들은 둥그렇게 둘러앉아 함께 노래해요. 그리고 점점 조금씩 먹어요.」

아버지는 참을성 있는 모습을 보일 마음의 준비가 되어 있었다.

「그건 우리 일을 밖에서 본 모습일 뿐이란다. 다른 것들도 있지. 니콜라, 너는 감각을 몇 가지나 가지고 있지?」

「다섯 가지요.」

「어떤 것들이지?」

「시각, 청각…… 음, 촉각, 미각, 그리고 후각이죠.」

개구쟁이는 엄격한 시험을 치르듯 암송했다.

「그리고 또?」

조나탕이 물었다.

「그게 전부예요.」

「아주 잘했어. 지금 네가 말한 것은 물질의 세계를 파악하는 육체의 오감이란다. 그런데, 정신의 오감으로 느낄 수 있는 또 다른 세계가 존재하지. 만일 네 육체의 오감에만 만족한다면 그것은 손가락들 중 왼손의 다섯 개만 사용하는 것과 같단다. 왜 너의 오른손 다섯 손가락은 사용하지 않지?」

니콜라는 아버지의 말에 어리둥절해했다.

「아빠가 말한, 〈정 - 신 - 의〉 다른 오감은 뭐예요?」

「감정, 상상, 직관, 보편적인 양심, 그리고 영감이란다.」

「머리로는 그저 생각만 하는 걸로 알고 있었고 지금도 그래요.」

「아니, 생각하는 방식에는 아주 여러 가지가 있단다. 우리의 뇌는 컴퓨터와 같아서, 프로그램을 잘 짜기만 하면 우리가 생각하기 어려운 아주 어마어마한 일들도 해낼 수 있지. 우리는 모두 뇌를 가지고 있지만 그 도구의 완벽한 사용 방법을 아직 찾아내지 못하고 있단다. 현재 우리는 뇌의 10퍼센트만 이용하고 있다. 아마 1천 년 후엔 50퍼센트를, 1백만 년 후엔 90퍼센트 정도 이용할 수 있을지도 모른다. 우리의 두뇌만 놓고 생각해 보면 우리는 모두 어린애지. 우리는 우리 주위에서 일어나는 것의 반도 이해하지 못한단다.」

「과장이에요. 현대 과학은…….」

「천만에! 과학은 아무것도 아니야. 그것은 과학에 대해서 아무것도 모르는 사람들에게만 감동을 줄 뿐이야. 참된 과학자들은 자신이 아무것도 모른다는 것, 그리고 앞으로 나아갈수록 자기의 무지를 더 잘 깨닫게 된다는 것을 알고 있단다.」

「하지만 에드몽 종조부는 많은 것을 알고 계셨잖아요. 그리고 그분은…….」

「그렇지 않단다. 에드몽 할아버지는 우리 자신을 해방시키는 방법을 가르쳐 주셨지. 그분은 우리에게 문제를 탐구하는 방법을 보여 주셨지만 해답을 제시하진 않았단다. 『상대적이며 절대적인 지식의 백과사전』을 읽기 시작하면, 모든 것을 더 잘 이해할 듯한 느낌을 받지. 그러나 그것을 계속 읽다 보면 더 이상 아무것도 이해할 수 없다는 느낌이 든단다.」

「저는 그 책 속에 무슨 내용이 들어 있는지 알 것 같은데요.」

「넌 운이 좋구나.」

「그 책에는 자연, 개미, 우주, 사회적 행동, 지구에 사는 종족끼리의 대결에 관한 것이 들어 있어요. 그 속에서 요리법과 수수께끼까지 보았어요. 전 그 책을 보면서 더 똑똑해지고 전능해지는 걸 느꼈어요.」

「정말 운이 좋구나. 난 더 많이 읽을수록, 모든 것들이 얼마나 이해할 수 없고 우리가 도달해야 할 목표가 얼마나 멀리 있는가를 깨닫게 된단다. 더 이상 도움이 안 돼. 그 책은 이제 우리에게 도움이 안 돼. 단어의 나열일 뿐이란다. 문자는 그림이고, 단어는 명칭 뒤에 있는 사물, 관념, 동물 등을 포착하려고 하지. 〈하얀색〉이란 단어는 고유의 진동을 가지고 있단다. 그런데 〈하얀색〉은 다른 언어에서는 다른 단어로 일컬어지지. 〈화이트〉, 〈블랑코〉 등으로 말이야. 그것은 〈하얀색〉이란 단어가 이 색깔을 정의하기에 충분치 않다는 것을 분명히 보여 주는 것이지. 옛날에 누군가가 발명해 낸 근사치이지. 책은 단어들의 나열이고, 죽은 상징들의 나열이며, 근사치들의 나열에 불과하단다.」

「하지만 『상대적이며 절대적인 지식의……』.」

「『백과사전』은 실제적 삶에 비하면 아무것도 이니야. 어떤 책도 현재의 행위에 대해 사고하는 순간을 따라잡을 순 없어.」

「난 도대체 아빠의 말을 종잡을 수가 없어요!」

「미안하구나, 내가 너무 앞서 나간 모양이로구나. 자 그럼

이제부터 내가 얘기하는 것을 잘 들어라. 잘 듣는 게 중요하
단다.」

「저는 분명히 귀담아듣고 있는데 아빠는 제가 잘 듣고 있
지 않다고 생각하시나 보죠?」

「귀담아듣는다는 건 어려운 일이지……. 대단한 주의를 필
요로 하거든.」

「이상해요, 아빠.」

「너를 이해시키지 못해 미안하구나. 네게 뭔가 보여 주고
싶은데. 눈을 감고 잘 들어 봐. 레몬을 생각해 봐. 보이니? 노
란 레몬이야. 샛노랗지. 햇빛에 반짝이고 있어. 까칠까칠하
고 향기가 진하구나. 냄새가 나니?」

「네.」

「좋아. 이제 커다란 칼을 하나 드는 거야. 뾰족하고 잘 드
는 칼이지. 레몬을 둥근 조각으로 자르려무나. 자, 레몬이 벌
어진다. 레몬의 둥근 조각을 햇빛에 비추어 보면 과즙으로
가득 찬 살들이 하나의 그물처럼 드러나지. 레몬 조각을 눌
러 보렴. 살이 터지고 즙이 흐르지. 아주 노랗고 향긋해…….
냄새가 나니?」

니콜라는 여전히 눈을 감고 있다.

「아, 네.」

「좋아, 입 안에 침이 고이니?」

「음…….」

아이는 입맛을 다셨다.

「예, 입 안에 침이 가득 고였어요! 어떻게 이런 일이 생
겼죠?」

「육체에 생각의 힘이 미쳤기 때문이지. 너도 보았다시피,

단지 레몬을 생각함으로써 통제하기 어려운 생리적 현상을 일으킬 수 있단다.」

「대단하군요!」

「이건 첫걸음마일 뿐이야. 우리 자신을 신으로 속일 필요가 없어. 우리는 미처 깨닫지 못하는 사이에 이미 오래전부터 신이 되어 있는 거야.」

아이는 잔뜩 달떠 있었다.

「저도 그처럼 되는 법을 배우고 싶어요. 아빠, 제 정신으로 모든 것을 다스리는 법을 가르쳐 주세요. 어떻게 하면 되나요?」

160. 로메쿠사의 마약

내전이 도시 안으로 점점 번져 나간다. 신을 믿는 반체제 개미들이 한 구역을 완전히 점령했다. 꿀단지개미들이 있는 구역이다. 그럼으로써 반체제 개미들은 손가락들에게 영원히 분비꿀을 제공할 수 있게 되었다.

상황이 그렇게 호전되었는데 정작 손가락들은 리빙스턴 박사를 통해 더 이상 명령을 내리지 않는다. 예언자의 목소리도 끊겼다.

그런 침묵이 종교에 대한 열광을 사그라지게 하지는 않는다.

반체제 개미들은 죽은 동료들을 방 하나에 가지런히 모아 놓고, 싸우러 가기 전에 그들을 찾아온다. 시체들은 대부분 전투하던 때의 자세로 동상처럼 꼼짝 않고 있는데, 반체제 개미들은 그들과 대화를 나누고 영양을 교환하는 시늉을 한다.

한번 시체방에 발을 들여놓은 개미들은 모두 더듬이의 냄새를 쇄신하고 나온다. 죽은 자들을 원래 모습 그대로 보관하는 것은 산 자들에게 중요한 의미를 부여한다.

신을 믿는 개미들의 운동은 도시의 구성원들이 언제라도 초개(草芥)처럼 버려질 수 있는 하찮은 개체들만은 아니라는 것을 처음으로 확인해 준다.

신을 믿는 반체제 개미들이 다른 개미들을 끌어들이는 방식은 로메쿠사가 마약으로 홀리는 것과 같다. 그들이 신들의 이야기를 꺼내기만 하면 다른 개미들은 그들의 이야기에 솔깃하여 자신도 모르게 더듬이를 기울이게 된다.

그러고 나면 〈손가락들 종교〉에 감염된 개미들은 더 이상 일을 하지 않고, 알도 돌보지 않으며, 양식을 빼돌려 지하의 손가락들 집단에게 가져갈 궁리만 한다.

여왕 클리푸니는 반체제 운동이 다시 부흥하는 것에 별로 당혹해하지 않는 것 같다. 여왕은 원정군 소식에만 관심이 쏠려 있다.

날파리가 가져온 정보에 따르면, 지금 원정군 병사들은 세상의 끝을 통과하고 벌써 손가락들에 대항하여 전투를 개시했다고 한다.

《좋았어. 가엾은 손가락들, 우리에게 도전한 것을 얼마나 후회하게 될까! 거기에서 그들을 정복하고 나면, 반체제 운동은 이곳에 더 이상 존재할 이유가 없게 될 테지.》

여왕이 페로몬을 발한다.

161. 백과사전

이야기

프랑스어에서 〈이야기〉를 뜻하는 conte와 〈셈〉을 뜻하는 compte는 발음이 같다. 그런데, 거의 모든 언어에서 숫자와 문자 사이에 이런 일치를 볼 수 있다. 그 예를 열거하면 다음과 같다. 영어에서 〈세다to count〉, 〈이야기하다to recount〉, 독일어에서 〈세다zählen〉, 〈이야기하다erzählen〉. 히브리어에서 〈세다li saper〉, 〈이야기하다le saper〉. 중국어에서, 〈세다shu〉, 〈이야기하다shu〉.

숫자와 문자는 언어의 요람기 때부터 결합되어 있었다. 각각의 문자는 하나의 숫자에 대응하고, 각각의 숫자는 하나의 문자에 대응한다. 히브리인들은 일찍부터 그런 사실을 알고 있었다. 그래서 성경은 신비로운 책이고 암호 같은 이야기 형태로 제시된 과학적인 지식들로 가득 찬 책이다. 만일 각 문장의 첫 글자에 수치를 부여한다면 숨겨져 있는 첫 번째 의미를 발견하게 될 것이고, 단어를 이루는 글자들에 수치를 부여한다면 전설이나 종교와 상관없는 어떤 공식과 조합을 발견하게 될 것이다.

에드몽 웰스, 『상대적이며 절대적인 지식의 백과사전』 제2권

162. 뜻하지 않은 사고

곤충들은 대대적인 공격을 준비한다. 지기 바로 맞은편에, 견딜 수 없게 자신들을 모욕하는 손가락들의 둥지가 버티고 있다.

원정군 부대는 결연하다. 그들은 맹렬하게 싸울 것이다. 저 첫 번째 둥지는 개미들의 승리를 기리는 표상이 될 것이

다. 저 둥지는 그들의 공격을 버텨 내지 못할 것이다. 원정군이 종족별로 정렬한다. 〈큰 뿔〉에 걸터앉은 103호는 손가락들이 나타나면 두 개의 밀집된 방진으로 나누어 공격하자고 제의한다. 이 전술은 개양귀비 전투에서 난쟁이 개미들이 사용한 것인데 큰 성과가 있었다.

각자 재무장을 하고 마지막으로 영양을 교환한다. 앞장선 개미들이 가장 사나운 페로몬을 뿜어낸다.

《돌격!》

마지막 남은 원정군 개미 570마리의 대열이 사납고 결연하게 진군한다. 그들의 더듬이 위에서는 독침을 내민 꿀벌들이 파닥거리고 뿔풍뎅이들이 위턱을 맞부딪쳐 소리를 낸다.

9호는 얼마 전에 어떤 손가락들을 공격했을 때처럼 다시 손가락들의 살갗에 구멍을 뚫어 벌의 독을 주입하고 싶어 한다. 뭐니 뭐니 해도 그 방법이 손가락들과 싸워 이길 수 있는 유일한 사냥 기술이라고 9호는 생각한다.

공격대 제1진과 제2진이 움직이기 시작한다. 가볍게 무장한 보병들의 양 날개에 가늘고 긴 다리를 가진 기병대가 경중거리며 나아간다. 그것은 벨로캉, 제디베이나캉, 아스콜레인, 목실뢰쉬 무리로 구성된 웅장한 군대이다. 뿔풍뎅이들은 동료들의 원수를 갚겠다고 벼르고 있다. 느닷없이 뛰어나와 동료들을 으깨어 버린 그 벽을 응징하고 싶은 것이다.

공격대 제3진과 제4진이 움직이기 시작한다. 거기엔 중포병 대열과 경포병 대열이 포함되어 있다. 이제까지 어느 누구도 그 포병 부대에게 겁을 주지 못했다.

공격대 제5진과 제6진이 죽음이 임박한 손가락들에게 최후의 일격을 가할 준비를 하고 있다. 그 공격대의 병사들은 위턱 끝에 꿀벌의 독을 발라 놓고 있다.

곤충 군대가 자기 둥지에서 이렇게 멀리 나와 싸워 보기는 이번이 처음이다. 원정군 병사들은 모두 장차 주변의 모든 영토를 정복하느냐 못 하느냐가 이번 전투에 달려 있다는 것을 알고 있다!

게다가 이것은 한 번의 전투에 그치는 것이 아니라 세계를 지배하느냐 못 하느냐가 걸린 일대 세계 대전이다. 이 전쟁의 승리자가 이 행성의 주인이 될 것이다.

9호는 그런 사실을 분명하게 깨닫고 있다. 그가 아주 공격적인 자세로 위턱을 내밀고 있음을 보고 다른 병사들은 그가 아주 과감하게 싸우리라는 것을 예감하고 있다.

이제 손가락들의 둥지가 겨우 수천 걸음 앞으로 다가왔다.

8시 30분. 우체국 문이 방금 열렸다. 첫 손님들은 누군가가 자기들을 노리고 있다는 사실을 깨닫지 못한 채 안으로 들어간다.

곤충들의 걸음이 속보에서 구보로 바뀐다.

《앞으로, 돌격!》

퐁텐블로시의 청소 업무는 매일 아침 8시 30분에 이루어지고 있었다. 비눗물을 가득 실은 작은 덤프트럭 한 대가 보도를 씻기 위해 비눗물을 뿌리고 있었다.

《무슨 일이야?》

원정군 사이에 공포가 번져 나간다. 매운 물이 태풍처럼 몰려온다.

원정군 전체가 물살에 두들겨 맞고 물에 잠겨 버린다.

《흩어져!》

103호가 소리친다.

풍랑은 수십 걸음의 높이로 모든 세상을 침수시킨다. 튀어 오른 물이 비행 부대를 치려고 하늘로 솟구친다.

원정군 병사들은 모두 기진맥진해 있다.

몇몇 뿔풍뎅이들이 질겁한 개미 무리를 잔뜩 실고 이륙한다. 뿔풍뎅이 위에서 떨어지지 않으려고 모두들 안간힘을 쓴다. 개미들이 흰개미들을 밀어낸다. 종족 간의 연대와 협조는 더 이상 안중에도 없다! 각자 자기 목숨은 자기가 지킨다는 식이다.

병사들을 너무 많이 실은 뿔풍뎅이들은 힘겹게 파닥거리다가 살찐 비둘기의 맛좋은 먹이가 되어 버린다.

아래에서는 대참사가 벌어지고 있다.

여러 개의 군단이 물벼락에 휩쓸려 간다. 딱지로 덮인 병사들의 시체가 광장을 굴러 길가 도랑에 떨어진다.

이리하여 원정군의 대대적인 군사 모험은 끝이 난다. 매운 비눗물로 40초 동안 공격을 받은 원정군은 더 이상 진군할 수가 없다. 손가락들을 끝장내기 위해 동맹을 맺었던 여러 종족의 3천여 곤충들 중 중경상을 당한 한 줌의 부상자들만이 살아남았다. 대부분의 병사들은 도시의 청소차가 내뿜는 물에 휩쓸려 갔다.

신을 믿는 자, 신을 믿지 않는 자, 개미, 꿀벌, 풍뎅이, 흰개미, 파리 할 것 없이 모두 방향을 잃은 채 물 소용돌이에 쓸려 간다.

덤프트럭을 운전하는 시의 청소부는 아무것도 깨닫지 못했다. 아주 보잘것없는 호모 사피엔스 하나가 지구적인 규모의 대전투를 승리로 이끌었음에도 그것을 아는 사람은 아무도 없었다. 사람들은 점심에 무얼 먹을까 오늘은 무슨 일을 할까를 생각하면서 계속 자기들의 일에 몰두할 뿐이다.

곤충들은 자기들이 세계 대전에서 졌다는 것을 잘 알고 있다.

무슨 일이 일어나는지 미처 깨달을 사이도 없이 모든 게 너무나 빠르고 급작스럽게 일어났다. 수 킬로미터를 달려온 다리들, 산전수전을 다 겪으며 싸워 온 위턱들, 세상의 온갖 냄새를 다 맡아 온 더듬이들이 불과 40초 만에 모두 올리브색 물 위를 떠다니는 파편들이 되어 버렸다.

손가락들을 응징하겠다던 최초의 원정군은 이제 더 이상 진군을 할 수가 없고 앞으로도 영영 진군하지 못하리라. 비눗물의 소용돌이 속에 원정군의 마지막 운명이 기다리고 있을 줄 그 누가 알았겠는가.

163. 니콜라

니콜라 웰스는 다른 사람들과 합류했다. 그럼으로써 니콜라의 음파가 더해져 집단의 진동인 〈옴〉이 더 풍성해졌다. 니콜라는 한순간 자기가 높이높이 솟아오르더니 물체를 통과하는 무형의 구름이 되었다고 느꼈다. 개미들의 신이 되는 것보다 천배는 더 좋았다. 자유다! 니콜라는 자유로웠다.

164. 결투

9호는 재빨리 반사적인 동작을 취하여 물에 휩쓸려 가는 것을 면했다. 그는 하수도 맨홀 뚜껑의 가는 홈에 발톱을 깊이 박고 있다. 9호는 참담한 심정으로 광장의 포도(鋪道) 위로 기어간다. 한편 103호는 〈큰 뿔〉과 함께 가까스로 공중으로 날아오른다. 물의 소용돌이를 피할 수 있었다. 아스팔트 구멍에 숨어 있던 23호도 그와 마찬가지로 무사하다.

살아남은 뿔풍뎅이들은 조종사를 싣고 멀찌감치 달아나고, 마지막 남은 최후의 몇몇 흰개미들은 코르니게라섬에 남지 않은 것을 후회하면서 줄행랑을 놓는다.

세 벨로캉 개미가 한자리에 모인다.

《손가락들은 너무 강해서 우리는 상대조차 안 돼.》

9호가 비눗물 때문에 가려운 눈과 더듬이를 문지르며 비탄에 잠긴다.

《손가락들은 신이에요. 손가락들은 전능해요. 우리가 이러한 사실을 끊임없이 주장했지만 당신들은 우리를 믿지 않았어요. 이 피해 상황을 좀 봐요!》

23호가 한숨 섞인 페로몬을 발한다.

103호는 여전히 두려움으로 떨고 있다. 손가락이 신이든 아니든 간에 그들이 공포의 대상이라는 사실엔 변함이 없다.

세 개미들은 서로의 몸뚱이를 비비대며 영양을 교환한다. 돌이킬 수 없게 참패를 당한 원정군 가운데 자기들처럼 살아남은 자들만이 서로를 어루만지고 먹이를 나눌 수 있다고 생각하니 안타까움에 가슴이 미어질 듯하다.

그러나 103호의 모험은 여기서 끝나는 것이 아니다.

103호에겐 아직 수행해야 할 임무가 남아 있다. 그가 나방 고치를 꽉 움켜쥐는 모습을 보고 여태껏 참고 있던 9호가 묻는다.

《자네 원정이 시작될 때부터 그걸 들고 다니던데 그 안에 무엇이 들어 있지?》

《별거 아닐세.》

《어디 보세.》

103호는 거절한다.

9호가 화를 낸다.

《자네 좀 수상했어. 나는 줄곧 자네가 손가락들에게 매수당한 첩자일 거라고 생각했네. 자네가 선봉장임을 자처하면서 우리를 이 함정 속으로 끌어들인 건 아닌가!》

103호는 23호에게 고치를 맡기고 결투에 응한다.

두 개미는 서로 마주 보고 위턱을 한껏 벌린 다음 더듬이 끝으로 상대를 겨눈다. 그들은 상대의 약점을 탐색하려고 빙빙 돌다가 돌연 서로에게 덤벼든다. 딱지들을 맞부딪고 가슴으로 상대를 밀어낸다.

9호는 왼쪽 위턱을 휘두르다가 턱으로 공기를 가르며 상대의 키틴질 딱지에 깊이 박는다. 투명한 피가 흐른다.

9호가 두 번째로 위턱 공격을 해오자 이번에는 103호가 그것을 피해 내고, 상대가 돌진하는 틈을 노려 더듬이 끝을 잘라 버린다.

《이 쓸데없는 싸움을 그만두세. 이제 남은 건 우리뿐일세. 이러다가 우리가 죽으면 좋아할 건 손가락들뿐일세.》

그러나 9호는 제정신이 아니다. 오로지 배신자의 눈구멍에 우람한 더듬이를 박고 싶어 안달이 나 있을 뿐이다.

9호가 103호의 눈을 향해 더듬이를 휘둘렀으나 103호가 아슬아슬하게 피한다. 103호는 개미산을 쏘리라 마음먹고 배 끝을 조준한 다음 한 방울을 내뿜는다. 그러나 그 개미산은 어떤 우체부의 바지 아랫단에서 자취를 감추어 버린다.

9호도 역시 개미산을 쏜다. 103호의 개미산 주머니가 텅 비어 버리자 9호는 상대를 완전히 죽일 순간이 왔다고 믿었지만, 103호에겐 아직 위기를 벗어날 다른 수단이 남아 있다. 103호는 위턱을 벌리고 돌진하여 왼쪽 가운데 다리를 잡고 앞뒤로 비튼다.

9호도 103호의 오른쪽 뒷다리를 잡고 비튼다. 서로 상대의 다리를 먼저 뽑으려고 있는 힘을 다한다.

103호는 전투 교훈 중 하나를 생각해 낸다. 〈똑같은 방법으로 다섯 번 공격하고 나서 여섯 번째도 같은 방식으로 공격하려고 하면 적은 그 공격을 피할 것이다. 그러면 적을 공격하기가 어려울 것이다.〉

103호는 더듬이 끝으로 9호의 입을 다섯 번 친다. 그런 다음 상대의 위턱 아래에 있는 목을 잡는다. 103호는 날쌘 동작으로 9호의 목을 자른다.

지저분한 포장 도로 위로 9호의 머리가 데굴데굴 구른다.

굴러가던 머리가 멈추자 103호가 다가가 물끄러미 지켜본다. 개미 몸뚱이의 모든 부분은 죽은 뒤에도 약간의 독자적인 움직임이 있다.

《자넨 잘못 생각하고 있어, 103호.》

9호의 머리가 페로몬을 발한다.

103호는 머리 하나가 마지막으로 페로몬을 뿜으려고 애쓰는 장면을 이미 경험한 적이 있었다는 느낌이 든다. 그러나 그것은 이곳에서의 일이 아니었고 이 페로몬도 아니었다. 그것은 벨로캉 왕국의 쓰레기터 위에서였다. 그곳에 버려져 있던 반체제 개미가 그에게 전한 페로몬이 그의 삶의 방향을 완전히 바꾸어 버렸다.

9호의 더듬이가 다시 움직인다.

《자넨 잘못 생각하고 있어, 103호. 자네는 모두를 다 만족시킬 수 있다고 생각할지 모르지만, 그럴 수는 없는 걸세. 자네가 손가락을 위해 싸우든, 개미를 위해 싸우든 간에 한 진영을 선택해야만 해. 아무리 훌륭한 이상이라도 폭력으로부터 우리를 벗어나게 할 수는 없어. 폭력에 의해서만 폭력을 피할 수 있어. 오늘 자네는 나보다 강하기 때문에 이겼어. 하지만 충고 하나 하겠네. 절대로 나약하게 굴지 말게. 자네의 추상적인 이상이 자네를 구해 줄 수 있는 건 아니니까 말일세.》

23호가 다가와 많은 페로몬을 발하고 있는 그 머리를 확실하게 쏘아 버린다. 그리고 103호에게 승리를 축하하며 고치를 건네준다.

《이제, 무엇을 하셔야 하는지 아시죠?》

《자네는 어떻게 할 텐가?》

23호는 바로 대답하지 않고 얼버무린다. 그는 손가락 신들을 섬기는 자임을 자처하고 있고, 때가 되면 자기가 수행해야 할 일을 손가락들이 일러 주리라고 생각한다. 그때를 기다리면서 그는 세계의 끝 너머, 이 손가락들의 땅에서 떠돌아다닐 것이다.

103호는 23호의 용기를 북돋워 주고 〈큰 뿔〉 위에 올라 그의 더듬이에 신호를 보낸다. 뿔풍뎅이는 딱지날개를 미끄러뜨린 다음 긴 갈색 날개를 펴고 시동을 건다. 돛의 활대를 돌리듯 날개맥이 있는 날개가 손가락들 나라의 오염된 공기를 휘젓는다. 103호는 공중으로 솟아올라 마주 보이는 손가락들의 첫 번째 둥지 꼭대기로 돌진한다.

165. 요정들의 주인

먼동이 터오도록 레티시아 웰스와 자크 멜리에스는 쥘리에트 라미레의 입술을 뚫어지게 바라보며 그 놀라운 이야기를 듣고 있었다.

늙어 지쳐 버린 산타클로스 같던 그 남자는 쥘리에트 라미레의 남편 아서 라미레였다. 아서는 어려서부터 자질구레한 것을 고치고 만들고 하는 일에 몰두했다. 그는 원격 조종 장치로 조종할 수 있는 장난감, 비행기, 자동차, 배들을 만들었다. 물체와 로봇은 그의 어떤 명령에도 복종했다. 그의 친구들은 그를 〈요정들의 주인〉이라고 불렀다.

「누구나 한 가지 재능은 타고 나는 법이지요. 그 재능을 계발하느냐 못 하느냐의 차이는 있겠지만요. 내 친구 중에는 십자수에 뛰어난 재주를 가진 여자가 있어요. 그 친구가 만든 벽걸이는요…….」

그러나 듣고 있던 두 사람은 십자수를 아무리 잘한다 한들 그게 뭐 그리 대단한 것이랴 하고 아주 시큰둥해했다. 라미레 씨가 말을 이었다.

「아서는 원격 조정 장치를 능숙하게 다루는 재주를 가지고 있기 때문에 자기가 인류에게 작은 〈보탬〉이 될 수 있다고 생각했어요.」

당연히 그는 로봇 공학 쪽으로 진로를 정했고 쉽게 기술 자격증을 땄다. 그는 타이어 자동 교체 기계와 인간의 지능을 가진 자동차 변속 장치, 그리고 원격 조종되는 등긁개까지 발명했다.

마지막 전쟁 중엔, 〈강철 늑대〉라는 로봇을 발명하였다. 그 로봇은 다리가 네 개라서 다리가 두 개인 로봇보다 훨씬 안정적이었다. 게다가 어둠 속에서도 촬영할 수 있는 적외선 카메라 두 대, 코 높이에 기관총 두 정, 입에 35밀리미터 소구경 포 한 문을 갖췄다. 〈강철 늑대〉는 밤에 기습을 했고 병사들은 50킬로미터 이상 떨어진 안전지대에서 원격 조정을 했다. 그 로봇들의 성능은 대단했다. 그것들이 지나가는 곳에서는 단 한 사람의 적군도 살아남지 못했다.

그러던 어느 날 아서는 〈강철 늑대〉 때문에 생긴 피해 상황을 담은 극비 필름을 보게 되었다. 로봇을 원격 조종하는 병사들은 전자오락을 하는 기분에 사로잡혀 통제 화면에 뭐든지 움직이는 게 나타나면 닥치는 대로 학살했다.

회의에 빠진 아서는 정년도 되기 전 퇴직을 결심하고 장난감 가게를 차렸다. 어른들은 무책임해서 자기의 발명을 유용하게 쓰지 못하므로, 그의 재능을 어린이들을 위해 발휘하기로 했다.

그때 우체국에서 일하고 있던 쥘리에트를 만났다. 쥘리에트는 우편환, 우편엽서, 등기 우편 등 우편물을 그에게 배달했다. 그들은 곧 한눈에 반해 결혼을 했고, 그 〈사고〉가 일어나기 전까지는 페닉스가의 이 집에서 행복하게 살았다.

그녀가 〈사고〉라고 부르는 그 사건의 경위는 이러하였다. 어느 날 평상시처럼 그녀가 우편물을 배달하고 있는데 개 한 마리가 우편낭에 달려들어 사정없이 물어뜯어 버렸다.

일을 마친 쥘리에트는 파손된 소포를 집으로 가져왔다. 손재주가 좋은 아서가 수취인이 눈치채지 못하게 수선을 해 줄 것이고, 그럼으로써 손해 배상을 요구하기 일쑤인 우편 이용자들과의 마찰을 피할 수 있을 것이라고 생각한 것이 었다.

그러나 아서는 그 소포를 끝내 원래대로 해놓을 수가 없 었다.

그 소포를 다루다가 아서는 내용물에 흥미를 느꼈다. 수 백 쪽의 두꺼운 서류 뭉치, 이상한 기계 설계도, 편지 한 통이 들어 있었다. 호기심을 억누르지 못하고 그는 그것들을 찬찬 히 훑어보았다. 서류와 편지를 읽고, 설계도를 검토했다.

그런 뒤에 그들의 삶은 완전히 달라졌다.

아서 라미레는 개미밖에 모르는 사람이 되었다. 그는 지 붕 밑 방에 거대한 개미 사육통을 설치했다. 아서는 개미들 이 인간들보다 더 영리하다고 말하곤 했다. 한 개미 군체의 지력의 총화는 그 군체를 구성하는 개미들의 지력을 단순히 합해 놓은 것을 능가하기 때문이라는 것이었다. 그는 개미 세계에서는 〈1+1=3〉이라고 확신했다. 사람의 몸에서 여러 기관이 한 가지 기능을 수행하기 위해 공동 작용을 하듯이 개미 군체에서는 사회적인 공동 작용이 이루어진다. 아서는 개미들이 집단적인 생존의 새로운 방식을 보여 줌으로써 인 간의 사고를 혁신시킨다고 생각했다.

쥘리에트 라미레는 한참 지나서야 설계도가 무엇을 나타 내는지 알았다. 그것은 로제타석이라는 기계에 대한 것이었 다. 그 기계는 인간의 음절을 개미의 페로몬으로 바꾸고 역

으로 개미의 페로몬을 인간의 음절로 바꿈으로써 개미 사회
와 대화를 할 수 있게 해주는 기계였다.

「아니…… 이럴 수가…… 그건 저희 아버지의 계획이었
어요!」

레티시아가 소리쳤다.

「알아요, 당신을 대하게 되니 너무나도 부끄럽군요. 그 소
포의 발송인은 바로 당신의 아버지 에드몽 웰스였고, 수취인
은 레티시아 웰스 당신이었어요. 그리고 그 서류는『상대적
이며 절대적인 지식의 백과사전』제2권의 내용이었고, 편지
는…… 당신한테 쓴 것이었죠.」

라미레 씨는 그렇게 말하면서 찬장 서랍에서 정성스레 접
은 하얀 종이를 꺼냈다.

레티시아는 그녀의 손에서 편지를 낚아채어 읽기 시작
했다.

〈사랑하는 딸 레티시아에게. 먼저 나의 죄를 묻지 말라는
부탁을 하고 싶다…….〉

레티시아는 글자 한 자 빠뜨리지 않고 꼼꼼하게 편지를 읽
었다. 편지는 〈딸아, 사랑한다〉라는 애정이 듬뿍 담긴 말로
끝나 있었고 아버지의 서명이 들어 있었다. 레티시아는 화가
치밀어 울먹거리며 소리쳤다.

「어떻게 그럴 수가 있어요? 당신들은 도둑이에요! 이건
다 내 것이란 말이에요! 나의 유일한 유산을 당신들이 훔친
거예요. 아버지가 후계자를 지정한 유서를 은폐했어요. 하
마터면 나는 아버지께서 나를 정신적 상속자로 생각하고 계
셨다는 사실을 영영 모른 채 죽을 뻔했어요! 당신들이 어떻
게 그럴 수가…….」

레티시아는 멜리에스에게 쓰러졌다. 흐느낌을 억누르며 들썩이는 그녀의 가녀린 어깨를 그가 감싸 안았다.

「면목이 없어요.」

쥘리에트가 사과했다.

「난 편지가 있으리라고 확신했어요. 그래요, 확신했어요! 줄곧 그것을 기다렸단 말이에요!」

「당신 아버지의 정신적 유산이 나쁜 무리의 손에 들어가지 않았다고 말씀드리면 우리를 덜 원망하실지도 모르겠네요. 우연 혹은 숙명이라고나 할까요……. 우리 집에 이 소포가 온 것은 어떤 운명의 장난이었는지도 몰라요.」

아서는 설계도의 내용을 이해하자마자 기계를 설계도대로 만들어 냈다. 그는 몇 가지 기능을 더 발전시키기도 했다. 그 결과, 부부는 사육통에 있는 개미들과 대화를 나눌 수 있게 되었다. 정말로 그들은 곤충들과 의사를 소통하게 되었다!

한편으로는 화가 나고 또 한편으로는 놀랍기도 해서 레티시아는 마음을 제대로 가눌 수가 없었다. 레티시아와 멜리에스가 다음 이야기를 재촉했다. 라미레 씨의 이야기가 이어졌다.

「처음엔 얼마나 행복했던지! 개미들은 그들 연방이 움직이는 방식을 설명했고, 종족 사이의 전쟁과 분쟁에 대해서 이야기했어요. 우리 신발창 높이에 지능이 뛰어난 또 다른 세계가 우리와 나란히 존재한다는 걸 알았어요. 당신들도 알다시피, 개미들은 도구를 사용하고, 그들 나름의 농사를 짓고, 첨단 기술을 발전시켰죠. 개미들의 세계에는 민주주의, 계급, 노동의 분담, 살아 있는 자들 사이의 상부상조 등과 같은 추상적인 개념들을 연상시키는 것들이 있어요.」

개미의 도움으로 그들의 사고방식을 더 잘 알게 된 아서 라미레는 〈개미 군체의 정신〉을 재생하는 컴퓨터 프로그램을 고안했고 소형 로봇인 〈강철 개미〉를 구상했다.

그의 목표는 수백의 개미 로봇으로 이루어진 인공적인 개미 군체를 만드는 것이었다. 각각의 개미 로봇은 기억 소자(素子) 안에 입력된 전산 프로그램의 형태로 독자적인 지능을 갖게 되지만 그것들을 집단 전체에 연결해서 공동으로 사고하고 공동으로 행동하게 만들겠다는 것이었다. 라미레 씨는 적절한 표현을 찾느라 애쓰다가 말을 이었다.

「뭐랄까요……. 로봇 전체가 다양한 요소를 지닌 하나의 컴퓨터, 혹은 밀접한 관련을 가진 신경 세포들로 나뉜 하나의 뇌를 구성하는 것입니다. 〈1+1=3〉이고 따라서 〈100+100=300〉이죠.」

아서 라미레는 그의 〈강철 개미〉들이 우주 정복에 아주 적합하다고 판단했다. 그의 개미 로봇을 이용하게 되면, 현재 사용하고 있는 우주 공학 기술처럼 멀리 떨어진 행성에 탐사 로봇 하나를 보내는 것이 아니라, 개별적이면서도 집단적인 지능을 가진 1천 개의 작은 탐사 로봇을 보낼 수 있게 된다. 그것들 중 하나가 고장이 나거나 부서지면, 다른 999개가 바통을 이어받게 되는 것이다. 그렇게 되면 현재와 같이 탐사 로봇 한 대가 기계적인 고장을 일으켰다고 해서 하나의 우주 개발 계획 전체를 백지화하는 어리석은 일은 일어나지 않을 것이다.

멜리에스는 경탄하는 기색을 감추지 못하며 말했다.

「무기의 측면에서 보더라도, 아주 단순하지만 서로 밀접하게 결합되어 있는 1천 개의 작은 로봇을 파괴하는 것보다 지능이 아주 뛰어난 한 개의 커다란 로봇을 파괴하기가 더 쉽지요.」

「그게 바로 협동의 원리죠. 단결은 각각의 재능을 단순히 합쳐 놓은 것보다 더 큰 힘을 낳으니까요.」

라미레 씨가 강조했다.

그런데, 라미레 부부에겐 그런 원대한 계획을 실행하기 위한 돈이 부족했다. 작은 부속들이 너무 비싸서, 장난감 가게의 수입과 쥘리에트의 우체국 월급으로는 필요한 경비를 감당할 수 없었다. 그때 머리가 비상한 아서 라미레가 기발한 생각을 해냈다. 쥘리에트를 「알쏭알쏭 함정 퀴즈」에 출연시키자는 것이었다. 하루에 1만 프랑이면 대단한 횡재가 아닐 수 없었다. 그는 에드몽 웰스의 『상대적이며 절대적인 지식의 백과사전』에 실린 수수께끼들 중에서 좋은 것들을 골라 그 프로그램 제작자들에게 보냈고, 그녀가 방송에 나가서 그것을 풀었다. 그가 보낸 에드몽 웰스의 수수께끼는 언제나 채택되었다. 누구도 그것들만큼 정교한 수수께끼를 고안해 낼 수 없었기 때문이었다.

「그러니까 모든 것이 속임수였군요.」

멜리에스는 기분이 상했다.

「세상에, 그게 다 속임수였다니. 그런데 어쩌면 그렇게 감쪽같이 속일 수가 있었지요. 예를 들어 숫자 1, 2, 3이 나오는 그 수수께끼 말이에요. 그 수수께끼에서는 왜 그리 오랫동안 답을 모르는 척하셨는지 모르겠네요.」

레티시아가 말했다.

대답은 간단했다.

「에드몽 웰스의 수수께끼가 무궁무진하지는 않기 때문이죠. 조커를 이용해서 날마다 1천 프랑을 벌어들이면서 게임을 지속시킨 거죠!」

그 수입은 부부를 편안하게 살 수 있게 해주었고, 그동안에 아서는 〈강철 개미〉의 제작과 개미들과의 대화에서 많은 진전을 이루었다. 그렇게 모든 것이 아주 순조롭게 진행되고 있던 어느 날, 아서는 텔레비전에서 어떤 광고를 보고 전율을 느꼈다. 〈크락크락 가는 곳에 벌레 전멸!〉이라는 CCG 상품 광고였다. 화면에는 독한 살충제를 먹고 바둥거리는 개미 한 마리가 클로즈업되어 있었다.

아서는 격분했다. 그 작은 곤충을 독살시키고자 저렇게 해로운 살충제를 만든단 말인가! 그때 마침 그의 〈강철 개미〉 가운데 하나가 작동되고 있었다. 곧바로 그는 그것을 정탐하기 위해 〈강철 개미〉를 CCG 실험실로 보냈다. 그 개미 로봇은 살타 형제가 국제적인 전문가들과 함께 〈바벨〉이라는 한층 더 잔혹한 프로젝트에 참여하고 있다는 사실을 알아냈다.

「바벨은 너무나 위험한 프로젝트였습니다. 환경 보호 운동가들이 알았다면 당장 반대하고 나섰을 것입니다. 그래서 살충제 분야의 전문가들이 아주 은밀하게 작업을 진행하고 있었던 것입니다. CCG 간부들조차 모르고 있을 정도였으니까요.

바벨은 효능이 완벽한 개미 살충제예요. 종래의 유기인(有機燐) 살충제로는 개미를 효과적으로 몰아낼 수 없었죠. 그런데, 바벨은 그와 같이 독이 아니라, 개미들끼리 더듬이를 통해 의사소통하는 것을 망가뜨릴 수 있는 물질이에요.」

라미레 씨가 설명했다.

바벨은 완성 단계에 가면 분말 형태가 되는데, 그 분말을 땅에 뿌리기만 하면 냄새가 발산되면서 개미들의 페로몬을 교란시킨다는 것이다. 그 분말 1온스만으로도 사방 수 킬로미터를 오염시킬 수 있다. 그런데 통신을 할 수 없으면 개미는 여왕개미가 살아 있는지, 자기 임무가 무엇인지, 자기에게 무엇이 좋고 무엇이 위험한지를 더 이상 알지 못하게 된다. 지구 표면 전체에 이 약품을 뿌려 놓으면 5년 후에는 지구상에 개미가 더 이상 존재하지 않게 될 것이다. 개미들은 서로 의사소통을 못하게 되느니 차라리 죽어 버리는 것을 선택하게 될 것이다.

개미들에게는 의사소통이 삶의 전부인 것이다!

살타 형제와 그의 동료들은 의사소통이 개미 세계의 필수 조건임을 알아냈다. 그런데 그들에게 개미는 일소해야 할 해충일 뿐이었다. 그들은 개미의 소화기에 독을 넣는 것이 아닌 완전히 뇌를 마비시키는 방법을 발견한 것에 자부심을 느꼈다.

「무서운 일이에요!」

레티시아가 한숨을 내쉬었다.

「자그마한 첩보 로봇의 힘을 빌려 남편은 바벨 프로젝트와 관련된 정보들을 속속들이 알고 있었어요. 그 화학자들은 지구상의 개미를 일거에 멸종시키겠다는 생각을 가지고 있었어요.」

「당신의 남편이 개입하기로 결정한 것이 그때였습니까?」

경정이 물었다.

「네, 그래요.」

레티시아와 멜리에스는 아서가 어떻게 행동했는지 이미 깨닫고 있었다. 그의 아내의 말은 그것을 확인하는 것에 불과했다. 아서는 척후 개미를 보내 표적이 될 사람의 냄새가 밴 미세한 천 조각을 오려 오게 했다. 그런 후 냄새의 주인공을 살해할 개미 로봇들을 풀어 놓았다.

자기가 생각했던 대로임을 알고 흡족해하면서 멜리에스가 전문가답게 그 범죄에 대해 평가를 내렸다.

「라미레 씨, 당신의 남편은 내가 이제껏 만나 보지 못한 가장 완벽한 범죄 방법을 고안했군요.」

쥘리에트 라미레는 찬사인지 비난인지 모를 그 말에 얼굴을 붉혔다.

「다른 사람들이 어떻게 범행하는지 모르지만 우리의 방법은 틀림없이 매우 효과적이었어요. 게다가 누가 우리에게 혐의를 두겠어요? 모든 알리바이를 우리가 마음대로 할 수 있는데요. 우리 개미들이 독자적으로 행동했지요. 범행 장소에서 1백 킬로미터나 떨어진 곳에 있는 우리야 관계없죠!」

「범죄를 저지른 개미들이 자율적으로 행동했어요?」

레티시아가 놀란 음성으로 물었다.

「물론이죠. 개미를 이용하는 것은 새로운 살인 방식에 그치는 것이 아니라, 일을 생각하는 새로운 방식이기도 하지요. 그 일이 살해하는 임무인 경우라도 마찬가지예요. 이것은 아마도 최고의 인공 지능일 거예요! 웰스 씨, 당신 아버님은 아주 잘 깨닫고 계셨어요. 책에 설명이 되어 있어요, 자 보세요!」

라미레 씨는 개미 군체의 개념이 어떻게 인공 지능을 혁신시켰는가를 보여 주는 『백과사전』의 한 대목을 읽어 주었다.

살타 형제의 집으로 보낸 개미들은 원격 조종을 받고 있지는 않았다. 개미들은 자율적이었다. 하지만 아파트에 모여, 냄새를 식별하고, 그 냄새를 풍기는 모든 것을 죽이고, 이어서 범죄 흔적을 모두 치우도록 전산 프로그램이 짜여 있었다. 사건의 목격자가 있다면 아무 자취도 남기지 말고 모두 제거하라는 명령도 입력이 되어 있었다.

개미들은 하수도와 배수관을 통해 돌아다닌다. 그것들은 소리 없이 나타나 몸의 내부에 구멍을 뚫어 죽인다.

「발각되지 않는 완벽한 무기!」

「하지만 멜리에스 경정, 당신은 그것들로부터 도망을 쳤어요. 사실 달려가기만 하면 죽음을 피할 수 있죠. 여기까지 개미들을 따라오면서 아셨겠지만 우리 로봇 개미는 아주 천천히 전진하지요. 그런데 대부분의 사람들은 개미가 습격할 때 문 쪽으로 서둘러 도망을 치기보다는 두려움과 놀라움으로 어쩔 줄 모르죠. 더욱이 습격을 피하려 해도 요즈음 자물쇠가 너무 복잡해서 부들부들 떨리는 손으로 재빨리 열기란 여간 어려운 일이 아니죠. 안전을 위해서 문에 가장 좋은 잠금 장치를 갖춰 놓은 사람들이 꼼짝 못 하게 갇혀서 가장 먼저 죽는다는 게 우리 시대의 역설이죠.」

「그렇게 해서 살타 형제, 카롤린 노가르, 막시밀리앵 매커리어스, 오데르진 부부, 그리고 미귀엘 시녜리아즈가 죽게 되었군요!」

멜리에스가 정리했다.

「그래요. 그들은 바벨 프로젝트의 주창자들이었어요. 우리가 당신들이 만들어 놓은 가짜 다카구미의 방으로 개미들을 보낸 것은 바벨 프로젝트에 참가한 일본인이 우리로부터 도망칠까 봐 두려웠기 때문이에요.」

「당신네 개미 로봇들이 대단한 성능을 가지고 있다는 것은 익히 알고 있습니다. 그것들을 볼 수 있을까요?」

라미레 씨는 지붕 밑 방으로 개미를 가지러 올라갔다. 살아 있는 곤충이 아닌 마디마디 연결된 로봇을 식별하려면 아주 가까이서 관찰해야 한다. 금속 더듬이 광각 렌즈로 된 소형 비디오카메라 눈, 일정한 압력을 유지하고 있는 캡슐로 되어 있어서 개미산을 발산할 수 있는 배, 면도칼처럼 뾰족하고 녹슬지 않는 위턱, 로봇은 가슴에 있는 리튬 전지로 에너지를 얻는다. 머리엔 극소형 정보 처리 장치가 있어서 관절의 모든 모터를 조종하고 인공 감각기에 감지된 정보를 처리한다.

레티시아는 확대경을 들고 아주 정밀하게 제작된 자그마한 걸작품을 보고 감탄을 금치 못했다.

「이 작은 장난감이 응용될 수 있는 분야가 얼마나 많을까! 첩보 활동, 전쟁, 우주 정복, 인공 지능 체계의 혁신……. 이건 진짜 개미와 겉모습이 똑같군요.」

「겉모습만 똑같아선 안 돼요. 이 로봇의 성능을 아주 좋게 하기 위해선, 개미와 똑같이 복제하고 개미와 똑같은 기질을 불어넣어야 했죠. 아버지의 말씀을 들어 봐요!」

라미레 씨가 힘주어 말하고는 『백과사전』을 홀홀 넘기다가 한 대목을 레티시아에게 가리켰다.

166. 백과사전

신인 동형론(神人同形論)

인간은 그들의 척도와 가치에 모든 것을 귀결시키면서, 늘 같은 방식으로 사고한다. 자기들의 두뇌에 만족하고 자부심을 갖기 때문이다. 스스로 논리적이고 분별 있다고 생각한다. 또한 인간은 늘 자신들의 관점에서 사물을 본다. 의식이나 직관과 마찬가지로 지능은 인간에게만 존재한다고 생각한다. 프랑켄슈타인은, 신이 아담을 창조하였듯이 인간도 자기와 똑같은 형상의 사람을 만들 수 있다는 신화를 대표하는 인물이다. 인간은 무엇이든 인간을 닮은 형태로 만들고 싶어 한다. 로봇을 만들 때, 인간은 자기들의 모습과 행동 방식을 그대로 복제한다. 아마도 언젠가는 대통령 로봇, 교황 로봇도 만들겠지만, 그것은 인간의 사고방식에 어떠한 변화도 가져오지 않을 것이다. 하지만 사고방식에 변화를 줄 다른 것들도 많이 존재한다! 개미도 다른 사고방식 가운데 하나를 우리에게 가르친다. 아마 외계인들도 우리에게 다른 사고방식들을 가르쳐 줄 것이다.

에드몽 웰스, 『상대적이며 절대적인 지식의 백과사전』 제2권

자크 멜리에스는 껌을 자분자분 씹고 있었다.

「모든 게 대단히 흥미롭군요. 그런데 무엇보다도 궁금한 게 하나 있습니다. 라미레 씨, 당신은 왜 나를 죽이려 했죠?」

「오, 먼저 우리가 경계한 것은 당신이 아니라 웰스 씨였어요. 우리는 기사를 읽고 그녀가 에드몽 웰스의 후손임을 알았어요. 당신의 존재까진 몰랐어요.」

멜리에스는 아주 신경질적으로 껌을 잘근잘근 씹어 댔다. 쥘리에트가 말을 이었다.

「그녀를 감시하기 위해, 우린 개미 로봇 하나를 그녀의 집으로 보냈죠. 우리의 첩보 개미가 당신들의 대화를 녹음해서 테이프를 전해 주었고 우리는 두 사람 중 통찰력이 예리한 사람은 멜리에스 당신이라는 걸 알았죠. 당신이 〈하멜른의 피리 부는 사나이〉에 대해 이야기할 때, 우리는 곧 당신이 비밀을 알아내리라고 생각했죠. 그래서 당신에게도 또한 살해단을 보내기로 결정했어요.」

「그 때문에 내가 혐의를 뒤집어썼고요. 다행히 당신들의 살인이 계속되어서…….」

「미귀엘 시네리아즈 교수는 수중에 바벨 완제품을 가지고 있었어요. 우리가 가장 먼저 없애려고 했던 게 그것이었죠.」

「그런데, 그 유명한 개미 살충제 바벨은 어디 있죠?」

「시네리아즈가 죽은 후 우리 개미 특공대 중의 하나가 그 더러운 물질이 들어 있는 시험관을 부수어 버렸어요. 우리가 아는 한 그건 더 이상 존재하지 않아요. 훗날 다른 연구원들이 다시는 그와 유사한 발상을 하지 않기를 기원합시다. 에드몽 웰스는 아이디어가 지천으로 널려 있다고 썼어요…….좋은 아이디어와 나쁜 아이디어가 함께 섞여서 말이에요!」

라미레 씨는 한숨을 지었다.

「자, 이제 모든 것을 아셨죠. 당신들의 질문에 모두 답했어요. 하나도 숨김없이.」

라미레 씨는 멜리에스가 호주머니에서 메모지 한 장을 꺼내자 기다렸다는 듯이 손을 내밀었다.

「나를 심문하고, 체포하고, 구속하세요. 하지만 남편은 내버려 두세요. 그이는 선량한 사람이에요. 그이는 단지 개미가 멸종된 세상을 감당할 수 없었던 거예요. 그이는 교만함

때문에 제정신을 잃은 소수 학자들로부터 위협을 받는 풍요
로운 지구를 구하길 원했어요. 제발, 아서는 내버려 두세요.
그이는 이미 암으로 심판을 받았어요.」

167. 원정군에게서는 소식이 없다

《원정군 소식은 어떻게 됐지?》
《더 이상 없습니다.》
《어째서 더 이상 소식이 없는 거지? 혹 동쪽에서 전령 날
파리가 한 마리도 도착하지 않았는가?》
클리푸니는 더듬이를 입술 가까이로 모아 꼼꼼하게 닦는
다. 일이 자기의 바람처럼 되어 가고 있지 않다는 예감이 든
다. 개미들이 손가락들을 죽이느라 너무 지쳐 있는지도 모를
일이다.
여왕 클리푸니는 〈반체제 개미〉 문제가 이제는 완전히 해
결되었는지 묻는다.
머지않아 2백 마리 내지 3백 마리가 될 것이며, 그들을 찾
아내기가 쉽지 않다고 한 병정개미가 대답한다.

168. 백과사전

열한 번째 계명
오늘 밤 이상한 꿈을 꾸었다. 파리 시가지가 거대한 삽으로 퍼 올려진
다음 투명한 단지에 담겨졌다. 단지 속에서 모든 것이 너무 흔들려서
에펠탑 끝이 우리 집 화장실 벽과 부딪혔다. 모든 것이 전복되었다. 나
는 천장에서 뒹굴고 있었고, 수천의 행인들이 우리 집의 닫힌 창문에

부딪혔다. 자동차들은 길에서 부딪히고, 가로등은 바닥에서 치솟아 있었다. 가구들이 나뒹굴었다. 나는 아파트에서 빠져나왔다. 밖은 모든 게 엉망이었다. 개선문은 산산조각이 났고, 노트르담 대성당도 거꾸로 되어 종루가 땅에 깊숙이 처박혀 있었다. 지하철 차량들이 갈라진 땅에서 튀어나와 으깨진 사람들을 뱉어 냈다. 나는 폐허 속으로 달려가 거대한 유리벽 앞에 도착했다. 뒤에도 눈이 하나 있었다. 하늘 전체만큼이나 큰 외눈이 나를 주시했다. 잠시 후, 나의 반응을 보고 싶어 하는 듯 그 눈은 커다란 숟가락 같은 것으로 벽을 두드리기 시작했다. 귀청을 찢는 듯한 종소리가 울렸다. 아파트의 아직 깨지지 않은 유리들이 모두 박살 났다. 눈은 여전히 나를 바라보는데 크기가 태양의 1백 배는 되었다. 나는 그런 것이 나타나는 것이 탐탁지 않았다. 그 꿈 이후로 숲으로 더 이상 개미집을 찾으러 가지 않았다. 지금 키우고 있는 개미들이 모두 죽고 나면 다시는 어떤 개미도 키우지 않을 것이다. 그 꿈은 열한 번째 계명이라고 할 만한 것을 나에게 불러일으켰다. 나는 그 계명을 주위 사람들에게 강요하기에 앞서 내가 먼저 실천하려고 한다. 그 계명이란 〈남이 너에게 행하기를 원치 않은 일을 남에게 행하지 말라〉[33]는 것이다.

여기에서 〈남〉이란 말을 나는 다른 〈모든〉 생명이라는 뜻으로 이해하고 있다.

에드몽 웰스, 『상대적이며 절대적인 지식의 백과사전』 제2권

169. 바퀴 나라에서

고양이 한 마리가 이상한 동물이 날아가는 것을 보았다. 그러다가 그 동물이 발코니 철책을 지나갈 때 그것을 후려쳤

---

33 『논어(論語)』 제12, 「안연(顏淵)」편, 〈己所不欲, 勿施於人〉.

다. 뿔풍뎅이 〈큰 뿔〉이 떨어진다. 뿔풍뎅이가 땅바닥에 떨어지기 직전에 103호는 풍뎅이의 등을 박차며 뛰어내린다.

다리에 충격을 받는다. 14층, 역시 높다.

풍뎅이는 운이 없었다. 그의 두툼한 딱지가 땅바닥에서 부서져 버렸다. 하늘을 나는 용감무쌍한 투사, 〈큰 뿔〉은 그렇게 전사하고 말았다.

103호가 추락할 때 오물로 가득 찬 커다란 쓰레기통이 충격을 덜어 주었다. 그는 여전히 고치를 놓치지 않고 있다.

103호는 쓰레기통의 알록달록하고 갈라진 표면 위를 걸어간다. 얼마나 놀라운 곳인가! 이곳에선 모든 것이 먹을 수 있는 것이다. 103호는 지천으로 깔린 그 먹이로 영양을 섭취한다. 진한 향기와 악취가 뒤섞여 풍기지만 식별할 겨를이 없다.

103호는 위쪽의 나달나달해진 요리책 위에서 자기를 흘깃거리고 있는 수없이 많은 벌레들을 발견한다. 그들은 긴 더듬이를 분주히 움직이고 있다.

《손가락들 나라에도 벌레가 살고 있구나!》

103호는 그들을 알아본다. 바퀴들이다.

곳곳에 바퀴들이 있다. 통조림통에서, 찢어진 슬리퍼에서, 잠든 쥐에서, 효소 분말 세제 통에서, 비피더스 요구르트 병에서, 깨진 건전지에서, 용수철에서, 붉게 물든 반창고에서, 수면제 갑에서, 신경 안정제 갑에서, 유통 기한이 지나 손도 대지 않고 버려진 냉동 식품 통에서, 꼬리도 머리도 없는 정어리 깡통에서 바퀴들이 나온다. 바퀴들이 103호를 에워싼다. 개미는 이처럼 큰 바퀴를 본 적이 없다. 그들은 갈색의 딱지날개를 가지고 있고, 마디가 없는 구부슴한 더듬이도 갖고 있다. 바퀴들은 빈대보다는 덜하지만 고약한 냄새가 나는데, 썩는 냄새가 뒤섞이니 더 매캐하고 구역질 나는 악취를 풍긴다.

양 옆구리는 투명하고, 반투명한 키틴질 속으로 꿈틀거리는 내장, 두근거리는 심장, 피가 흐르는 가는 동맥을 볼 수 있다. 103호는 강한 인상을 받는다.

딱지날개가 누르스름하고 작은 갈고리로 뒤덮인 다리가 달린 늙은 바퀴 한 마리가 분비꿀 썩는 냄새와 비슷한 악취를 풍기면서 103호에게 대화를 걸어 온다.

바퀴는 그곳에 무엇을 하러 왔는지 묻는다.

103호는 손가락들 둥지에서 손가락들을 만나려 한다고 답한다.

손가락들이라고! 모든 바퀴들이 그를 조롱하는 듯하다.

《지금 손가락들이라고 한 거야?》

《그래, 왜 그렇게 놀라지?》

《손가락들은 도처에 있어. 그것들을 만나기는 어렵지 않아.》

늙은 바퀴가 말한다.

《둥지 하나로 나를 안내해 줄 수 있겠나?》

개미가 요청한다.

늙은 바퀴가 다가온다.

《그대는 손가락들이 어떤 자들인지 정말로 알고 있는 거야?》

103호가 마주 보며 답한다.

《그들은 거대한 동물들이지.》

103호는 바퀴가 그렇게 묻는 이유를 이해하지 못하고

있다.

마침내 늙은 바퀴가 답한다.

《손가락들은 우리의 노예야.》

103호는 그것을 믿기가 어렵다. 어떻게 거대한 손가락들이 혐오감을 주는 작은 바퀴의 노예가 될 수 있단 말인가?

《그게 무슨 뜻인가?》

늙은 바퀴는 매일 막대한 양의 먹이를 공급하도록 손가락들에게 어떻게 가르쳤는가를 설명한다. 손가락들은 그들에게 쉴 곳은 물론 양식과 따뜻함까지도 마련해 준다. 손가락들은 바퀴들의 지시대로 움직이며 바퀴들에게 세심한 배려를 한다.

매일 아침, 어떤 손가락들이 와서 먹이를 치워 가기도 하지만, 바퀴들은 다른 손가락들이 바친 산더미 같은 공물 중약간의 음식만을 겨우 맛볼 뿐이다. 그래서 언제나 먹을 것이 넘친다. 그것도 아주 신선한 최고급 먹이가 말이다.

다른 바퀴들의 이야기에 따르면 그들 역시 전에는 숲에서 살았는데, 손가락들 나라를 발견하여 이곳에 정착하게 되었다고 한다. 그 이후로, 그들은 영양을 섭취하기 위해 사냥을 할 필요가 없게 되었다. 손가락들이 가져다주는 먹이들은 달콤하고, 기름지고, 다양하며…… 특히 달아나지 않는다는 장점이 있다.

《우리 선조들이 작은 사냥감들을 쫓지 않게 된 지 15년이 되었어. 매일 손가락들에 의해 아주 신선한 먹이들이 제공되거든.》

등이 검은 뚱뚱한 바퀴가 득의양양하게 페로몬을 발한다.

《당신들은 손가락들과 대화도 하는가?》

103호가 묻는다. 그는 바퀴들의 이야기도 이야기려니와 자기 눈앞에 보이는 거대한 먹이 더미 때문에도 어리둥절해하고 있다.

손가락들에게 말할 필요가 없다고 늙은 바퀴가 설명한다. 그들은 바퀴가 요청하기도 전에 복종한다.

세상에 그럴 수가!

한번은 제물이 좀 늦게 도착했다. 바퀴들이 배로 벽을 두드리며 불만을 표시하자, 다음 날 마침내 음식이 제시간에 도착했다고 한다. 대개 쓰레기는 매일같이 쏟아져 내려온다.

《나를 그들의 둥지로 데려다줄 수 있겠나?》

103호가 페로몬을 발한다.

바퀴들이 더듬이를 맞대고 의견을 나눈다.

모두가 동의한 것 같지는 않다. 늙은 바퀴가 회의 결과를 전한다.

《우리는 당신이 〈엄중한 시련〉을 치르고 난 후에라야 손가락들의 둥지로 안내하기로 했다.》

〈엄중한 시련〉이라고?

바퀴들이 개미를 건물 지하 1층에 있는 창고로 안내한다. 거기엔 잡동사니를 넣어 두는 방이 하나 있는데, 그 안에는 낡은 가구, 살림 도구, 판지 등이 가득하다.

그들은 103호를 자기들이 생각하고 있는 어떤 장소로 데려간다.

《그 〈엄중한 시련〉이란 게 뭔가?》

〈엄중한 시련〉의 중요한 내용은 누군가를 만나는 것이라고 어떤 바퀴가 대답한다.

《누군가를 만난다고? 그게 누구지? 적인가?》

《그렇다. 당신보다 훨씬 더 강한 적이다.》

바퀴 하나가 알쏭달쏭한 대답을 한다.

그들은 일렬로 맞붙어서 나아간다.

이윽고 바퀴들이 103호를 문제의 그 장소로 데려간다. 다리털이 헝클어진 개미가 한 마리 있다. 걸음걸이가 사나워 보이는 병정개미다. 그 개미 역시 바퀴들에 둘러싸여 있다.

103호는 더듬이를 앞으로 내밀다가 이상한 점을 발견한다. 그 개미는 신분 페로몬을 전혀 가지고 있지 않다. 그는 백병전에 능숙한 용병임에 틀림없다. 다리와 가슴에 위턱 공격을 받아 생긴 상처가 많다는 점이 그 사실을 말해 준다.

103호는 이런 낯선 환경에서 소개받은 그 개미가 왜 그렇게 대뜸 적대적인 태도로 나오는지 이해할 수가 없다. 저자는 누구인가? 냄새도 나지 않고 오래 굶주린 초췌한 행색에 걸음걸이는 꽤나 거만하고 다리의 털을 핥지 않은 지가 이틀은 되어 보이는 저자, 성깔 사나운 개미가 틀림없으렷다!

《저자는 누구인가?》

103호의 반응을 궁금해하며 그를 지켜보고 있는 바퀴들에게 그가 묻는다.

《바로 당신을 만나게 해달라고 요청한 자다.》

바퀴들이 대답한다.

103호는 의구심이 든다. 왜 저 개미는 자기를 만나기를 원했고, 그리고 지금은 왜 그에게 아무런 페로몬도 뿜지 않을까? 103호는 몇 가지 시험을 해본다. 머리를 가볍게 흔드는 척하다가 갑자기 위협하는 자세로 위턱을 크게 벌려 본다. 상대는 항복할까 아니면 도전에 응할까? 그가 위턱으로 전투태세를 취하기가 무섭게 상대도 마찬가지로 위턱 두 개로 싸울 자세를 취한다.

《너는 누구냐?》

대답이 없다. 그 개미가 더듬이를 바로 세운다.

《너는 여기서 뭘 하는 거지? 너도 원정군인가?》

이제 결투가 불가피하다.

103호는 개미산을 쏠 자세를 하고 가슴 아래로 배를 내밀면서 좀 더 강하게 위협을 한다. 상대가 103호의 개미산 주머니가 비어 있다는 것을 아는 것 같지는 않다.

마주 선 개미도 똑같이 움직인다. 개미 사회의 이 두 대표자들에게 관심이 집중된 바퀴들은 꼼짝 않고 지켜보고 있다. 103호는 지금 이 시련의 의미를 잘 이해하고 있다. 바퀴들은 개미들의 결투를 보고 싶어 하며 승자를 그들 집단으로 받아들이려는 것일 게다.

103호는 같은 개미를 죽이고 싶지는 않지만 그의 사명이 더 중요하기 때문에 어쩔 도리가 없다. 바퀴 한 마리가 결투하는 동안 그의 고치를 지켜 주기로 했다. 103호는 앞에 마주한 자가 점점 더 사나워지고 있음을 깨닫는다. 페로몬도 발하지 않고 세계의 끝에 제일 먼저 도달한 103호를 알아보지조차 못하는 이 건방진 자는 누구일까?

《난 103683호다!》

상대는 다시 더듬이를 세우지만 여전히 대답을 하지 않는다. 그들은 둘 다 사격 자세를 취하고 있다.

《서로에게 사격은 하지 않기로 하자.》

상대의 주머니에는 틀림없이 산이 가득 들어 있으리라고 생각하면서 103호가 페로몬을 발한다.

103호는 자기 몸에서 나는 소리를 듣고 개미산 주머니 바닥에 마지막으로 한 방울이 남아 있음을 느낀다. 만일 그가 재빨리 쏜다면 기습의 효과는 있을 것이다.

그는 배의 근육으로 힘껏 한 방울을 밀어낸다.

하지만 상대도 거의 같은 자세로 동시에 쏘아서 개미산 두 방울은 서로 부딪혀 천천히 아래로 내려간다. (천천히라고? 액체가 허공에서 천천히 미끄러져 내려갈 수는 없었다. 그러나 103호는 그것을 전혀 눈치채지 못하고 있다.) 위턱을 잔뜩 벌리고 돌격하던 103호는 단단한 것에 부딪힌다. 상대의 위턱 끝이 아주 정확히 그의 위턱 끝을 친 것이다!

103호는 숙고한다. 상대는 신속하고, 끈질기며, 그가 공격하려는 순간과 공격 지점을 예상하면서 정확하게 막아 낼 줄 아는 자다.

이런 상황에서의 결투는 바람직하지 않다.

103호는 바퀴들에게서 돌아서서, 이 개미는 자기와 같은 불개미여서 그와 싸우는 것을 포기하겠다고 선언한다.

《우리 둘 다를 받아들이든지 아니면 어느 누구도 받아들이지 않는 것이 좋다.》

바퀴들은 그 페로몬에 놀라지 않는다. 바퀴들은 103호가 결투에서 이긴 것이라고 엉뚱한 이야기를 한다. 103호는 이해할 수가 없다. 바퀴들이 그에게 설명한다. 사실 103호와 마주한 상대는 결코 없었으며 유일한 상대자는 103호 자신이었다고.

103호는 여전히 이해할 수가 없다.

그러나 바퀴들은 그가 어떤 마술 벽 앞에 있었으며, 그 마술 벽은 〈자기 자신을 마주하게 하는〉 물질로 덮여 있다고 덧붙인다.

《그 벽은 우리 세계에 들어오는 낯선 자들에 대해서 우리에게 많은 것을 가르쳐 준다. 특히 그 외래자(外來者)들이 스스로를 어떻게 평가하고 있는지를 알게 해준다.》

늙은 바퀴가 말한다.

어떤 자를 평가하는 방법으로, 그 자를 자신의 영상 앞에 세워 놓고 어떻게 반응하는지를 살펴보는 것보다 더 나은 방법이 무엇이 있겠는가?

바퀴들은 아주 우연히 마술 벽을 발견했다. 그것을 처음 발견했을 때 바퀴들이 보였던 반응이 재미있었다. 어떤 바퀴들은 자신의 영상과 몇 시간이고 싸웠고, 어떤 바퀴들은 욕을 해댔다. 대부분 자기들 앞에 있는 동물이 공격을 받아 마땅하다고 판단했다. 어쨌든 냄새가 없거나 자신과 같은 냄새가 나지 않았기 때문이다. 거의 모두가 자기의 영상과 단번에 형제처럼 친해지려고 하지 않았다.

《다른 자들에게는 우리를 받아 달라고 요청하면서 정작 자기 자신은 받아들이지 않는 셈이지…….》

늙은 바퀴가 위엄 있게 말한다. 자신을 도울 준비가 되어 있지 않은 자를 어떻게 도울 마음이 생기겠는가? 자신을 존중하지 않는 자를 어떻게 존중할 수 있겠는가?

바퀴들은 〈엄중한 시련〉을 고안해 낸 자신들에게 대단한 자부심을 갖고 있다. 바퀴들에 따르면, 자기 자신의 모습에 저항할 수 있는 자는 아무리 큰 동물이든 작은 동물이든 존재하지 않는다.

103호는 그의 영상과 동시에 다시 거울 앞으로 돌아온다.

그는 거울을 본 적이 한 번도 없다. 그는 곧 자기가 이제껏 본 것 중에서 거울이 가장 경이로운 것이라고 생각한다. 자기와 동시에 움직이는 또 다른 자기를 보여 주는 벽이라니!

그는 아마도 자신이 바퀴들을 과소평가했나 보다고 여긴다. 바퀴들이 마술 벽을 만들 수 있다면, 그들은 정말로 손가락들을 지배할 수 있을지도 모른다!

《자네가 스스로를 받아들이게 되었으니 우리도 자네를 받아들이겠네. 자네가 스스로를 돕고 싶어 하니까 우리도 자네를 기꺼이 돕겠네.》

늙은 바퀴가 말한다.

170. 두 사람의 휴식

레티시아 웰스는 자크 멜리에스와 함께 페닉스가를 걷고 있었다. 레티시아는 장난스럽게 그의 팔을 잡으며 말했다.

「당신이 그렇게 합리적인 사람인 줄은 몰랐어요. 난 당신이 그 착한 노부부를 당장 체포할 거라고 생각했거든요. 경찰관들은 대개 일은 투미하게 하면서도 소송 절차엔 지나치게 엄격하잖아요.」

그는 해방된 기분이었다.

「당신이 사람 마음을 제대로 모른다는 것은 이미 잘 알고 있어요.」

「사람을 완전히 바보로 만드는군요!」

「당신이 사람들을 미워하는 건 그럴 수 있다고 쳐도, 당신은 나마저도 이해하려 들지 않았어요. 당신은 나를 머리만 잘 굴리는 멋대가리 없는 남자로만 알고 있었어요.」

「사실 당신은 멋대가리 없는 남자예요.」

「내가 설사 그렇더라도 당신은 나를 평가할 자격이 없어요. 당신은 편견으로 가득 차 있고 어느 누구도 사랑하지 않아요. 모든 사람들을 증오하니까. 당신 마음에 들려면 다리는 두 개가 아니라 여섯 개여야 하고, 입술이 아니라 위턱을 가져야 할걸요.」

멜리에스는 그녀의 눈길을 정면에서 마주 보았다. 이제 그녀의 눈초리가 매서워져 있었다.

「당신은 오로지 귀여움만 받고 자란 아이처럼 구는군요. 언제나 자기가 옳다고 자만하지요. 난 그래도 내가 틀렸을 때 잘못을 인정할 줄은 압니다. 당신은 정말.」

「나 말이에요? 난 피곤에 지친 남자고, 어떤 기자 앞에서 지나치게 참을성 있는 모습을 보인 남자일 뿐이오. 그런데 그 기자는 어떤 사람인 줄 알아요? 나를 기죽이는 데 시간을 보내고 독자들에게 자기 자랑이나 실컷 늘어놓는 그런 기자라고요.」

「나를 모욕하는 것은 쓸데없는 일이에요. 나, 가요.」

「그렇죠, 진실을 듣는 것보다 도망치는 것이 훨씬 쉽겠지요. 그런데 어디로 가는 거죠? 이 이야기를 한시바삐 기사로 써서 세상에 폭로하려는 겁니까? 나는 똑똑한 기자보다 실수를 저지르는 경찰관이 더 좋아요. 난 라미레 부부를 체포하지 않았어요. 하지만 당신 때문에, 단지 당신이 다른 사람들의 관심을 끌려고 하기 때문에, 그들 부부는 철창 안에서 여생을 마쳐야 할지도 모른단 말이에요!」

「함부로 말하지 마요!」

그녀가 그의 뺨을 치려 하자, 그의 뜨겁고 억센 손이 그녀의 손을 낚아챘다. 검은 눈동자와 연보랏빛 눈동자가 마주쳤다. 흑단나무 숲과 열대의 바다가 맞부딪치는 듯했다. 그렇게 눈길이 마주치고 보니 이내 웃음이 터져 나오려고 했다. 그리고 그들은 함께 목젖이 보이도록 마음껏 웃었다.

그들은 방금 아주 어려운 수수께끼를 해결했고, 아주 은밀하고 놀라운 다른 세계를 목격하고 왔다. 그 세계에서는 사람들이 연대할 줄 아는 로봇을 만들고 있었고, 개미들과 대화하고 있었으며, 완전 범죄를 자유자재로 실행하고 있었다. 그 세계에서는 함께 손을 맞잡고 공동으로 계획하고 숙고했던 그들이 서글프게도 그 페닉스가에서 어린애들처럼 싸우고 있는 것이었다.

레티시아는 균형을 잃고 비틀거리다가 마음껏 웃으면서 보도 위에 주저앉았다. 새벽 3시였다. 하지만 그들은 젊었고 즐거웠으며 피곤한 줄도 몰랐다.

그녀가 먼저 숨을 가다듬고 말했다.

「미안해요. 내가 어리석었어요.」

「아니, 당신이 아니라 내가 어리석었어요.」

「그렇지 않아요, 나예요.」

그들은 다시 웃음에 흠뻑 젖어 들었다. 거나하게 취해 흥청거리며 늦게 귀가하던 남자가 그 젊은 남녀를 측은한 눈길로 바라보았다. 그는 그 젊은이들이 함께 즐길 곳이라곤 보도밖에 없는 사람들로 여기는 듯했다. 멜리에스는 레티시아를 부축하여 일으켜 세웠다.

「갑시다.」

「뭐 하게요?」

「길에서 밤을 보낼 생각이에요?」

「물론이죠.」

「그렇게 합리적인 당신이 어떻게 된 거죠?」

「그 합리적이란 말, 이젠 진저리가 나요. 불합리한 사람들이 오히려 옳을 수도 있죠. 나는 라미레 부부 같은 사람이 되고 싶어요!」

그는 그녀의 비단결 같은 머리채와 얇은 천의 검은 옷에 감싸인 그녀의 몸이 새벽이슬에 젖지 않게 하려고 길모퉁이 어떤 집의 현관 아래로 그녀를 데려갔다.

그들은 너무 가까이에 있었다. 그가 용기를 내어 그녀의 얼굴을 어루만지려고 손을 내밀었다. 레티시아는 얼굴을 돌려 버렸다.

171. 달팽이 이야기

니콜라는 침대 속에서 안절부절못하고 있었다.

「엄마, 개미들의 신으로 군림하려고 했던 나 자신을 도저히 용서하지 못하겠어요. 정말 큰 잘못을 저질렀어요. 어떻게 하면 용서받을 수 있죠?」

뤼시 웰스가 아들에게 몸을 기울이며 말했다.

「무엇이 옳고 그른지 누가 결정할 수 있겠니?」

「그건 분명히 나빠요. 너무 부끄러워요. 저는 아주 어리석은 짓을 했어요.」

「무엇이 좋고 나쁜지를 잘라 말하기는 쉽지 않단다. 애야, 내가 이야기 하나 해줄까?」

「예, 그러세요. 엄마.」

뤼시 웰스는 아들의 머리맡에 앉았다.

「이건 중국의 옛이야기란다. 옛날에 두 수도자가 도교 사원의 뜰을 거닐고 있었어. 그중 한 사람이 마침 길 위로 기어

가던 달팽이를 발견했어. 동료 수도자가 무심코 그 달팽이를 막 밟으려던 찰나에 그가 때맞추어 동료를 붙들었지. 그는 몸을 숙여 그 달팽이를 집어 들고 이렇게 말했어. 〈이보게, 하마터면 우리가 이 달팽이를 죽일 뻔했네. 이 달팽이도 하나의 생명이고, 하나의 개체를 넘어 계속 이어져 가야 할 숙명을 가진 게 아니겠나. 이 달팽이는 살아남아서 윤회를 계속해야 해.〉 그러면서 그는 달팽이를 조심스럽게 풀밭에다 내려놓았어. 그러자 다른 수도자가 화를 내며 소리쳤어. 〈뭘 모르는군! 자네는 이 보잘것없는 달팽이는 구하면서, 우리 일꾼이 애써 가꾼 채소는 안중에도 없단 말인가? 미물의 목숨 하나를 구하고자 우리 동료의 농사를 망쳐도 되느냐 말일세.〉 그 두 사람이 말다툼을 하고 있을 때, 그리로 지나가던 다른 수도자가 궁금해하며 그들을 지켜보았지. 서로 자기가 옳다고 주장하며 결론을 내리지 못하자, 달팽이를 구했던 수도자가 제안을 하나 했지. 〈스승님께 여쭤 보러 가세. 그분은 현명하시니까 우리 중 누가 옳은지 판단을 내려 주실 거야.〉 그들은 그 일의 결말을 궁금히 여기는 세 번째 수도자와 함께 스승의 거처로 갔단다. 첫 번째 수도자가 자초지종을 말하고 미래 또는 과거에 수천의 다른 생명들을 품고 있는 고귀한 생명 하나를 구했노라고 이야기했지. 그 말을 들은 스승은 고개를 끄덕이더니, 이렇게 말했어. 〈너는 해야 할 일을 했구나. 네가 옳다.〉 두 번째 수도자가 펄쩍 뛰었어. 〈어째서 그렇습니까? 채소를 갉아 먹는 달팽이를 구한 것이 옳은 일이 될 수 있다는 것입니까? 오히려 채소밭을 보호하기 위해 달팽이를 죽여야 한다고 생각하는데요.〉 스승은 그 얘기를 다 듣고 역시 고개를 끄덕이며 말했어. 〈그래, 네 말이 맞구

나. 마땅히 그래야겠지. 네가 옳다.〉 그때까지 말없이 듣고 있던 세 번째 수도자가 나아가서 말했어. 〈하지만 이 두 사람의 의견은 정반대가 아닙니까? 어떻게 그 두 사람이 다 옳을 수가 있습니까?〉 스승은 세 번째 수도자의 말을 한동안 생각하더니 고개를 끄떡이며 말했어. 〈그래, 네 말도 옳구나.〉」

마음이 편안해진 니콜라는 이불 속에서 조용히 코를 곯았다. 뤼시는 다정히 이불잇을 여며 주었다.

172. 백과사전

경제

옛날에 경제학자들은 성장하는 사회가 건전한 사회라고 생각했다. 성장률은 국가, 기업, 가계 등 모든 사회 구조의 건강성을 재는 척도였다. 그러나 늘 앞으로만 나아가기는 불가능하다. 우리에게 아직 성장의 여력이 남아 있는데도 성장이 멈추는 때가 왔다. 더 이상의 경제 성장은 없을지도 모른다. 오로지 힘의 균형이라고 하는 지속적인 상태만 존재한다. 건전한 사회, 건전한 국가, 건전한 노동자란 그들을 둘러싸고 있는 환경에 타격을 주지도 않고 타격을 입지도 않는다. 우리는 이제 더 이상 자연과 우주를 정복할 생각을 하지 말아야 한다. 오히려 우리는 자연과 우주에 통합되어야 한다. 우리의 유일한 슬로건은 조화이다. 외부 세계와 내부 세계 사이의 조화로운 상호 침투. 외부 세계와 내부 세계가 조화롭게 어우러져야 하고 폭력을 없애고 겸허해져야 한다. 인간은 우주와 하나가 될 것이다. 인류는 평형 상태를 맞게 될 것이고 미래에 자신을 던지지 않게 될 것이며 멀리 있는 목표를 겨냥하지 않을 것이다. 아주 소박하게 인류는 현재에 살 것이다.

에드몽 웰스, 『상대적이며 절대적인 지식의 백과사전』 제2권

173. 하수도 안에서의 활약

바퀴들은 울퉁불퉁한 통로를 따라 올라간다. 103호는 위 턱 사이에 〈메르쿠리우스 임무〉를 위한 나방 고치를 간직하고 있다. 올라가는 길이 무척 더디다. 한없이 긴 통로 위쪽에서 이따금 빛이 비친다. 바퀴들이 그에게 몸을 벽에 바싹 기대고 더듬이를 뒤로 하라고 신호를 보낸다.

과연 그들은 손가락들의 나라에 대해 잘 알고 있다. 빛의 신호가 떨어진 직후 요란한 굉음이 들리고 곧바로 쓰레기 통로를 따라 냄새가 고약한 묵직한 덩어리가 떨어졌다.

「여보, 쓰레기 통로에 쓰레기봉투 버렸어요?」
「그래, 그게 마지막 봉투였어. 다른 봉투를 사 와야겠는데. 더 큰 걸로 말이야. 지난번 것은 용량이 너무 적어서 못 쓰겠더군.」

곤충들은 쓰레기 덩어리들이 또 떨어질까 봐 두려워하면서 위로 올라간다.
《나를 어디로 데려가는 것인가?》
《자네가 가고 싶어 하는 곳으로.》
그들은 수직 통로를 몇 층 더 올라간 다음 멈춘다.
《저길세.》
늙은 바퀴가 말한다.
《당신들도 함께 가는 건가?》
103호가 묻는다.
《아니. 바퀴 속담에 〈저마다 자기의 문제가 있다〉라는 게

있지. 자네의 힘으로 고비를 넘겨 보게. 자네의 최상의 동맹군은 바로 자네일세.》

늙은 바퀴는 103호에게 부엌 개수대로 통하는 쓰레기 통로의 뚜껑문을 가리킨다.

103호는 고치를 꼭 그러쥐고 안으로 들어간다.

〈그런데 내가 여기에 뭣 하러 왔지? 손가락들을 그토록 무서워하면서 그들의 둥지 안에서 거닐고 있다니!〉

하지만 그는 자기 도시와 자기 세계로부터 너무 멀리 떨어져 있어서 계속 나아가는 것만이 자기가 할 수 있는 최선의 선택임을 깨닫는다.

103호는 모든 것이 아주 반듯한 기하학적 형태를 취하고 있는 그 이상한 나라에서 거닐고 있다. 그는 굴러다니는 빵 조각을 갉아 먹다가 부엌을 발견한다.

용기를 북돋우기 위해 원정군의 마지막 생존자인 그는 벨로캉의 노래를 부른다.

그날이 오면
불이 물과 맞서고
하늘이 땅과 맞서며
높은 것이 낮은 것과 맞서고
작은 것이 큰 것과 맞서게 되리라
그날이 오면
단순한 것이 복잡한 것과 맞서고
둥근 것이 세모난 것과 맞서며
검은 것이 무지개와 맞서게 되리라

그 단조로운 가락을 흥얼거려 보았지만 여전히 두려움은 가시지 않고 다리가 후들거린다. 불이 물과 맞서면 수증기가 생기고, 하늘이 땅과 맞서면 비가 천지를 덮어 버리고, 높은 것이 낮은 것과 맞서면 만물이 어지럽도다.

174. 연락이 끊기다

「내 잘못이 너무 엄청난 결과를 가져오지 않기를 바란다.」

〈신〉의 사건이 있은 후, 그들은 로제타석을 부수어 버리기로 결정했다. 니콜라는 확실히 잘못을 뉘우치고 있었지만, 언제 또다시 아이가 신이 되고자 하는 유혹에 빠질지 모르므로 아예 그 소지를 없애는 게 낫다고 생각하는 것이었다. 결국 니콜라는 어린애였고 굶주림이 견디기 어려워지면 또다시 그 어리석은 짓을 저지를 수도 있었다.

자종 브라젤은 컴퓨터 본체를 꺼내 왔고, 모두가 단호하게 그것을 밟아 산산조각을 냈다.

〈개미들과의 연락은 이로써 완전히 끊겼군.〉

그들은 그렇게 생각했다.

불완전한 세계에서 너무 많은 것을 이루려 한 것은 위험했다. 에드몽 웰스가 옳았다. 개미 세계와의 만남은 시기상조였다. 아주 작은 실수 하나가 개미들의 문명 전체를 유린하는 결과를 낳을 수도 있는 것이었다.

니콜라는 아버지의 눈을 똑바로 쳐다보며 말했다.

「걱정 마세요, 아빠. 개미들은 제가 이야기한 모든 것을 대수롭지 않게 생각했을 거예요.」

「그럴 게다. 니콜라. 나도 그러리라고 생각한다.」

《손가락들은 우리의 신이라네.》

벽에서 뛰쳐나온 반체제 개미 한 마리가 강렬하게 페로몬을 내뿜는다. 그러자 기다렸다는 듯이 병정개미 한 마리가 배를 가슴 아래로 내밀고 개미산을 쏜다. 신을 믿는 개미가 쓰러진다. 최후의 반사적인 행동으로 반체제 개미는 자기의 몸을 여섯 개의 가지가 달린 십자가처럼 쭉 뻗는다.

175. 음양(陰陽)

아침이 되어 두 사람은 레티시아의 아파트 쪽으로 서두르지 않고 걸어갔다. 다행히 아파트는 아주 가까운 곳에 있었다. 라미레 부부처럼, 그리고 예전에 그의 사촌 조나탕이 그랬듯이 퐁텐블로 숲 기슭에 거처를 정해 놓고 있었다. 그렇지만 그녀의 동네가 페닉스가가 있는 동네보다 한층 더 살기가 좋았다. 그곳에는 호화로운 상점과 보도가 딸린 도로, 넓은 녹지가 있었고, 미니 골프장과 우체국도 있었다.

그들은 거실에서 축축한 옷을 벗고 안락의자 위에 털썩 주저앉았다.

「졸려요?」

멜리에스가 다정하게 물었다.

「아뇨, 나는 그래도 좀 잤거든요.」

멜리에스는 간밤에 레티시아를 지켜보느라고 짐을 한숨도 이루지 못했다. 그의 얼굴에 어린 아주 피곤한 기색만이 그것을 증언하고 있었다. 그래도 그의 정신은 활력에 차 있었고, 새로운 수수께끼, 새로운 모험에 임할 준비가 되어 있었다. 레티시아가 함께 치를 다른 일거리를 제안해 오기만

한다면 좋으련만.

「꿀술 좀 드릴까요? 올림포스의 신들과 개미들의 음료 말이에요.」

「아, 그 개미라는 말은 더 이상 입에 올리지 말아요. 개미 얘기라면 이제 넌더리가 나요.」

레티시아는 안락의자의 팔걸이 위에 걸터앉았다. 그들은 건배를 했다.

「수사가 끝났으니 이제 개미와도 작별합시다. 이제 개미 끝!」

멜리에스가 말했다.

「지금 제 상태가 어떤지 알아요? 잠을 잘 수도 없을 것 같고 너무 피곤해서 일도 못 하겠어요. 보리바주 호텔의 그 방에서 개미들을 감시하면서 멋진 시간을 보냈을 때처럼 체스나 한판 하면 어떨까요?」

「개미 얘긴 하지도 말라면서요.」

레티시아가 웃으며 말했다.

「재미있는 놀이가 하나 생각났어요. 중국식 체스라고 할 만한데요. 상대의 말을 잡지는 않고 그것들을 이용해 자기 말을 더 빨리 나아가게 하는 놀이예요.」

레티시아가 설명했다.

「별로 복잡하지 않고 머리나 좀 식힐 수 있는 놀이면 좋겠는데……. 배우면서 해야 돼요?」

레티시아 웰스는 안으로 들어가서 육각형의 대리석 판을 가져왔다. 그 판 위에는 뾰족한 여섯 개의 뿔로 이루어진 커다란 별 하나가 새겨져 있었다.

레티시아가 놀이의 규칙을 가르쳐 주었다.

「별의 뾰족한 뿔마다 유리 막대들이 모여 하나의 진영을 이루고 있어요. 각 진영은 고유의 색깔을 가지고 있고요. 자기편의 유리 막대나 상대편의 유리 막대를 건너서 앞으로 나아가는 거예요. 막대를 건너뛸 때에는 막대 앞 칸이 비어 있으면 돼요. 건너뛸 공간이 있다면 아무 방향으로나 건너가고 싶은 만큼 건널 수 있어요.」

「그럼 건너뛸 막대가 없을 때에는?」

「한 칸씩 한 칸씩 아무 방향으로나 나아갈 수 있어요.」

「뛰어넘은 막대는 잡아 버리는 건가요?」

「아니요. 전통적인 체스와는 반대로 말을 잡는 게 아니고 빈 공간을 이용해서 맞은편 진영에 되도록 빨리 도달하는 길을 찾으면 되는 거예요.」

그들은 놀이를 시작했다.

레티시아는 한 칸씩 벌려서 막대를 늘어놓음으로써 일종의 길을 만들었다. 레티시아의 막대들은 그 길을 이용해서 차례차례 멀리 나아갔다.

멜리에스도 레티시아를 따라서 했다. 첫 번째 판이 끝났을 때 멜리에스는 자기의 막대를 모두 레티시아의 진영으로 옮겨 놓았다. 그러나 막대 하나가 남아 있었다. 깜빡 잊고 빠뜨린 낙오자였다. 그가 홀로 남은 유리 막대를 옮기고 있을 때, 레티시아는 모든 막대들을 자기의 진영에 다 채워 넣고 있었다.

「당신이 이겼어.」

그가 서서히 패배를 시인했다.

「초보자치고 아주 요령 있게 잘하는데요. 이제부터는 하나라도 빼놓으면 안 된다는 것을 염두에 두세요. 되도록 빨리 하되 단 하나도 빠뜨리지 말고 모든 막대를 한꺼번에 보낼 생각을 해야 돼요.」

그는 더 이상 듣지 않고 놀이판을 보는 데 몰두하고 있었다.

「몸이 별로 안 좋은가 봐요? 하긴 간밤에…….」

그녀가 걱정이 되어 물었다.

「괜찮아, 아주 좋아요. 그런데 이 놀이판 좀 봐요. 자세히 봐요.」

「네, 보고 있어요. 그런데요?」

「그런데요라니, 이게 해답이란 말이에요!」

그가 소리쳤다.

「이미 모든 해답을 찾았는데 무슨 말을 하는 거예요?」

「아니. 그 수수께끼의 해답은 못 찾았잖아요. 라미레 씨의 그 마지막 수수께끼 말이에요. 성냥개비 여섯 개로 정삼각형 여섯 개를 만들라는 문제 말이에요.」

레티시아는 육각형 놀이판을 살펴보았으나 멜리에스가 뭘 말하고 있는지 알 수 없었다.

「다시 잘 봐요. 여섯 개의 뾰족한 뿔로 이루어진 별 모양대로 성냥개비를 놓으면 돼요. 이 판이 그걸 가르쳐 주고 있잖아요. 삼각형 두 개를 이렇게 포개면 작은 정삼각형 여섯 개가 나오잖아요…….」

레티시아는 놀이판을 한층 더 주의 깊게 살펴보았다.

「이것은 다윗의 별이에요. 대우주의 인식과 결합된 소우주의 인식을 상징하지요. 무한히 큰 것과 무한히 작은 것과의 만남…….」

「나는 이 개념이 아주 좋아요.」

멜리에스는 자기의 얼굴을 레티시아의 얼굴에 가까이 가져가며 말했다. 그들은 놀이판을 들여다보면서 그렇게 얼굴을 맞대고 있었다.

「그것은 또한 하늘과 땅의 결합이라고도 말할 수 있지요. 이 이상적인 기하학적 형태 속에서 모든 것이 완성되고 혼연일체가 되지요. 각각의 구역들이 자기의 특수성을 간직하면서 서로 하나가 되는 거예요. 그것은 높은 것과 낮은 것의 혼합을 의미해요.」

그들은 경쟁이나 하듯 서로 대조되는 것들을 나열했다.

「음과 양.」

「빛과 어둠.」

「선과 악.」

「추위와 더위.」

레티시아는 서로 대조되는 것들을 찾느라고 양미간을 찌푸렸다.

「슬기로움과 어리석음.」

「정신과 육체.」

「능동과 수동.」

「당신이 가르쳐 준 중국식 체스에서처럼 별은 각자 자기의 관점에서 출발하여 다른 것의 관점을 받아들입니다. 그래서 그 수수께끼의 힌트가 〈다른 사람과 같은 방식으로 생각해야 한다〉였군요. 그런데 나는 아직도 당신에게 제안하고 싶은 관념의 결합이 있어요. 미(美)와 지성의 조화를 어떻게 생각하세요.」

레티시아가 말했다.

「그러면 당신은 남자와 여자의 결합을 어떻게 생각하

지요?」

그가 그녀의 얼굴에 좀 더 가까이 다가가자, 그의 수염이 레티시아의 보드라운 볼을 찔렀다. 그는 손을 그녀의 비단결 같은 머리채 속에 집어넣고 어루만졌다. 그녀는 다소곳하게 있었다.

176. 신비한 세계

103호는 개수대에서 내려와 통풍기 가장자리 위로 기어 올라간다. 다시 통로를 지나 의자 위로 올라가고, 벽 위를 기어 올라가서는 탁자 뒤에 숨었다. 잠시 후에 탁자에서 내려와, 화장실 변기 위 가파른 가장자리 위를 기어오른다.

아래에 작은 호수가 있지만 내려가고 싶지 않다. 세면대로 가서 마개가 잘못 닫힌 치약 튜브의 박하 향과 면도 후에 바르는 화장수의 향긋한 냄새를 맡고, 마르셀 비누 위로 올라갔다가, 계란 모양의 샴푸병 속으로 미끄러지던 찰나 가까스로 익사를 면한다.

이미 볼 만큼 다 보았지만 이 둥지엔 손가락들이 전혀 없다.

그는 다시 길을 떠난다.

그는 혼자다. 자기가 원정군의 가장 초라하고 볼품없는 종말을 상징하고 있는 것만 같다. 결국 모든 것이 그가 어떻게 하느냐에 달려 있다. 그에게는 아직도 손가락들을 지지할 것인가 아니면 손가락들에 대항할 것인가 하는 선택이 남아 있다.

103호 혼자서 손가락들 모두를 없애 버릴 수 있을까?

그럴 수 있을지도 모른다. 그러나 쉽지는 않을 것이다.

이미 원정군 병사들은 3천 마리나 희생이 되었는데 손가락들은 단 한 마리밖에 죽지 않았다!

생각하면 생각할수록 지상의 모든 손가락들을 자기 혼자서 해치우겠다는 생각은 포기해야 할 것만 같다.

그는 어항 앞으로 가서 몇 분 동안 어항 벽에 들러붙은 채, 알록달록한 이상한 새들이 형광을 반짝이며 나른하게 날아다니는 모습을 지켜본다.

그런 다음 103호는 현관문 아래를 지나 계단을 이용해 한 층을 더 올라간다.

그는 욕실, 부엌, 거실을 둘러본다. 비디오 녹화기 뚜껑 속에서 길을 잃어 잠시 전자 부품 사이에서 헤매다가 다시 나와서 어떤 방으로 깊숙이 들어간다. 아무도 없다. 멀리 둘러보아도 손가락들의 모습은 전혀 보이지 않는다.

쓰레기 통로를 따라 또 한 층을 올라간다. 부엌, 욕실, 거실을 차례로 둘러본다. 역시 아무도 없다. 그는 멈춰 서서 페로몬을 토해 내어 손가락들의 풍습에 대해서 자기가 관찰한 것을 기록한다.

분야: 농물학

주제: 손가락들

정보 제공자: 103683호

정보 제공 연도: 100000667년

손가락들은 모두 외형이 비슷한 둥지를 가지고 있는 것 같다. 둥지들은 뚫을 수 없는 바위로 된 커다란 동굴이다. 그것들은 입방형으로 되어 있으며 층층이 쌓여 있다. 그 동굴 안은 대개 훈훈하다. 천장은 하얗고 바닥은 색깔이 있는 잔디 같은 것으로 덮여 있다. 손가락들이 그곳에 머무는 일은 드물다.

103호는 발코니로 나와 다리에 붙어 있는 접착성이 강한 흡착판을 사용하여 건물의 정면을 기어오른 다음 앞의 것들과 비슷한 새 아파트로 들어간다. 거실로 들어가니 마침내 손가락들의 모습이 보인다. 103호가 나아가자 손가락들이 그를 죽이려고 쫓아온다. 103호는 고치를 꽉 쥔 채 가까스로 도망친다.

177. 백과사전

방향

인류의 위대한 원정들은 대부분 동쪽에서 서쪽으로 이루어졌다.

예부터 사람들은 불덩어리가 잠기는 곳이 어디인가 궁금해하면서 태양의 운행을 쫓았다. 오디세우스, 크리스토퍼 콜럼버스, 아틸라 등 모두 서쪽에 그 답이 있다고 믿었다. 서쪽으로 떠나는 것, 그것은 미래를 알고자 하는 것이었다.

태양이 〈어디로〉 가고 있는지 궁금해하는 사람들이 있었던 반면에 그것이 〈어디로부터〉 오는지 알고 싶어 하는 사람들도 있었다.

마르코 폴로, 나폴레옹, 호빗 빌보(톨킨의 『반지의 제왕』에 나오는 주인공 가운데 하나) 등은 동쪽으로 갔던 인물들이다. 그들은 모든 것들이 시작되는 동방이야말로 발견할 거리가 많은 곳이라고 믿었다.

모험가들의 상징체계에는 여전히 두 개의 방향이 남아 있다. 그 방향들의 의미는 다음과 같다. 북쪽으로 가는 것은 자신의 힘을 시험하기 위한 장애물을 찾아가는 것이다. 남쪽으로 가는 것은 휴식과 평온을 찾아나서는 것이다.

에드몽 웰스, 『상대적이며 절대적인 지식의 백과사전』 제2권

178. 방황

103호는 그의 소중한 짐을 들고 신비한 손가락들의 세계에서 오랫동안 떠돌아다녔다. 그는 많은 둥지들을 방문했다. 그것들은 비어 있는 때도 있었고 손가락들이 안에 있다가 그를 죽이려고 쫓아온 때도 있었다.

한때 〈메르쿠리우스 임무〉를 포기하고 싶은 유혹도 생겼다. 그러나 이제 와서 그만둔다면 산전수전을 다 겪으면서 바친 그 많은 노력이 물거품이 되고 말 것이다. 착한 손가락들을 만나야 한다. 개미들에게 우호적인 손가락들을.

103호는 거의 1백여 채의 아파트를 방문했다. 영양분을 취하기는 쉬웠다. 여기저기에 많은 음식이 널려 있었다. 그러나 각진 곳이 많은 공간에서 홀로 있으니 모든 것이 기하학적이고 초자연적인 색깔로 장식된 다른 행성에 와 있는 느낌이었다. 반짝이는 흰색, 윤기 없는 밤색, 파르스름한 불빛, 산뜻한 오렌지빛, 연초록빛이 어우러진 세계.

기이한 나라!

나무, 풀, 모래는 거의 없고 오로지 매끈매끈하고 차가운 물건들과 물질들만 가득하다.

동물도 거의 없다. 그저 그가 다가가면 줄행랑을 놓는 좀벌레 몇 마리가 보일 뿐이다. 그 좀벌레들에게는 103호가 숲

에서 온 야수처럼 보이기라도 하는 모양이다.

103호는 걸레 속에서 길을 잃었다가 밀가루 봉지에서 악전고투하고 신기한 물건이 담긴 서랍 속을 탐색한다.

후각이나 시각으로 감지되는 것이라고는 죽어 있는 형체들, 죽어 있는 가루들, 손가락들이 가득 들어 있거나 비어 있는 둥지들뿐이다. 어떤 것이든 그 중심을 찾아야 한다.

《어떤 것이든 그 중심을 찾는 게 중요하다.》

벨로키우키우니의 말이 떠오른다. 하지만 서로 포개져 있거나 붙어 있는 수많은 사각형 둥지 가운데서 어떻게 중심을 찾는단 말인가?

게다가 그는 혼자고 너무나 외롭고 자기 도시에서 이토록 멀리 떨어져 있는데!

고향이 그립다. 그는 벨로캉의 안정된 피라미드, 동료들의 움직임, 영양 교환할 때의 포근함, 자기들의 씨를 퍼뜨려 달라고 요청하는 식물들의 매혹적인 향기, 마음을 편안하게 해주는 나무 그늘이 그리워진다. 지금 그에겐 태양의 에너지를 마음껏 받아들이게 해주는 바위들, 수풀 사이에 뿌려진 페로몬의 자취가 너무나 아쉬운 것이다!

그래도 103호는 예전에 원정군이 그랬듯이 계속 나아간다. 그의 존스턴 기관들은 전파, 광파, 전자파, 자기파 등 갖가지 파동들 때문에 혼란에 빠진다. 이 손가락들의 나라에는 거짓 정보들이 와글와글대고 있을 뿐이다.

103호는 관이나 대롱이나 전화선이나 밧줄을 따라 아파트를 배회하고 있다. 아무것도 없다. 자기를 환대하는 어떠한 신호도 없다. 손가락들은 그를 알아보지 못한다.

103호는 낭패감에 빠진다.

너무 지쳐 버린 나머지 그는 〈해봤자 무슨 소용이 있담? 뭣 하러 이런 짓을 하지?〉라고 푸념을 늘어놓는다. 그때 돌연 숲속에 사는 불개미의 냄새가 풍겨 온다. 기쁜 마음에 103호는 기적적인 냄새가 날아오는 쪽으로 달려간다. 달려가면 달려갈수록 냄새의 정체가 분명해진다. 지울리캉의 냄새다! 원정군이 출정하기 직전에 손가락들에게 납치되었던 둥지인 지울리캉!

향긋한 냄새가 자석처럼 그를 끌어당긴다.

틀림없다. 지울리캉의 둥지가 저기 고스란히 있다. 지울리캉 개미들은 모두 무사하다. 103호는 그들과 함께 있고 싶어 더듬이를 내밀었으나, 그들 사이에 모든 접촉을 차단하는 단단하고 투명한 벽이 놓여 있다. 도시가 입방체 안에 갇혀 있다. 103호는 지붕 위로 기어 올라간다. 거기에는 더듬이로 비집고 들어가기에는 너무 비좁지만 페로몬을 교환하기에는 충분한 작은 구멍들이 나 있다.

지울리캉 개미들은 자신들이 어떻게 이 인공 둥지로 오게 되었는지 페로몬으로 전해 준다. 그들이 여기에 강제로 정착한 이후로 손가락들이 그들을 연구하고 있다. 손가락들은 공격적이지 않다. 그들은 개미들을 죽이지 않는다. 그런데 한번은 이상한 사건이 발생했다. 그들에게 낯선 다른 손가락들이 그들을 들어 올려 사정없이 흔들어 대는 바람에 많은 지울리캉 개미들이 죽었다.

하지만 그들이 이곳에 다시 온 후 더 이상의 문제는 없다. 매력적인 손가락들이 그들에게 먹이를 주고, 보살피고, 그들을 지켜 준다.

103호는 몹시 기뻤다. 그가 그토록 갈망하던 착한 손가락들을 만나게 될 것 같았기 때문이다.

인공 둥지에 갇혀 있는 개미들이 냄새와 몸짓으로 착한 손가락들에게 가는 길을 가르쳐 준다.

179. 상념

오귀스타 웰스는 공동체 의례에 참여하고 있었다. 모두들 〈옴〉 소리를 내고 있었다. 그 소리가 하나의 정신적인 공간을 만들자 모두가 나란히 그 안으로 들어갔다.

저 위, 머리 위 1미터 지점, 천장 아래 50센티미터 지점에 자리 잡은 상상의 공간에는 더 이상 배고픔도 추위도 두려움도 없고, 그곳에서는 모두가 자기를 잊고 공중에 떠다니는 생각하는 거품에 지나지 않는다.

하지만 오귀스타 웰스는 서둘러 그 거품 속에서 빠져나와 자기의 육체로 다시 돌아왔다. 오귀스타 할머니는 제대로 정신을 집중할 수 없었다. 뭔가 다른 것에 몰두해 있었고 잡념이 끼어들었다. 지상에 있었을 때의 정신과 자아가 온전히 남아 있었다. 니콜라 사건이 할머니에게 많은 생각을 불러일으켰다.

인간 세계는 한 마리 개미에겐 아주 강렬한 인상을 줄 것임에 틀림없으리라는 생각이 든다. 자동차, 커피 자동판매기, 기차 검표기가 무엇인지 결코 이해하지 못할 것이다. 개미 세계와 인간 세계와의 거리는 아마도 인간 세계와 초월적인(신의?) 어떤 세계를 갈라놓는 거리만큼 될 것이다.

인간 세계보다 더 높은 차원의 시공간에 또 다른 니콜라가 존재할지도 모른다. 사람들은 신이 왜 저렇게 행동하는가 의

문을 갖기도 하지만, 그 신은 심심풀이로 장난을 치는 철부지 어린아이일 수도 있지 않을까! 누군가가 그 철부지 어린아이에게 간식 시간이 되었으니 인간들과 장난치는 것을 그만두라고 이야기할 때는 언제일까?

오귀스타 할머니는 그런 생각을 하다 보니 머리가 혼란스러워지고 정신이 아찔해지는 느낌마저 들었다.

개미들이 기차의 자동 검표기를 상상할 수 없다면 인간 세계보다 우월한 시공간의 신들은 어떤 독창적인 개념들을 다루고 있는 것일까?

터무니없고 쓸데없는 생각일 뿐이었다. 할머니는 다시 정신을 집중하여 공동체 모임의 부드러운 정신적 공간 안으로 들어간다.

180. 목표가 다가오고 있다

소리와 냄새와 열기가 가득 차 있다. 이곳엔 틀림없이 손가락들이 살고 있다.

103호는 붉고 두꺼운 융단 밀림에서 길을 잃지 않으려고 애쓰면서 소리와 진동이 나는 곳으로 다가간다. 길엔 물렁한 장애물들이 뿌려져 있다. 화려한 천들이 바닥에 널려 있다.

최후의 원정군 병사 103호는 자크 멜리에스의 저고리 위로 기어올랐다가 다시 바지 위로 올라간다. 그런 다음 검은 비단 투피스를 밟으며 계속 나아가 경정의 셔츠 위로 올라가더니 이번에는 험준한 산맥처럼 생긴 레티시아의 브래지어를 오르내린다. 그는 소란스러운 곳을 향해 나아간다.

정면에 뜨개질한 침대 시트 자락이 나타나자 그는 그 위로

기어 올라간다. 올라갈수록 손가락들의 냄새, 손가락들의
열기, 손가락들의 소리가 있다. 저 위에 그들이 있는 것이 확
실하다. 이제 곧 그들을 만나게 될 것이다. 103호는 나방 고
치를 끄집어낸다. 〈메르쿠리우스 임무〉의 완수가 목전에 다
다랐다. 침대의 꼭대기로 기어 올라간다.

과연 어떠한 일이 일어날 것인가?

레티시아 웰스는 연보랏빛 눈을 감고, 멜리에스의 양기가
자기의 음기와 합쳐지는 것을 느끼고 있었다. 그들의 몸이
엉켜 춤을 추고 있는 찰나였다. 살포시 눈을 뜬 레티시아는
소스라치게 놀랐다. 그녀의 코 바로 앞에서 개미가 위턱 사
이에 작게 접은 종이를 낀 채 흔들고 있었다!

그 광경을 보고 레티시아는 마음이 흐트러져서 움직임을
멈추고 벌떡 일어나 침대에서 빠져나왔다.

그 갑작스러운 중단에 자크 멜리에스는 당황했다.

「무슨 일이죠?」

「침대 위에 개미가 있어요!」

「틀림없이 당신 개미집에서 나온 걸 거예요. 하루 종일 개
미와 함께 있었고, 그것들을 추적했어요. 자, 이리 가까이
와요!」

「잠깐만요, 기다려요. 저건 다른 개미들과 달라요. 뭔가 특
별한 것을 갖고 있어요.」

「라미레 부부의 개미 로봇 가운데 하나가 아닐까요?」

「아뇨, 정말 살아 있는 개미예요. 믿기지 않겠지만 위턱 사
이에 접은 종잇조각이 있어요. 우리에게 전해 주고 싶어 하
는 것 같아요.」

경정은 투덜거리면서도 그 사실을 확인하기 위해 마지못해 일어났다. 실은 그도 개미가 접은 종잇조각을 물고 있는 것을 보고 알고 있었다.

103호는 자기 앞에 많은 손가락들이 있음을 깨닫는다.

대개 그 동물은 다섯씩 짝을 지은 두 무리로 이루어져 있다. 그런데 여기 있는 것은 더 고등한 동물임에 틀림없다. 왜냐하면 다른 손가락들보다 더 두터운 데다 다섯씩 두 무리가 아니라 네 무리로 되어 있기 때문이다. 어쩌면 하나의 분홍빛 뿌리에서 나온 스무 개의 손가락들인지도 모른다.

103호는 앞으로 나아가 위턱 끝으로 편지를 내민다. 그 어마어마한 존재들이 불러일으키는 너무나 당연한 두려움에 함몰되지 않으려고 무진 애를 쓴다.

숲에서 손가락들을 상대로 싸웠던 일을 떠올리자 재빨리 달아나고 싶은 충동이 인다. 그러나 목표를 바로 눈앞에 두고 거기에 당당하게 맞서지 않는다는 것은 얼마나 어리석은 짓인가.

「자, 저 개미가 위턱 사이에 물고 있는 것이 무엇인지 알아보세요.」

자크 멜리에스는 아주 천천히 개미에게 손을 내밀었다. 그가 중얼거렸다.

「설마 저 개미가 나를 물거나 개미산을 쏘지는 않겠죠?」

「지금 저 작은 개미를 무서워하는 것은 아니겠죠?」

레티시아가 그의 귀에 대고 속삭였다.

손가락들이 다가오자 두려움이 밀려온다. 103호는 어렸을 때 벨로캉에서 배운 교훈들을 상기한다. 포식자와 마주쳤을 때는 그가 더 강하다는 사실을 잊어야 한다. 다른 것을 생각해야 한다. 침착해야 한다.

포식자는 언제나 약한 상대가 달아나길 기다리고 있다가 달아나기 시작하면 즉각 행동에 들어간다. 그러나 두려움을 내비치지 않고 당당하게 맞서고 있으면 그자는 당황하면서 감히 공격할 생각을 못 한다.

손가락들 다섯이 침착하게 그를 맞으러 다가온다. 그들은 전혀 당황하는 것 같지 않다.

「개미를 놀래지 않도록 조심하세요! 기다려요, 천천히 해요, 개미가 달아나지 않게끔……」

「저 개미가 움직이지 않는 것이 꼭 내가 가까이 다가가기를 기다렸다가 나를 물려고 하는 것 같은데요.」

그러면서도 멜리에스는 천천히 그러나 일정한 속도로 손을 들이밀고 있었다.

103호에게 다가오는 손가락들은 그를 해칠 생각은 없는 것 같다. 적은 행동을 취할 기미가 전혀 보이지 않는다. 그래도 경계해야 한다. 함정임에 틀림없다. 하지만 103호는 겁을 먹고 달아나지 않으려고 애쓴다.

〈겁내지 말자. 겁내지 말자. 겁내지 말자. 자, 난 그들을 만나러 아주 먼 곳에서 왔고, 지금 저기에 그들이 있는데, 이제 와서 전속력으로 도망갈 생각을 하다니! 힘내라, 103호. 넌 이미 그들과 맞섰으면서도 죽지 않았잖는가.〉

하지만 자기보다 높이로 보나 덩치로 보나 열 배가 넘는 다섯 개의 분홍빛 공들이 다가오고 있는 마당에 움직여서는 안 된다고 스스로에게 타이르기란 결코 쉽지 않다.

「살며시, 살며시, 개미가 불안해하고 있는 거 보이죠? 더 듬이를 계속 떨고 있잖아요.」

「내가 하는 대로 그냥 내버려 둬요. 저 개미는 내 손이 점점 다가가는 것에 조금씩 익숙해지고 있어요. 동물들은 느리고 규칙적인 현상은 두려워하지 않아요. 옳지, 귀여운 것. 자, 자.」

이건 본능이다. 손가락들이 스무 걸음 이내로 다가오자 103호는 위턱을 크게 벌리고 공격하려 한다. 위턱에 접은 종이가 틀어막혀 있어서 더 이상 물 수도 없다. 그는 더듬이 끝을 앞으로 내민다.

그의 머리에서 열이 난다. 세 개의 뇌가 대화를 하며 각자 자기 의견을 내놓는다.

〈달아나자!〉

〈겁먹지 마. 이러려고 우리가 그동안 그렇게 고생을 한 거야.〉

〈우리는 곧 박살 날지도 몰라.〉

〈달아나고 싶어도 손가락들이 너무 가까이에 있어서 달아날 겨를이 없어!〉

「그만둬요, 개미가 놀라서 죽겠어요.」

레티시아가 명령조로 말했다.

멜리에스의 손이 멈췄다. 개미는 세 걸음을 물러서더니 더 이상 움직이지 않는다.

「당신도 보았죠, 내가 멈추니까 더 두려워하잖아요.」

103호는 잠시 쉬고 싶었지만 손가락들이 다시 다가온다. 그가 아무것도 하지 않는다면, 몇 초 후에 손가락들이 그를 건드릴 것이다. 103호는 손가락들이 개미들을 튀겼을 때 어떤 일이 일어나는지를 이미 잘 알고 있다. 그는 미지의 것 앞에서 취하는 두 가지 태도를 떠올린다.

행동하라! 아니면 모든 고통을 참아야 한다. 103호는 도무지 고통을 참아 낼 수 없을 것 같아서 행동하는 쪽을 택한다.

놀라운 일이다. 개미가 손 위로 기어 올라왔다. 자크 멜리에스는 깜짝 놀랐다. 개미는 돌진하여 그의 몸 위로 달리다가 팔을 도약판으로 삼아 레티시아 웰스의 어깨 위로 뛰어올랐다.

103호는 신중한 걸음걸이로 나아간다. 먼젓번 손가락들 위를 걷는 것보다 여기가 더 기분이 좋다. 여유를 가지면서 자기가 보고 느낀 모든 것을 분석한다. 그 내용을 잘 정리해 두면 훗날 손가락들에 대한 동물학 페로몬을 만드는 데 많은 도움이 될 것이다. 손가락 위에 올라와 보니 여간 신기한 게 아니다. 깨끗하고 연한 분홍빛의 평평한 표면에 가는 줄무늬가 나 있다. 달짝지근한 냄새가 나는 땀으로 가득 찬 작은 우물들이 규칙적인 간격으로 배열되어 있다. 103호는 레티시아 어깨의 하얗고 둥근 부분 위에서 거닌다. 레티시아는 개미를 다치게 할까 저어하면서 꼼짝 않고 있다. 개미는 그녀의 목으로 기어오른다. 그 목을 감싸고 있는 새틴 천의 감촉에 개미는 황홀해한다. 개미는 입으로 다가가서 짙은 장밋빛의 도톰한 살갗 위에 제 다리의 모든 무게를 싣는다.

그러더니 레티시아의 오른쪽 콧구멍 안에서 잠시 방향을 잃는다. 레티시아는 재채기를 참느라고 안간힘을 쓴다.

103호는 콧구멍에서 나와 왼쪽 눈동자 위로 몸을 기울인다. 그곳은 촉촉하고 움직임이 있다. 상앗빛 바다 한가운데에 연보랏빛 섬이 하나 있다. 103호는 거기에 다리가 빠질까 두려워 그곳으로 들어가지 않는다. 그러길 잘했다. 끝에 검은 솔이 달린 일종의 커다란 막 같은 것이 벌써 눈동자를 덮어 버리고 있다.

103호는 다시 목으로 가는 길을 따라 내려와 가슴 사이로 미끄러져 들어간다. 주근깨 몇 개가 있는데 103호는 거기에 걸려 잠시 비틀거린다. 가슴을 덮고 있는 얇은 천에 매료되어 젖무덤 위로 올라간다. 젖무덤의 발그레한 꼭지가 반짝거린다. 그는 그 위에 멈춰 서서 몇 가지 정보를 기록한다. 그가 손가락들 위에 올라와 있다는 것은 손가락들이 그에게 방문을 허락했다는 것을 의미한다. 지울리캉 개미들이 옳았다. 이 손가락들은 정말로 우호적이다. 젖무덤 꼭대기에서는 다른 쪽 젖무덤과 배의 골짜기가 일망무제(一望無際)로 바라다보인다.

그는 거기에서 내려오면서 그 깨끗하고 따뜻하고 보드라운 표면에 감탄한다.

「움직이지 마요. 당신 배꼽으로 가고 있어요.」
「나도 그러고 싶어요. 하지만 너무 간지러워요.」
103호는 배꼽 샘에 빠졌다가 다시 올라와 긴 허벅지 위를 질주하여 무릎 위로 올라간 다음, 발목으로 다시 내려와 발 뒤꿈치로 기어오른다. 끝을 붉게 물들인 통통하고 짤막한 손 가락들이 보인다. 103호는 다시 다리로 기어오른다. 장딴지 위를 질주하다가 그 하얗고 매끄러운 살갗 위에서 미끄러진 다. 103호는 그녀의 털이 나 있지 않은 따뜻하고 발그레하고 매끄러운 살갗 위를 달려 무릎을 지나고 허벅지 위쪽으로 올 라간다.

181. 백과사전

6

6이란 수는 구조를 만들기에 적합한 수이다. 6은 천지 창조를 뜻하는 수이다. 하나님은 엿새 만에 천지를 창조하고 7일째에는 휴식을 취했 다. 클레망 달렉상드리에 따르면, 우주는 서로 다른 여섯 방향에서 창 조되었다고 한다. 즉, 동서남북과 천정점(관측점을 기준으로 천구상 가 장 높은 점)과 천저점(관찰자를 기준으로 천구상의 가장 낮은 점)이다. 인도에서 얀트라라고 부르는 여섯 뿔박이 별은 사랑의 행위, 즉 요니와 링감[34]의 결합을 의미한다. 솔로몬의 옥새라고도 불리는 다윗의 별을 히브리 사람들은 우주를 이루는 모든 요소의 총화를 상징한다고 생각 한다. 위로 뾰족한 삼각형은 불을 뜻하고 아래로 뾰족한 삼각형은 물을 뜻한다.

연금술에서는 별의 여섯 개 뿔이 각각 하나의 금속과 행성에 대응한다 고 한다. 가장 위쪽에 있는 뿔은 달과 은에 해당한다. 시계 반대 방향으 로 돌면서 각각의 뿔은 차례로 금성과 구리, 수성과 수은, 토성과 납, 목

---

34 힌두교 신화에 나오는 생식 숭배의 상징. 요니는 자연이 지닌 최고의 여 성적인 힘으로 숭배되고, 링감은 창조와 파괴를 관장하는 시바신을 나타낸다.

성과 주석, 화성과 철에 해당한다. 여섯 원소와 여섯 행성이 오묘하게 결합되면서 중앙에는 태양과 금이 놓인다.

회화에서 여섯 뿔박이 별은 색깔들이 결합할 수 있는 모든 경우를 보여주기 위해서 사용된다. 모든 색깔을 결합하면 가운데 육각형 안에 하얀 빛이 만들어진다.

에드몽 웰스, 『상대적이며 절대적인 지식의 백과사전』 제2권

여섯 번째 비밀

**손가락들의
나라**

182. 목표에 더욱 가까이 가다

103호가 허벅지 윗부분으로 올라간다. 그러나 다섯 개의 긴 손가락들이 다가와 허벅지 살갗 위에 내려서더니 그가 샅에 닿기 전에 길을 차단한다. 긴 여정은 끝났다.

103호는 으스러질까 두려워한다. 그러나 손가락들은 마치 그와 만날 약속을 하고 기다리고 있거나 한 것처럼 그대로 머물러 있다. 과연 지울리캉 개미들이 옳았다. 이 손가락들은 나쁜 성품을 지닌 자들이 아니다. 103호는 여전히 살아 있다. 그는 뒷다리로 버티며 몸을 곧추세우고, 허공을 향해 그 편지를 내민다.

레티시아 웰스는 매니큐어를 칠한 엄지손가락과 집게손가락 손톱으로 섬세한 핀셋을 놀리듯이 접힌 종이를 천천히 잡는다.

103호는 잠시 머뭇거리다기 위턱을 크게 벌리고 그의 귀중한 짐을 내준다. 바로 이 놀라운 순간을 위해서 그토록 많은 개미들이 죽었다.

레티시아 웰스는 손바닥 위에 종이를 올려놓았다. 종이의 크기는 우표의 4분의 1정도였는데, 양면에 깨알 같은 글자들이 씌어 있었다. 글자가 너무 작아 읽을 순 없었지만, 그것이 사람의 필체라는 것은 알 수 있었다.

「이 개미가 우리에게 편지를 가져왔어요.」

조그만 쪽지를 읽으려고 애를 쓰면서 레티시아가 말했다.

자크 멜리에스가 그의 커다란 조명 돋보기를 가져왔다.

「이 돋보기로 그 편지를 해독하면 훨씬 쉬울 겁니다.」

그들은 개미를 작은 병 속에 넣고 옷을 입은 후, 허리를 숙이고 돋보기로 쪽지를 들여다보았다.

「이제 잘 보이는군요. 판독한 단어를 적게 만년필을 줘요. 일단 적고 나서 빠진 단어를 생각해 보도록 합시다.」

멜리에스가 말했다.

183. 백과사전

흰개미

우연한 기회에 흰개미 전문 학자들을 만난 적이 있다. 그들은 내가 몰두하고 있는 개미들에 대해·물론 관심이 가긴 하지만, 개미들의 문명은 흰개미들이 이루어 놓은 문명의 절반에도 미치지 못한다고 말했다.

사실 그렇다.

흰개미들은 〈완벽한 사회〉를 이룬 유일한 모듬살이 곤충임에는 틀림이 없다. 흰개미들은 절대 군주 체제의 형태로 조직되어 각 구성원이 여왕개미를 섬기는 데 행복해하며, 모두들 서로 이해하고 서로 돕고, 어느 누구도 사소한 야심이나 이기적인 생각을 품지 않는다.

〈연대 의식〉이란 말이 가장 강한 의미를 띠는 곳은 분명 흰개미 사회이다. 이미 2억 년 전에 최초로 도시를 세운 동물이기 때문일 것이다.

하지만 흰개미 사회의 그러한 성공에도 문제점이 없는 것은 아니다. 완벽하다는 것은 이론상 더 이상 개선할 것이 없다는 것을 의미한다. 따라서 흰개미 도시는 이의 제기, 혁명, 내분을 모르고 지낸다. 그곳은 잡것이 섞이지 않은 건전한 유기체처럼 너무 잘 돌아가기 때문에, 흰개미들은 아주 단단한 진흙으로 만든 정교한 둥지에서 그저 행복을 즐기기만 하면 된다.

그에 비하면 개미는 훨씬 무질서한 사회 체제에서 산다. 개미들은 시행착오를 통해서 진보하고, 그들이 시도한 모든 일에서 오류를 범하면서 발전한다. 개미들은 현재 소유하고 있는 것에 만족하는 일이 없으며 목숨을 걸고서라도 모든 것을 경험해 보고 싶어 한다. 개미 군체는 그리 건실한 체제는 아닐지라도, 기상천외한 해결책이 나타날 때까지 갖가지 방법을 시도하고 자멸할 위험을 무릅쓰면서까지 끊임없이 새로움을 모색하는 사회이다. 바로 이것이 내가 흰개미보다 개미에게 한층 더 관심을 보이는 이유이다.

에드몽 웰스, 『상대적이며 절대적인 지식의 백과사전』 제2권

184. 편지 해독

몇 분 동안 해독을 한 후에 멜리에스는 편지 한 통의 내용을 이해할 수 있었다.

〈우리를 구해 주십시오. 개미집 아래에 스물한 명이 갇혀 있습니다. 당신들에게 이 편지를 전한 개미는 우리를 적극적으로 돕고 있습니다. 그 개미가 당신들이 우리를 구하러 올 길을 안내할 것입니다. 우리들 위에 화강암 너럭바위가 있으니, 망치와 곡괭이를 가지고 오십시오. 서둘러 주십시오. 조나탕 웰스〉

레티시아 웰스가 벌떡 일어났다.

「조나탕! 조나탕 웰스라고요! 구원을 요청한 사람이 내 사촌 조나탕이라니!」

「그를 안단 말이에요?」

「만나 본 적은 없지만 내 사촌이에요. 시바리트 거리의 지하실로 사라져 죽은 줄로 알고들 있었는데…… 그 지하실 사건 기억나요? 조나탕이 첫 번째 희생자였어요!」

「살아 있기는 한데, 모두가 개미집 아래에 갇혀 있다니!」

멜리에스는 그 작은 종잇조각을 살펴보았다. 그 메시지는 바다 속에 던져진 병과 같았다. 아마도 죽음의 위기에 처해서 떨리는 손으로 쓴 것 같았다. 개미가 이 편지를 가지고 오는 데 얼마나 오랜 시간이 걸렸을까? 그는 개미들이 얼마나 더디게 이동하는지 알고 있었다.

또 다른 의문이 들었다. 편지는 분명히 보통 크기의 종이에 쓰인 뒤, 복사기를 사용해서 여러 차례 축소된 듯했다. 그렇다면 그들이 갇혀 있는 곳은 복사기와 전기 시설도 갖추어져 있다는 말인가?

「이게 사실일까요?」

「개미가 이 편지를 갖고 이리저리 헤매고 다녔다는 사실을 달리 설명할 방법이 없잖아요?」

「하지만 이 개미가 당신 아파트에 정확히 도달했다는 것을 우연이라고 말하기에는 너무나 공교롭지 않나요? 퐁텐블로 숲은 커요. 그리고 퐁텐블로시는 개미 쪽에서 볼 땐 엄청나게 크죠. 그럼에도 불구하고 이 개미가 5층에 있는 당신의 아파트를 찾아냈다…… 이건 좀 비약이 심하지 않아요?」

「그래요. 하지만 때때로 어떤 일들이 1백만 번 가운데 한

번 일어나는 경우도 있어요.」

「그럼 당신은 개미집 아래에 〈갇혀 있는〉 그 사람들의 목숨이 개미의 뜻에 따라 좌지우지되고 있다고 생각하는 거예요? 그건 불가능해요. 개미 집단은 발뒤꿈치로 한 번 밟아 버리면 궤멸되어 버리고 말 텐데요!」

「지하실 사람들이 자신들을 차단하고 있는 화강암 너럭바위에 대해서 얘기하고 있잖아요.」

「하지만 어떻게 사람들이 개미집 아래로 들어갈 수 있단 말이죠? 분명 제정신이 아님에 틀림없어요. 이건 장난이에요!」

「그렇지 않아요. 시바리트가의 지하실 사건은 하나의 불가사의였어요. 위험을 무릅쓰고 그 지하실에 들어갔던 사람들이 감쪽같이 사라졌었어요. 지금, 문제는 갇혀 있는 사람들을 구하는 일이에요. 꾸물거릴 때가 아니에요. 내가 보기에 우리를 도울 수 있는 자는 하나밖에 없어요.」

「누구 말인가요?」

그녀는 병정개미 103호가 바둥거리고 있는 유리병을 가리켰다.

「저거예요. 저 개미가 우리를 사촌과 그의 동료들에게로 안내할 수 있다고 편지에 적혀 있잖아요.」

그들은 개미를 유리병 감옥에서 석방했다. 그들의 수중엔 개미에 표시를 해놓는 데 쓸 방사능 물질이 없었다. 레티시아는 다른 개미들과 구별하기 위해 그 개미의 머리에 붉은 매니큐어를 칠해 놓았다.

「자 개미야, 가렴. 우리에게 길을 안내하렴!」

아무리 기다려도 개미는 움직이지 않았다.

「죽은 거 아니오?」

「아뇨, 더듬이가 움직여요.」

「그런데 왜 나아가지 않죠?」

자크 멜리에스가 손가락으로 밀었다.

아무런 반응도 없었다. 더듬이가 점점 더 빠르게 움직였다.

「우리를 안내하고 싶지 않은가 봐요. 문제를 해결할 방법은 하나뿐이에요. 이 개미와…… 대화를 나누어야 해요.」

「맞아요. 아서 라미레의 로제타석 기계가 어떻게 작동하는지 볼 수 있는 아주 좋은 기회로군요.」

185. 개척지

24호는 새로운 도시를 건설하는 과정에서 생겨나는 문제들을 어디서부터 풀어 가야 할지 몰라 안타까워한다. 서로 다른 두 종족이 어울려 이상적인 공동체를 창조한다는 것은 아름다운 일이다. 코르니게라아카시아가 도와주고 강물이 포식자들로부터 섬을 지켜 주고 있으니 그 일이 한층 더 순조롭다. 그러나 모두가 서로를 이해하며 화목하게 지내려면 어떻게 해야 할까?

신을 믿는 개미들은 거석(巨石)으로 조상을 세우느라 대부분의 시간을 보내고 모퉁이에 신을 믿는 개미들의 시체를 묻을 수 있게 해달라고 요구한다.

흰개미들은 마르고 굵은 널조각을 찾아서 거기에 죽치고 있다. 꿀벌들은 코르니게라아카시아 나뭇가지에 작은 벌집을 만들고 있다. 개미들은 버섯 재배장으로 쓸 방을 만들고 있다.

모든 것이 정상적으로 가동된다. 그런데 왜 24호는 모든 것을 질서 정연하게 만들려고 그렇게 애를 쓰는 걸까? 각자 남을 방해하지 않으면서 자기 자리에서 자기 마음에 드는 일을 하면 그것으로 충분하지 않은가.

저녁마다 공동체의 구성원인 모든 곤충들이 코르니게라 아카시아나무의 방에 모여서 서로 자기들의 세계에 관한 이야기를 들려준다.

병정벌들이나 집 짓는 흰개미들이 냄새로 전해 주는 이야기에 모든 곤충들이 더듬이를 기울이는 바로 그 평범한 순간들이 공동체를 끈끈하게 결속시켜 주는 주요한 때이다.

코르니게라 공동체는 갖가지 이야기나 전설을 통해 결속력을 강화한다. 냄새로 주고받는 영웅담들이 아주 쉽게 공동체 구성원들을 하나로 맺어 준다.

신을 믿는 개미들의 종교는 다른 곤충들 사이에서는 단지 하나의 이야기일 뿐이다. 어떤 곤충도 그 종교가 옳다거나 그르다고 판단하지 않을 것이다. 단 한 가지 기준이 중요할 뿐이다. 그 종교가 꿈을 꾸게 해주는가, 그리고 신이라는 개념이 그들에게 꿈을 주는가 하는 것이다.

24호는 가장 아름다운 전설들의 채록을 제안한다. 벨로 캉의 화학 정보실의 통과 비슷한 통 안에 개미, 꿀벌, 흰개미 또는 풍뎅이들의 전설 중에서 좋은 것들을 모아 전수하자는 것이다.

코르니게라 아카시아나무의 현창(舷窓) 같은 구멍으로 어슴푸레한 달빛이 비쳐 든다.

오늘 밤은 꽤 덥다. 곤충들은 해변에서 자신들의 이야기를 나누기로 결정한다.

《왕 흰개미가 여왕 흰개미의 산란실 주위에서 이제나저제나 하면서 빙빙 돌고 있는데, 나무를 파던 흰개미들이 갑자기 나타나 빗살수염벌레 때문에 여왕 흰개미의 성적 욕구가 식어 버렸다고 알려 주더라고…….》

어떤 곤충이 페로몬을 발한다.

《말벌이 나타나 침을 앞으로 내민 채 나에게 덤벼들었어. 나는 겨우 피했어…….》

또 다른 곤충이 이야기한다.

모든 곤충들은 아스콜레인 꿀벌과 마찬가지로 지난날의 두려움으로 떨고 있다.

하지만 주위의 노란 수선화 향기와 강기슭을 쓰다듬는 평온한 물결이 그들을 편안하게 다독거려 준다.

186. 최후의 심판

건강이 훨씬 좋아진 아서 라미레가 멜리에스와 레티시아를 따뜻하게 맞이했다.

아서는 그들이 경찰에 자기 부부의 범죄 사실을 밝히지 않은 것에 대해 고마워했다. 라미레 씨는 「알쏭알쏭 함정 퀴즈」프로에 출연하러 가고 집에 없었다.

기자와 경정은 도저히 있을 법하지 않은 새로운 사건, 즉 개미가 그들에게 사람의 손으로 쓴 편지를 가져온 일이 일어났다고 설명했다.

그들은 그에게 편지를 보여 주었다. 아서는 즉시 그 문제의 핵심을 이해했다. 그는 흰 수염을 한번 쓰다듬고는 자기의 기계 로제타석을 작동시키는 걸 승낙했다.

그는 그들을 지붕 밑 방으로 안내했다. 그리고 몇 대의 컴퓨터를 작동시키고는 페로몬을 만들어 내는 물질이 들어 있는 플라스크들에 불을 비추고 아무런 침전물도 생기지 않도록 투명한 대롱을 흔들었다.

레티시아는 아주 신중하게 103호를 작은 유리병에서 끄집어내었고, 아서는 개미를 유리 덮개 아래에 옮겨 놓았다. 두 개의 대롱이 그 덮개와 연결되어 있었다. 하나는 개미의 페로몬을 흡수하는 대롱이었고 다른 하나는 개미에게 인간의 메시지를 번역해 주는 인위적인 페로몬을 전달해 주는 대롱이었다.

라미레는 조종 장치가 모여 있는 판 앞에 앉아 몇 개의 톱니바퀴를 조정하고 몇 개의 표시등들을 다시 한번 확인하고는 전위차계(電位差計)들을 돌렸다. 모든 준비가 끝났다. 이제 인간의 단어들을 입력하기만 하면 되었다. 그의 『프랑스어-개미어 사전』은 인간의 단어 10만 개와 페로몬 10만 가지를 수록하고 있다. 아서는 마이크 앞에 자리를 잡고 또박또박한 소리로 조심스럽게 말했다.

발신 「만나서 반갑다.」

그는 손가락으로 버튼 하나를 눌렀다. 그러자 비디오 화면에 그 말이 화학식으로 바뀌어 나타났다. 그런 다음 그 화학식이 페로몬을 만드는 물질이 담긴 플라스크들에 전달되고, 거기에서 컴퓨터에 입력된 조제법에 따라 분자들이 배합되면서 냄새가 만들어졌다. 각각의 단어마다 그것에 맞는 특별한 냄새가 있었다.

그 메시지를 담고 있는 기체는 공기 펌프에 의해 대롱 속으로 들어간 다음 개미가 들어 있는 유리 덮개 안에 다다랐다. 개미가 더듬이를 흔들었다.

수신 《반갑다.》

메시지가 접수되었다.

개미의 응답 메시지를 깨끗하게 포착하기 위해 송풍기로 유리 덮개 안에 남아 있는 불필요한 냄새를 제거했다.

개미가 다시 더듬이를 흔들었다.

페로몬이 투명한 대롱을 타고 올라와서 그것을 분자로 분해하는 분광계와 색층 분석 흡착판에 도달했다. 그럼으로써 각각의 페로몬에 대응하는 단어가 나타났다.

하나의 문장이 조금씩 컴퓨터의 화면 위에 나타났다. 동시에 음성 합성 장치가 그 문장을 발음했다.

모두들 개미의 메시지를 들었다.

수신 《당신은 누구인가? 나는 당신의 페로몬을 이해하기가 어렵다.》

레티시아와 멜리에스는 경탄했다. 에드몽 웰스의 기계가 정말 작동하고 있었던 것이다!

발신 「당신은 인간과 개미 사이를 의사소통할 수 있게 해주는 기계 안에 있다. 이 기계 덕택에 우리는 당신에게 얘기할 수 있고 당신의 페로몬을 이해할 수 있다.」

수신 《인간들? 인간들이란 뭐지? 손가락들의 일종인가?》

분명히 그것은 놀라운 일이었다. 개미는 그들의 기계에 대해 거의 놀라지 않았다. 개미는 대수롭지 않게 페로몬을 발하고 있었고, 자기가 〈손가락들〉이라고 부르는 사람들을 알고 있는 것처럼 보이기까지 했다. 그래서 대화는 아무런 어려움 없이 진행될 수 있었다. 아서 라미레가 마이크를 잡았다.

발신 「그렇다. 우리는 손가락들의 연장체이고, 손가락들은 우리 몸의 일부이다.」

대답이 컴퓨터 위에 설치된 확성기를 통해 울려 퍼졌다.

수신 《우리는 당신들을 〈손가락들〉이라고 부른다. 나도 당신을 손가락들이라고 부르고 싶은데 어떤가?》

발신 「당신이 원하는 대로 불러도 상관없다.」

수신 《당신은 누구인가? 리빙스턴 박사는 아닌 것 같은데…….》

세 사람 모두 그 말에 깜짝 놀랐다. 개미가 어떻게 19세기에 아프리카를 탐험했던 리빙스턴 박사를 안단 말인가? 그리고 그 당시에 아프리카 흑인들이 백인을 만나면 으레 〈당신은 리빙스턴 박사이시군요〉라고 말하던 것을 흉내 내어 〈리빙스턴 박사는 아닌 것 같은데…….〉라고 페로몬을 발하는 것이 어떻게 가능하단 말인가? 처음에 그들은 번역 기계가 잘못 조정되었거나, 아니면 컴퓨터에 입력된 『프랑스어-개미어 사전』의 기계적인 고장이라고 믿었다. 그들은 전혀 뜻밖의 상황에 어안이 벙벙해져서 아무도 웃을 생각을 한다거나, 자신들이 천부적인 유머 감각을 가진 개미 앞에 있는 것이 아닐까 하는 상상도 하지 못했다. 그들은 오히려 개미들이 알고 있는 리빙스턴 박사가 누구인지 골똘히 생각하고 있었다.

발신 「아니다. 우리는 리빙스턴 박사가 아니라 세 명의 사람이다. 즉 세 손가락들이라고 할 수 있다. 우리 이름은 아서, 레티시아, 그리고 자크다.」

수신 《어떻게 당신들은 지중(地中) 동물의 언어를 배웠

는가?》

레티시아가 속삭였다.

「개미는 어떻게 우리가 개미들의 냄새 언어를 할 줄 아는지 묻고 있어요. 저 개미들은 진정한 지중 동물이 자기들뿐이라고 믿고 있어요.」

발신 「그것은 비밀이다. 우연히 우리에게 전해졌을 뿐이다. 그런데 당신은 누구인가?」

수신 《103683호다. 그러나 나의 동료들은 나를 103호라고 짧게 줄여 부르기를 더 좋아한다. 나는 벨로캉 왕국에서 왔다. 그곳은 개미 세계에서 제일 큰 도시이다.》

발신 「어떻게 해서 당신은 우리에게 메시지를 가져왔나?」

수신 《우리 도시 아래에 살고 있는 〈손가락들〉이 그 편지를 당신에게 전달해 달라고 요구했다. 그들은 이 임무를 〈메르쿠리우스 임무〉라고 불렀다. 나는 손가락들과 접해 본 경험이 있는 유일한 개미이므로, 다른 개미들은 내가 그 임무를 수행할 수 있는 유일한 개미라고 생각했다.》

103호는 자기가 지상의 모든 손가락들을 퇴치하도록 임무를 부여 받은 원정군의 선봉장이었다고 설명했다.

세 사람 모두 이 시원시원하게 페로몬을 발하는 개미에게 물어볼 것들이 많이 있었지만, 아서 라미레가 대화의 고삐를 계속 쥐고 있었다.

발신 「당신이 우리에게 준 편지에는 당신 도시 아래에 사람들, 아니 손가락들이 갇혀 있고, 당신만이 우리를 그들에게 데려가서 우리가 그들을 구하게 할 수 있다고 씌어 있다.」

수신 《틀림없이 그렇다.》

발신 「그럼, 우리에게 그 길을 가르쳐 달라. 그러면 우리는 당신을 따라가겠다.」

수신 《안 된다.》

발신 「어째서 안 된다는 것인가?」

수신 《나는 우선 당신들을 자세히 알아야 한다. 그러지 않고서, 당신들을 믿을 수 있는지 없는지 어떻게 알 수 있겠는가?》

세 사람은 매우 놀라서 뭐라 대답해야 할지 몰랐다.

그들은 개미에 대해서 참으로 많은 이해심을 가지고 있었고, 게다가 개미들을 매우 존중해 주었다. 그러나 막상 하찮은 미물에 지나지 않는 개미가 솔직하게 〈안 된다〉고 대답하는 걸 듣고 보니 좀 마뜩지 않다는 생각이 들었다. 유리 덮개 아래에 있는 그 시커멓고 하찮은 것이 스무 사람의 목숨을 빌미 삼아 뻔뻔스럽게 굴고 있었다. 그들이 엄지손가락으로 한 번 누르기만 하면 간단히 으스러져 버릴 주제에 그들을 잘 모른다는 핑계로 돕는 걸 감히 거절하고 있는 것이다!

발신 「왜 우리를 알고 싶어 하는가?」

수신 《당신들은 크고 힘이 세다. 그러나 당신들이 선한지 악한지는 모르지 않는가? 나는 당신들의 종족 몇 명을 구해 내는 것이 가치가 있는지 없는지를 판단하기 전에 당신들을 알아야 한다. 당신들이 우리 여왕 클리푸니가 믿고 있는 것처럼 괴물인지, 23호가 생각하듯이 전지전능한 신인지, 위험한 동물인지 영리한 동물인지, 야만스러운 종족인지, 구성원의 수는 얼마나 되는지, 당신들의 기술은 어느 수준에 이르렀는지, 도구를 사용할 줄 아는지 따위를 알아야 한다.》

발신 「그러면 당신은 우리 세 사람이 각자의 삶에 대해 이야기해 주기를 원하는가?」

수신 《내가 이해하고 판단하고자 하는 것은 당신들 세 명이 아니라 당신들 종족 전체이다.》

레티시아와 멜리에스는 서로를 뚫어지게 바라보았다. 어디서부터 시작해야 하나? 개미에게 고대 문명을 얘기해야 하나? 아니면, 중세 시대, 르네상스, 세계 대전…… . 어느 걸 설명해야 하지? 아서는 이런 토론에 대해 매우 즐거워하는 것처럼 보였다.

발신 「그럼, 우리에게 질문을 해다오. 우리가 대답을 통해 우리 세계를 설명해 주겠다.」

수신 《그건 너무 쉬운 일일 것이다. 당신들은 당신들 세계의 가장 좋은 면을 보여 주려고 할 것이다. 단지 우리 도시 아래에 갇혀 있는 동료들을 구할 목적으로 말이다. 그러니 보다 객관적인 모습을 보여 줄 수 있는 방법을 찾기 바란다.》

103호의 고집이 이만저만이 아니다! 아서마저도 신실한 모습을 보여 주며 개미를 설득하기 위해서 무얼 어떻게 이야기해야 할지 막막했다. 멜리에스는 화를 냈다. 레티시아 쪽으로 몸을 돌리며 그가 노기 띤 음성으로 잘라 말했다.

「잘됐어! 우리는 이 건방진 개미의 도움이 없더라도, 당신의 사촌과 그의 동료들을 구해 낼 수 있을 거야. 아서, 퐁텐블로 숲의 지도를 갖고 있습니까?」

「그래요, 있어요.」

그는 퐁텐블로 지도 한 장을 펼쳐 보였다. 그러나 퐁텐블로 숲은 170제곱킬로미터에 걸쳐 퍼져 있었다. 그 숲에는 개미집이 산지사방에 널려 있다. 어디에서 찾을까? 바르비종 옆에서, 아프르몽 바위 아래서, 프랑샤르 늪에서, 솔 고지의 모래밭에서?

그들은 수색하는 데 수년을 보내게 될 것이다. 그들은 그들 자신의 방식으로는 결코 벨로캉을 발견하지 못할 것이다.

「그렇다고 해도 우리를 얕잡아 보는 개미는 안돼.」

멜리에스가 흥분해서 소리쳤다.

아서 라미레는 개미의 입장을 변호했다.

「이 개미가 원하는 것은 우리를 자기 도시로 데려가기 전에 우리를 더 잘 이해하는 것입니다. 이 개미 말이 옳아요. 내가 개미 입장이어도 똑같이 처신했을 겁니다.」

「하지만 어떻게 인간 세계의 객관적인 모습을 개미에게 보여 줄 수 있다는 말입니까?」

그들은 곰곰이 생각했다. 또 하나의 수수께끼다! 자크 멜리에스가 마침내 묘안이라도 있는 듯이 소리쳤다.

「내게 생각이 있어요!」

「무슨 생각인데요?」

경정의 성급한 제안에 항상 조심스러운 태도를 보이는 레티시아가 물었다.

「텔레비전을 이용하는 거예요. 텔레비전을 매개로 해서 우리는 인류 전체와 연결되어 있고, 전 인류의 맥박을 느낄 수 있지요. 텔레비전은 우리 문명의 모든 모습을 보여 주고 있어요. 텔레비전을 보면, 103호는 우리가 누구인지, 우리가 얼마나 가치 있는지를 자기의 의식과 정신 속에서 판단할 수 있을 겁니다.」

187. 페로몬

분야: 개미 전설(이 페로몬은 누구나 자유로이 해독할 수 있음)

기억 페로몬 번호: 123

주제: 전설

정보 제공자: 여왕 클리푸니

두 나무의 전설이 있다. 적대적인 두 개미 사회가 각각 한 그루의 나무 위에 살고 있었다. 두 나무는 가까이 있었다. 그런데 가지 하나가 다른 나무와 만나기 위해서 옆으로 자라기 시작했다. 그 가지는 매일 조금씩 다른 나무에 가까이 다가갔다. 적대 관계에 있는 개미들은 그 가지가 다른 나무에 닿자마자 전쟁이 일어나리라는 사실을 알고 있었다. 그러나 어느 개미 사회도 선손을 쓰지 않았다. 그 가지가 이웃 나무를 스치던 날, 바로 그날이 되어서야 전쟁이 일어났다. 전투는 무자비하게 진행되었다.

이 이야기는 어떤 일이 이루어지기 위해서는 정해진 때가 있다는 걸 보여 준다. 먼저 하면 너무 이르고, 나중에 하면 너무 늦는 법이다. 누구나 좋은 순간이 어느 때인지를 직감으로 알게 된다.

188. 말들의 무게, 영상의 충격

그들은 역조명되는 조그만 액정 컬러텔레비전 앞에 103호를 옮겨 놓았다. 화면이 개미에게는 너무 크기 때문에 그들은 영상이 1백 분의 1로 축소되는 렌즈를 앞에 놓아 주었다. 그렇게 해서 개미는 완전한 텔레비전 영상을 보게 되었다. 아서 씨는 소리도 전달되도록 로제타석의 마이크 앞에 텔레비전의 스피커를 연결해 놓았다. 이제 벨로캉의 탐험가는 손가락들의 텔레비전 영상과 소리를 이해할 수 있을 것이다. 물론 그 개미는 음악도 음향도 알아듣지 못할 테지만 이러한 방식으로 대화와 설명의 요점을 이해하게 될 것이다.

103호는 손가락들의 풍습을 관찰하고 그것을 기록하기 위하여 액체 상태의 페로몬을 한 방울 만들어 낸다. 그 개미는 그런 관찰을 통해서 인간들을 평가하게 될 것이다.

아서 라미레는 텔레비전을 켜고 되는대로 리모컨을 눌렀다.

채널 341 〈크락크락 가는 곳에 벌레 전멸. 개미…….〉

자크 멜리에스는 벌떡 일어나 얼른 채널을 바꿨다. 그가 생각해 낸 방법에 이런 위험이 도사리고 있었다니!

수신 《저것은 무엇인가?》

103호가 묻는다.

그들은 난처해진다. 그들은 개미를 안심시키려고 애를 쓴다.

발신 「식료품 광고다! 별로 흥미로울 게 없다.」

수신 《아니, 저 불빛이 나오는 네모 판이 무엇이냐는 말이다.》

발신 「텔레비전이다. 인간 세계에서 가장 널리 퍼져 있는 의사소통 수단이다.」

수신 《저 불은 납작하고 열기가 없는 것 같은데, 맞는가?》

발신 「당신들도 불을 아는가?」

수신 《물론이다. 하지만 저런 것은 아니다. 설명해 주기 바란다.》

아서 라미레는 개미에게 음극관의 원리를 설명하면서 난처해했다. 그는 하나의 비유를 들어 설명하려고 했다.

발신 「저것은 불이 아니다. 빛이 나고 밝지만 불은 아니고, 우리 문명의 도처에서 일어나는 모든 일을 비추는 창이다.」

수신 《이 영상들이 어떻게 여기까지 도달하나?》

발신 「이 영상들은 공기 중으로 날아다닌다.」

103호는 이러한 인간의 기술을 이해하지는 못하지만 마치 인간 세계의 여러 곳에 동시에 있는 것처럼 인간 세계를 보게 될 것임을 깨닫는다.

채널 1432. 뉴스가 나온다. 기관총이 따르륵거리는 소리만 들리고 목소리는 들리지 않는다. 〈시라크인들은 사람을 죽이는 독가스를 만들어 냈습…….〉

아서가 재빨리 채널을 바꾼다.

채널 1445. 미스 유니버스 선발 대회. 미녀들이 몸을 흔들면서 늘어서 있다.

수신 《아래쪽 두 다리로 버티고 서서 비치적거리고 있는 저 곤충들은 무엇인가?》

발신 「저건 곤충이 아니다. 저 동물들이 바로 인간들이다. 바로 당신들이 〈손가락들〉이라고 부르는 것 말이다. 저기 보이는 것은 인간의 암컷들이다.」

수신 《그럼 저것이 손가락 하나가 온전히 드러난 모습인가?》

개미는 오른쪽 눈을 축소경으로 접근시켜서 화면 위에 움직이는 형태를 관찰하느라 오랫동안 그대로 머물러 있다.

수신 《당신들은 눈 두 개와 입이 하나 있는데, 그것들이 당신들 몸의 맨 꼭대기 쪽에 달려 있다.》

발신 「당신은 그렇게 생각하지 않았나?」

수신 《나는 붉은 덩어리일 뿐이라고 생각했었다. 당신들

은 더듬이도 없는데 어떻게 나에게 말을 걸 수 있는가?》

발신「우리는 더듬이를 사용하지 않고 청각적인 통신 방식을 사용한다.」

수신《당신들은 다리가 우리보다 두 개나 적은데……. 다리가 네 개밖에 없지 않은가! 그리고 두 다리로 어떻게 걸을 수가 있나?》

발신「우리는 아래 두 다리만으로도 충분히 걸을 수 있다. 그러나 넘어지지 않고 서게 되기까지는 세월이 좀 걸렸다. 그리고 앞다리 두 개는 우리가 물건을 운반할 때나 도구를 사용할 때 쓴다. 이 점이 앞으로 나아가기 위해 모든 다리를 다 사용하는 당신들과 다른 점이다.」

수신《머리에 긴 털을 가지고 있는 저자들은 환자들인가?》

발신「어떤 암컷들은 수컷들의 마음을 더 끌기 위해 털이 자라도록 내버려 두기도 한다.」

수신《당신들 암컷은 왜 날개가 없는가?》

발신「어떤 손가락들도 날개는 가지고 있지 않다.」

수신《생식 능력을 가진 손가락들조차 날개가 없는가?》

발신「그들도 없다.」

103호는 주의 깊게 화면을 살피고 있다. 개미는 암컷 손가락들이 매우 추하다고 생각한다.

수신《당신들은 카멜레온처럼 딱지 색깔을 바꿀 수 있나?》

발신「우리는 딱지가 없다. 우리 피부는 붉고, 노출되어 있어서 여러 가지 색깔의 옷과 장신구로 피부를 보호한다.」

수신《옷이라고? 그것은 포식자들에게 잡히지 않기 위한

일종의 위장술인가?》

　발신「꼭 그렇지는 않다. 그것은 오히려 추위로부터 자신을 보호하고, 자기의 개성을 나타내는 방법이다. 식물에서 뽑아낸 실로 짠 천이다.」

　수신《아! 나비들처럼 구애 행위를 하는 데 사용하는 건가?》

　발신「원할 경우 그럴 수도 있다. 어떤 특정한 방식으로 옷을 입은 암컷들이 수컷들의 관심을 더 많이 끄는 경우가 있는 건 사실이다.」

　103호는 질문을 많이도 하지만 배우는 속도가 매우 빠르다. 103호의 질문 가운데는 그를 만족시킬 만한 대답을 하기가 어려운 것들도 있다. 예를 들면〈손가락들의 눈은 왜 움직이는가?〉 또는〈왜 같은 신분의 개체들이 크기가 다른가?〉 그 세 사람은 최선을 다해, 단순하고 명쾌한 어휘를 사용해서 대답하려고 애를 쓴다. 그들이 사용하는 단어들 가운데는 대단히 암시적이고 미묘한 뜻이 많이 담긴 것들이 있어서, 그들은 개미를 이해시키기 위해 그 단어들을 새롭게 정의해야만 했다. 프랑스어를 거의 새로 만들어야 할 판이었다.

　마침내 103호는 여자들의 행렬에 싫증을 내면서 다른 걸 보고 싶어 한다. 멜리에스가 채널을 바꾼다. 어떤 영상이 개미의 주의를 다시 끌자, 개미는〈정지〉라고 외친다.

　수신《정지. 저것, 저게 뭔가?》

　발신「대도시의 교통 문제에 관한 르포다.」

　화면에 등장하지 않은 해설자의 내레이션이 흘러나온다.

　— 교통 체증은 우리 대도시들에서 가장 골치 아픈 문제 중의 하나입니다. 전문 기관의 한 연구 보고서는 길이나 고

속 도로를 건설할수록 더욱 많은 사람들이 자동차를 사게 되고, 교통 혼잡은 나날이 심해질 거라고 얘기합니다.

화면에 긴 자동차 행렬이 회색 매연 속에서 움직이지 않고 늘어서 있다. 카메라가 후진하면서 아스팔트 위에 눌어붙은 채 수 킬로미터나 이어져 있는 버스, 트럭, 승용차, 캠핑카 들을 보여 준다.

수신 《아! 대도시 어디서나 교통이 저렇게 혼잡하다니…… 무척 고통스럽겠군! 다른 일도 있겠지…….》

화면이 계속 이어진다.

수신 《정지, 저것은 무엇인가?》

발신 「세계의 기아에 관한 기록 영화다.」

야윈 몸뚱이들, 눈에 파리가 달라붙어 있는 어린애들, 얼굴을 일그러뜨린 어머니의 말라붙은 가슴에 매달려 있는 아기들, 시선을 고정시킨 채 나이도 알 수 없는 사람들…….

해설자의 심드렁한 목소리가 들린다.

— 극심한 가뭄이 에티오피아에 계속 재난을 가져오고 있습니다. 이재민들은 벌써 5개월째 기아에 허덕이고 있고 현재 이동하는 메뚜기 떼의 습격이 예상되고 있습니다. 현장에는 국제 적십자 의사들이 지역 주민을 구하기 위해서 미력하나마 조치를 취하고 있습니다.

수신 《의사가 뭐 하는 사람들인가?》

발신 「다른 손가락들이 아프거나 곤궁에 빠질 때, 지역이 어디든지, 심지어 피부색이 다르다 하더라도 그들을 도와주는 손가락들이다. 모든 손가락들이 다 붉은색은 아니다. 세상에는 검은색, 노란색의 손가락들도 있다.」

수신 《우리 종도 역시 색깔이 여러 가지이다. 그것이 때론

적대감을 불러일으키기도 한다.》

발신 「우리들도 마찬가지다.」

채널 1227, 1226, 1225. 정지.

수신 《저것은 무엇인가?》

멜리에스는 곧 그 화면을 알아보았다.

「저런, 음성적인 성인 전용 채널이로군. 그것은 저…… 포르노 영화야.」

운이 없다. 라미레가 최선을 다해 설명한다. 103호는 진실을 요구한다.

수신 《저것은 뭘 하는 건가?》

발신 「손가락들이 번식하는 걸 보여 주는 영화다.」

개미는 많은 관심을 보이며 화면을 주시한다.

103호의 논평.

수신 《손가락들은 머리로 성행위를 하나?》

발신 「음…… 아니, 그건 확실히 아니야.」

매우 부끄러워하면서 레티시아가 말한다.

화면 위에 한 쌍의 남녀가 위치를 바꾸어 서로 뒤엉킨다.

103호의 논평.

수신 《보아하니 당신들은 민달팽이처럼 사랑 행위를 하는 것 같다. 바닥 위에서 꿈틀거리면서 말이다. 그건 별로 즐거운 것 같지 않은데. 저렇게 하려면 온갖 군데를 다 비벼야 되겠는걸.》

레티시아가 언짢아하면서 채널을 바꾼다.

채널 1224. 조그만 검은 점들이 오글오글거린다.

수신 《정지, 저것은 무엇인가?》

운수가 사납다. 곤충에 관한 기록 영화다!

발신 「〈개미〉에 관한 르포다.」

수신 《개미라고?》

그들은 개미를 우글거리는 마그마 같은 존재로 비하하면서 개미에 대한 험담을 늘어놓고 있는 화면을 설명하기 위해 머뭇거린다.

수신 《개미가 어째서 저렇게 보이는가?》

발신 「음……. 설명하기가 너무 복잡하다.」

라미레가 주저하면서 사실대로 얘기한다.

발신 「저게 바로 당신들의 모습이다.」

수신 《저게 우리라고?》

103호는 목을 쭉 뺀다. 제 동료들이 클로즈업되어 있는데도 그 개미는 알아보지 못한다. 왜냐하면 인간의 눈이 평면적인데 비해 개미의 눈은 구형(球形)이기 때문이다.

개미는 어렴풋하게나마 결혼 비행 장면을 식별해 낸다. 암컷들과 수컷들이 이륙한다.

103호는 리포터의 얘기를 들으면서 자신의 종에 대해 많은 것을 터득한다. 103호는 지구상에 개미가 그렇게 많은 줄미처 몰랐다. 그 개미는 〈바늘개미〉라고 명명된 오스트레일리아의 몇몇 종들이 개미산을 지니고 있으며, 개미산이 나무를 태울 정도의 농도를 갖고 있다는 것을 모르고 있었다.

103호는 기억하고 또 기억해 둔다. 그 개미는 흥미 있는 많은 정보가 아주 빠르게 스쳐 가는 화면 앞에서 떠날 생각을 하지 않는다.

온통 텔레비전에 몰두해 있는 시간들이 계속 이어졌다.

셋째 날, 103호는 코미디 배우들의 쇼를 관람하게 되었다. 몇몇 코미디언들이 마이크를 들고 온 스튜디오가 떠나가도

록 재담을 늘어놓는다. 뚱뚱하고 익살스럽게 생긴 남자가 방
청객들에게 이야기한다.

— 여러분들은 정치가와 여자의 차이가 무엇인지 아세
요? 모른다고요? 자, 바로 이겁니다. 어떤 여자가 〈아니요〉
라고 말할 때 그것은 〈글쎄요〉의 뜻이고, 여자가 〈글쎄요〉라
고 얘기할 때 그것은 〈예〉를 뜻합니다. 〈예〉라고 대답하는 여
자가 있으면 그녀는 칠칠치 못한 여자로 취급받습니다. 반면
에 정치가가 〈예〉라고 말하면 그것은 〈글쎄요〉를 뜻하고, 정
치가가 〈글쎄요〉라고 말하면 그것은 〈아니요〉를 의미하며,
정치가가 〈아니요〉라고 말하면 그는 정신 나간 사람으로 취
급받습니다.

방청객들이 깔깔대며 웃는다.

개미가 더듬이를 비비댄다.

수신 《도무지 이해할 수가 없다.》

발신 「우스갯소리를 하는 거야.」

아서 라미레가 설명한다.

수신 《우스갯소리가 무엇인가?》

레티시아 웰스는 인간의 유머를 설명하려고 애썼다. 천장
을 다시 칠하는 정신 나간 사람의 이야기를 개미에게 들려주
었지만 헛일이었다. 다른 농담도 마찬가지였다. 인간의 문
화에 대한 평가 기준이 없기 때문에 모든 얘기가 소용이 없
었다.

발신 「개미 세계에는 우스갯소리가 없는가?」

자크 멜리에스가 물었다.

수신 《우선 우스갯소리가 뭔지 알아야지. 그게 무엇인지
정말 이해할 수가 없어!》

그들은 개미를 소재로 한 농담을 지어내려고 애를 썼다. 〈천장을 다시 칠하는 개미의 이야기인데……〉 그러나 별로 효과가 없었다. 개미 사회에서 무엇이 중요하고 무엇이 중요하지 않은지 알아야 이야기가 될 것 같았다.

103호는 지금 당장은 이해하기가 어렵다고 판단하고, 자기의 동물학 기억 페로몬에 다음과 같이 기록한다. 〈손가락들은 어떤 심리적인 현상을 불러일으키는 이상한 이야기를 필요로 한다. 그들은 모든 것을 조롱하고 싶어 한다.〉

채널을 바꿨다.

「알쏭알쏭 함정 퀴즈」 프로그램이었다.

라미레 씨가 나타났다. 성냥개비 여섯 개로 정삼각형 여섯 개를 만드는 수수께끼를 풀고 있었다. 그녀는 답을 찾지 못했다고 계속 주장하고 있었다. 그러나 레티시아와 자크는 라미레 씨가 오래전부터 정답을 알고 있다는 것을 이미 아는 터였다.

그들은 채널을 바꿨다.

아인슈타인의 일생에 관한 영화였다. 천체 물리학에 관한 그의 이론을 대중들이 이해하기 쉽게 설명하고 있었다. 103호는 그 영화에 뜻밖의 관심을 보인다.

수신 《처음에는 나는 손가락들 각자의 차이를 느끼지 못했다. 지금은 손가락들의 외모를 많이 보았기 때문에 그 차이를 구분할 수 있다. 예를 들어 저 손가락은 수컷이다, 그렇지 않은가? 수컷인지 아닌지 이제 알 수 있다. 왜냐하면 수컷은 머리털이 짧기 때문이다.》

비만에 대한 기록 영화가 상영된다. 해설자가 비만과 식욕 부진을 설명한다. 개미가 의아한 듯 질문한다.

578

수신 《이것저것 닥치는 대로 먹어 치우는 저 손가락들은 뭐지? 먹는다는 것은 세상에서 가장 단순하고 자연스러운 행위다. 한낱 애벌레조차도 어떻게 양분을 섭취해야 하는지 안다. 꿀단지개미가 먹이를 잔뜩 먹고 몸을 부풀리는 것은 바로 공동체의 선을 위한 것이다. 그래서 꿀단지개미들은 뚱뚱해진 자기 몸을 자랑스러워한다. 하지만 음식을 절제하지 못하기 때문에 고통스러워하는 손가락들과는 종류가 다르다!》

103호는 지칠 줄 모르는 텔레비전 시청자가 되었다.

라미레 부부는 그들의 장난감 가게를 닫았다. 레티시아와 자크는 라미레 부부의 손님방에서 잤다. 모두들 103호를 만족시켜 주기 위해 차례로 교대를 했다.

103호는 모든 종류의 정보를 갈망하고 있다. 모든 것이 개미의 관심을 끌고 있다. 축구와 테니스와 갖가지 게임들의 규칙, 손가락들 상호 간의 전쟁, 국가들의 정치 제도, 손가락들의 구애 행위 등등. 103호는 만화 영화의 단순하고 명쾌한 그림에 매료되고 「스타워즈」 앞에서 넋을 잃는다. 개미는 영화의 모든 대본을 이해하지는 못하지만, 몇몇 장면들을 보면서 〈황금의 벌집〉 전투를 떠올린다.

103호는 이 모든 것들을 그의 동물학 기억 페로몬에 저장한다. 〈손가락들은 상상력을 지닌 동물이다!〉

189. 백과사전

파동

모든 사물과 관념과 사람은 하나의 파동으로 귀결될 수 있다. 형태파,

소리파, 그림파, 냄새파 등 여러 가지 파동이 있을 수 있다. 이런 파동들이 유한한 공간 속에 있으면 다른 파동과 필연적으로 상호 간섭하게 된다. 사물과 관념과 사람들의 파동 사이에 일어나는 간섭 현상을 연구하는 것은 흥미로운 일이다. 〈로큰롤〉과 〈클래식〉 음악을 혼합하면 어떤 음악이 생겨날까? 〈철학〉과 〈정보학〉을 섞으면 어떤 학문이 될까? 아시아의 예술과 서구의 기술을 섞으면 어떤 것이 나타날까?

잉크 한 방울을 물에 떨어뜨린다고 하자. 두 물질은 처음엔 아주 단조로운 상태에 있다. 잉크 방울은 까맣고 물은 투명하다. 잉크가 물에 떨어지면서, 일종의 위기가 조성된다.

이 접촉에서 가장 흥미로운 순간은 혼돈의 모습이 나타나는 때이다. 바로 희석되기 직전의 순간이다. 서로 다른 두 요소끼리의 상호 작용은 아주 다양한 모습을 빚어낸다. 복잡한 소용돌이, 뒤틀린 형태가 생기고, 온갖 종류의 가는 실 형태가 생겨났다가 점점 희석되어 결국엔 회색의 물로 변한다. 사물의 세계에서는 두 개의 파동이 만날 때 빚어지는 아주 다양한 모습을 고정시키기가 어렵지만, 생명의 세계에서는 어떤 만남이 고착될 수도 있고 기억 속에 머물 수도 있다.

에드몽 웰스, 『상대적이며 절대적인 지식의 백과사전』 제2권

190. 클리푸니가 괴로워하다

클리푸니는 불안하다. 동쪽에서 날아온 날파리 전령들은, 손가락들과 맞서 싸운 원정군이 전멸했다고 보고한다. 원정군은 〈따가운 물〉의 소용돌이를 분사하는 손가락들의 병기에 완전히 섬멸당했다는 것이다.

많은 군단, 많은 병정개미들, 많은 희망이 물거품이 되었다.

벨로캉의 여왕개미는 어머니 벨로키우키우니 시신 앞에서 조언을 구한다. 아무 대답이 없다. 시신의 껍질은 비어 있고 구멍이 나 있다. 클리푸니는 안절부절못하고 산란실을 성큼성큼 걷는다. 일개미들이 여왕개미를 끌어안고 달래려 하지만, 여왕개미는 단호하게 그들을 밀어낸다.

여왕개미는 멈춰 서서 더듬이를 높이 세운다.

《손가락들을 없앨 방법이 분명히 있을 거야.》

여왕개미는 페로몬을 내뿜으면서 화학 정보실 쪽으로 간다.

《확실히 손가락들을 궤멸시킬 방법이 있을 거야…….》

191. 103호가 손가락들에 대해서 생각하는 것

벌써 5일 전부터 103호는 조금의 휴식도 취하지 않고 텔레비전을 보고 있다. 103호가 요구한 것은 단 한 가지, 〈손가락들에 대한 동물학 기억 페로몬을 담아 둘 조그만 캡슐이 필요하다〉는 것이었다.

레티시아는 갇혀 있는 사람들을 생각하며 말했다.

「이 개미는 정말 텔레비전에 중독이 되었어요!」

「103호는 자기가 보는 것을 이해하는 것 같은데요.」

멜리에스가 말했다.

「아마 화면에 지나가는 것의 10분의 1정도만 이해할 거예요. 그 이상은 안 될 겁니다. 개미는 갓난아이가 텔레비전을 보듯이 보는 거예요. 이해하지 못하는 것은 자기 나름대로 그걸 해석하겠지요.」

아서 라미레는 동의하지 않았다.

「나는 당신이 저 개미를 과소평가하고 있다고 생각해요. 시라크와 시란 사이의 전쟁에 대한 논평은 아주 그럴듯해요. 게다가 텍스 에이버리[35]의 만화 영화를 평가할 줄 압니다.」

「나는 개미를 전혀 과소평가하지 않습니다. 오히려 그 개미가 너무 영리해서 불안할 정도입니다. 그 개미가 만화 영화에만 관심을 가져 주면 좋겠는데 말이죠! 어제는 나에게 이런 얘길 하더군요. 인간들은 왜 서로에게 고통을 주려고 그렇게 애를 쓰느냐고요.」

멜리에스의 말에 모두들 깜짝 놀랐다. 똑같은 걱정이 그들을 사로잡았다. 〈도대체 그 개미는 우리에 대해서 어떻게 생각하고 있는 걸까?〉

「그 개미가 우리 세계의 너무 부정적인 측면만 보지 않도록 주의해야 합니다. 적당한 때에 채널을 돌려야죠.」

경정이 덧붙였다.

「안 돼요. 이번 경험은 너무나 흥미로운 거예요. 처음으로, 인간이 아닌 존재가 우리를 판단하는 거예요. 개미가 우리를 심판하고, 우리의 본질이 무엇인지 이야기하도록 내버려 둡시다.」

장난감 가게 주인이 반박했다.

그들 세 사람은 로제타석 기계 앞에 다시 돌아왔다. 유리 덮개 안에는 그들의 소중한 손님인 개미가 액정 화면 앞에 머리를 바싹 들이대고 텔레비전 시청에 몰두해 있었다. 마침 선거 방송의 일환으로 대통령이 연설을 하고 있었는데, 개미는 연신 더듬이를 까딱거리고 분주하게 페로몬을 뿜어 대면

---

35 Tex Avery(1918~1980). 미국의 만화 영화 제작자. 〈벅스 버니〉라는 토끼와 〈대피 덕〉이라는 오리를 비롯한 유명한 동물 주인공들을 만들어 냈다.

서 방송을 보고 있었다.

　발신 「안녕, 103호.」

　수신 《안녕, 손가락들.》

　발신 「잘 지내나?」

　수신 《물론.》

103호가 제 마음에 드는 방송을 더 잘 볼 수 있도록 하기 위해서, 라미레는 개미가 실험용 유리 덮개 안에서 채널을 스스로 선택할 수 있도록 아주 작은 원격 조종 장치를 만들어 냈다. 103호는 남용한다 싶을 정도로 그것을 애용했다.

실험은 며칠 더 지속되었다.

개미의 호기심은 끝이 없어 보였다. 개미는 끊임없이 손가락들에게 새로운 설명을 요구했다. 저것은 무엇인가? 공산주의, 내연 기관, 대륙 이동설, 컴퓨터, 성매매 행위, 사회 보장 제도, 기업 연합, 경제 공황, 우주 정복, 핵 잠수함, 인플레이션, 실업, 파시즘, 일기 예보, 식당, 경마, 권투, 피임, 대학 개혁, 재판, 농촌 인구의 대이동 등등…….

103호는 손가락들에 대해서 벌써 세 개의 기억 페로몬을 저장해 놓았다.

열흘째, 레티시아는 지칠 대로 지쳤다. 레티시아는 이제껏 사람들을 두려워했고 사람들이 선하다는 생각을 별로 해 보지 않았던 것이 사실이다. 그렇지만 피붙이에 대한 애정은 어쩔 수가 없었다. 지금쯤 그녀의 사촌 조나탕은 죽느냐 사느냐의 갈림길에 있을 것이 분명한데, 그가 구원의 사자로 보낸 개미가 텔레비전 앞에서 꼼짝을 안 하고 있으니 답답하기 짝이 없는 노릇이었다.

　발신 「당신은 지금 우리를 벨로캉으로 안내할 준비가 되어 있나?」

그녀가 103호에게 물었다.

아무 대답이 없었다. 그동안에 레티시아의 가슴은 두근두근거렸다. 그녀 곁에 있는 다른 사람들도 걱정스럽게 개미의 눈치를 살피고 있었다.

수신 《당신들은 나의 평가가 어떻게 나올까 궁금할 것이다. 좋다. 나는 당신들을 판단할 수 있을 정도로 충분히 보았다고 믿는다.》

개미는 텔레비전 화면에서 머리를 떼어 내고 뒷다리로 버티고 선다.

수신 《나는 당신들을 완전하고 명백하게 안다고 주장하지는 않겠다. 당신들의 문명은 너무 복잡하다. 하지만 나는 이미 그 본질을 나름대로 파악했다.》

개미는 뜸을 들이면서 긴장을 고조시켰다. 역시 개미든 손가락이든 개체를 다루는 데 이골이 난 103호였다.

수신 《당신들의 문명은 매우 복잡하지만, 나는 많이 보았기 때문에 그것의 본질을 이해할 수 있다. 당신들은 비뚤어진 동물들이고, 당신들을 둘러싸고 있는 모든 것을 존중할 줄 모르며, 유독 당신들이 돈이라고 이름 붙인 것을 긁어모으는 데에만 관심을 쏟는 동물들이다. 당신들의 역사를 되돌아보면 나는 두려운 생각이 든다. 그것은 크건 작건 간에 살인의 연속일 뿐이다. 당신들은 우선 죽여 놓고 그다음에 도의를 한다. 마찬가지 방식으로, 당신들은 당신들끼리 서로 파괴하고, 자연을 훼손하고 있다.》

평가의 조짐이 좋지 않았다. 세 사람은 얘기가 이렇게 길거라고는 예상하지 않았다.

수신 《하지만 당신들의 세계에도 나를 매혹시키는 것들이 있다. 아, 그건 바로 당신들의 그림이다! 특히 나는 그 손가락들…… 레오나르도 다빈치를 무척 좋아한다. 세상에 대한 자신의 해석을 그림을 통해서 나타낸다는 생각, 순수한 아름다움을 나타내기 위해서 실용성을 염두에 두지 않은 물건을 만든다는 생각, 그것은 놀라운 발상이다! 우리 세계에 비유하자면, 그것은 우리가 의사소통을 하기 위해서가 아니라 단지 냄새를 맡는 즐거움을 위해서 페로몬을 만드는 것과 같다고 할 수 있다. 당신들이 〈예술〉이라 부르는 그 무상(無償)과 무용(無用)의 아름다움, 그것은 당신들이 우리보다 우월한 점이다. 우리 사회엔 그러한 것이 없다. 당신들의 문명에는 예술과 무용의 열정이 풍부한 것 같다.》

발신 「그럼, 당신은 우리를 벨로캉에 데려가는 데 찬성하나?」

개미는 아직 대답하려 하지 않는다.

수신 《당신들 집에 도착하기 전에 나는 바퀴를 만났다. 그 바퀴들이 나한테 가르쳐 준 게 있다. 서로서로를 사랑할 줄 아는 자들은 사랑을 받고, 서로서로를 도우려는 자들은 도움을 받는다고…….》

개미는 자기의 주장에 대해 확신하면서 더듬이를 흔들어 댄다.

수신 《나는 그 점을 중요하게 생각한다. 입장을 바꾸어서 물어보고 싶다. 당신들은 손가락들이라는 종을 긍정적으로 평가할 수 있는가?》

낭패스러운 일이었다. 레티시아도 아서 라미레도 그 질문에 긍정적으로 답할 만한 사람들이 명백히 아니었다!

개미는 담담하게 자기 논리를 펼쳐 나간다.

수신 《당신들은 내 페로몬을 이해하는가? 당신들은 다른 사람이 당신들을 사랑할 마음이 들도록 서로를 사랑하는가?》

발신 「그건…….」

수신 《당신들 자신들이 서로를 사랑하지 않는다면, 어떻게 당신들이 우리처럼 다른 존재들을 사랑할 거라고 기대할 수 있겠는가?》

발신 「그건 말하자면…….」

수신 《당신들은 나를 설득하기 위해서 효과 좋은 페로몬을 찾고 있을 것이다. 그러나 그럴 필요가 없다. 내가 당신들한테서 기대했던 설명들은 당신의 텔레비전이 죄다 나에게 제공했다. 나는 텔레비전에서 손가락들이 서로 돕고, 다른 손가락들을 구하기 위해 먼 길을 달려가며, 붉은 손가락들이 갈색 손가락들을 돌보는 내용의 기록 영화를 보았다. 당신들이 개미라고 부르는 우리는 결코 그렇게까지는 못할 것이다. 우리는 멀리 떨어진 둥지를 원조하러 달려가지 않으며, 다른 종의 개미들을 구하러 가지 않는다. 나는 플러시 천으로 만든 곰 인형 선전도 봤다. 그것은 하나의 물건에 지나지 않는다. 하지만 손가락들은 그것들을 껴안고 애무했다. 손가락들의 내면에는 남에게 베풀 넘치는 사랑이 있는 것 같다.》

그들은 개미의 결론을 요모조모로 예상하면서 마음의 준비를 하고 있는데 그런 평가는 전혀 뜻밖이었다. 레오나르도 다빈치의 작품이나, 의사들, 플러시 천으로 만든 곰 인형 덕분에 인간이란 종족이 개미의 눈길을 끌 수 있으리라고는 전혀 기대하지 않았었다!

수신 《그게 전부는 아니다. 당신들은 2세들을 잘 보살필
줄도 안다. 당신들은 미래의 손가락들이 오늘날보다 더 우수
하기를 희망하고, 발전하기를 열망하고 있다. 마치 동료들
을 개울 저편으로 건네줄 다리를 만들기 위해 자기를 희생하
는 병정개미들 같다고나 할까. 젊은 손가락들의 전진을 위해
서라면, 늙은 손가락들은 언제든 목숨을 바칠 각오가 되어
있다. 그래, 내가 본 모든 것, 영화, 뉴스, 광고 들은 현재의 만
족스럽지 못한 상태에 대한 아쉬움과 미래에는 그것이 개선
되리라는 희망의 표현이었다. 그리고 그 희망으로부터 당신
들의 〈유머〉가 분출하고, 당신들의 〈예술〉이 생겨나고
있다.》

레티시아의 눈에 눈물이 고였다. 그녀에게는 인간을 사랑
한다는 것이 무엇인지를 가르쳐 주고 설명해 줄 저 개미와
같은 존재가 필요했었다. 103호의 얘기를 듣고 난 그녀는 완
전히 새롭게 태어난 느낌이었다. 그녀의 대인 공포증이 한
마리의 개미에 의해서 치료될 수 있다니! 그녀는 갑자기 동
시대인들을 더 잘 이해하고 싶은 충동을 느꼈다. 사실 이 세
상에는 훌륭한 동시대인이 많이 있다. 그녀가 평생 깨닫지
못한 것을 이 개미는 불과 며칠 동안 텔레비전을 보고서 깨
달은 것이다.

레티시아는 마이크 쪽으로 몸을 숙여 또박또박 말을 했다.
발신 「그러면, 당신은 우리를 도와줄 생각이 있는가?」

유리 덮개 아래에서 103호가 더듬이를 세워서 정중하게
페로몬을 발한다.

수신 《우리는 당신들에게 대항할 수 없고, 당신은 우리들
에게 대항할 수 없다. 우리들 가운데 어떤 것도 다른 종을 제

거할 수 있을 만큼 강하지는 않다. 파멸을 자초할 수는 없는 일이니, 우리는 당연히 서로 도와야 한다. 그리고 나는 우리가 당신들을 필요로 하고 있다고 생각한다. 우리는 당신네 세계로부터 배울 게 많다. 그것들을 배우기 전에는 당신들을 죽여서는 안 된다.》

발신 「그러면, 우리를 벨로캉으로 안내해 주겠는가?」

수신 《나는 우리 도시 아래에 갇혀 있는 당신 친구들을 구하는 일을 돕는 데 찬성한다. 왜냐하면 우리 두 문명이 서로 협력하기를 바라기 때문이다.》

192. 공룡들

이것은 수천 년 동안 전해 내려온 역사를 담은 기억 페로몬이다.

클리푸니는 아주 진한 냄새가 나는 액체가 가득 찬 캡슐에 더듬이를 갖다 댄다. 페로몬 캡슐이다. 짜릿한 느낌과 더불어, 더듬이 속에서 내용이 복원된다.

분야: 역사

정보 제공자: 제24대 벨로키우키우니 여왕

개미들이 항상 지구의 주인이었던 것은 아니다.

옛날에는, 우리와 다른 사고방식을 가진 다른 종들이 우리의 주인 자격에 대해 이의를 제기했다.

수백만 년 전, 자연은 도마뱀에게 기대를 걸었다. 그때까지만 해도, 도마뱀들은 크지도 작지도 않은, 발 달린 물고기에 불과한 동물이었다.

하지만 그 도마뱀들은 둘만 모이면 서로 싸웠고, 그 통에 그들의 몸은 결투에 적합하도록 조금씩조금씩 변화했다. 그들은 점점 더 커지고 공격적이 되었다.

형태의 진화가 일어났다. 도마뱀들은 결투에 적합하도록 거대하게 변했다. 우리가 스물, 서른 혹은 1백 마리씩 무리를 지어 덤벼도 그것들을 더 이상 죽일 수가 없게 되었다. 너무 강해지고 아주 많아지고 매우 파괴적인 도마뱀들이 지상에서 가장 힘센 동물이 되어 버렸다.

어떤 것들은 머리가 나무 꼭대기 위로 올라올 만큼 키가 컸다. 그것들은 이미 도마뱀이 아니었다. 그것들은 공룡이었다.

그 거대한 괴물들의 지배는 오랫동안 지속되었고, 우리 개미 사회 어디서나 반성의 기운이 일었다.

《우리는 무서운 흰개미들을 정복했어. 그러니까 공룡들도 없애 버릴 수 있을 거야.》여기저기서 전의에 충만한 페로몬이 발해졌다. 그러나 공룡과 대결하러 갔던 개미 특공대들은 모조리 전멸하고 말았다.

그들이 정말로 우리의 주인이 아닐까? 어떤 개미 군체들은 이미 공룡들에게 굴복하여, 그들의 사냥터에 대한 통제권을 공룡에게 넘겨주었다. 그 군체들은 공룡의 발 아래에서 도망쳤고, 땅을 쿵쿵 울리면서 지긋지긋하게 싸워 대는 공룡들에 대한 강박 관념 속에서 살아가고 있었다. 흰개미들도 위턱을 낮추었다.

바로 그때, 마냥개미 둥지의 한 여왕개미가 다음과 같은 명령의 페로몬을 발했다.

《괴물들에 맞서 모든 도시여 단결하라.》

메시지는 단순했지만 그 파급 효과는 엄청났다. 개미 사회의 내분은 끝났다. 종이 다르고 크기가 다르더라도, 어떤 개미도 다른 개미를 죽이지 않게 되었다. 전 세계 개미들의 대동맹이 형성되었다.

공룡들의 강점과 약점을 알기 위해, 전령들이 모든 도시를 돌아다녔다. 그 괴수들이 완전무결한 듯해도, 어떤 동물에게든 약점이 하나씩은 있기 마련이다. 그것이 자연의 섭리이다. 그 약점을 우리는 발견해야 했고, 드디어 우리는 그것을 발견했다.

공룡의 가장 큰 약점, 그것은 바로 그들의 항문이었다.

그 문으로 쳐들어가 몸속을 난도질하니까 끝장이 났다. 정보는 매우 빠르게 전달되었다. 도처에서 개미 군단이 그 민감한 통로 안으로 쳐들어갔다. 기병, 보병, 포병 부대는 이제 공룡의 발톱이나, 다리, 이빨과 싸울 필요가 없었다. 그들의 적은 분출하는 소화액, 백혈구들, 근육의 반사 작용이었다.

종종걸음으로 위험을 무릅쓰고 적의 내장으로 돌진했던 군대들이 겪었던 무시무시한 일들에 관한 이야기들이 전해지고 있었다. 병사들이 굵은 큰창자 안에서 모퉁이를 돌고 또 도는데 느닷없이 저쪽에서 치명적인 포탄이 발사되었다. 바로 똥 한 덩어리였다.

전사들은 창자의 주름 사이로 달려가 피신했다. 때로는 역겨운 바윗덩어리가 모퉁이에서 길을 막았고, 때로는 그것이 굴러 내려 병사들을 가루로 만들어 버리기도 했다.

개미 군단의 가장 큰 적은 똥이었다. 딱딱하고 조그만 똥

덩어리 사태에 휩쓸려 죽은 개미가 무릇 몇천 마리였던가. 얼마나 많은 병사들이 진흙탕같이 질펀한 똥 물결에 익사했던가! 단 한 방의 방귀에 질식사한 특공대원들은 또 그 얼마였던가!

하지만, 그사이에 개미 군단의 대부분은 적시에 내장을 돌파하는 데 성공했다.

그러자 이 조그만 곤충들의 공격을 받은 공룡들의 거대한 몸통이 차례차례 무너져 갔다. 톱니 같은 꼬리들, 뿔, 독, 단단한 비늘로 중무장한 초식 공룡도 육식 공룡도, 냉혹한 외과 의사 같은 수백만 마리의 미물 앞에서 맥을 못 추었다. 한 쌍의 위턱이 거대한 뿔보다 더 위력적이라는 게 명백히 드러났다.

개미들이 공룡을 멸종시키는 데는 수십만 년이 걸렸다.

그리고 어느 봄날, 잠에서 깨어났을 때, 훤히 트인 하늘이 눈에 들어왔다. 이제 공룡은 없었다. 살아남은 것은 키 작은 도마뱀뿐이었다.

클리푸니는 더듬이를 꺼낸 후, 명상에 잠긴 채 화학 정보실을 거닐었다.

그렇듯 지구는 몇몇 세입자를 맞이했고, 그들은 전능한 주인 노릇을 하고 싶어 했다. 그들은 저마다 명성을 누리다가, 개미에 의해 보잘것없는 존재들로 전락했다.

개미야말로 지구의 유일하고 진정한 소유자이다. 클리푸니는 자기가 이 종에 속한 것을 자랑스럽게 생각한다.

《우리는 비록 작지만 잔인하게 구는 커다란 자들을 뭉개 버릴 수 있다. 우리는 비록 작지만 생각할 줄도 알고 언뜻 보기에 해결할 수 없을 것 같은 문제를 풀기도 한다. 우리는 비록 작지만, 완전무결해 보이는 산처럼 거대한 동물들로부터도 가르침을 받을 게 없다.》

개미 문명은 모든 경쟁자들을 없애 버릴 수 있었기 때문에 이토록 오래 지속되어 왔다.

여왕개미는 개미 사회에 갇혀 있는 손가락들을 연구하지 않은 걸 후회한다. 103호의 얘기를 귀담아들었더라면, 손가락들을 관찰함으로써 그들의 결점을 찾아냈을 것이고, 원정군은 패주하는 대신에 승리의 노래를 불렀을 텐데.

너무 늦지는 않았을까? 아직까지도 손가락들이 살아 있을까? 여왕개미는 신을 믿는 개미들이 그들에게 양식을 전달하기 위해서 얼마나 애를 쓰고 있는지 알고 있다.

클리푸니는 첩보 개미들이 그토록 떠벌리던 리빙스턴 박사와 이야기하기 위해 손가락들의 둥지로 내려가기로 작정한다.

193. 암

103호는 손가락들 세계에 비정상적인 일이 일어나고 있음을 감지한다. 저 높은 곳에 그림자들이 어른거린다. 죽음의 냄새 같은 것이 공기 중에 떠돈다. 103호가 묻는다.

수신 《뭐가 잘안되는기?》

발신 「아서가 기절했다. 그는 몹시 아프다. 그가 암에 걸렸다. 아무도 치료할 수 없는 병이다. 나의 어머니도 암 때문에 돌아가셨다. 우리는 이 질병 앞에서는 속수무책이다.」

수신 《암이라는 게 도대체 뭔가?》

발신 「세포들이 제멋대로 증식하는 병을 그렇게 부른다.」

찬찬히 생각해 보기 위해서 개미는 더듬이를 정성스럽게 닦는다.

수신 《우리도 그 페로몬은 알고 있다. 하지만 그것은 병이 아니다. 암은 병이 될 수가 없다.》

발신 「그럼 뭔가?」

103호가 수없이 되풀이했던 질문 〈그것이 무엇인가?〉를 처음으로 사람이 거꾸로 물어본 것이다.

이제는 개미가 설명할 차례다.

수신 《아주 오래전에 우리도 당신들이 암이라 부르는 병에 걸린 적이 있다. 많이들 죽었다. 수백만 년 동안, 우리는 이 재앙을 치료할 수 없는 것으로 여겼다. 감염된 개미들은 곧바로 심장 박동을 멈추고 더 이상 살기를 원치 않았다. 그리고…….》

세 사람은 깜짝 놀라서 듣고 있었다.

수신 《시간이 흐른 뒤에 우리는 그 문제를 바르지 못한 시각으로 대하고 있었다는 걸 알았다. 우선 병처럼 보였던 것을 다르게 이해하고 연구해야 했다. 우리는 찾아냈다. 수십만 년 전부터 우리 문명에서는 더 이상 아무도 암으로 죽지 않았다. 다른 병으로 인해 많은 희생자가 우리에게 생겨나지만 암은 우리에게서 이미 끝났다.》

깜짝 놀란 레티시아가 한숨을 쉬자, 유리 덮개가 흐려졌다.

발신 「당신들이 암 치료법을 발견한 것인가?」

수신 《물론이다. 당신들에게 곧 그걸 알려 줄 것이다. 하지만 우선 바깥공기를 쐬고 싶다. 이 유리 덮개 안에서는 숨이

막힌다.》

레티시아는 바닥에 푹신한 솜을 깐 성냥갑 안에 103호를 조심스럽게 내려놓고 발코니 쪽으로 들고 나갔다.

개미는 신선한 산들바람을 들이마셨다. 그곳에서 103호는 먼 숲의 냄새까지 느끼고 있었다.

「조심해요. 개미를 난간 위에 놓지 말아요. 개미가 떨어지지 않도록 특히 조심해야 해요. 정말 소중한 개미예요. 그 개미가 인간의 생명을 구해 주기로 했어요. 게다가 암의 치료법도 알고 있다고 했어요. 그게 사실이라면…….」

자크 멜리에스가 외쳤다.

그들은 두 손을 모아 성냥갑을 감싸고 요람을 만들었다. 조금 후에 라미레 씨가 남편을 부축하여 침대에 눕히고 발코니로 나왔다. 그는 자고 있었다.

「우리 개미가 암 치료법을 안다고 했어요.」

멜리에스가 라미레 씨에게 알려 주었다.

「그러면 페로몬을 뿜도록 해야죠. 빨리요! 아서는 더 이상 기다릴 시간이 없어요.」

「조금만 기다리세요. 개미가 바깥바람을 조금 쐬고 싶다고 했어요. 개미를 이해해야 해요. 쉬지 않고 텔레비전을 시청하느라 유리 덮개 안에서 며칠을 보냈거든요. 세상에 어떤 동물도 그렇게 지낼 수는 없을 거예요!」

레티시아가 말했다.

하지만 라미레 씨는 냉정을 잃고 있었다.

「개미는 조금 뒤에라도 쉴 수 있잖아요. 우선 내 남편을 구해야 해요. 급해요.」

쥘리에트 라미레는 레티시아의 팔에 달려들었다. 레티시

아는 쥘리에트에게 성냥갑을 빼앗기지 않으려고 뒤로 물러났다. 한순간 나무 쪽배가 너울 고스락에 걸리듯 레티시아의 손에 놓인 성냥갑이 허공으로 올라갔다. 라미레 씨가 레티시아의 손목을 잡아당기자 손바닥이 뒤집혔다.

103호가 추락한다. 나는 양탄자를 타고 잠시 활공 비행을 하다가, 푹신한 양탄자가 떨어져 나가면서 급전직하로 떨어지기 시작한다. 끝없는 낙하. 손가락들의 집이 이렇게 높은 줄 미처 몰랐다!

103호는 자동차의 금속 지붕에 부딪혀 몇 차례 되튀어 오르고 나자 정신이 아찔해진다. 그는 정신없이 내달린다. 친절한 손가락들은 어디로 가버렸나? 그들과 대화하는 기계는 어디에 있나? 103호는 거기에 있는 누구도 해독할 수 없는 페로몬을 외치면서 달려간다.

《레티시아, 쥘리에트, 아서, 자크! 당신들은 어디 있지? 나는 충분히 쉬었어. 이제 제발 나를 다시 올려 줘! 내가 당신들에게 모든 걸 얘기하겠어!》

개미가 정신을 차릴 틈도 없이 갑자기 자동차에 시동이 걸린다. 103호는 있는 힘을 다해 라디오 안테나에 매달린다. 바람이 주위로 세차게 지나간다. 103호가 〈큰 뿔〉을 타고 공중을 날아다닐 때도 결코 이처럼 빨리 가지는 않았다.

194. 백과사전

문명의 충돌

인도는 모든 에너지를 흡수해 버리는 나라이다. 인도를 무력으로 정복한 자들이 인도인들을 길들이려 했지만 모두 제 풀에 지쳐 나가떨어졌다. 인도 안으로 파고들수록 그들은 인도 물이 들었으며 호전성을 잃고 세련된 인도 문화에 푹 빠져 버렸다. 인도는 모든 것을 흡수해 버리는 스펀지와 같았다. 그들은 인도를 손아귀에 넣으려 했으나, 인도가 그들을 이긴 것이었다.

인도에 대한 최초의 대규모 침탈은 튀르키예와 아프가니스탄의 이슬람교도에 의해 자행되었다. 그들은 1206년에 델리를 점령했다. 5대에 걸친 술탄 왕조가 계속되었는데, 한결같이 인도반도 전체를 점령하고 싶어 했다. 하지만 남쪽으로 진격하면서 군대는 약해져 갔다. 군인들은 학살에 신물이 났고, 전쟁에 흥미를 잃었으며, 점차 인도의 풍습에 매료되었다. 술탄 왕조는 어느덧 붕괴의 길을 걷고 있었다.

술탄의 마지막 왕조인 로디 왕조는 티무르의 후손인 투르케스탄 태생의 바부르[36]에 의해 무너졌다. 바부르는 1527년에 무굴 제국을 세우고 인도의 중앙까지 진출하자마자 무기를 버리고 음악, 문학, 미술에 심취했다.

그의 후손 중의 하나인 아크바르는 인도를 통일하는 방법을 알고 있었다. 그는 유화 정책을 폈고, 그 당시의 모든 종교에서 평화에 관한 교리들을 가려 모아 새 종교를 만들어 냈다. 그런데 몇십 년 후에, 바부르의 다른 후손인 아우랑제브가 이슬람교를 인도에 강제로 이식하려고 했다. 그러자 봉기가 일어났고, 나라는 분열되었다. 인도를 폭력으로 길들이는 것은 불가능하다.

19세기 초에 영국인들도 무력으로 모든 대도시들과 주요 항구들을 정

36 Babur(1483~1530). 오늘날 아프가니스탄의 수도인 카불의 왕이었는데, 1511년 사마르칸트를 정복하였으며, 1526년 델리의 술탄과 싸워 이김으로써 갠지스강 일대를 점령하고 이듬해 무굴 제국을 세웠다. 바베르 또는 바바르라고도 한다.

복하는 데 성공했지만 결코 나라 전체를 통치하지는 못했다. 그들은 전적으로 인도적인 환경 속에 이식된 〈영국 문화를 가진 작은 동네들〉을 확보하는 데 만족할 수밖에 없었다.

추위가 러시아를 보호하고 바다가 일본과 영국을 보호하듯이, 영(靈)의 장벽이 인도를 보호하고 그곳에 침입한 모든 사람의 마음을 사로잡아 버린다.

오늘날에도 이 스펀지 같은 나라에서 한나절만 모험을 하고 나면 어떤 관광객이든 〈이런 게 다 무슨 소용이란 말인가?〉 〈무엇을 얻자고 이런 일을 하는가?〉 하는 의문에 사로잡혀 모든 계획을 포기하고 싶은 충동을 느끼게 될 것이다.

에드몽 웰스, 『상대적이며 절대적인 지식의 백과사전』 제2권

195. 도시를 떠도는 103호

자크 멜리에스가 몸을 숙였다.

「개미가 떨어졌어!」

모두들 그의 곁으로 다가왔다. 그들은 아래를 굽어보며 개미의 흔적을 찾아보려 했다.

「개미가 죽었겠는데…….」

「아마 죽지는 않았을 겁니다. 개미들은 큰 충격에도 잘 견뎌 낼 줄 알아요…….」

그 말에 쥘리에트 라미레는 다시 생기가 돌았다.

「개미를 다시 찾아보세요. 그 개미만이 내 남편과 개미집 아래에 있는 당신 친구들을 구할 수 있어요.」

그들은 계단을 내려가서 주차장까지 샅샅이 찾아보았다.

「특히 발을 내디딜 때 조심하세요.」

레티시아 웰스는 자동차의 바퀴 아래를 찾아보았다. 쥘리에트 라미레는 건물의 아래에 예쁘게 꾸며 놓은 조그만 화단을 체로 거르듯 훑었다. 자크 멜리에스는 돌풍에 날려 간 개미가 아래층의 발코니에 떨어지지나 않았는지 확인하기 위해 집집마다 초인종을 눌러 댔다.

「혹시 머리에 붉은 점이 있는 개미를 보지 못했나요?」

이웃 사람들은 그가 완전히 미쳤다고 생각했지만, 삼색 줄이 쳐진 신분증을 보고는 그가 이곳저곳을 찾아보도록 내버려 두었다.

그들은 개미를 찾느라고 한나절을 보냈다.

「어떻게 하지? 신만이 103호가 어디 있는지 알겠는데!」

쥘리에트 라미레는 찾는 것을 포기하지 않았다.

「개미가 정말 암을 어떻게 치료하는가를 알고 있다면, 어떤 대가를 치르더라도 개미를 다시 찾아야 해요.」

그들은 다시 오랫동안 찾아보았다. 곤충들은 어디에나 지천으로 널려 있었다! 조명 돋보기까지 들고 샅샅이 찾아보았지만, 이마에 붉은 점이 표시된 숲속 불개미는 어디에도 없었다.

「매니큐어를 칠하지 말고 방사능 물질로 표시해 두기만 했어도 이런 생고생은 안 할 텐데!」

멜리에스가 푸념을 터뜨렸다.

그들은 머리를 맞대고 대책을 논의했다.

「퐁텐블로시 같은 도시 안에서도 개미를 다시 찾는 방법이 반드시 있을 거예요.」

「머리에 떠오르는 모든 생각들을 열거해 보고 그중에서 좋은 것들을 골라 봅시다.」

라미레 씨가 조언을 했다.

갖가지 제안들이 쏟아져 나왔다.

「군인들과 소방대원들의 도움을 얻어 1미터씩 도시 전체를 수색하는 게 어때요.」

「혹시 머리에 붉은 표시가 있는 개미가 지나가는 걸 보았는지, 우리가 만나는 모든 개미들에게 물어봅시다.」

어떤 해결책도 만족스럽지 않았다. 그때 레티시아가 제안을 했다.

「신문에 호소를 해보면 어떨까요?」

그들은 서로를 바라보았다. 언뜻 생각하기에 좀 엉뚱하다 싶었지만 그다지 어리석은 제안은 아닌 것 같았다. 그들은 다시 곰곰이 생각해 보았지만 아무도 더 나은 묘안을 찾아내지 못했다.

196. 백과사전

승리

승리 뒤에는 언제나 견딜 수 없는 허망함이 찾아오고 패배 뒤에는 언제나 새로운 열정이 솟아나면서 위안이 찾아온다. 그것은 왜 그런가? 아마도 승리가 우리로 하여금 똑같은 행동을 지속하도록 부추기는 반면 패배는 방향 전환의 전주곡이 되기 때문일 것이다. 패배는 개혁적이고 승리는 보수적이다. 사람들은 이런 진리를 막연하게나마 느끼고 있다. 영리한 사람들은 가장 멋진 승리를 거두려고 하지 않고 가장 멋진 패배를 당하려고 노력했다. 한니발은 로마를 눈앞에 두고 발길을 돌렸고, 카이사르는 로마력 3월 15일[37]의 원로원 회의에 나갈 것을 고집하다

---

[37] B. C. 44년, 카이사르는 왕의 칭호를 받고 싶어 했고 로마의 원로원은 로

가 브루투스의 단검을 맞고 죽었다.

이런 경험들에서 우리는 교훈을 얻을 수 있다. 우리의 실패는 이르면 이를수록 좋고, 우리를 물이 없는 수영장에 뛰어들게 해줄 다이빙대는 높으면 높을수록 좋다.

명철한 사람의 삶의 목표는 동시대의 모든 사람들에게 교훈을 줄 만한 참패에 도달하는 것이다. 왜냐하면 사람들은 승리로부터는 결코 배울 게 없고, 실패에 의해서만 배우기 때문이다.

에드몽 웰스, 『상대적이며 절대적인 지식의 백과사전』 제2권

197. 대중에 호소

『일요 메아리』 신문의 〈잃어버린 동물〉란에 몽타주가 보인다. 개미의 머리가 펜으로 그려져 있다.

〈시민 여러분! 잘 읽어 보세요! 이것은 농담이 아닙니다. 위의 개미를 찾아 주십시오. 그 개미가 죽음의 위험에 처해 있는 스물한 명의 생명을 구할 수 있습니다. 다음 사항을 참조하시어 다른 개미와 혼동하지 않도록 하시기 바랍니다.

103683호는 불개미입니다. 따라서 보통 개미들처럼 검은 색이 아닙니다. 가슴과 머리는 적갈색이고 배만 검은색입니다.

신장은 3밀리미터, 딱지에는 줄무늬가 있고 더듬이는 짧습니다. 손가락을 갖다 대면, 개미는 개미산을 내뿜습니다.

눈은 비교적 작은 편이고, 위턱은 넓고 앙바틈합니다.

이 개미에게는 독특한 표시가 하나 있습니다. 이마에 붉은 점이 있다는 것입니다. 이 개미를 발견하신 분께서는, 확

마력 3월 15일 회의에서 그에게 왕의 칭호를 주기로 되어 있었다.

신이 서지 않더라도 붙들어서 보호해 주시고, 주저 없이
31-41-59-26으로 전화하여 레티시아를 찾아 주십시오. 아
니면 경찰서에 전화하여 자크 멜리에스 경정을 찾으셔도 됩
니다.

103683호를 찾는 데 도움을 주신 분께는 10만 프랑의 사
례금을 드리겠습니다.〉

레티시아, 멜리에스, 쥘리에트 라미레는 개미 사육통의
개미들이나 우연히 길에서 마주친 개미들과 103호에 대해
이야기하려고 노력했다. 행여 사육통의 개미들이 벨로캉에
관한 이야기를 알고 있다고 하더라도, 그 개미들은 그들을
벨로캉으로 데려갈 수 없었다. 그 개미들은 현재 자기들이
어디에 살고 있는지조차도 모르고 있었다. 그러니 암에 대해
서도 무슨 얘기인지 도무지 알 턱이 없었다.

길에서, 정원에서, 집에서 우연히 마주친 개미들도 모르
기는 마찬가지였다.

그들은 개미들의 어리석음을 확인한 것 외에는 아무것도
얻지 못했다. 개미들은 아무것에도 관심이 없었고 아무것도
이해하지 못하고 있었다. 그저 먹이를 찾을 생각만 하고 있
었다.

자크 멜리에스와 쥘리에트 라미레, 레티시아 웰스는
103호가 얼마나 뛰어난 존재인가를 다시 한번 깨닫게 되었
다. 그의 탐구적인 태도는 다른 개미들에게서는 찾아보기 어
려운 것이었다.

레티시아 웰스는 103호가 손가락들에 대한 기억 페로몬
들을 모아 놓은 캡슐을 작은 핀셋으로 끄집어냈다.

확실히 103호는 자기 시대와 자기의 세계에 대해 모든 걸

알고 싶어 했다. 그토록 많은 호기심과 알고자 하는 열망은 사람에게서조차 찾아보기 어려운 것이었다. 103호는 정말 특별한 존재라고 레티시아 웰스는 생각했다.

한순간 그녀는 기도를 하고 싶었다. 인간의 도시에 떨어진 개미를 찾는 일이 기적이라면, 그것을 바랄 뿐이었다.

198. 납골당

여왕개미 클리푸니는 긴 위턱을 가진 경비 개미들의 호위를 받으면서 아래로 내려간다. 여왕개미는 진작 리빙스턴 박사와 얘기해 보지 못한 것을 후회한다. 클리푸니는 리빙스턴 박사에게 어떤 것을 물어보아야 할지, 또 어떻게 하면 손가락들의 약점을 알아낼 수 있는지를 생각하다가, 그들에게 먹이를 주기로 결심했다. 먹이를 주면서 그들을 길들여야 한다. 야생의 진딧물들을 길들일 때도 그렇게 했다. 그것들의 날개를 자르고 축사에 가두어 두기 전에 먼저 먹이를 주어 유인했던 것이다.

지하 10층 어떤 새로운 열정이 여왕개미를 사로잡는다. 걸음을 재촉한다. 그렇다. 여왕개미는 그들에게 양식을 줄 것이고, 그들과 대화를 나눌 것이다. 그리고 그들의 얘기를 기록해서 손가락들에 대한 기억 페로몬을 많이 저장할 것이다.

여왕개미 주위에 경비 개미들이 뛰어다닌다. 경비 개미들은 오늘 중요한 일이 일어날 거라고 느낀다. 혁신 운동의 창시자이고 개미 연방의 여왕인 클리푸니가 마침내 손가락들과 대화하면서 그들을 효과적으로 무찌르기 위한 연구를 하겠다고 나선 것이다.

지하 12층 클리푸니는 103호의 얘기를 일찍이 귀담아듣지 않았던 자신이 정말 어리석었다고 생각한다. 오래전부터 손가락들과 대화했어야 했는데. 벨로키우키우니가 손가락들과 대화를 나누었듯이, 마음만 먹으면 클리푸니도 얼마든지 그들과 이야기를 나눌 수 있었다.

지하 20층 저 아래 손가락들이 아직 살아 있기만 하면 좋겠는데! 뽐내고 싶은 마음으로 괜히 어머니와 다른 짓을 한 것이 모든 걸 망치지 않았으면 좋겠는데! 같은 식으로 해도 안 되었고 정반대로 해서도 안 되었다. 계속 발전시키도록 노력해야 했다. 어머니의 업적을 부정하기보다는 어머니의 업적을 계승 발전시켜야 했다.

여왕개미 주위에는 여전히 경비 개미들이 분주히 움직인다. 개미들이 더듬이 끝으로 클리푸니에게 인사한다. 대다수 개미들은 여왕이 이렇게 도시 아래로 깊이 내려오는 것을 보고 무척 놀란다.

지하 40층 클리푸니는 〈너무 늦지 않으면 좋겠는데〉라고 되뇌면서 경비 개미들과 함께 걸음을 빨리 옮긴다. 여왕개미는 여러 번 통로의 방향을 바꾸어, 알지 못하는 어떤 방으로 들어선다. 개미들의 발길이 뜸한 곳에 지어진, 규모가 어마어마하게 큰 방인데, 지은 지는 일주일도 채 안 된 듯하다.

여왕개미 앞에 신을 믿는 개미들이 갑자기 나타난다. 반체제 개미들의 시체가 모두 이곳으로 옮겨져 있다. 꼼짝하지 않고 있는 수백 마리의 개미들이 귀찮은 방문객에게 도전하는 듯한 모습을 보이고 있다.

도시 안에 죽은 병정개미들이 보존되어 있다니! 깜짝 놀라서 여왕개미의 더듬이가 뒤로 움찔거린다. 여왕개미 뒤에서 수행하고 있는 벨로캉의 병정개미들도 소스라치게 놀란다.

쓰레기터에 있어야 할 시체들이 어째서 여기에 다 모여 있단 말인가? 여왕개미와 경비 개미들이 을씨년스러운 분위기를 풍기는 시체들 사이를 오가며 둘러본다. 죽은 개미들 대부분은 전투를 하고 있는 자세로 위턱을 벌리고 더듬이를 앞으로 내밀고 있다. 역시 움직이지 않고 있는 어떤 적에게 뛰어오를 준비를 하고 있는 듯하다.

몇몇 시체들의 등에는 풀노린재들의 생식기가 뚫어 놓은 구멍의 흔적이 아직 남아 있다. 이 개미들이 모두 클리푸니의 지시에 따라 처단된 것이다……

클리푸니는 이상한 낌새를 느낀다.

클리푸니는 소스라치게 놀랐다. 시체들이 모두 마치 왕실에 있는 어머니 같은 모습으로 있는 것이다!

놀라운 일은 거기에서 그치지 않는다.

미동도 하지 않는 이 개미들 사이에서 어떤 움직임이 일고 있는 것처럼 보인다.

그렇다. 거의 절반 가까이가 움직이고 있다! 이것은 유령인가? 옛날에 경솔하게 굴다가 맛을 본 적이 있던 마약인 로메쿠사의 오래된 분비꿀이 되올라오기라도 한 것일까?

경악스럽다!

시체들이 움직이다니!

이것은 환각이 아니다! 수백 마리의 개미들이 지금 자신을 둘러싸고 있는 경비 개미들을 공격하고 있다. 여기저기서 싸움이 벌어진다. 긴 위턱을 가진 경비 개미들이지만, 신을 믿는 반체제 개미들의 수가 너무 많아서 싸움이 힘겹다. 기습의 효과와 그 낯선 장소에서 받은 충격 때문에 싸움의 판세는 여왕의 병정개미들 쪽에 불리하게 돌아간다.

신을 믿는 개미들은 싸우면서도 계속 더듬이를 흔들어 〈손가락들은 우리의 신이다〉라는 똑같은 페로몬을 내뿜고 있다.

199. 재발견

레티시아 웰스는 가쁜 숨을 내쉬며 맹렬한 기세로 지붕 밑 방에 뛰어 올라왔다. 거기에서는 자크 멜리에스와 쥘리에트 라미레가 현상 수배 광고 뒤에 들어온 수백 통의 전화 메모와 편지 들을 앞에 놓고 그 가운데서 쓸 만한 것을 찾으려고 애쓰고 있었다.

「103호를 찾았어요! 어떤 사람이 그 개미를 찾아냈어요!」

레티시아가 외쳤다.

하지만 그들은 반가워하는 기색을 보이지 않았다.

「개미를 찾아냈다고 연락한 사기꾼이 벌써 8백 명이나 돼요. 그들은 보상금을 탈 욕심으로 아무 개미나 주워서 이마에 붉은색을 조금 칠해서 가지고 왔다고요!」

멜리에스가 외쳤다.

쥘리에트 라미레는 한술 더 떴다.

「심지어 거미에 붉은색을 칠한 가짜 개미를 갖고 오는 사람도 봤어요.」

「아니, 아니에요. 이번에는 아주 진지한 사람이에요. 그는 사립 탐정인데 우리가 현상금을 건 날부터 계속해서 돋보기 안경을 끼고 도시를 샅샅이 뒤지고 다녔대요.」

「그가 103호를 발견했다고 믿는 이유는 뭐죠?」

「그가 전화로 개미 이마의 점이 붉지 않고 노란색이었다고 말했어요. 그런데 손톱에 칠한 매니큐어가 오래되면 노랗게 바래거든요.」

그 말은 설득력이 있었다.

「그럼 그 개미가 어디 있대요?」

「그는 개미를 갖고 있지 않아요. 그는 그 개미를 보았다고만 말했어요. 그는 103호가 손가락 사이에서 빠져나갔는데, 다시 잡을 수가 없었대요.」

「그가 개미를 어디서 봤는데요?」

「진정하세요! 그렇게 서두르지 말고요.」

「어딘데? 말해 봐요!」

「퐁텐블로 지하철역 안에서!」

「지하철역 안이라고?」

「그래요. 그런데, 6시면 한창 러시아워라 사람들이 많이 붐빌 때인데…….」

멜리에스는 기겁을 했다.

「1초가 급해요. 이 기회를 놓치면 우리는 완전히 103호를 잃어버릴 겁니다. 그러면…….」

「뛰어갑시다!」

200. 잠깐 동안의 휴식

눈이 푸른 두 마리의 뚱뚱한 개미가 볼썽사납게 입을 비죽거리면서 소시지와 잼 단지, 피자, 양배추 절임이 쌓여 있는 더미로 다가간다.

《니에르크, 니에르크야. 인간들이 뒤를 보고 있어! 빨리 먹어 치우자!》

개미 두 마리가 접시 위로 올라간다. 개미는 스튜 통조림을 열기 위해서 깡통 따개를 사용한다. 그리고 샴페인을 가득 부어 축배를 든다.

갑자기 불빛이 개미들을 비추고 노란 포말이 분사된다. 그 두 마리 개미는 눈썹을 치켜뜨고 푸르고 큰 눈을 끔벅거리다가 헐떡이면서 고함을 지른다.

《개미 살려. 〈프로프메종〉[38]이다!》

《안 돼, 절대 〈프로프메종〉만은 안 돼!》

검은 증기가 뿌려진다.

《으아악…….》

두 마리 개미는 땅바닥으로 쓰러진다. 카메라가 뒤로 이동한다. 한 남자가 대문자로 《프로프메종》이라고 쓰인 것을 들고서 분사기를 휘두른다.

미소를 띠면서 그는 카메라에 대고 추천의 말을 한다. 「태양의 계절, 더위가 찾아오면 바퀴, 개미가 기승을 부립니다. 이 징글징글한 바퀴·개미의 해결책! 바로 〈프로프메종〉입니다. 〈프로프메종〉은 당신의 찬장 속에 기어 다니는 모든 것을 말끔히 치워 줄 것입니다. 어린이에겐 절대 안전, 곤충에겐 절대 위험! 〈프로프메종〉은, 효율의 상징 CCG의 신제품입니다.」

38 PROPMAISON. 〈깨끗하다〉라는 뜻의 propre와 〈집〉을 뜻하는 maison을 합쳐 만든 상품명.

201. 지하철역에서의 수색

그들은 완전히 흥분해 있었다. 자크 멜리에스, 레티시아, 쥘리에트 라미레는 승객들을 마구 떼밀었다.

「혹시 개미 한 마리를 못 보았어요?」

「뭐라고요?」

「그 개미가 틀림없이 이곳을 지나갔어요. 틀림없어요. 개미들은 그늘진 곳을 좋아합니다. 어두운 구석에서 찾아내야 해요.」

자크 멜리에스는 어떤 사람에게 고함을 지른다.

「발을 조심해서 내디뎌요. 빌어먹을! 당신은 그 개미를 죽일 수도 있어요!」

아무도 그들의 이상한 행동을 이해하지 못했다.

「그걸 죽인다고요? 누구를 죽여요? 무엇을 죽인다고요?」

「103호요!」

습관대로 승객들 대부분은 이렇게 시끄럽게 구는 사람들을 쳐다보지도 않고, 말을 듣지도 않은 채 그냥 지나쳐 버렸다.

멜리에스가 타일 벽에 기댔다.

「빌어먹을! 지하철역 안에서 개미 한 마리를 찾는 것은 건초 더미에서 바늘 하나를 찾는 것과 같아.」

레티시아 웰스가 자신의 이마를 두드렸다.

「생각이 났어요! 왜 진작 그런 생각을 못 했지! 〈건초 더미에서 바늘 하나를 찾는 거〉란……?」

「무슨 얘깁니까?」

「건초 더미 속에서 바늘 하나를 찾으려면 어떻게 해야

되죠?」

「그것은 불가능해요.」

「아니, 가능해요. 좋은 방법이 있어요. 건초 더미 안에서 바늘 하나를 찾기 위해서라면 이보다 쉬운 방법은 없을 거예요. 건초에 불을 질러 재를 만든 다음 자석을 갖다 대는 거예요.」

「맞아요. 그런데 그게 103호와 무슨 관계가 있죠?」

「이건 하나의 비유예요. 그런 식으로 개미를 찾아내면 돼요. 분명히 무슨 방법이 있을 거예요.」

그들이 머리를 맞대고 의논하기 시작했다. 무슨 방법이 있을 것이다!

「자크, 당신은 경찰이잖아요. 그러니 역장에게 부탁해서 사람들을 모두 철수시키세요.」

「역장은 결코 받아들이지 않을 걸요. 지금은 러시아워거든요.」

「폭발물이 있다고 얘기해요! 그가 수천 명이 죽는 위험을 감수하지는 않을 거예요.」

「좋아요.」

「그리고 쥘리에트, 당신은 페로몬 문장 하나를 만들 수 있겠죠?」

「어떤 문장인데요?」

《가장 밝은 곳에서 만나자.》

「문제없어요! 페로몬을 300cc라도 만들어 낼 수 있어요. 그 정도면 스프레이로 여기저기 뿌릴 수 있을 거예요.」

「됐어요!」

자크 멜리에스는 레티시아의 의도를 깨닫고 들뜨기 시작

했다.

「알겠어. 당신은 103호가 찾아오도록 하기 위해서 강력한 탐조등을 승강장 위에 설치하려는 거죠?」

「내 개미집의 불개미들은 항상 불빛 쪽으로 갔어. 왜 그걸 생각해 내지 못했지……」

쥘리에트 라미레는 〈가장 밝은 곳에서 만나자〉라는 페로몬 문장을 만들었다. 그리고 이 페로몬을 분무기에 담아 가지고 왔다.

역 구내의 확성기에서는 모든 사람들에게 질서 정연하고 침착하게 역 구내에서 나가 줄 것을 요구하는 안내 방송이 나왔다. 하지만 사람들은 너 나 할 것 없이 떼밀고, 아우성치고, 부딪히고, 짓밟으며 난리를 쳤다. 인간은 자기만 위하고 신은 모두를 위한다는 말이 틀리지 않은 모양이다.

103호는 주위 사방을 진동시키는 구두창들의 북새통을 피해 〈퐁텐블로〉역 표지판의 사기로 만든 글자의 틈에 몸을 숨기기로 작정한다. 알파벳의 여섯 번째 글자 F에 숨어 103호는 손가락들의 땀 냄새가 사라지기를 기다린다.

202. 백과사전

아브라카다브라

Habracadabrah라는 마술의 주문은 히브리어로서 〈말한 대로 될지어다〉라는 뜻이다. 즉, 말로 나타낸 일들이 실제의 일로 나타나기를 바라는 뜻을 담고 있다. 중세 사람들은 열병을 다스리는 주문으로 그 말을 사용하였다. 그러던 것을 마술사들이 술법을 부릴 때 사용하는 주문으로 바꾸어 놓았다. 마술사들은 마술이 절정에 달하는 순간, 즉 관중이 곧 멋진 구경거리를 보게 될 찰나(말들이 현실로 나타나는 순간)에 그 글귀를 사용하였다. 그 글귀는 언뜻 보기에는 별거 아닌 것 같지만 상당히 깊은 뜻을 담고 있다. 그 주문을 히브리 문자로 적으면 다음과 같이 아홉 개의 글자로 표현된다. HBR HCD BRH (히브리어에서는 모음 글자를 표기하지 않기 때문에 HA BE RA HA CA DA BE RA HA가 위와 같이 표기되는 것이다). 그 아홉 개의 글자들을 아홉 층으로 배열해서 최초의 H(알레프는 HA로 발음된다)로 점차 내려오도록 만들면 다음과 같이 된다.

HBR   HCD   BRH

HBR   HCD   BR

HBR   HCD   B

HBR   HCD

HBR   HC

HBR   H

HBR

HB

H

이 배열은 하늘의 힘을 되도록 넓게 받아들여 사람들에게 내려보낼 수 있도록 고안된 것이다. 이것은 깔때기를 닮은 부적이다. 〈아브라카다브라〉라는 주문을 구성하는 글자들이 깔때기 안에서 소용돌이를 이루며 쏟아져 내려간다. 그 부적은 보다 우월한 시공(時空)의 힘을 붙들어 한군데로 집중시키는 것을 나타내고 있다.

에드몽 웰스, 『상대적이며 절대적인 지식의 백과사전』 제2권

203. 지하철역 안에 있는 개미 한 마리

이제 됐군. 사람들이 보이지 않는다. 103호는 F에서 나와 지하철역의 넓은 통로를 걷는다. 어찌 됐든 여기를 벗어나야 한다. 103호는 이렇게 하얗고 강렬한 네온 불빛을 좋아하지 않는다. 그때 갑자기 공기 중에서 페로몬 메시지 하나가 감지된다.

《가장 밝은 곳에서 만나자.》

103호는 그 냄새 언어의 억양을 알아차린다. 손가락들의 말을 번역하는 기계의 억양이다. 됐다! 가장 밝은 곳을 찾기만 하면 된다.

204. 불가능한 해후

벨로캉의 도시 안 여기저기에서 싸움이 벌어지고 있다. 반체제 개미들이 천장에서 떨어진다. 어떤 병정개미도 여왕개미를 구조하러 오지 않는다. 신을 믿는 개미들의 말라비틀어진 시체 사이에서 개미들이 서로 싸운다. 하지만 전세(戰勢)는 수가 많은 쪽으로 급속하게 기울고 있다.

클리푸니는 살기등등한 위턱들에 둘러싸여 있다. 이 개미들은 클리푸니 여왕의 페로몬을 알지 못하는 것 같다. 그 개미들 가운데 한 마리가 위턱을 잔뜩 벌린 채 다가온다. 마치 여왕개미의 목을 자르고 싶어 하는 것처럼 다가오면서 그 개미가 페로몬을 발한다.

《손가락들은 우리의 신이다!》

해결책은 단 한 가지. 손가락들을 만나야 한다. 클리푸니는 여기서 이대로 죽을 수는 없다고 생각한다. 여왕개미는 싸움판에 뛰어들어 자신을 가로막는 위턱들과 더듬이를 물리치고 바닥으로 내려가는 통로를 질주한다. 이제 갈 데는 한 곳뿐이다. 손가락들에게로.

지하 45층. 지하 50층. 여왕개미는 도시 아래로 내려가는 지름길을 발견한다. 신을 믿는 반체제 개미들이 여왕개미 뒤를 쫓고 있다. 그들의 적의에 찬 냄새가 풍겨 온다.

클리푸니는 화강암 속의 통로를 지나 제2의 벨로캉으로 들어간다. 그것은 옛날에 어머니가 손가락들과 대화하기 위해서 지은 은밀한 도시이다.

중앙에 하나의 물체가 놓여 있고, 거기에서부터 굵은 대롱이 빠져나와 있다.

클리푸니는 전에 첩보 개미들이 알려 준 정보가 있어서 그 볼품없게 생긴 것이 무엇인지 알고 있다. 그게 바로 〈리빙스턴 박사〉이다.

여왕개미는 리빙스턴 박사에게 다가간다. 신을 믿는 개미들이 여왕개미를 뒤쫓아 와 에워싼다. 그러나 그들은 여왕개미가 자기들 신의 사자에게 다가가도록 내버려 둔다.

여왕개미는 로봇 개미의 더듬이를 건드리며 자기 더듬이의 첫 번째 마디에서 페로몬을 발한다.

《나는 클리푸니 여왕이다.》

동시에 열 개의 다른 더듬이 마디를 통해서 많은 정보를 갖가지 길이의 냄새 파동으로 마구 발산한다.

신을 믿는 개미들은 마치 하나의 기적을 기다리는 것처럼 꼼짝도 하지 않는다.

그렇지만 아무 일도 일어나지 않는다. 리빙스턴 박사는

며칠 전부터 아무 말도 하지 않고 있다. 결국 그는 여왕개미에게조차 말하기를 거부한다.

클리푸니는 메시지의 냄새 농도를 높인다.

리빙스턴 박사 쪽에서는 아무런 반응이 없다. 그는 여전히 꼼짝을 안 하고 있다. 여왕개미의 뇌리에 불현듯 하나의 생각이 번개처럼 스치고 지나간다.

《손가락들은 존재하지 않는다. 손가락들은 존재한 적도 없다.》

손가락들에 관한 이야기는 개미들을 현혹시키는 엄청난 속임수, 유언비어, 거짓 정보이다. 여러 세대를 거치며 전해 내려온 이야기들이 병든 개미들의 운동에 의해 확산된 것이다.

103호가 거짓말을 했어. 어머니 벨로키우키우니가 흰소리를 한 거야. 반체제 개미들이 거짓부렁을 하고 있어. 모두들 진실을 숨기고 있는 거야.

《손가락들은 존재하지도 않고, 존재한 적도 없다.》

여왕개미의 모든 생각이 거기에서 멈춘다. 신을 믿는 개미들의 서슬 푸른 위턱 십여 개가 여왕개미의 가슴팍을 관통해 버린 것이다.

205. 103호를 찾아서

역장은 등불을 모두 껐다. 그런 다음 역장은 멜리에스가 요구한 대로 그들에게 승강장을 밝혀 줄 정도로 강력한 손전등을 주었다. 쥘리에트 라미레와 레티시아 웰스는 역 구내 전체에 103호를 찾는 페로몬을 뿌려 놓았다. 그들은 가슴을 두근거리면서, 103호가 그들의 불빛을 보고 다가오기만 기다리고 있었다.

103호는 자신이 알고 있는 네온 빛보다 더 밝은 빛에 의해서 생긴 그림자들을 지켜보고 있다. 그를 찾기 위해서 〈착한〉 손가락들이 뿌려 놓은 메시지를 따라서 밝은 쪽으로 나아간다. 그들이 거기에서 자기를 기다리고 있음에 틀림없다. 103호가 그들을 다시 만날 때 모든 것이 제자리로 돌아갈 것이다.

기다림이란 왜 이렇게 지루한 것인가! 자크 멜리에스는 제자리에 가만있지 못하고 복도를 왔다 갔다 하다가 담배에 불을 붙였다.

「담뱃불 꺼요. 담배 연기 냄새가 103호를 도망하게 할 수도 있어요. 103호는 불을 무서워하니까요.」

경정은 발뒤꿈치로 담배를 끄고서 다시 왔다 갔다 한다.

「그만 돌아다녀요. 개미가 그쪽으로 오다가 밟힐 수도 있어요.」

「그 점에 대해선 염려 붙들어 매요. 발걸음 떼어 놓기 전에 여기저기 살피는 게 이젠 아예 버릇이 되어 버렸으니까요.」

103호는 새로운 구두창들이 다가오고 있음을 느낀다. 이 페로몬은 함정이다. 개미들을 죽이는 손가락들이 더 많은 개미를 죽이기 위해서 이런 메시지를 뿌린 것이다. 103호는 도망을 친다.

레티시아 웰스는 불빛이 미치는 동그란 원 속에 있는 103호를 알아보았다.

「저기 봐요! 개미가 한 마리 있어요. 틀림없이 103호예요. 개미가 다가왔는데 당신이 구두창으로 겁을 주었어요. 103호가 도망가면 영영 못 찾게 될지도 몰라요.」

그들이 가만가만 다가갔지만 103호는 달아났다.

「저 개미가 우릴 알아보지 못하고 있어요. 개미에게는 모든 인간이 산으로 느껴질 거예요.」

레티시아는 애석해했다.

그들이 개미에게 손을 내밀었지만 103호는 마치 스키에서 슬랄럼[39] 경기를 하듯이 갈지자걸음으로 달아났다. 개미는 철길 쪽으로 나아가고 있었다.

「개미가 우리를 몰라봐요. 우리 손도 몰라보고 우리에게서 멀리 달아나려고 하는데요. 어떻게 하죠? 개미가 승강장에서 빠져나가면, 철길의 자갈 속에서는 103호를 영영 못 찾을 텐데!」

멜리에스가 외쳤다.

「저것은 개미예요. 개미에게 효과를 발휘하는 냄새가 또 뭐 없을까요? 당신 수성 펜 있어요? 잉크 냄새가 매우 강하니까 어쩌면 103호를 멈추게 할 수 있을 거예요.」

레티시아는 부랴부랴 103호 앞에 잉크로 굵은 선을 그었다.

질주하는 103호 앞에 돌연 알코올 냄새를 풍기는 벽이 우뚝 막아선다. 103호는 다리의 힘을 모두 모아 급정거를 하고는, 마치 눈에 보이지는 않지만 뛰어넘을 수 없는 경계선이 있기라도 한 것처럼 그 냄새 나는 벽을 따라 옆으로 나아간다. 그런 다음 그 벽을 우회해서 다시 달려간다.

39 비탈길이라는 뜻으로 〈회전 활강〉을 뜻한다.

「103호가 수성 펜 선을 돌아가고 있어요.」

레티시아는 길을 가로막기 위해서 재빨리 세 줄을 그어 삼 각형 모양의 감옥을 만들었다.

〈나는 이 냄새 나는 벽 사이에 갇혀 있다. 어떻게 하지?〉라 고 103호는 생각한다.

103호는 두 다리에 힘을 모으고는 마치 유리로 된 벽을 뚫 고 나오듯이 수성 펜 자국을 건너뛴다. 그러고는 어디로 가 는지 살피지도 않고 숨이 끊어질 정도로 달린다.

사람들은 개미가 그렇게 대담하리라고는 생각하지 않 았다.

그들은 소스라치게 놀라며 서로 부딪혔다.

「103호가 저기에 있어.」

멜리에스가 손가락으로 가리켰다.

「어디 있는데요?」

레티시아가 물었다.

「조심해!」

레티시아 웰스가 균형을 잃었다. 한순간 모든 일이 꿈결 처럼 느리게 진행되었다. 레티시아는 균형을 잡기 위해 옆으 로 발걸음을 떼었다. 순전히 반사적인 행동이었다. 하이힐 의 뾰족한 뒤축이 위로 올라갔다가 곧 개미 위에 다시 떨어 졌다…….

「안 돼!!!!!!!!!」

라미레 씨가 부르짖었다.

레티시아의 발이 땅에 닿기 전에 부인은 온 힘으로 레티시아를 밀었다.

　너무 늦었다.

　103호의 반사 신경은 구두 뒤축을 피할 겨를이 없었다. 103호는 바로 자기 위로 덮쳐 오는 그림자를 보고서, 이제 삶이 끝이로구나 하는 생각만 했다. 103호의 삶은 파란만장했다. 텔레비전의 화면에서처럼 수많은 영상들이 그의 뇌 속에 펼쳐진다. 개양귀비 전투, 도마뱀 사냥, 세계 끝의 광경, 뿔풍뎅이를 타고 출정했던 일, 코르니게라아카시아나무, 바퀴들의 거울, 손가락 문명을 발견하기 전에 있었던 무수한 전투, 축구, 미스 유니버스 선발 대회, 개미에 관한 기록 영화……

206. 백과사전

입맞춤

인간이 개미에게서 모방한 것이 무엇인지를 묻는 사람들이 가끔 있다. 나의 대답은 이렇다. 입술과 입술을 맞대는 것. 사람들은 고대 로마인들이 기원전 수백 년 전부터 입맞춤을 생각해 냈다고 오랫동안 믿어 왔다. 사실 고대 로마인들은 곤충들을 관찰하면서 그것을 배웠다. 그들은 개미들이 서로 입술을 접촉하면서 너그러운 행위를 하고 또 그런 행위가 개미들 사회를 더욱 공고히 해준다는 사실을 알았다. 그들은 이런 행위의 의미를 완전히 파악하지는 못했지만, 개미 사회의 응집력을 되찾기 위해 개미들이 이런 접촉을 계속한다고 생각했다.

입술과 입술을 맞대는 것은 영양 교환을 흉내 내는 것이다.

그러나 인간의 입맞춤에서는 양분이 없는 타액을 제공할 뿐이지만, 개미들의 영양 교환에서는 말 그대로 먹이를 나누어 준다는 점이 다르다.

에드몽 웰스, 『상대적이며 절대적인 지식의 백과사전』 제2권

207. 다른 세계에 있는 103호

그들은 망연자실한 채 103호의 찌그러진 몸을 바라보았다.

「103호가 죽었어요?」

개미는 더 이상 움직이지 않고 있었다. 전혀 움직이지 않았다.

「개미가 죽었어!」

쥘리에트 라미레가 주먹으로 벽을 쳤다.

「모든 게 사라졌어. 더 이상 누구도 내 남편을 살릴 수 없게 됐어. 우리의 모든 노력이 물거품이 되어 버렸어.」

「이렇게 멍청할 수가 있나! 거의 다 해놓고 실패하다니!」

「불쌍한 103호. 이 기구한 삶! 구두 뒤축 때문에 간단하게 끝장을 보다니…….」

「그건 내 잘못이야. 내 잘못이었어.」

레티시아가 반복했다.

자크 멜리에스는 다른 사람들보다 더 빨리 현실을 받아들였다.

「103호 시체를 어떻게 할까요? 내다 버려서는 안 되겠지요!」

「조그만 무덤을 만들어야 할 것 같아요.」

「103호는 여느 개미와는 달랐어요. 그는 오디세우스와도 같았어요. 아니면 더 낮은 차원의 시공간에서 온 마르코 폴

로였어요. 개미 문명 전체를 대표하는 중요한 개미였지요. 103호는 무덤보다 더한 것도 받을 만해요.」

「무얼 생각하세요, 기념물?」

「네.」

「하지만 지금으로서는 이 개미가 무엇을 했는지 우리들 이외에 아무도 몰라요. 아무도 이 개미가 우리와 개미 문명 사이의 교량 역할을 했다는 걸 몰라요.」

「그 사실을 여기저기 알려야 합니다. 전 세계에 알려야 한 다고요!」

「우리는 103호만큼 재능이 있는 〈특사〉를 다시는 찾지 못 할 거예요. 이 개미는 두 세계의 만남에 필수적인 호기심과 열린 마음을 갖고 있었어요. 다른 개미들과 대화하면서 그런 사실을 알았어요. 정말 특이한 경우였어요.」

레티시아 웰스가 단언했다.

「103호와 같이 재능이 있는 개미는 10억 마리에 하나 있 을까 말까예요.」

103호가 그들에게서 배우려 했던 것처럼 그들도 103호에 게서 배우려 하던 참이었다. 그들은 서로에게 이익을 줄 수 있다는 것을 잘 이해하고 있었다. 개미들은 시간을 벌기 위 해서 인간을 필요로 하고 인간도 시간을 벌기 위해서 개미를 필요로 한다.

얼마나 유감스러운 일인가! 목표에 이만큼 다가와서 실패 하다니!

자크 멜리에스라고 한 가닥 서운한 감회가 없지는 않았다. 그는 벤치에 앉아 발로 바닥을 툭툭 쳤다.

「내가 너무 되통스러웠어요!」

레티시아가 자책의 한탄을 늘어놓았다.

「나는 이 개미를 못 봤어요. 이 개미는 너무 작았어요. 나는 그걸 못 봤단 말이에요!」

그들은 모두 꼼짝 않고 있는 조그만 몸뚱이를 바라보았다. 그것은 이제 하나의 물건에 지나지 않았다. 이렇게 볼품없이 찌그러진 몸뚱이를 보고 그것이 손가락들을 향한 첫 번째 원정군의 안내자인 103호라고 믿을 사람은 아무도 없을 것이다.

그들은 개미의 시체 앞에서 생각에 잠겼다.

그때 갑자기 레티시아 웰스가 눈을 크게 뜨고 자리에서 벌떡 일어났다.

「개미가 움직였어요!」

그들이 자세히 살펴보았으나 개미는 움직이지 않았다.

「당신은 희망을 현실과 착각하고 있어요.」

「아녜요. 꿈을 꾼 게 아니라 103호가 더듬이를 움직이는 걸 확실히 봤어요. 겨우 느낄 수 있는 정도이긴 했지만 움직인 건 분명해요.」

그들은 서로 마주 보았다. 그런 다음 오랫동안 개미를 관찰했다. 그러나 살아 있음을 보여 주는 어떠한 미동도 감지하지 못했다. 더듬이는 세워져 있었고, 여섯 개의 다리는 어떤 장거리 여행을 준비하고 있는 것처럼 움츠리고 있었다.

「개미가 분명히 다리 하나를 움직였어요!」

자크 멜리에스가 레티시아의 어깨를 잡았다. 그는 그녀가 흥분한 나머지 헛것을 보고 있다고 생각했다.

「미안한 얘기지만 그것은 순전히 시체의 반사 운동입니

다. 확실해요!」

쥘리에트 라미레는 레티시아 웰스의 의혹을 풀어 주고 싶었다. 쥘리에트는 103호의 몸통을 잡고서 귀에 대어 보다가 아예 귓속에 넣어 보기까지 했다.

「심장 뛰는 소리가 들릴 거라고 믿고 계세요?」

「누가 알아요? 내 귀는 예민해요. 나는 아주 사소한 움직임이라도 느낄 수 있으니까요.」

레티시아 웰스는 103호의 시체를 다시 잡아 벤치 위에 내려놓았다. 그리고 무릎을 꿇고서 조심스럽게 103호의 위턱 앞에 거울을 갖다 놓았다.

「103호가 숨 쉬는 것을 보고 싶어서 그러는 거예요?」

「개미들도 호흡을 하지요, 안 그래요?」

「하지만 호흡이 너무나 미약해서 우리 눈으로 식별하기는 어려워요.」

그들은 감정을 억제한 후, 개미를 주시했다.

「개미는 죽었어요. 분명히 죽었어!」

「103호는 인간과 개미가 연대하기를 희망한 유일한 개미였어요. 103호는 많은 시간을 들여 우리 세계를 관찰하고 나서 두 문명이 서로 교류할 수 있다고 생각했지요. 그가 돌파구를 열었고 두 문명 사이의 공통점을 찾아냈어요. 다른 개미였다면 그렇게 할 수 없었을 거예요. 103호는 조금씩 인간에 동화되기 시작했고 우리의 유머와 예술을 높이 평가했어요. 실용성을 전혀 염두에 두지 않지만 매력적인 것이라고 예술을 평가했지요.」

「다른 개미를 교육시킵시다.」

자크 멜리에스가 그녀를 껴안고 위로했다.

「다른 개미를 잡아서 인간의 유머와 예술이 무엇인가를 알려 주면 돼요.」

「103호와 같은 개미는 없어요. 모두 내 잘못이에요.」

레티시아가 되뇌었다. 그들 모두는 103호의 몸에 시선을 고정했다. 한순간 침묵이 흘렀다.

「103호에 걸맞은 장례를 치러 줍시다.」

쥘리에트 라미레가 말했다.

「세기의 가장 위대한 사상가들이 묻혀 있는 몽파르나스 묘지에 103호를 묻어 줍시다. 아주 조그만 무덤이 되겠지만, 그 묘 위에 〈그는 위대한 시작이었다〉라고 씁시다. 우리만이 비석의 의미를 알게요.」

「십자가는 세우지 말죠.」

「꽃도 화환도 준비하지 맙시다.」

「시멘트에 나뭇가지 하나만 세워 둡시다. 103호가 두려움을 느낄 때조차도 언제나 사건들에 당당하게 맞섰던 것을 기리는 뜻에서 말이지요.」

「그 개미는 언제나 두려움을 느끼면서 사물을 대했어요.」

「해마다 묘지를 찾읍시다.」

「나로서는 내 실수를 상기하고 싶지 않아요.」

쥘리에트 라미레가 한숨을 내쉬며 말했다.

「정말 너무 안타까운 일이에요.」

라미레 씨는 손톱으로 103호의 더듬이를 톡톡 건드렸다.

「자, 일어나, 당장! 너는 우리를 감쪽같이 속였어. 우리는 네가 죽은 줄로만 알았어. 네가 장난으로 이러고 있다는 걸 우리에게 보여 다오. 너는 우리 인간들처럼 농담도 할 줄 알았지. 자 됐어. 너는 개미의 유머를 생각해 냈어!」

라미레 씨는 할로겐램프 아래로 103호를 옮겼다.

「혹시 따뜻하게 해주면…….」

그들 모두 103호의 시체를 바라보았다. 멜리에스는 탄식처럼 짧은 기도를 했다. 신이시여, 기적을 일으켜 주소서…….

그러나 아무 일도 일어나지 않았다.

레티시아 웰스는 눈물을 흘렸다. 눈물이 흘러내려 콧등과 뺨을 타고 턱에 머물렀다가 개미 곁에 떨어졌다. 짠 눈물방울이 103호의 더듬이를 적셨다.

그때 놀라운 일이 벌어졌다.

개미의 눈이 크게 벌어지더니 이윽고 몸이 구부러졌다.

「개미가 움직였다!」

이번에는 모두들 더듬이가 떨리는 것을 보았다.

「움직였어요. 개미가 아직 살아 있나 봐요!」

더듬이가 다시 한번 떨린다.

레티시아는 다시 눈물을 찍어서 더듬이를 적셨다.

개미가 다시 한번 눈에 보일락 말락 하게 움찔거렸다.

「103호가 살아 있어. 살아 있어요. 103호가!」

쥘리에트 라미레는 미심쩍은 듯 손가락으로 입을 문지른다.

「아직 완전히 살아난 것은 아니에요.」

「이 개미는 심하게 다쳤어요. 하지만 우리가 구해 낼 수 있을 거예요.」

「수의사가 필요해요.」

「개미에게 수의사라니, 그것은 말도 안돼!」

자크 멜리에스가 말했다.

「그럼, 누가 103호를 치료할 수 있을까? 치료를 안 하면 죽을 텐데!」

「어떻게 하지요?」

「일단 데리고 나갑시다, 빨리.」

개미가 다시 살아나기를 간절히 바랐던 만큼 그들은 기쁜 마음을 진정시킬 수 없었다. 그러나 막상 그 개미가 살아나자 그들은 개미를 어떻게 치료해야 할지 몰랐다. 레티시아 웰스는 그 개미를 어루만지며 안심시키고 용서를 구하고 싶었을 것이다. 그러나 동작이 굼뜨고 개미들의 세계에 익숙지 않은 레티시아는 상황을 더욱 악화시킬 뿐이었다. 순간 레티시아는 자기가 개미가 되어 103호를 핥아 주고 영양 교환을 할 수 있었으면 좋겠다고 생각했다.

「개미만이 103호를 살릴 수 있을 거예요. 103호를 개미들에게 데려가야 해요.」

「안 돼요. 저 103호에게는 이상한 냄새가 묻어 있어요. 개미집에 있는 다른 개미가 103호를 알아보지 못하고 그를 죽일 수도 있어요. 그를 치료할 수 있는 사람은 우리밖에 없어요.」

「아주 미세한 메스와 핀셋이 필요할 텐데…….」

「다른 도리가 없잖아요. 빨리 서두릅시다!」

쥘리에트 라미레가 외쳤다.

「집으로 빨리 갑시다. 소생할 가능성이 전혀 없는 건 아니에요. 누구 성냥갑 하나 있어요?」

레티시아는 성냥갑 속에 아주 조심스럽게 103호를 옮겨 놓았다. 그녀는 성냥갑 속에 손수건 조각이 수의가 아니라 침대보가 되기를. 자기가 관을 운반하는 게 아니라 앰뷸런스를 운반하는 게 되기를 간절히 바랐다…….

103호는 더듬이 끝을 미미하게 움직여 구조를 요청한다. 마치 자신의 생명이 끝나 가는 것을 아는 것처럼, 마지막 작별 인사를 하고 싶다는 듯이……

그들은 성냥갑이 흔들려 개미의 상처가 악화되지 않도록 애를 쓰면서 지하철역 구내를 벗어나 지상으로 달려 올라왔다.

밖으로 나온 레티시아는 구두를 벗어 도랑에 집어 던지고 발을 동동 굴렀다. 그들은 택시를 잡아타고는, 기사에게 요동을 피하면서 되도록 빨리 달려 줄 것을 요구했다.

택시 기사는 승객들이 누구인지를 알아보았다. 지난번에 시속 0.1킬로미터를 넘지 말라는 희한한 요구를 했던 바로 그 남녀였다. 또다시 그 골치 아픈 사람들과 맞닥뜨린 것이었다. 어찌 된 게 그들은 지나치게 느리거나 지나치게 빠른 것만을 요구하고 있었다.

그래도 고객은 왕인데 어쩌랴. 기사는 쥘리에트 라미레의 집 쪽으로 방향을 잡았다.

208. 페로몬

분야: 동물학

주제: 손가락들

정보 제공자: 103683호

정보 제공 연도: 100000667년

딱지 손가락들은 부드러운 살갗을 갖고 있다. 피부를 보호하기 위해 식물로 짠 〈천〉 혹은 그들이 〈자동차〉라고 부르는 금속판으로 피부를 감싼다.

거래 손가락들은 상업적인 거래에서는 완전히 손방이다. 순진한 그들은 많은 양의 먹이를, 먹을 수도 없는 채색된 〈종이〉한 조각과 교환한다.

색깔 손가락들로부터 3분여 동안 공기를 빼앗아 버리면 그들은 색깔이 변한다.

구애 행위 손가락들은 구애 행위를 복잡하게 한다. 구애 행위를 위해서 그들은 대개 〈나이트클럽〉이라고 부르는 특별한 장소에서 만난다. 거기에서 그들은 몇 시간 동안 계속해서 얼굴을 맞대고 교미 행위를 흉내 내면서 심하게 몸을 꼬아 댄다. 그러다 각자 상대방의 몸짓에 만족하면 번식을 하기 위하여 함께 방으로 간다.

이름 손가락들은 그들끼리 〈인간〉이라 부른다. 그들은 우리를 〈개미〉라고 부른다.

외부와의 관계 〈손가락들〉은 자기 자신의 문제에만 몰두한다. 그들은 본능적으로 다른 손가락들을 죽이기를 열망한다. 하지만 인위적으로 만들어진 엄격한 사회 규범인 〈법〉이 살생의 충동을 억제하도록 해준다.

타액 손가락들은 그들의 침으로 씻을 줄도 모른다. 몸을 씻기 위해서는 〈욕조〉라고 부르는 도구가 필요하다.

우주론 손가락들은 지구가 둥글며 태양의 둘레를 돌고 있다고 생각한다.

동물관 손가락들은 그들을 둘러싸고 있는 자연을 대단히 잘못 알고 있다. 그들은 〈인간〉들만이 유일하게 영리한 동물이라고 믿고 있다.

209. 수술, 마지막 기회

「메스!」

아서가 요구하는 대로 수술 도구들이 바로바로 건네졌다.

「메스 여기 있어요.」

「1번 핀셋!」

「1번 핀셋 여기 있어요.」

「메스!」

「메스.」

「봉합사!」

「봉합사.」

「8번 핀셋!」

「8번 핀셋 여기 있어요.」

아서는 103호를 수술했다. 다 죽어 가는 103호를 데리고 그들이 집으로 왔을 때, 아서는 기절 상태에서 깨어나 평상의 모습으로 되돌아와 있었다. 아서는 동료들이 자기에게 무엇을 기대하는지 즉각 알아차렸다. 아서는 소매를 걷어 올렸다. 섬세한 수술에 필요한 예민한 감각을 온전히 유지하고 싶어서 그는 아내 쥘리에트가 권유한 진통 효과가 있는 칵테일조차 사양했다.

자크 멜리에스, 레티시아 웰스, 쥘리에트 라미레는 장난감 가게 주인이 임시변통으로 마련한, 현미경이 부착된 외과수술용의 조그만 탁자 위로 몸을 기울인 채 아서를 둘러싸고 있었다. 현미경의 슬라이드는 비디오카메라와 연결되어 있었다. 모두들 텔레비전으로 수술 장면을 볼 수 있었다.

고장 난 로봇 개미들이 이미 여러 차례 슬라이드 위를 거쳐 갔지만 살아 있는 개미가 짓뭉개진 모습으로 놓이기는 처음이었다.

「피!」

「피, 여기 있어요.」

「피가 좀 더 필요해!」

죽어 가는 103호를 살리기 위해 살아 있는 네 마리의 개미가 수혈에 필요한 피를 제공하고 죽어 갔다. 그들은 망설일 시간이 없었다. 103호는 특별한 개미였고 그를 위해 다른 개미 몇 마리를 희생시키는 것은 불가피했다.

아서는 아주 미세한 바늘을 갈아서 103호의 왼쪽 뒷다리 마디의 부드러운 곳에 찔러 넣고 수혈을 시작했다.

엉겁결에 외과 의사가 된 아서는 수술을 받고 있는 개미가 아파하는지 어떤지는 알 수 없었지만 금방이라도 부서질 것 같은 개미의 상태를 고려하여 마취 없이 수술을 진행했다.

아서는 가운뎃다리부터 접골사가 하는 방식으로 끼워 맞춰 나갔다. 왼쪽 앞발을 맞추기는 아주 쉬웠다. 로봇 개미를 가지고 작업을 해온 그의 능수능란한 솜씨가 진가를 발휘했다.

자동차의 찌그러진 흙받기를 고치는 것처럼, 개미의 납작한 가슴을 미세한 핀셋으로 들어 올려 원래대로 해놓았다. 그리고 키틴질에 구멍이 난 곳은 풀로 막아 주었다. 풀은 수혈을 할 때 미세한 바늘이 뚫어 놓은 구멍을 메우는 데도 사용되었다.

「머리와 더듬이가 무사했던 게 천만다행이야.」

한숨 돌린 아서가 말했다.

「당신 구두의 뒤축이 매우 좁아서 개미의 배와 가슴만 짓누른 거요.」

현미경 슬라이드의 불빛을 받으며 103호가 원기를 회복한다. 머리를 조금 내밀어 위턱 앞에 놓여진 꿀을 천천히 핥아 먹는다.

아서는 일어나 이마에 흐른 땀을 닦고 한숨을 내쉬었다.

「개미는 이제 위급한 상황을 넘겼어요. 그렇지만 완전히 회복하려면 며칠 동안의 휴식이 필요할 거예요. 개미를 어둡고 촉촉하고 따뜻한 곳으로 옮겨 놓으세요.」

210. 백과사전

그 길은 어떤 길인가?

서기 1억 년의 사람(현재 개미들만큼 경험을 쌓은 사람)을 생각해야 한다.

이 사람은 우리보다 10만 배 이상 진보된 의식을 갖고 있을 것이다. 그 사람을 도와야 한다. 바로 우리의 손자, 그 손자의 손자, 그 손자의 10만 대의 후손을 말이다. 그렇게 하기 위해서는 〈황금의 길〉을 닦아 놓아야 한다. 쓸모없는 형식주의에 허비하는 시간을 가장 적게 해줄 길, 그리고 모든 독재자들과 야만인들과 반동주의자들의 억압 때문에 뒤로 물러서지 않게 해줄 길, 그 길을 닦아야 한다. 보다 고양된 의식으로 이끄는 길, 즉 도(道)를 찾아야 한다. ㄱ 길은 우리의 수많은 경험을 바탕으로 닦여질 것이다. 그 길을 제대로 찾아내기 위해서는 우리의 관점을 변화시켜야 하고 한 가지 사고방식을 고집하지 말아야 한다. 어떠한 사고방식이라도 받아들일 준비가 되어 있어야 한다. 하물며 그것이 바람직한 것이라면 더 말할 나위가 없다.

개미들은 우리에게 하나의 사고방식을 제시한다. 개미들의 입장에 서 보라. 또한 돌멩이, 구름, 물결, 물고기, 나무들의 처지로 들어가 보라. 서기 1억 년의 인간은 산과 얘기하는 방법을 알게 될 것이고 산들이 지니고 있는 기억 속에서 뭔가를 끄집어낼 수 있을 것이다. 그렇지 않으면 모든 것은 아무 소용이 없을 것이다.

에드몽 웰스, 『상대적이며 절대적인 지식의 백과사전』 제2권

211. 지하 동굴

사흘간의 회복기를 거치자 103호의 타박상이 어느 정도 치유되었다. 먹는 것도 거의 보통 때와 같이 먹기 시작했다 (메뚜기 고기 조각이나 익힌 곡식 알갱이도 먹었다). 더듬이도 정상적으로 움직였다. 개미는 상처 부위를 덮고 있던 풀을 떼어 내고 상처를 소독하기 위해서 침으로 계속 닦았다.

아서 라미레는 모든 충격으로부터 103호를 보호하기 위해서, 탈지면을 채운 상자 안에 103호가 거닐 수 있도록 해주었다. 개미의 상태가 나날이 좋아지고 있음을 알 수 있었다. 부러졌던 다리가 잘 움직이지는 않았지만, 103호는 그래도 흔들거리면서 걷기 시작했다.

「개미의 다리에 힘이 붙게 하려면 운동 요법이 필요해.」

자크 멜리에스가 말했다.

그의 말이 옳았다. 아서는 돌아가는 조그만 양탄자 위에 103호를 올려놓았다. 모두들 번갈아 가며 103호의 다리에 허벅살이 붙도록 그를 걷게 했다.

103호는 토론을 다시 할 정도로 원기를 회복했다.

103호가 다친 지 열흘이 지나, 그들은 조나탕 웰스와 그의

동료들을 구출하기 위한 구조대를 편성했다.

자크 멜리에스는 에밀 카위자크와 세 명의 부하 경찰을 차출했다. 레티시아 웰스와 쥘리에트 라미레도 구조대의 일원이 되었다. 아서는 지병과 최근의 정신적 과로로 너무 약해져 있었기 때문에 안락의자에 앉아 편히 쉬면서 그들이 돌아오기를 기다리기로 했다.

그들은 삽과 곡괭이를 챙겼다. 103호가 그들을 안내하기 위해서 앞장을 섰다. 퐁텐블로 숲을 향해서 앞으로!

레티시아는 손가락으로 103호를 풀 속에 내려놓았다. 이제 더 이상 개미를 잃어버리지 않도록 하기 위해서 나일론 실을 배마디에 매어 놓았다. 이를테면 그것은 개나 말에 매단 끈과 같은 구실을 했다.

103호는 주위에서 풍기는 냄새로 방향을 식별해 더듬이로 알려 준다.

《이곳으로 가면 벨로캉이 있다.》

손가락들은 더 빨리 가기 위해서 개미를 들어 올려 멀리 옮겨 놓았다. 개미가 더듬이를 움직이면 그들은 개미가 새로운 방향을 일러 주고 싶어 그러는 것임을 깨닫고 개미를 땅바닥에 내려놓았다. 그러면 개미가 새로이 길을 가리켜 주었다.

한 시간 남짓 걸은 그들은 도랑을 건너 가시덤불 속으로 들어갔다. 103호가 냄새를 정확히 따라가도록 하기 위해서는 아주 천천히 뒤따라가야만 했다.

아직 3시밖에 안 되었다. 그들은 전방 멀리 커다란 잔가지 더미를 발견했다.

개미가 다 왔다는 신호를 보냈다.

「그럼 벨로캉이 바로 여기인가? 다른 때였더라면 이 같은 언덕은 그냥 지나쳤겠군.」

멜리에스가 의아하다는 듯이 말했다.

그들은 걸음을 재촉했다.

「경정님, 지금 시작할까요?」

경찰관 하나가 물었다.

「그래, 지금 파 내려가자.」

「개미 도시를 망가뜨리지 않도록 특히 조심하셔야 돼요.」

개미들에게 험악하게 굴 것처럼 보이는 어떤 사람을 가리키며 레티시아가 다짐을 놓았다.

「개미 도시를 붕괴시키지 않겠다고 103호와 약속한 것을 절대로 잊지 마세요.」

카위자크 형사는 어떻게 파 내려가야 좋을지를 곰곰이 생각했다.

「좋아요. 바로 옆으로 파 내려가면 돼요. 지하 동굴이 크다면 개미 둥지 옆으로 파 내려가도 별문제 없이 동굴과 마주치게 될 것이고, 설사 동굴 위로 내려서지 못하더라도 개미집을 망가뜨리지 않고 아래로 비스듬히 파 들어갈 수 있을 겁니다.」

「좋아요!」

레티시아가 말했다.

그들은 어떤 섬 안에 숨겨진 보물을 찾는 해적들처럼 땅을 파 내려갔다. 구조원들은 곧 온몸에 진흙을 뒤집어썼다. 아직 그들의 삽 끝이 바위에 닿는 기미는 없었다. 멜리에스는 그들이 계속 파 내려가도록 독려했다.

10, 11, 12미터를 파 내려가도 여전히 아무것도 나타나지

않았다. 벨로캉의 개미들은 도시 주위에 무시무시한 진동이 일어나 주변 통로들이 뒤흔들리자, 도대체 이게 무슨 영문인가 하고 의아해하면서 하나둘씩 밖으로 나왔다.

에밀 카위자크는 꿀을 주어 개미들을 안심시켰다.

삽질을 계속하던 경찰관들은 이제 지치기 시작했다. 그들은 자신들의 무덤을 파고 있다는 느낌 때문에 적잖이 불안해했다. 그러나 그들의 상관이 끝까지 가볼 결심을 하고 있는 눈치여서 그들은 계속 파는 수밖에 달리 도리가 없었다.

손가락들을 구경하러 나온 벨로캉 개미들의 수가 점점 불어난다.

《손가락들이다.》

카위자크가 준 꿀을 거부했던 병정개미가 페로몬을 발했다. 그 개미는 꿀에 독이 들어 있을지도 모른다고 생각했다.

《손가락들이 원정군에게 복수하러 왔다!》

쥘리에트 라미레는 그 조그만 미물들이 모두 무엇 때문에 동요하는지를 눈치챘다.

「빨리! 개미들이 경보 페로몬을 뿜어 대기 전에 모두 붙잡아요.」

레티시아와 멜리에스는 개미들을 풀과 흙이 뒤섞인 채로 한줌 잡아 상자 안에 집어넣었다. 라미레가 상지 위에 페로몬을 뿌렸다.

《소동 피우지 마라. 모든 게 잘될 거다.》

그 페로몬은 즉시 효력을 발휘했다. 상자 안에서 더 이상의 동요는 없었다.

「서둘러야 해요. 그러지 않으면 우리 등 위로 벨로캉 연방의 군대들이 모두 올라올 거예요. 살충제 분무기를 아무리 많이 들이대도 저 개미들을 끝내 저지하지 못할 거예요.」

「알쏭알쏭 함정 퀴즈」의 챔피언인 라미레 씨가 말했다.

「걱정하지 마세요. 자, 이제 됐어요. 밑에서 뭔가 울리는 소리가 들려요. 우리 바로 아래에 동굴이 있는 것 같아요.」

경찰관 가운데 하나가 그렇게 말하고 나서 아래를 향해 소리를 질렀다.

「여보세요, 아래 누구 있어요?」

아무런 대답이 없자 그들은 손전등을 가지고 주위를 밝혀 보았다.

「사원인 것 같은데……. 아무도 없군.」

카위자크가 말했다.

경찰관 하나가 밧줄을 가지고 왔다. 그는 밧줄을 나무 밑동에 단단히 묶어 놓고, 손전등을 들고 밧줄을 타고 내려갔다. 카위자크가 뒤따라갔다. 그는 동굴 위에 있는 다른 사람들에게 알리기 전에 우선 방을 하나하나 조사하기 시작했다.

「됐어요. 그들을 찾았어요. 그들은 온전하게 살아 있는 것 같아요. 그런데 지금은 자고 있어요.」

「하지만…… 이런 북새통 속에서 잠을 자다니…… 말도 안돼. 우리들이 떠드는 소리에도 잠에서 깨어나지 않았다면 그들은 죽은 거나 다름없어…….」

자크 멜리에스는 자기가 직접 확인하려고 내려갔다. 방에 불을 비춰 보다가 그는 샘과 컴퓨터와 웅웅거리는 전기 기계들을 발견하고 깜짝 놀랐다. 그는 침실 쪽으로 나아가 거기에 누워 있는 사람들 가운데 하나를 깨우려고 팔을 잡았다.

팔은 너무나 여위어서 해골을 만지는 듯했다. 그는 뒤로 움 칫 물러섰다.

「이들은 모두 죽었어.」

그가 중얼거렸다.

「아니요…….」

멜리에스는 펄쩍 뛸 듯이 놀랐다.

「누가 말을 한 거지?」

「나요.」

누군가가 연약한 목소리로 중얼거렸다.

돌아선 멜리에스 경정 앞에 뼈가 앙상히 드러난 사람 하나 가 벽에 기대어 서 있었다.

「아니요. 우리는 죽은 게 아니오. 우리는 기다림에 지쳐 더 이상 당신들을 기다리지 않기로 했소.」

조나탕 웰스가 팔을 벽에 기대고 또박또박 말했다.

그들은 서로를 주시했다. 조나탕 웰스는 눈도 깜박거리지 않았다.

「당신들은 우리가 땅을 파 내려오는 소리를 듣지 못했 나요?」

자크 멜리에스가 물었다.

「들었소. 하지만 우리는 마지막 순간까지 자고 싶었소.」

잠에서 깬 다니엘 로젠펠트가 말했다.

그들은 모두 일어났다. 하나같이 피골이 상접했고 더 이 상 말할 기운조차도 없어 보였다.

경찰관들은 흡사 귀신을 보고 얼이 빠진 표정들이었다. 사실 그들의 몰골은 사람의 형상이라 보기가 어려웠다.

「여러분들, 배가 몹시 고프겠군요!」

「아닙니다. 성급하게 우리에게 먹을 것을 주려고 하지 마세요. 그것은 우리를 죽일 수도 있어요. 우리는 아주 적게 먹고 사는 데 익숙해져 있거든요.」

에밀 카위자크는 그들이 무슨 말을 하고 있는지 이해할 수가 없었다.

「자, 그럼, 당신들이 원하는 것이 무엇인지 말해 보시오!」

지하실의 사람들은 침착하게 옷을 걸친 다음 앞으로 나왔다. 그들은 햇빛을 보자 눈을 가리고 뒷걸음질을 쳤다. 햇빛이 그들에게 너무 강렬했기 때문이다.

조나탕 웰스는 지하에서 공동생활을 한 동료들 몇몇을 모이게 했다. 그들이 둥그렇게 모여 앉자 자종 브라젤이 질문 하나를 제기했다. 이미 그들 모두가 스스로에게 던지고 있던 질문이었다.

「나가는 게 좋겠소, 남아 있는 게 좋겠소?」

212. 백과사전

비트리올

〈비트리올〉은 황산의 다른 이름이다. 사람들은 오랫동안 〈비트리올〉이 〈유리를 만들어 주는 것〉을 의미한다고 믿었다. 하지만 그 말 속에는 보다 더 연금술적인 다른 의미가 숨겨져 있다. 〈비트리올〉이란 단어는 고대로부터 내려오는 어떤 주문의 첫 번째 글자들을 모아 만들어진 것이다. 즉, 〈땅속으로 들어가 보라, 거기서 마음가짐을 바로 하면 숨겨진 돌을 발견할 수 있을지니 Visita Interiora Terrae, Rectificando Invenies Occultum Lapidem〉의 첫 글자들이 모여 VITRIOL이 된 것이다.

에드몽 웰스, 『상대적이며 절대적인 지식의 백과사전』 제2권

213. 준비

클리푸니의 시신은 시체실에 놓여 있다. 신을 믿는 개미들이 거기에 여왕개미를 옮겨 놓았다.

산란하는 여왕개미가 없으면 벨로캉 왕국은 멸망하게 될 것이다. 불개미에게는 여왕개미가 절대적으로 필요하다. 더도 말고 한 마리의 여왕개미만 있으면 된다.

모든 개미들이 그 사실을 알고 있다. 도시를 몰락의 위기에서 구하는 데 신을 믿고 안 믿고가 문제가 될 수 없다. 시기가 지났다 할지라도 신생의 축제를 다시 열어야 한다.

벨로캉 개미들은 지난 7월 신생의 축제 때 날지 못했던 늦된 암개미들을 모으고, 지난 결혼 비행 때에는 너무 허약해서 도시 밖으로 나갈 수 없었던 수개미들을 채근하여 결혼 비행에 임할 준비를 시킨다.

짝짓기는 도시를 구하기 위해 필수 불가결한 일이다. 손가락들이 신이든 아니든 상관없이, 산란하는 여왕이 사흘 안으로 즉위하지 않으면 벨로캉 개미들은 모두 죽고 말 것이다.

개미들은 사랑의 행위를 준비하는 암개미들에게 활력을 넣어 주기 위해 꿀을 먹이고 미욱한 수개미들에게 결혼 비행의 절차를 차근차근 설명해 준다.

한낮의 무더위 속에서 벨로캉의 둥근 지붕 위로 개미 무리가 모여든다. 이미 수천 년 전부터 〈신생의 축제〉는 언제나 환희가 넘쳐 났지만, 올해는 공동체의 존속이 문제가 되고 있는 탓에 결혼 비행의 기쁨이 예전만 못하다!

한 마리의 여왕개미가 모든 고난을 이겨 내고 살아남아서 벨로캉으로 다시 돌아와야 한다.

페로몬들이 뒤섞이면서 잠시 소동이 일어난다. 투명한 두 날개만으로 된 예복을 입은 암개미들이 결혼 비행을 위해 대기하고 있다. 포수 개미들은 새들이 접근할 경우를 대비해 도시 지붕의 요소요소에 포진해 있다.

214. 동물학 페로몬

분야: 동물학
주제: 손가락들
정보 제공자: 103683호
정보 제공 연도: 100000667년

의사소통 손가락들은 입으로 소리의 진동을 일으켜서 서로 의사소통을 한다. 이 진동들은 머리 양측의 구멍 안에 놓인 둥글고 얇은 막에 전해진다. 소리를 받아들인 이 막은 그것들을 전기 자극으로 바꾸어 뇌에 전달하고, 뇌는 즉시 이 소리에 적합한 의미를 부여한다.

생식 손가락들의 암컷은 자기 새끼들의 성(性), 신분, 심지어 형태마저도 스스로 선택할 수 없다. 각각의 탄생은 하나의 우연일 뿐이다.

냄새 손가락들은 마로니에 기름 냄새를 풍긴다.

영양 섭취 가끔 손가락들은 배가 고프지 않은데도, 심심하기 때문에 먹기도 한다.

비생식 개체 손가락들 중에 생식 능력이 없는 개체는 없다. 그들에게는 암컷 또는 수컷만 있을 뿐이다. 알을 낳는 여왕이 따로 있는 것이 아니다.

유머 손가락들은 우리에게는 아주 생소한 어떤 감정을 갖고 있다. 그들은 그것을 〈유머〉라 부른다. 그것이 무엇인지 이해할 수 없지만 재미있어 보이기는 한다.

수 손가락들은 우리가 일반적으로 믿고 있는 것보다 수가 훨씬 많다. 그들은 줄잡아 1천 마리의 손가락들로 구성된 10여 개의 도시를 세계 도처에 건설해 놓았다. 짐작컨대 지상에 존재하는 손가락들이 1만 마리는 족히 될 듯하다.

체온 손가락들은 바깥 온도가 차더라도 그들의 몸을 따뜻하게 보존해 주는 내부 항온 장치를 갖고 있다. 이런 체계는 그들이 밤이나 겨울에도 활동할 수 있도록 해준다.

눈 손가락들은 머리의 나머지 부분에 비해서 움직임이 활발한 눈을 갖고 있다.

걸음 손가락들은 두 다리로 균형을 잡고 걷는다. 그런 자세는 비교적 최근에 이루어진 생리적 진화이기 때문에, 그들은 아직 그 자세를 완전하게 제어하지는 못한다.

암소 손가락들은 우리가 진딧물에서 분비꿀을 짜는 것과 마찬가지로 암소(손가락들보다 더 크고 뚱뚱한 네발 동물)에서 젖을 짠다.

215. 다시 태어나다

그들은 지하 동굴에서 나가기로 결정했다. 그들은 아주 의연한 모습을 보이고 있었다. 그들은 병들어 있지도 않았고 죽어 가고 있지도 않았으며 단지 약해져 있을 뿐이었다.

「이 사람들 말이에요, 우리에게 감사하다는 말 한마디는 해야 되는 거 아닌가요.」

카위자크가 투덜댔다.

「작년에만 우리를 구하러 왔어도 당신들의 발에 입을 맞추었을 거야. 그러나 지금은 너무 이르거나 너무 늦었어.」

그의 경찰 동료였던 알랭 빌셍이 그 소리를 듣고 한마디 했다.

「어쨌든 우리는 당신들을 구했어!」

「무엇으로부터 우리를 구했단 말인가?」

「살다 살다 이렇게 배은망덕한 건 처음 보네 그려! 물에 빠진 놈 건져 놓으니까 내 봇짐 내라 한다더니만…….」

카위자크는 어이없어하면서 지하 바닥에 침을 뱉었다.

갇혀 있던 스무 명이 줄사다리를 타고 하나씩하나씩 밖으로 나왔다. 그들은 햇살이 눈부셔 앞을 볼 수가 없었다. 눈을 보호할 안대가 필요했다. 그들은 땅바닥에 그냥 주저앉았다.

「얘기 좀 해봐요.」

레티시아가 조나탕을 붙잡고 말했다.

「얘기해 줘요. 조나탕! 저는 사촌 동생 레티시아예요. 에드몽 웰스의 딸이지요. 어떻게 저 지하실에서 그렇게 오랫동안 견딜 수 있었어요?」

조나탕 웰스는 그 집단의 대변자 노릇을 해야 했다.

「우리는 그저 함께 살기로 결심했을 뿐이야. 그게 전부야. 우리는 별로 하고 싶은 이야기가 없어. 미안해.」

오귀스타 할머니가 돌 위에 올라앉아 거절하는 몸짓을 하면서 경찰관들에게 말했다.

「물도 필요 없고 먹을 것도 필요 없어요. 담요나 좀 줘요. 바깥에 나오니까 너무 춥군요.」

할머니는 엷은 미소를 띠면서 덧붙였다.

「우리에겐 추위를 막아 줄 지방분이 거의 남아 있지 않아요.」

레티시아 웰스, 자크 멜리에스, 쥘리에트 라미레는 지하에 갇혔던 사람들이 빈사 상태에 빠져 있을 거라고 상상했었다. 그런데 막상 뼈만 앙상하게 남은 사람들이 침착하고 당당한 태도로 자기들에게 말을 거는 걸 보고는, 어떻게 처신해야 할지 갈피를 잡을 수가 없었다.

그들은 지하에 갇혔던 사람들을 자동차에 태워 병원에 데려간 다음 종합 진찰을 받게 했다. 그들의 건강 상태는 걱정했던 것보다 훨씬 양호했다. 모두 비타민과 단백질이 극도로 결핍되어 있긴 했지만, 내부 또는 외부의 손상이 있는 것도 아니었고, 세포의 파손이 생기지도 않았다.

정신 감응의 메시지처럼 쥘리에트 라미레의 머리에 하나의 문장이 떠올랐다.

〈어머니 같은 대지의 자궁에서 그들은 새로운 인간성을 지닌 아기들로 태어나리라.〉

몇 시간 후, 레티시아 웰스는 그들을 진찰했던 정신 요법 의사와 얘기를 나누었다.

「그들에게 무슨 일이 일어났는지 도통 모르겠어요. 그들은 거의 말을 하지 않아요. 나를 바보로 여기고 있기라도 하듯 모두 나를 보고 빙그레 웃고 있는데, 그게 여간 곤혹스러운 게 아니에요. 무엇보다도 놀라운 것은 그들이 마치 하나의 유기체에 속해 있는 것처럼 보인다는 것입니다. 그것 때문에 내가 무척 애를 먹고 있어요. 그들 가운데 한 사람을 건드리면 모두가 그 손길을 느끼는 것 같습니다. 그뿐만이 아닙니다…….」

「아직 뭐가 더 있어요?」

「그들은 노래를 부릅니다.」

「그들이 노래를 부른다고요?」

멜리에스는 깜짝 놀라 의사의 말을 되뇌고는, 자기 나름의 의견을 덧붙였다.

「당신이 잘못 들었을 겁니다. 그들이 다시 말을 하는 데 익숙해지려고 애쓰는 소리를 듣고 그러시는 모양이군요.」

「아닙니다. 그들은 노래를 해요. 서로 다른 소리를 내다가 모두가 똑같은 음으로 결합한 다음 한동안 그 음을 유지해요. 그 독특한 소리가 병원 전체를 진동시켜요. 그것이 그들에게 어떤 위안을 가져다주는 것 같아요.」

「그들은 치매 상태가 된 겁니다!」

멜리에스가 외쳤다.

「그 소리는 아마 그들을 하나로 묶어 주는 신호일 거예요. 그레고리오 성가처럼 말이에요. 제 아버지도 그런 소리에 무척 관심이 많으셨어요.」

레티시아가 자기 생각을 말했다.

「개미 세계에서 냄새가 개미들을 하나로 결속시키는 신호이듯이 그들에게는 소리가 결속의 신호가 되는 거로군요.」

쥘리에트 라미레가 보충했다.

자크 멜리에스 경정은 근심스러운 표정을 지었다.

「이 모든 사실을 아무에게도 얘기하지 마세요. 새로운 명령이 있을 때까지 그 사람들을 격리해 두세요.」

216. 누가 토템을 세웠을까?

어느 날, 퐁텐블로 숲에서 산책을 하고 있던 낚시꾼 한 사람이 아주 특이한 광경을 보고는 깜짝 놀랐다. 어떤 개울이 두 갈래로 나뉘었다 합쳐지면서 자그마한 섬이 하나 만들어져 있는데, 섬 위에 찰흙으로 빚은 조그만 조상(彫像)들이 눈에 띄었다. 그 조상들은 아주 미세한 연장으로 제작된 듯했다. 왜냐하면 그 조상들에는 아주 작고 다양한 주걱의 흔적이 남아 있었기 때문이었다. 형상들은 수백 개나 되었는데, 모두 거의 비슷한 모습이었다. 다른 사람들이 그것을 보았다면, 아마 소금 따위로 만든 미니어처라고 믿을 법했다.

그 사람은 낚시 이외에 또 다른 열정을 갖고 있었는데, 그것은 바로 고고학이었다. 사방에 배열된 이 토템들에서 그는 곧 파스쿠아섬[40]에 있는 형상들을 연상했다. 그는 자기가 옛날 이 숲에 살고 있었던 소인 부족의 파스쿠아섬에 와 있다고 생각했다. 부족의 구성원들이 벌새 정도의 크기밖에 안 되는, 어떤 고대 문명의 마지막 흔적을 대하고 있는 것이 아닐까 하고 그는 생각했다. 소인들이 이것들을 만들었을까? 아니면 요정들이 만들었을까?

하지만 고고학자인 그 낚시꾼은 그 섬을 면밀하게 조사하지는 않았다. 용의주도하게 조사했더라면 그는 아마 의사소통을 위해서 더듬이를 바쁘게 움직이고 있던 곤충들의 무리

40 Isla de Pascua. 〈이스터섬〉이라고도 불리는 폴리네시아에 있는 섬. 이 섬은 네덜란드의 항해가 로게 벤이 발견했으며, 1888년부터 칠레의 영토가 되었다. 화산섬으로서 거의 사람이 살지 않는데, 거석(巨石) 형태의 조형물과 기념물로 유명하다.

들을 알아볼 수 있었을 것이고 진흙으로 형상을 만든 자들의 정체가 무엇인지 이해할 수 있었을 것이다…….

217. 암

103호는 첫 번째 약속을 지켰다. 개미 도시 아래에 갇혔던 사람들은 구조되었다. 쥘리에트 라미레는 103호에게 두 번째 약속을 지켜 줄 것을 부탁했다. 암의 비밀을 벗기는 것. 병정개미 103호는 로제타석의 유리 덮개 안에 다시 자리를 잡고 긴 연설의 페로몬을 발하기 시작한다.

분야: 생물학(이 페로몬은 손가락들을 위해 만든 것임)

주제: 손가락들이 암이라고 부르는 것

정보 제공자: 103호

당신들 인간들이 암을 근절하지 못하는 것은 당신들의 과학적 지식이 낡았기 때문이다. 암과 관련한 당신들의 분석 방법이 당신들을 눈멀게 하고 있다. 당신들은 단 한 가지 방식으로만 세상을 바라본다. 오로지 당신들의 관점으로만 세상을 본다. 당신들은 과거의 포로이기 때문이다. 당신들은 여러 실험 덕분에 몇몇 질병을 치료할 수 있게 되었다. 당신들은 그런 사실을 통해서, 실험만이 모든 문제를 해결할 수 있다는 결론을 내렸다. 나는 텔레비전에서 방영한 과학 다큐멘터리에서 그걸 깨달았다. 당신들은 하나의 현상을 이해하기 위해서 그것을 측정하고, 틀 안에 넣고, 분류하고 점점 더 작은 조각으로 나눈다. 당신들은 모든 것은 잘게 자르면 자를수록 더욱더 진리에 다가간다고 생각하고 있다. 그렇지만 매미를 잘게 자른다고 매미가 왜 노래하는지를 발견하게 되는 것은 아니다. 난초 꽃잎의 세포들을 현미경으로 관찰한다고 해서 난초 꽃이 왜 그토록 아름다운지를 이해하게 되는 것은 아니다.

우리를 둘러싸고 있는 요소들을 이해하기 위해서는 그것들의 처지가 되어 보아야 하고 그것들과 한마음이 되어 보아야 한다. 당신들이 매미를 이해하고 싶으면 10분 동안만이라도 매미가 무엇을 보고 어떻게 살아가는지를 느끼려고 노력해 보라. 당신들이 난초를 이해하고 싶으면 당신 자신을 난초라고 생각해 보라. 주위의 대상들을 잘게 자르고, 지식의 성채로부터 그것들을 관찰하기보다는 그것들의 처지로 들어가 보라.

당신들의 위대한 발명이나 발견 가운데 어떤 것도 하얀 가운을 입은 구태의연한 학자들에 의해 이루어지지 않았다. 나는 텔레비전에서 당신들의 위대한 발견과 발명품에 관한 다큐멘터리를 봤다. 그러나 그런 것들은 그저 실험 도중의 사고, 수증기에 들어 올려진 냄비 뚜껑, 개에 물린 아이, 나무에서 떨어지는 사람, 우연히 뒤섞인 생성물 등일 뿐이다.

당신들의 암 문제를 해결하기 위해서는 당신들의 시인이나 철학자, 작가, 화가 들을 참여시켰어야 했다. 간단히 말하면 선조들의 경험을 모두 암기한 사람들이 아니라 직관과 영감을 지닌 사람들이 필요하다는 것이다.

당신들의 고전 과학은 이미 낡았다. 당신들의 과거는 현재를 바라다보지 못하게 방해하고 있다. 옛날의 성공들은 오늘날의 성공을 방해하고 있다. 당신들의 옛 영광들은 당신들의 가장 나쁜 적들이다. 나는 텔레비전에서 당신들의 과학자들을 보았다. 그들은 교조적인 학설을 되풀이하고 있고, 당신들의 학교는 판에 박힌 실험 계획안으로 상상력을 억압하고 있다. 게다가 당신들은 학생들이 스스로를 바꾸어 나가는 모험을 감행하지 못하게 하려고 그들에게 시험을 강요한다.

바로 이러한 점이 당신들이 암을 치료하는 방법을 찾아내지 못하는 이유이다. 당신들은 뭐든지 똑같은 사고방식으로 대하려 한다. 어떤 방법으로 콜레라를 치료하게 되었으니 같은 방식으로 암도 정복하게 될 거라고 믿는다. 하지만 암은 마땅히 그 자체로서 연구를 해야 한다. 암은 완전한 별개의 실체이다.

나는 당신들에게 해결책을 제공하겠다. 당신들이 아무 생각 없이 쉽게 죽여 버리는 우리 개미들이 어떻게 암의 문제를 해결했는지 당신들에게 알려 주겠다.

우리는 우리 개미들 중 암에 걸렸는데도 불구하고 죽지 않은 희귀한 개체들이 있다는 걸 알았다. 그래서 암으로 죽어가는 개미들을 연구하는 대신, 암에 걸렸지만 이유도 알 수 없이 갑자기 나아 버린 개미들을 연구하기 시작했다. 우리는 그들 사이에 어떤 공통점이 있는지 찾아보았다. 우리는 오랫동안 공통점을 찾는 데 몰두했다. 아주 오랫동안…… 드디어 우리는 그 〈기적적으로 살아난〉 개미들 대부분이 공통적으로 지니고 있는 것을 발견했다. 그것은 바로 그들이 보통 개미들보다 주위 환경과 대화할 수 있는 능력이 훨씬 뛰어나다는 점이었다.

그리하여 우리는 하나의 깨달음을 얻게 되었다. 암은 의사소통의 문제다. 그렇다면 누구와의 의사소통인가? 다른 실체들과의 의사소통이다.

우리는 암에 걸린 개미들의 몸 안에서 무엇인가를 찾아보려고 했다. 만질 수 있는 실체는 아무것도 없었다. 포자도, 세균도, 유충도 없었다. 그때 어떤 개미가 천재적인 발상을 내놓았다. 바로 병이 퍼져 나가는 리듬을 분석해 보자는 것이었다.

우리는 이 리듬이 언어라는 걸 깨달았다. 그 질병은 우리가 언어의 형태로 분석할 수 있는 파동에 따라 진전되었다. 우리는 그 언어를 다스릴 수 있게 되었지만 그 언어를 발하는 실체를 다스릴 수는 없었다. 그러나 그것은 중요하지 않았다. 우리는 그 언어를 해독했다. 그것은 대략 〈당신은 누구인가, 나는 지금 어디에 있는가?〉라는 의미를 담고 있었다.

우리는 이해했다. 암에 걸린 개체들은 사실은 본의 아니게 촉지할 수 없는 외계의 실체들을 수용하고 있는 셈이다. 외계의 실체들이란 어쩌면 의사소통을 원하는 하나의 파동에 지나지 않을지도 모른다……. 그 파동은 우리의 세계에 다다르면 말을 걸고 싶다는 하나의 생각, 즉 자기 주위에 보다 많은 것을 끌어들이고 싶다는 생각만을 하게 될 것이다.

그 파동이 살아 있는 몸 안에 다다랐을 때, 〈안녕하세요, 당신은 누구세요? 우리는 적의가 없어요. 당신의 행성은 이름이 뭐죠?〉라는 형태의 메시지를 전달하기 위해서 자기를 둘러싼 세포들을 증식시켰다. 우리 개미들을 죽였던 것이 바로 그것이었다. 환영의 뜻을 담은 문장과 길 잃은 여행가들의 질문들이었다. 당신들을 죽이는 것도 바로 그것이다.

아서 라미레를 구하려면 당신들은 개미와 대화할 수 있게 해주는 로제타석과 비슷한 기계, 즉 암의 언어를 번역하는 기계를 만들어야 한다. 암의 리듬과 파동을 연구한 다음, 그것들을 재생하고 조작해서 이번에는 당신들 쪽에서 암에게 말을 걸어 보라. 그런 번역이 가능하리라고 믿고 안 믿고는 전적으로 당신들의 자유다. 그러나 그런 방식을 시도한다고 해서 당신들이 잃어버릴 건 아무것도 없지 않은가.

자크 멜리에스, 레티시아 웰스, 그리고 라미레 가족들은 103호의 그 이상한 제안에 당혹감을 느꼈다. 암과 대화를 한다고? 장난감 가게 주인 아서 라미레는 이제 며칠밖에는 더 살지 못할 처지였고 엄청난 고통에 시달리고 있었다. 103호의 얘기는 어느 모로 보나 터무니가 없어 보였다. 개미에게서 의학에 대한 가르침을 기대한다는 것 자체가 말이 안 되는 것이었다. 어쨌든 103호의 논리는 받아들이기가 어려웠다. 그러나 아서가 죽어 가고 있었다. 전혀 터무니가 없어 보이는 그 방법이라도 써봐야 되는 것이 아닐까? 그 결과가 어찌 될지는 두고 봐야 하는 것이 아닐까?

218. 만남

화요일 오후 2시 30분, 오래전에 미리 해놓은 약속에 따라 과학부 장관 라파엘 이조는 자크 멜리에스 경정을 맞이했다. 멜리에스는 장관에게 쥘리에트 라미레 씨, 레티시아 웰스 씨를 소개하고, 이어서 개미가 들어 있는 병을 보여 주었다.

대담은 20분간으로 예정되어 있었다. 그러나 8시간 30분이 연장되고, 다시 8시간이 연장되어 그다음 날로 이어졌다.

목요일 오후 7시 23분, 프랑스 대통령 레지 말루는 응접실에서 과학부 장관 라파엘 이조를 맞이했다. 대통령은 오렌지주스, 크루아상, 삶은 계란 등을 앞에 놓고 긴히 전할 말이 있다며 찾아온 과학부 장관의 이야기를 들었다.

대통령은 크루아상 위로 몸을 기울이면서 말했다.

「당신은 도대체 나에게 무얼 요구하는 겁니까? 개미와 대화를 하라는 거요? 안 됩니다. 천부당만부당해요! 당신 주장대로 그 개미가 지하에 갇혀 있던 스무 명의 사람을 구했다 하더라도 안 돼요. 지금 당신이 하고 있는 얘기가 얼마나 얼토당토않은 얘기인지 생각이나 해보았습니까?」

「……」

「웰스 사건 때문에 장관 어떻게 된 거 아니오? 자, 나는 당신 얘기를 듣지 않은 것으로 하겠소. 그러니 당신도 그 얘기라면 더 이상 하지 마시오. 개미에 대해서는 더 이상 언급하지 마시오!」

「이 개미는 보통 개미가 아닙니다. 103호입니다. 이미 인간들과 얘기를 나누었던 개미입니다. 그리고 이 지역에서 가장 큰 개미 연방 벨로캉의 대표입니다. 1억 8천만의 개체를 가진 강력한 연방입니다.」

「1억 8천만 마리가 어쨌다고요? 어허, 당신 미쳤군요! 그래 봤자 개미고 곤충이오! 우리가 손가락으로도 죽일 수 있는 미물들이란 말이오……. 광대들의 속임수에 놀아나서는 안 돼요, 이조 장관.」

「……」

「아무도 당신 얘기를 믿지 않을 거요. 유권자들은 수면제 같은 얘기로 사람들을 잠재우고 얼렁뚱땅 세금 하나 더 늘리려 한다고 생각할 거요. 야당의 반발은 어쩌고요⋯⋯. 벌써 비웃는 소리가 들리는군요.」

이조 장관이 반박했다.

「사람들은 개미에 대해 너무도 모릅니다! 우리가 지혜로운 사람에게 호소하듯이 개미에게 호소한다면, 우리는 확실히 그들에게 배울 게 많다는 걸 깨닫게 될 겁니다.」

「당신은 지금 암에 관한 터무니없는 이론을 말하고 싶은 거죠? 황색 언론을 통해 벌써 다 읽었어요. 당신에게 중요하다고 해서 나도 그렇게 생각해야 한다고 강요하는 것은 아니겠죠, 이조 장관?」

「개미들은 지구상에 가장 널리 퍼져 있는 동물이고, 가장 오래되고 가장 진화한 동물들 가운데 하나인 게 분명합니다. 1억 년이라는 긴 시간 동안 개미들은 우리가 알지 못하는 많은 것을 배웠습니다. 우리 인간이 지구상에 나타난 지는 3백만 년밖에 안 됩니다. 그리고 인류의 문명은 기껏해야 5천 년밖에 안 됩니다. 우리가 경험이 많이 축적된 사회에서 뭔가를 배워야 하는 것은 당연합니다. 현재의 개미들은 우리에게 1천만 년 후의 인간 사회를 상상할 수 있도록 해줍니다.」

「나는 이미 그 내용도 들었어요. 하지만 말도 안 돼요. 고작 개미들일 뿐이오! 개들에 대한 얘기를 했더라면 오히려 나을 뻔했어요. 그랬더라면 어느 정도는 내가 이해했을 거요. 우리 유권자의 3분의 1이 개를 키우고 있잖소? 하지만 개미는 기르지 않아요.」

「우리가 하기만 하면⋯⋯.」

「됐어요. 잘 기억해 둬요! 나는 개미와 얘기를 나눈 최초의 대통령이 되고 싶지 않소. 나는 온 세상이 나에 대해 이러

쿵저러쿵 떠드는 걸 좋아하지 않아요. 내가 이끄는 정부나 나 자신이 하찮은 미물 때문에 웃음거리가 될 수는 없어요. 이제 더 이상 개미에 대해서 얘기하고 싶지 않소.」

대통령은 흥분한 나머지 삶은 달걀을 포크로 힘껏 찍어 꿀꺽 삼켜 버렸다.

과학부 장관은 냉정하게 그대로 앉아 있었다.

「안 됩니다. 저는 대통령님께 개미에 대해 계속 얘기하겠습니다. 대통령님께서 생각을 바꿀 때까지 말입니다. 며칠 전 몇몇 사람들이 저를 만나러 왔습니다. 그들은 저에게 간결한 말로 모든 걸 설명했습니다. 저는 곧 그들의 말을 이해했습니다. 몇 세기를 뛰어넘을 수 있는 기회가, 그리고 미래를 향해 커다란 도약을 할 기회가 오늘 우리에게 주어졌습니다. 저는 그 기회가 사라져 버리는 걸 그냥 내버려 둘 수 없습니다.」

「쓸데없는 짓!」

「들어 보십시오. 저는 언젠가는 죽을 것이고 대통령님께서도 마찬가지입니다. 그렇기 때문에 우리는 이 지구상에 우리가 지나갔던 독창적인 자취를 남기려는 것이 아니겠습니까? 왜 개미들과의 문화적, 경제적, 나아가 군사적인 협력을 고려해 보려고 하지 않으십니까? 어쨌든 지구상에서 두 번째로 강한 종인데 말입니다.」

대통령 말루는 토스트를 삼키다 목에 걸려 재채기를 하고는 약간 비꼬는 투로 말했다.

「내친김에 개미 나라에 프랑스 대사관을 개설하지 그러시오?」

하지만 장관은 조금도 웃지 않았다.

「예, 저도 대사관을 설치해야 한다고 생각하고 있습니다.」

「미쳤군. 당신은 제정신이 아니오!」

대통령은 팔을 위로 치켜들면서 소리쳤다.

「그저 하찮은 미물이라고만 생각지 마시고 외계인을 생각하듯이 개미를 생각하십시오. 물론 그것들은 외계인이 아니라 지중 동물입니다. 개미들이 외계인들만큼 관심을 끌지 못하는 것은 그것들이 너무 작고 아주 오래전부터 지구에 터를 잡고 있었기 때문입니다. 그래서 우리는 개미가 갖고 있는 경이로운 것들을 더 이상 깨닫지 못하는 것입니다.」

대통령 말루는 장관을 쏘아보다가 말했다.

「장관이 나에게 건의하고자 하는 게 뭐요?」

「공식적으로 103호를 만나 주십사 하는 것입니다.」

이조 장관이 주저 없이 대답했다.

「103호가 누구죠?」

「우리 인간들을 잘 알고 있고, 경우에 따라서는 통역관 역할을 할 수도 있는 개미입니다. 대통령님께서 비공식적인 오찬을 마련하여 그 개미를 엘리제궁에 초대해 주십시오. 개미는 기껏해야 한 방울의 꿀을 먹을 것입니다. 대통령님께서 개미와 개인적인 친분 관계로 말씀을 나눌 필요는 없습니다. 중요한 것은 우리 나라의 최고 통치자가 개미와 대화를 한다는 것입니다. 라미레 씨가 대통령님께 페로몬 번역기를 제공할 것입니다. 기술적으로는 아무런 문제도 없습니다.」

대통령은 응접실을 이리저리 왔다 갔다 하면서, 오랫동안 정원을 바라보았다. 그는 찬성이냐 거절이냐를 놓고 저울질하고 있는 듯했다.

「안 되겠소. 절대로 안 돼요! 만인의 웃음거리가 되느니 차라리 우리 시대를 빛낼 기회를 놓치는 게 낫겠소. 개미와 회담을 한 대통령이라니……. 두고두고 웃음가마리가 될 거요.」

「그러나 대통령님…….」

「끝났소. 당신의 개미 얘기로 더 이상 나의 참을성을 시험하지 마시오! 대답은 불가(不可)요. 절대 안 돼요. 그럼 잘 가시오. 이조 장관!」

219. 에필로그

해가 중천에 떴다. 광활한 햇빛이 퐁텐블로 숲 위에 퍼져 있다. 천연의 거미그물이 빛살로 짠 레이스로 변한다. 햇살의 열기가 대지를 덥히고 있다. 나뭇가지 아래에서 보잘것없는 미물들이 꼼지락거린다. 지평선이 붉게 물들어 있다. 고사리들은 잠이 든다. 빛이 삼라만상 위에 쏟아진다. 더할 나위 없이 기이한 모험이 벌어지고 난 무대를 강렬하고 순수한 빛살이 핥고 있다.

별들의 저편, 창공의 한쪽 끝에서는 은가루를 뿌려 놓은 듯한 행성들 속에서 무슨 일이 일어나는지 무관심한 채 은하수가 천천히 움직인다.

한편 지구의 조그만 개미 제국에서는 신생의 축제가 벌어지고 있다. 벨로캉의 여든한 미리 암개미들이 자신들의 왕조를 구하기 위해 날아오른다.

그때 두 사람이 그곳을 지나가다가 개미들을 발견한다.

「와, 엄마, 엄마. 저 파리들 좀 봐!」

「저것은 파리가 아니란다. 저것은 여왕개미들이야. 텔레

비전에서 언젠가 보았잖니? 저게 바로 결혼 비행이라는 거
야. 저 암컷들은 곧 수컷들과 공중에서 짝짓기를 할 거야. 그
리고 몇 마리는 아마 멀리 떨어진 곳에 새로운 왕국을 세우
게 될 거야.」

암개미들이 하늘 높이 올라간다. 높이, 더 높이, 제비나 참
새들 따위를 피해, 뒤따라 수컷들이 날아올라 암개미들과 결
합한다.

함께 올라간다. 올라가고 또 올라간다. 빛이 그들을 빨아
들인다. 그들은 조금씩조금씩, 뜨거운 햇빛 속에 녹아든다.

따사로움, 밝음, 빛. 삼라만상이 빛을 받아 하얗게 부서진
다. 눈부신 빛으로 부서진다······.

빛

제3권에서 계속

개미 쪽에서 본 낱말 풀이

가장개미　유기 화학 분야에 천부적인 재능을 가진 종.

갈무리 주머니　동료들에게 나누어 주기 위해 먹이를 저장해
　　두는 기관.

감자잎벌레　딱정벌레의 하나로 오렌지빛 딱지날개에 5개의
　　검은 세로줄 무늬가 있다. 주로 감자를 먹고 살며 체액은
　　개미에게 치명적인 독이다.

개똥벌레　인광을 발하는 딱정벌레. 식용.

개미귀신　명주잠자리의 애벌레로서, 개미지옥을 파놓고 숨
　　어 있다가 미끄러져 떨어지는 개미를 잡아먹음. 위험.

개미산　불개미의 발사 무기. 벨로키우키우니 여왕 때에는
　　농도 40퍼센트짜리가 가장 강력한 산이었는데, 클리푸니
　　여왕 때 이루어진 혁신의 결과로 농도 60퍼센트의 초강력
　　개미산이 만들어졌다.

개미의 무기　칼 구실을 하는 위턱과 독침, 끈끈물 분사기, 개
　　미산 발사 주머니, 발톱 등.

개양귀비 전투　벨로캉 책력 100000666년에 벨로캉 연방이
　　벌인 전쟁으로 세균 무기와 전차가 맞붙은 최초의 전쟁
　　이다.

거미　개미들을 마취시켰다가 먹을 때만 깨워서 조금씩 토
　　막 내어 먹는 괴물. 위험.

걸음　벨로캉 연방의 클리푸니 여왕 때 새로 채택된 거리의

단위. 한 걸음은 약 1센티미터에 해당함.

걸음 속도　기온이 10도일 때는 시속 18미터로 이동한다. 기
　　온이 15도일 때는 시속 54미터로 간다. 기온이 20도일 때
　　는 시속 126미터까지 걸을 수 있다.

겨울잠　11월부터 3월에 걸친 긴 잠.

계급　보통 생식 개미, 병정개미, 일개미의 세 계급으로 분류
　　된다. 그 계급들은 다시 농경 일개미, 포수 병정개미 등의
　　아계급으로 나뉜다.

과예이톨로　봄철에 사용하는 작은 둥지.

군단　동시에 기동할 수 있는 병정개미들의 집단.

금단 구역(궁궐)　여왕개미의 거처를 보호하는 요새. 나무 밑
　　동 속에 만들거나 진흙으로 만들며, 바위를 파서 만드는
　　경우도 있다.

길앞잡이　딱정벌레의 한 종류로서, 땅속에 숨어 있다가 개
　　미를 잡아먹는다. 길을 갈 때 이 포식자에게 먹히지 않도
　　록 주의해야 한다.

꿀단지개미　분비꿀 저장고.

꿀벌　개미들의 이웃으로서 날아다닌다. 꿀벌들은 공중에
　　서 추는 8자 춤이나 밀랍 위에서 추는 춤으로 정보를 교환
　　한다.

끈끈이귀개　벨로캉 근처에 흔한 벌레잡이 식물. 위험.

나비　먹이가 될 수 있음.

난쟁이개미　불개미의 주요 적.

높이　둥지가 높이 솟을수록 일조 면적이 넓어진다. 열대 지
　　역에서는 개미 둥지가 완전히 땅속에 묻혀 있다.

눈　안구에 놓인 낱눈의 총체. 각각의 낱눈에는 두 개의 수

정체, 즉 바깥의 커다란 렌즈와 안쪽의 작은 렌즈로 이루어져 있다. 각각의 시세포는 직접 뇌로 연결된다. 개미들은 가까이 있는 사물만을 볼 수 있다. 그러나 먼 거리에서도 아주 사소한 움직임만 있으면 그것을 느낄 수 있다.

니 벨로캉 여왕개미들의 왕조.

단식 개미는 겨울잠을 자면서 6개월 동안 먹지 않고 살 수 있다.

달팽이 개미의 먹이로서 단백질 공급원.

더듬이 마디 더듬이 하나는 열한 개의 마디로 이루어져 있다. 각 마디가 서로 다른 하나의 정보를 제공한다.

도룡뇽 위험.

도마뱀 개미 세계의 용. 위험.

도시의 방향 잡기 불개미들은 아침부터 일조량을 최대한 받기 위하여 도시의 가장 넓은 부분이 남동쪽을 향하게 개미집을 건설한다.

독샘 개미산을 저장하는 주머니. 매우 높은 압력으로 개미산을 쏠 수 있는 특별한 근육이 달려 있다.

독성 식물 콜키쿰, 등나무, 협죽도, 송악 등. 위험.

둥지 온도 불개미 둥지는 층에 따라서 20도에서 30도 사이로 온도가 조절된다.

뒤푸르샘 자취 페로몬이 들어 있는 분비샘.

딸기나무 전쟁 벨로캉 책력 99999886년에 빌어진 전쟁으로 불개미와 노랑개미가 맞붙었다.

땅강아지(일명 하늘밥도둑) 땅속의 신속한 운송 수단.

라솔라캉 벨로캉 연방의 가장 서쪽에 자리한 도시.

로메쿠사 치명적인 마약을 공급하는 딱정벌레. 위험.

리빙스턴 박사   손가락들이 자기들의 사절에 붙여 놓은 이름.

말벌   개미들과 같은 조상을 가졌으며 독이 있다. 위험.

망루   지붕 위에 세워진 보조 첨탑. 개미집에서보다는 흰개미집에서 주로 보인다.

맵시벌   다른 동물의 몸속에 알을 낳는 벌. 알에서 나온 애벌레들이 몸속에서 자라면서 동물들을 갉아 먹는다.

머리   개미 세계의 길이 단위. 3밀리미터에 해당한다.

멜리에스, 자크   손가락 수컷. 털을 짧게 깎고 있음.

모기   수컷은 식물의 진을 빤다. 암컷들이 무엇을 먹고 사는지 개미들은 모른다. 식용.

목실뤽숑   〈모든 것을 잡아먹는 강〉 기슭에 자리 잡은 흰개미들의 새로운 도시.

무게   개미 한 마리의 무게는 1밀리그램에서 150밀리그램으로 다양하다.

무당벌레   진딧물을 잡아먹는 곤충. 먹을 수 있음.

무사개미   노예 개미들의 도움 없이는 살아갈 수 없는 호전적인 종.

문지기 개미   동글납작한 머리를 가진 아계급의 개미로 전략적으로 중요한 통로를 막는 역할을 한다.

물방개   물에 사는 딱정벌레. 먹이가 될 수 있음. 물거품을 일으키지 않고 물속에서 헤엄칠 수 있다.

밀도   유럽에서는 개미의 종을 막론하고 1제곱미터당 평균 8만 마리를 헤아린다.

바람   개미를 땅바닥에서 들어 올려 어딘지 알지 못하는 곳으로 데려간다.

바퀴   흰개미의 조상. 지구상에 나타난 최초의 곤충.

박쥐　동굴 속에 사는 날아다니는 괴물. 위험.

반체제 운동　최근 일어난 운동. 벨로캉 책력 100000667년에 반체제 개미들은 손가락들을 구하기 위하여 활동했다.

방독법　모듬살이 곤충이 치명적인 독물에 적응하는 능력으로서, 그 독물에 유전적으로 면역이 된 알을 낳아 독을 이겨 낸다.

배설물　개미가 한 번에 내놓는 배설물의 무게는 제 몸무게의 1천 분의 1이다.

뱀　위험.

벌레잡이 식물　벌레잡이제비꽃, 사라세니아, 끈끈이귀개, 끈끈이주걱 등. 위험.

벨로캉　불개미 연방의 중심 도시.

벨로키우키우니　벨로캉의 여왕개미.

불　금기 무기. 대부분의 곤충들은 서로 간의 묵계를 통하여 불의 사용을 금하고 있다.

비　큰 재앙을 불러오는 일기 현상.

비행 전령　날파리를 통해 소식을 전하는 난쟁이개미들의 기술.

빈대　가장 기이한 성생활을 하는 곤충.

빨강천막개미　동쪽에서 이주해 온 개미로, 자기들의 애벌레로 실을 잣는다.

빵　곡물 가루를 빻이 만든 동그란 작은 덩어리.

뿔풍뎅이　이마에 커다란 뿔이 달린 딱정벌레.

사마귀　교미하기와 먹기를 지나치게 좋아하는 곤충.

사육　진딧물이나 연지벌레를 길들여 항문샘에서 나오는 분비물을 거두어들이는 기술로, 개미의 몇몇 종이 개발하였다. 진딧물 한 마리는 여름에 시간당 30방울의 분비꿀을 만들어 낸다.

산란실 여왕개미가 알을 낳는 방.

새 날아다니는 괴물. 위험.

손가락들 최근에 나타난 괴물로서 벨로캉 개미들이 그 실체를 규명하려고 애쓰고 있다.

쇠똥구리 공을 밀고 다니는 곤충. 먹을 수 있음.

수개미 수정되지 않은 알에서 나온 개미.

수명(비생식 개미) 일개미나 병정개미는 대개 3년을 산다.

수명(여왕개미) 불개미 여왕개미는 평균 15년을 산다.

수확개미 동쪽의 농경 개미.

술 개미는 진딧물 분비꿀과 곡물의 즙을 발효시킬 줄 안다.

시각 개미는 격자창을 통해서 보듯이 사물을 본다. 생식 개미들은 색깔을 감지하기는 하지만 모든 색깔이 자외선 쪽으로 옮겨진다.

시계 북서쪽의 난쟁이개미 도시.

신 벨로캉 개미들이 해명하려고 애쓰고 있는 최근의 개념.

신생의 축제 생식 개미들이 날아올라 교미하는 축제. 보통 첫더위가 시작될 무렵에 열린다.

실잣기 애벌레를 가지고 실을 잣는다.

심장 조롱박 모양으로 생긴 몇 개의 주머니가 잇달아 서로 물려 있는 것으로서 배마디의 등 쪽에 붙어 있다.

12진법 개미 세계의 셈법. 개미들은 다리 하나마다 2개씩의 발톱이 달려 있기 때문에 12를 한 단위로 해서 셈한다.

쓰레기터 개미집 입구에 있는 둔덕으로 개미들이 쓰레기와 시체를 버리는 곳이다.

씨앗 불개미는 씨앗 기름을 좋아한다. 말하자면 씨앗은 기름이 아주 많이 들어 있는 작은 알갱이다. 한 개미 도시에서는 철마다 평균 7만 개의 씨앗을 거둬들인다.

양의 간질 개미들에게 몽유병을 일으키는 양의 기생충.

어둠 개미들은 캄캄한 곳에 사는 걸 좋아한다.

여왕개미들의 교시 여왕개미의 어이딸 사이에 더듬이에서 더듬이로 전해 내려온 귀중한 정보들의 총합.

연방 동종 도시들의 연합. 불개미 연방은 대략 6만 제곱미터에 걸친 90개의 개미 도시를 포괄하고 있으며, 벨로캉 연방은 자국길 7.5킬로미터와 냄새길 40킬로미터를 갖추고 있다.

영양 섭취 불개미의 통상적인 식단은 다음과 같이 이루어져 있다. 진딧물 분비꿀 43퍼센트, 곤충 고기 41퍼센트, 나뭇진 7퍼센트, 버섯 5퍼센트, 곡물 가루 4퍼센트.

영양 교환 두 개미 사이에 먹이를 나누는 행위.

온도 불개미들은 8도 이상이 되어야 움직일 수 있다. 생식 개미들은 그보다 좀 더 이른 6도쯤에 잠이 깨는 경우도 있다.

온도 조절 커다란 개미 도시에서는 햇빛방, 배설물, 둥근 지붕 속 통풍구 등을 통해 온도를 조절한다.

온도-시간 개미 세계에서는 시간의 길이를 계산할 때 시간과 온도를 함께 고려한다. 기온이 높으면 〈온도 시간〉은 줄어들고, 기온이 낮으면 〈온도-시간〉은 늘어난다.

올레산 개미 시체에서 발산되는 기화성 물질.

올챙이 물에 사는 위험한 동물.

완전 소통 더듬이 접촉을 통해 생각들을 총체적으로 교환하는 것.

왕조 같은 영토를 다스리면서 차례로 왕위에 오르는 여왕
개미의 계열.

용병 개미 다른 둥지를 위해 싸우는 독립적인 개미들로서,
원래의 둥지에서 먹이를 받고 교환한 개미들이다.

운송 어떤 개미를 운반하려면 개미는 그것의 위턱을 잡는
다. 운반되는 개미는 몸을 오그려서 땅바닥과의 마찰을
최소화한다.

웰스, 레티시아 손가락 암컷, 털이 길다.

웰스, 에드몽 개미들을 이해한 최초의 손가락.

위생 시설 개미들의 배설물을 담는 웅덩이.

위턱 불개미들의 예리한 무기.

위턱 대련 개미의 스포츠.

음악 귀뚜라미나 매미가 날개를 비벼서 내는 소리나 초음
파. 버섯재배개미들도 배마디로 소리를 낼 수 있다.

인간 벨로캉 연방의 몇몇 전설에 등장하던 거대한 괴물. 손
가락들은 스스로를 인간이라고 부른다.

인돌초산 제초제.

잿빛 두루마리구름 전투 벨로캉 책력 100000667년에 벌어진
전투로, 불개미 군대와 황금의 벌집 거주자들이 최초로
격돌하였다.

적외선 홑눈 생식 개미들의 이마 위에 삼각형을 이루며 놓인
세 개의 작은 눈. 그것이 있어서 생식 개미들은 완전한 어
둠 속에서도 볼 수 있다.

전차 전투 기술의 하나로, 커다란 위턱을 가진 낫개미 한 마
리를 발이 빠른 일개미 여섯 마리가 메고 다니는 것이다.

제초제　미르미카신, 인돌초산.

조충　딱따구리의 기생충으로서 개미를 병들게 하고 딱지를 탈색시켜 하얗게 만든다.

존스턴 기관　지구 자기장을 감지하는 개미의 감각 기관.

주비주비캉　동쪽의 도시. 대규모 진딧물 사육장으로 유명하다.

진딧물　분비꿀을 짜낼 수 있는 작은 딱정벌레.

질병　불개미에게 가장 흔한 질병은 기생 팡이 때문에 생기는 분생 포자(分生胞子), 키틴질의 부패, 식도 아래 신경절에 기생하는 벌레, 애벌레 단계부터 나타나는 가슴 이상 비대의 일종인 입술샘 이상 비대, 치명적인 홀씨인 알테르나리아 등이다.

추위　곤충 세계의 보편적인 마취제.

코르니게라아카시아　하나의 개미집처럼 되어 있어 개미와 공생하는 나무.

크기　개미들의 평균 길이는 2머리(6밀리미터)이다.

큰 뿔　103683호가 길들인 늙은 뿔풍뎅이.

클리푸니　벨로키우키우니의 딸. 벨로캉 연방의 혁신 운동 주창자.

클리푸캉　클리푸니가 건설한 초현대적인 도시. 어머니 벨로키우키우니가 죽은 후 클리푸니는 자신의 도시를 떠나 벨로캉으로 돌아왔다.

키틴질　개미의 겉껍질을 구성하는 물질.

탈바꿈　다른 형태의 삶으로 옮겨 가는 일. 대부분의 곤충 세계에 흔히 있는 일이다.

태양　개미들의 친구로서, 에너지를 주는 구체(球體).

텔레비전 손가락들의 의사소통 수단.

통행 허가 냄새 개미가 태어난 둥지의 냄새 또는 용병 개미들이 새로이 취득한 냄새.

파동 움직이는 모든 동물이나 사물들이 갖가지 형태로 일으키는 공통의 현상.

페로몬 체액으로 된 문장이나 말.

풍뎅이 날아다니는 병기.

하루살이 갈라진 꼬리를 가진 작은 잠자리의 일종. 애벌레는 3년을 살고 날개돋이를 하고 난 성충은 3~48시간을 산다. 식용.

화학 정보실 기억 페로몬을 저장해 두는 곳으로 최근에 발명되었다.

하르트만 결절 양이온이 풍부한 지대. 개미들은 그 지대에서 편안함을 느끼지만, 손가락들은 심한 두통을 느낀다.

후각 비생식 개미들은 더듬이마다 6천5백 개의 후각 세포를 가지고 있다. 생식 개미들은 30만 개.

흰개미 흰개미목의 곤충으로 벌목에 속하는 개미와 경쟁 관계에 있다. 건축에 능하고 헤엄을 칠 수 있다.

힘 불개미는 제 몸무게의 60배를 끌 수 있다. 그러니까 불개미 한 마리는 3.2×10^{-6} 마력의 힘을 발휘하는 셈이다.

23호 신을 믿는 반체제 병정개미.

24호 신을 믿는 반체제 병정개미로서, 코르니게라 자유 공동체를 창설하였다.

56호 클리푸니가 여왕개미가 되기 전의 호칭.

327호 벨로캉의 젊은 수개미.

801호 클리푸니가 첩보원으로 파견한 병정개미.

4000호   과예이톨로에 사는 사냥 개미.

103683호   벨로캉의 병정개미. 103호로 줄여서 부르기도
　한다.

작가의 말

인간이 별들을 정복하러 나서는 이 시대는 우리가 살고 있는 행성인 지구를 더욱 잘 알아야 하는 때가 아닌가 싶습니다. 지구에는 우리가 밝혀내야 할 신비가 아직도 무척이나 많기 때문입니다.

지구 밖의 생명을 찾아서 수백만 킬로미터 떨어진 곳으로 나아가기보다는 오히려 더욱 간편한 여행을 해봅시다. 무릎을 구부리고 30센티미터 정도의 높이로 몸을 숙인 다음 땅바닥을 들여다봅시다. 그러면 우리는 SF 소설에 나오는 어떤 장면에도 손색이 없는 광경을 발견하게 될 것입니다. 흙먼지, 풀, 자그마한 동물, 이끼, 꽃이 보일 것입니다. 그것은 색다른 세계의 정취를 자아내는 장식들로 가득 찬 하나의 모형 정글과도 같습니다. 로켓은 외계인을 찾으러 가지만, 우리는 몸을 숙이는 것만으로도 지중(地中) 동물과 만나게 됩니다.

그 지중 동물 중에서 가장 수가 많고 가장 강력한 것은 틀림없이 개미입니다. 아마존강 유역의 삼림에서는 개미가 생물 총량의 10퍼센트를 차지하고 있는 것으로 평가되고 있습니다. 다시 말하면 거기에 있는 식물들과 동물들을 하나의 냄비 속에 넣고 뒤섞는다면 그 냄비에 담긴 내용물의 10퍼센트를 차지한다는 것입니다.

개미는 가장 널리 퍼져 있는 동물입니다. 어디를 가든, 어디를 살펴보든 우리는 개미를 발견하게 됩니다. 수많은 개미 집들이 지구의 표면을 온통 뒤덮고 있습니다. 개미들은 적도 사막의 열기에도 북유럽 스텝 지역의 혹독한 추위에도 적응할 줄 알았습니다.

개미는 어디에서나 수가 많고 강력합니다. 개미는 자기들을 잡아먹는 어떤 동물도 두려워하지 않으며, 어떤 살충제에도 적응합니다. 개미는 모든 생태 구역에 쳐들어가서 그곳을 정비하고 그곳을 지배합니다.

인간이 지구에 살게 된 지는 3백만 년에 불과하지만, 개미가 지구에 살게 된 지는 1억 년이 넘습니다. 인류가 나타나기 전 9천7백만 년 동안 이 곤충은 명실상부한 하나의 문명, 즉 9천7백만 년의 경험을 축적한 문명을 건설할 시간을 가졌습니다.

그러니 개미에 비하면 우리는 경험이 없는 아기에 불과합니다. 아기들처럼 우리는 우리를 둘러싸고 있는 장난감들을 깨뜨립니다. 하지만 1억 년 후에 우리는 어떻게 될까요? 어쩌면 우리는 개미들이 한 것과 비슷한 선택을 하게 될 것입니다.

개미의 문명이 끊임없이 진보해 왔다는 점에서 그렇습니다. 개미 문명의 초기, 그러니까 1억 년 전에는 개미들에게 경쟁자가 있었습니다. 흰개미가 그들입니다. 그러나 그 경쟁자는 개미를 돋보이게 하는 구실을 했을 뿐입니다. 흰개미들과 싸우면서 개미들은 전쟁과 기술을 배웠습니다. 흰개미들을 앞지르려고 애쓰는 과정에서 개미들은 무기들과 도구들을 발명해 낼 수밖에 없었던 것이지요.

우리가 최근 들어서야 사용하게 된 첨단 기술을 개미들은 그때부터 향유하게 된 것입니다. 개미는 자기들이 애벌레를 활용해서 얇은 천을 만들 줄 알고, 일개미들을 활용해서 먹이를 공급할 줄 알며, 일개미들을 살아 있는 냉장고로 변형시킬 줄도 압니다. 또한 진딧물을 사육하여 분비꿀을 짜낼 줄 알고, 술과 곡물 가루와 버섯을 만들어 낼 줄도 압니다.

개미의 힘은 그들의 다양성에서 나옵니다. 다양성이란, 형태의 다양성, 기술의 다양성, 지적인 능력의 다양성을 말합니다. 현미경으로 봐야 보일 만큼 아주 작은 개미가 있는가 하면 사람들이 겁을 먹을 만큼 커다란 것도 있습니다. 전쟁만 하는 개미가 있는가 하면 채식 활동만을 하는 것도 있습니다. 몇 개의 마을, 심지어 몇 개의 도시가 연합하여 몇 제곱킬로미터에 걸친 연방을 이루어 사는 개미들이 있는가 하면, 여덟에서 열 마리가 작은 씨족을 이루어 사는 개미들도 있습니다.

옛날부터 인간은 개미를 관찰하고 스스로에게 질문을 던졌습니다. 3천여 년 전에 솔로몬왕은 〈개미를 따라가거라. 개미가 그대에게 지혜의 길을 보여 주리라〉라고 말했습니다. 동부 아프리카에 사는 도공 사람들은 〈애를 못 낳는 여자가 개미집 위에 앉으면 애를 낳을 수 있게 된다〉고 생각하고 있습니다. 프랑스 사람들에게 친숙한 라퐁텐은 개미에게 째째하고 인색한 동물이라는 인상을 부여함으로써 지울 수 없는 낙인을 찍었습니다. 라퐁텐은 메미와 개미의 우화에서 이렇게 썼습니다. 〈개미는 빌려 줄 줄 모른다네. 그에게 결점이 있다면 바로 그것이라네.〉

하지만 그 곤충을 알기 위해서 그런 신랄한 말들을 들먹일 필요는 없습니다. 우리 모두는 어릴 적에 무릎을 꿇고 앉아

670

서 개미들을 관찰한 적이 있습니다. 우리 모두는 작은 나뭇가지를 가지고 장난을 쳐서 개미 마을의 구멍을 넓혀 본 적이 있고 그들의 도시를 갈라서 그들의 군대를 짓밟아 본 적이 있습니다. 그 정도는 아니더라도 우리 모두는 그들의 병정개미들 중의 한 마리가 우리에게 기어 올라와서 마치 가지 없는 나무로 가득 찬 행성에라도 온 것처럼, 우리의 손이나 팔의 털 사이에서 갈팡질팡하는 것을 본 적이 있을 것입니다.

관찰을 하기는 하지만 불행하게도 우리는 대개 개미를 이해하지 못합니다. 몇 시간 동안 정원에 머물며 개미를 바라보던 아이는 낙담을 하고 언제나 그렇듯이 개미들을 학살하기에 이릅니다.

고르디아스의 매듭을 알렉산드로스 대왕이 칼로 잘라 버렸듯이 사람들은 매듭을 도통 이해하지 못할 때면 그것을 잘라 버리고 싶어 합니다. 그러나 그것은 편법입니다. 개미를 죽이는 것은 사람들이 개미들과 다른 형태의 관계를 가질 수 없다는 것을 보여 주는 것입니다. 개미를 죽이는 것이 아이에게는 소인국 사람들에 대한 자신의 전능함을 처음으로 입증하는 것이기도 합니다.

나 역시 개미들을 죽였고, 개미들을 짓밟았으며, 개미들의 통로에 레몬 시럽 탄 물을 부었습니다. 그러나 개미집을 유린하는 것으로는 만족할 수가 없었습니다. 나는 더 많은 것을 알고 싶었습니다. 그래서 〈마냥〉이라는 개미를 연구하기 위하여 아프리카로 떠났습니다. 거기에서는 마냥개미가 사람을 죽이기도 했기 때문에 인간과 개미와의 관계가 역전되어 있었습니다. 육식성 개미들의 행렬 앞에서 인간들이 도망을 치는 것입니다.

1억 마리에 가까운 성난 병정개미들이 면도날처럼 날이 선 턱으로 무장하고 검은 띠를 이루며 몰려옵니다. 아무것도 그 개미들에게 대항하지 못합니다. 개미 떼는 흡사 분출하는 용암처럼 시커먼 물줄기가 됩니다. 그 물줄기 앞에서 울부짖거나 도망치려고 바둥거리는 온갖 작은 동물들이 내지르는 소리가 멀리서도 분명하게 들립니다. 사람들이 도망을 치고 마을 주민들은 자신들의 집을 포기합니다. 마냥개미 떼의 모습은 「묵시록」의 광경을 방불케 합니다. 그것은 개미들의 힘이 가장 사납게 표현된 모습입니다. 나는 여왕개미의 사진을 찍으려 하다가 하마터면 그 곤충들에게 산 채로 잡아먹힐 뻔했습니다. 다행히도 그 녀석들에게 나를 알고 싶다는 욕구가 일었던 모양입니다.

그 일을 겪고 나서 나는 동시대를 살고 있는 사람들에게 우리의 아주 작은 형제들에 대한 관심을 불러일으키는 가장 좋은 방법은 책을 한 권 쓰는 것이라고 생각했습니다. 아무런 책이나 쓰겠다는 것이 아니라 소설을 쓰기로 했습니다. 숲속의 불개미, 즉 가장 영리하고 가장 잘 조직된 유럽 종의 개미들이 주인공이 되는 서스펜스가 있는 소설을 말입니다.

내가 생각한 책은 하나의 모험 소설이기도 하고 『반지의 제왕』처럼 신비스러운 지식을 가르치는 소설이기도 합니다. 그러나 이 소설에서는 숲속의 요정이 실제로 존재하며, 여러분이 『개미』의 주인공들을 만나시려면 여러분의 찬장을 열어 보는 것만으로 충분합니다.

개미와 사람들에 관한 이 이야기를 하기까지 나에게 12년이나 걸렸습니다. 하지만 나는 되도록 배경과 줄거리와 괴물과 전사를 정확하게 그리고 싶었습니다. 여러분이 4백여 페이지를 읽는 동안에 여러분 자신이 개미라는 인상을 갖게 하기 위해서였습니다.

여러분은 생식 능력이 있는 젊은 병정개미 327호와 사귀어야 합니다. 그는 자기 나라 안에 모종의 음모가 진행되고 있음을 깨닫고 난쟁이개미들에게 매수된 용병들이 잠입했을 거라는 의심을 갖게 됩니다. 병정개미 103683호가 그를 도와 벨로캉의 캄캄한 통로로 탐색을 하러 갑니다. 그러나 어머니인 여왕개미 벨로키우키우니는 자신의 더듬이로 밝혀 주는 정보보다 더 많은 것을 알고 있는 것처럼 보입니다.

이 책 『개미』에 있는 모든 것은 실제와 비슷하게 구상된 것입니다. 어떤 것도 과장해서 말할 필요를 느끼지 않았습니다. 자연은 아주 환상적이어서 있는 그대로를 제대로 이야기하기만 하면 됩니다. 실제로 개미들은 대규모의 전쟁을 수행합니다. 개미들의 세계에는 정말로 전차, 일광욕실, 노예, 나라들의 연방, 수문장, 온도가 조절되는 영아실, 마약 공급자, 진딧물 사육실, 알코올 주조실 등이 있습니다.

소설 『개미』는 여러분이 잠시 인간의 관점을 떠나서 소설을 읽는 동안 개미의 관점을 가질 수 있도록 만들어졌습니다. 〈다른 식으로 생각하기〉가 이 책의 중심 사상입니다. 『개미』가 출판되고 나서 많은 사람들이 나에게 편지를 써서 그들이 다시는 개미들을 죽일 수 없게 되었다고 고백했습니다. 멋진 일입니다. 그것은 책을 읽는 몇 시간 동안 그 사람들이 1천 배나 더 작은 존재, 즉 그들의 부모들이 〈더럽다〉거나 〈기분 나쁘다〉고 생각했고 좋게 봐준다고 해야 〈흥미 없다〉정도가 고작이었던 존재들과 감정이 통하는 것을 느꼈다는 것을 의미합니다.

개미를 이해하는 것은 중요한 일입니다. 영원히 우리와 나란히 걸어갈 것이고, 우리의 뜨락 안에 자신들의 도시를 세우고 있는 이 동물들을 이해하지 못한다면, 장차 외계의 생물들을 어떻게 이해할 수 있겠습니까?

개미를 이해한다는 것은 우리의 습관적인 사고방식에서 벗어나서 우리의 관점을 넓히는 것입니다. 개미만큼 작고 하찮은 것들을 이해하려고 노력함으로써 우리의 사고 능력을 키울 수 있습니다. 그럼으로써 우리 사람들끼리 서로를 더욱 잘 이해할 수 있게 될 것입니다.

베르나르 베르베르

1992년 5월 7일

감사의 말

다음 분들께 감사를 드린다.

제라르 암잘라그와 다니엘 암잘라그, 다비드 보샤르, 파브리스 코제, 에르베 드쟁주, 미셸 드제랄드 박사, 파트릭 필리피니, 뤼크 고멜, 조엘 에르상, 이리나 앙리, 크리스틴 조세, 프레데릭 르노르만, 마리 라그, 에리크 나타프, 파스라 교수, 올리비에 랑송, 질 라포르트, 렌 실베르, 이리 슬롱카와 도탕 슬롱카.

그리고, 펄프를 제공해서 『개미』를 제작할 수 있게 해준 모든 나무들을 생각한다. 그것들이 없었다면 아무것도 이루어지지 않았으리라.

『개미』의 작가 베르베르 대담기[1]

베르베르 씨가 일러 준 대로 지하철 바뱅역을 빠져나와 위이겐스가로 들어섰다. 1백 미터 남짓을 걸어 들어가니 하얀 벽 위에 ALBIN MICHEL이라는 커다란 글자가 눈에 들어온다. 알뱅 미셸은 생각보다 큰 출판사였다. 나중에 베르베르 씨에게서 들은 얘기지만 프랑스에서 다섯 번째로 큰 출판사라고 했다. 1906년에 창립되었다니까 연륜도 상당히 깊은 편이다. 출판사에 들어서 보니 약속 시간보다 5분 정도 여유가 있었다. 1층 로비의 사원에게 여기에서 베르베르 씨를 만나기로 되어 있다고 했더니, 조금 늦을 거라는 연락이 왔다면서 잠시 기다려 달라고 한다. 다소 긴장된 마음을 누그러뜨리려고 이리저리 거닐면서 알뱅 미셸의 도서 목록을 뒤적거렸다. 책 제목과 간단한 소개말만으로 책의 질을 판단할 수는 없는 노릇이지만, 알뱅 미셸이 문학 도서는 물론이고 인문, 사회 과학, 교육 분야 등과 관련된 좋은 책을 많이 내고 있는 출판사임은 충분히 느낄 수 있었다.

베르베르 씨가 너무 늦게 도착할 경우에 나는 어떤 표정을 짓고 있어야 할까 하고 쩨쩨한 계산을 하고 있는데, 사진으로만 보았던 그의 얼굴이 나타났다. 사진에서 본 그의 인상

---

1 이 대담기는 베르베르의 연작 장편소설 『개미』를 우리말로 옮긴 이세욱 씨가 1993년 1월 29일, 프랑스의 알뱅 미셸 출판사 회의실에서 나눈 베르베르와의 문학 대담을 정리한 것이다.

은 조금 차갑고 날카로운 천재 같다는 느낌이었는데, 실제로
마주한 그의 얼굴은 쾌활하고 천진스러우며 부드러운 인상
을 주었다. 간단한 인사가 끝나고 안쪽에 자리한 작은 회의
실로 자리를 옮겼다.

먼저 대담에 기꺼이 응해 준 것에 대한 감사의 말로 이야
기를 시작했다. 그러자 그는 자기 소설에 담긴 사상 중의 하
나가 〈다르게 생각하기〉이며 다른 문명, 즉 훌륭한 하나의
문화를 가진 한국과 만나는 일이 자기로서도 즐거운 일이라
면서 다음과 같이 말했다.

「내가 잘 모르는 것을 알게 되는 것은 흥미로운 일이지요.
이 만남이 나에게도 기쁨이 되고 도움이 됩니다.」

본격적인 대담에 들어가기에 앞서 도서 출판 열린책들을
소개했다. 움베르토 에코[2]의 『장미의 이름』과 『푸코의 진
자』, 파트리크 쥐스킨트[3]의 『향수』, 『좀머 씨 이야기』의 한국
어판을 냈고, 러시아어와 영어로 쓰인 많은 소설들을 번
역·출판한 바 있다고 말했다. 구구한 설명 없이 유럽 최고의
작가 두 사람의 이름을 제시하는 것만으로 열린책들에 대한
인상은 충분히 전달되었다는 느낌이 들었다. 〈트레 비앵(아
주 좋아요)〉과 〈다코르(좋습니다)〉를 되풀이하는 베르베르
씨의 반응에서 그것을 느낄 수 있었다.

2 Umberto Eco (1932~2016). 이탈리아 알레산드리아 출생. 세계적인 기호
학자이며 철학자, 역사학자, 미학자로서 소설 『장미의 이름』과 『푸코의 진자』
등을 발표하여 금세기 최고의 작가로 호평받았다.

3 Patrick Süskind(1949~). 독일 암바흐 출생. 일찍이 시나리오와 단편을
쓰다가 34세 때 쓴 『콘트라바스』가 성공을 거두면서 세계적인 작가로 등장, 이
후 장편 『향수』와 『좀머 씨 이야기』를 발표하여 전 세계 독자의 관심과 사랑을
불러일으키는 한편 매스컴의 극찬과 추적을 동시에 받고 있다.

그러나 역자가 에코와 쥐스킨트를 들먹인 것은 열린책들을 자랑하기 위한 것이었다기보다는 베르베르가 그들과 어깨를 나란히 할 만하다는 열린책들과 역자의 판단을 반영한 것이었다.

이어서 열린책들이 프랑스어 소설을 번역·출판하는 것은 처음이며, 『개미』와 『개미의 날』(우리나라에서 제1부 『개미』는 『개미』 1권으로, 제2부 『개미의 날』은 『개미』 2, 3권으로 한꺼번에 묶여 출판되었다)이 프랑스에서와 마찬가지로 우리나라에서도 높이 평가받게 되기를 바란다는 것, 그러기 위해서 우리가 베르베르 씨와 『개미』를 홍보하기 위한 다각적인 방법을 모색하고 있다는 사실 등을 이야기했다. 그의 고맙다는 인사를 끝으로 서두를 마무리하고 대담의 본령에 접어들었다.

알뱅 미셸에서 보내 준 서평 자료에서 당신이 개미에 관한 일종의 3부작을 계획하고 있다고 읽었습니다. 그런데, 며칠 전 프랑스에 도착해서 『라 레퓌블리크 뒤 상트르』에 실린 당신에 관한 기사를 보았는데, 거기에는 당신이 이제 개미 이야기를 끝냈다고 되어 있었습니다. 『개미』와 『개미의 날』의 뒤를 잇는 다음 작품에 대한 계획은 무엇인지요?

사실 3부작의 형태로 작품을 완성하겠다는 생각에는 변함이 없습니다.[4] 그렇지만 다음에 나올 소설에서는 개미에 관한 이야기를 하지 않을 것입니다. 개미밖에 모르는 사람으로 꼬리표가 붙지나 않을까 조금 걱정이 되기도 합니다. 내가 관심을 갖는 것은 뭐니 뭐니 해도 탁월한 이야기꾼이 되

---

4 『개미』의 제3부를 쓰겠다는 이러한 구상은 1996년 출간된 『개미 혁명』으로 실현되었다.

는 것입니다. 다시 말하면 아름다운 이야기를 들려주는 일이
내가 하고 싶은 일입니다. 다음 책은 개미에 관한 것은 아니
지만 아마 4년이나 5년쯤 후에는 3부를 쓰게 될 것입니다.
그것은 『두 세계의 전쟁』[5]과 같은 것이 될 것입니다.

　당신의 소설을 읽다 보면 동양 사상의 몇 가지 측면들을 생각나게 하는
사상을 발견하게 됩니다. 예를 들면 개미들의 삶에 대해 정밀하게 묘사하
는 장면에서는 석가모니가 우리에게 가르친 바 있는 〈하나의 티끌 속에
모든 세계가 들어 있다(一塵含有十方)〉는 말씀이 떠오르더군요.

　바로 보았습니다. 내가 말하고 있는 것이 바로 그것입니
다. 맥주의 거품 속에도 하나의 우주가 들어 있는 것이지요.

　동양 사상을 공부한 적이 있는지요?

　예. 나로 하여금 동양 사상을 발견하게 해준 게 두 가지 있
습니다. 첫째는 중국의 『주역(周易)』입니다. 세계가 변화하
는 원리를 알게 하고 미래를 예측하게 하는 책입니다. 육효
(六爻)가 64가지가 있더군요. 그것에 무척 많은 흥미를 느꼈
습니다. 다음으로 나는 어떤 기회가 있어서 인도네시아를 돌
아본 적이 있습니다. 싱가포르에서 3개월 동안 살기도 했지
요. 그리고 자바섬 전역의 화산들을 보러 가기도 했습니다.
나는 아시아에 많은 관심을 가지고 있습니다. 그래서 중국의
관화(중국 표준어)를 배우기 시작했지요. 너무 복잡해서 배
우는 걸 중단하기는 했지만 공부는 계속했습니다. 나는 동양
의 심오한 사상, 특히 노장(老莊) 사상에 관심이 많습니다.
또 음양론(陰陽論)에 푹 빠졌던 적도 있습니다. 나의 두 번째

5 *The War of the Worlds*. 영국 작가 허버트 조지 웰스의 대표적인 SF 소설.

소설인『개미의 날』은 완전히 음과 양의 만남이라는 사상에 토대를 두고 있습니다. 그 책 속에서 나는 음양에 관한 생각을 표현했으며, 그 소설에서 사건의 해결은 음과 양의 만남을 통해 이루어지지요.

어떤 신문에 실린 대담 기사에서, 당신이『개미의 날』에 대해 이야기하면서, 그것이 추리 소설의 구조와 SF 모험 소설적인 요소 및 철학적인 이야기들을 결합시킨 것이라고 말한 것을 읽었습니다. 당신의 세계관이랄까 철학적인 관점은 어떤 것인지요?

뭐랄까요. 인간은 무한히 큰 것과 무한히 작은 것 사이에서 평형을 이루고 있다고 생각합니다. 개미들과 별들 사이에서 평형을 이루고 있는 것이지요. 우리는 개미와 별의 가운데에 있습니다. 소설『개미』는, 우리 인간도 보다 큰 세계에 비하면 개미에 지나지 않는다는 것을 일깨우려는 것입니다. 내가 보기에 개미들을 관찰하는 일은 우리를 보다 겸허하게 만들고 우리가 이 지구 위에 살고 있다는 사실을 더욱 분명하게 알게 해주는 것 같습니다.『개미』에서 말하려는 철학이 있다면, 그것은 조화, 즉 자연과의 조화, 그리고 살아 있는 모든 것을 존중하자는 것이라고 하겠습니다. 우리 주위에 생명이 있다면 그 생명 역시 우리 생명만큼이나 소중한 것이지요. 우리가 동물보다 우월한 것은 아닙니다. 우리가 곤충들보다 우월하다고 말할 수 없습니다. 인간이나 동물이나 모두 생명이 있는 존재들입니다. 개미와 인간, 우리는 형제입니다.

평론가들 중에서 어떤 이들은 당신 소설을 추리 소설로 규정하고 있고,

어떤 이들은 SF 소설의 범주에 넣고 있기도 합니다. 당신 자신은, 당신의 소설들이 어떤 장르에 속한다고 생각하는지 궁금하군요.

둘 다에 해당한다고 해야겠지요. 어쩌면 바로 움베르토 에코의 『장미의 이름』과 비슷하다고도 할 수 있을 것입니다. 다시 말하면, 알려지지 않은 특이한 세계, 즉 독창적인 하나의 세계 속에서 펼쳐지는 스릴러라는 점에서 『장미의 이름』과 비슷합니다. 그렇지만, 1차적으로는 추리 소설입니다. 그 다음이 SF 소설이고 마지막으로는 철학 소설이라고 말할 수도 있겠지요. 어쨌든 나는 모든 대중들의 마음에 다가가려고 노력했고, 곰곰이 되새길 만한 모든 것, 우리로 하여금 우리 자신을 되돌아보게 할 만한 모든 것을 담고자 했습니다.

당신이 스티븐 킹[6]과 닮은 점이 있다고 말하는 평론가가 한 사람 있던데, 그 점에 대해서 어떻게 생각하는지요.

스티븐 킹을 무척 좋아하긴 합니다. 하지만 내가 만들어 내는 것은 공포가 아니지요. 나와 스티븐 킹 사이에 차이가 있다면, 그건 아마도 내가 글을 쓰는 것이 독자들에게 공포를 느끼게 하려는 것이 아니라 꿈을 꾸게 하려는 것이라는 점이겠지요. 다시 말해서 나는 사람들로 하여금 보다 새롭고 독창적인 것을 꿈꾸게 하는 일에 관심을 가지고 있습니다. 두려움을 갖게 하는 것이 아니라 꿈을 갖게 하는 것, 그것이 스티븐 킹과 나와의 차이를 가장 잘 드러낸 표현일 것입니다.

6 Stephen King(1947~). 미국 출신의 작가로 주로 신비적이고도 괴기스러운 소설로 두각을 나타냈다. 대표작으로 『미저리』, 『캐리』, 『쿠조』 등이 있다.

당신을 일컬어 모리스 마테를링크[7]와 쥘 베른[8]과 알렉상드르 뒤마[9]를 합쳐 놓은 것 같은 작가라고 말하는 평론가도 있더군요. 그 생각에 동의하십니까?

그렇게 보아 주니 정말 고마운 일이지요.

아네트 콜랭 시마르가 『르 주르날 뒤 디망슈』에 쓴 당신 소설에 관한 기사를 보았는데, 소설의 줄거리를 소개하는 부분이나 등장인물에 대한 언급이 실제 소설과 다소 차이가 있는 부분이 있어서 의아한 생각이 들더군요. 그래서 나는 생각하기를, 당신이 『개미』를 집필하면서 120여 회나 개작을 거듭했으니까 그중에 실제 출판된 소설과 다소 차이가 있는 이본(異本)을 콜랭 시마르가 읽고 그 기사를 쓴 게 아닐까 하고 저 나름대로 추측을 해보았는데, 제 생각이 맞는지요?

아닙니다. 그것은 그 기자의 실수입니다. 기자라는 사람들이 때로는 독자들에게 그릇된 정보를 제공하기도 하지요.

개미들의 세계에서는, 이타주의와 연대와 공동체의 복지를 위한 헌신이 종(種)의 생존을 위한 일종의 생존 전략이라고 할 수 있습니다. 그렇다면 그러한 생존 전략이 우리 인간들에게 시사하는 바는 무엇일까요?

개미들을 관찰해 보면 배울 게 많습니다. 현재 인간 사회

---

7 Maurice Maeterlinck(1862~1949). 벨기에 출신의 프랑스 작가. 고대 비극의 숙명관을 부활시킨 『파랑새』라는 희곡으로 유명하며 『꿀벌의 생활』, 『개미의 생활』 등의 저작들을 남겼다.

8 Jules Verne(1828~1905). 프랑스의 미래 소설을 선도한 작가. 과학에 대한 깊은 탐구와 미래에 대한 탁월한 상상력을 바탕으로 『해저 2만 리』, 『80일간의 세계 일주』 등을 남겼다.

9 Alexandre Dumas(1802~1870). 프랑스의 작가. 대(大)뒤마라고도 한다. 『몬테크리스토 백작』, 『삼총사』 등의 소설로 대중적인 인기를 누렸다.

가 도달한 문명의 수준을 곤충들은 이미 선사 시대에 이루었습니다. 우리 인간이 서로서로를 이해하고 사회생활을 한 것은 곤충에 비하면 이제 시작 단계라고 할 만합니다. 소설『개미』에서도 이야기하고 있습니다만, 예컨대 아시아 사람들, 아프리카 사람들, 유럽 사람들 사이에는 거대한 간극이 가로놓여 있습니다. 2천 년에서 3천 년에 걸친 세월 동안 서로 다른 문화를 가꾸어 왔기 때문에 서로서로를 이해하는 데 많은 어려움이 있는 것이지요. 당신이 프랑스 소설을 번역하고 있는 것도 그런 어려움을 덜어 내는 데 기여하게 될 것입니다. 당신이 하는 일은 서양과 아시아 사이에 다리를 놓는 일이라 할 만합니다. 그런 점에서 나는 당신에게 감사를 드립니다. 마찬가지로 나 역시 동양의 철학을 원용하고 있기에 또 다른 의미에서 다리를 놓고 있는 것입니다. 아시아는 나에게 철학을 주고 나는 그 철학을 서양 세계에 맞게 다시 고쳐서 아시아에 돌려주는 것입니다. 그러한 교환 과정이 변화를 가져오지요. 우리는 서로서로를 더 잘 이해하기 시작했습니다. 그러나 우리 인간이 개미들처럼 서로서로를 잘 이해하게 되려면 아마 1천 년, 2천 년, 아니 3천 년을 더 기다려야 될지도 모릅니다.

　번역자인 저에게 당신의 소설을 번역하는 데 꼭 유념했으면 하는 것이 있으면 말씀해 주십시오.

　내 소설『개미』는 외국어로 가장 많이 번역된 프랑스 책 가운데 하나입니다. 그 이유는 무엇보다도 문체가 간결하고 배후에 하나의 구조를 가지고 있기 때문일 겁니다. 구조, 즉 이야기의 축조에 나는 무척 흥미를 느끼고 있습니다. 소설의 본질이자 척주(脊柱)를 이루는 구조를 일단 이해하고 나면, 번역자가 옮겨 담으려는 목표 언어가 무엇이든 간에 그 구조가 재생됩니다. 내 책의 구조는 선의 구조입니다. 그것은 이런 피라미드 모양입니다(〈그림〉 참조). 소설 『개미』의 이야기는 세 개의 플롯으로 이루어져 있습니다.

〈그림〉

보시다시피 데옥시리보 핵산(DNA)의 구조와 같습니다. 〈그림〉의 H는 사람이고 F는 개미이며 E는 『백과사전』입니다. 플롯이 그렇게 세 가지입니다. 이 세 플롯은 피라미드의 세 면에 해당하는 것이고 이 세 면은 모두 꼭짓점에서 만납니다. 소설 『개미』에는 수수께끼가 하나 나옵니다. 〈여섯 개의 성냥개비로 네 개의 정삼각형을 어떻게 만들 것인가?〉 하는 수수께끼지요. 무턱대고 평면에서만 생각해서는 그 문제를 풀 수가 없습니다. 크기가 똑같은 여섯 개의 성냥개비로 네 개의 성삼삭형을 만드는 유일한 방법은 피라미드를 만드는 것입니다. 그 수수께끼가 바로 이 소설의 비밀이지요. 다시 말하면, 3중의 구조가 보다 높은 차원에서 하나로 수렴되는 것, 즉 3차원의 발견입니다.

프랑스에서는 소설 『개미』가 고등학교 수학 시간에도 사용된 바 있습니다. 그 까닭은 이 소설이 입체의 발견, 3차원의 발견과 연관이 있기 때문이지요. 우리의 정신을 활짝 열자는 것, 세계와 우주의 문을 열자는 것, 그것이 이 소설의 구조가 갖는 특징입니다. 당신이 번역을 하면서 그런 점을 이해한다면, 이 소설 어느 한구석이라도 다다르지 못할 곳이 없을 것입니다. 바로 그러한 것을 느낄 수 있어야 합니다. 그리고 그런 것을 느꼈다면 그것으로 완벽합니다. 개미 이야기를 제외한 나머지 것들은 모두 어안 렌즈처럼 우리의 시야를 넓히기 위하여 우리의 관점, 세계를 보는 방식에 관심을 갖게 하려는 것입니다.

그저께 내 친구와 함께 퐁텐블로에 갔었습니다. 당신 소설의 무대를 좀 더 생생하게 느껴 보기 위해서였지요. 그런데 유감스럽게도 당신 소설에 나오는 거리들을 찾을 수가 없었어요. 시바리트가도 페닉스가도 없더군요.

정작 나 자신은 퐁텐블로에 가본 적이 없어요(웃음). 퐁텐블로 숲에 산책을 하러 간 적은 있지요. 프랑스에서는 아주 야생적인 숲에 속하지요. 소설에 나오는 거리는 실제로 존재하지 않아요. 그걸 찾으려고 했단 말이지요? 죄송합니다. 솔직하게 말씀드릴 게 있습니다. 처음에 설정했던 무대는 나의 집에서 아주 가까운 뱅센 숲이었어요. 그런데 내 친구 중의 한 사람이 말하기를 그 숲은 너무 작은 데다가 개미집들이 급속하게 파괴되어 가고 있다는 거예요. 그래서 무대를 퐁텐블로 숲으로 바꾸었지요. 그게 다예요(웃음).

시바리트라는 거리 이름은 별로 쓰이지 않는 프랑스 말 시바리트sybarite에서 따온 거예요. 늘 방탕한 생활을 하는 쾌락주의자를 뜻하지요. 그러니까 시바리트가는 즐기며 살고 싶어 하는 사람들의 거리인 셈이지요.

소설 『개미』에서 당신은 일본 문화의 몇 가지 측면에 대해서 묘사하고 있습니다. 일본 문화에 대해 어떤 판단을 하고 있는지요.

나는 일본에 많은 흥미를 느끼고 있습니다. 일본으로부터 서양인들이 배울 게 많다는 생각은 들어요. 나는 중국에 대해서는 좀 알지만 일본에 대해서는 별로 아는 게 없어요. 내가 보기에 일본은 인류가 추구할 수 있는 여러 길 중의 하나를 보여 주고 있는 것 같습니다. 그런 점에서 일본을 이해하려고 노력하는 일은 가치가 있습니다. 그 길이 좋은 건지 나쁜 건지는 말하기 어렵지만, 어쨌든 확실한 것은 그게 성공하고 있다는 것이지요. 그게 성공하고 있다면, 관심을 끄는건 당연하지요. 나는 일본 문명에는 아주 오랜 전통을 가진 가치관이 있다고 생각합니다. 옛 일본을 이해함으로써 우리는 현대의 일본을 이해할 수 있을 것입니다. 내가 사무라이 등에 대해서 이야기하는 것도 그러한 이유에서입니다. 일본인들의 사고방식에 개미들의 세계에서 볼 수 있는 습성과 아주 흡사한 점이 있는 건 사실이지요.

당신의 소설 속에는 좀 특이하게 느껴지는 이름들이 몇 가지 있습니다. 예를 들면 〈우아르자자트〉라는 반려견 이름이나 〈벨로캉〉과 〈클리푸캉〉 같은 개미 나라 이름, 그리고 〈벨로키우키우니〉와 〈클리뿌니〉 같은 여왕 개미의 이름 등이 그렇습니다. 그런 이름을 지은 데는 어떤 암시적인 의도가 있었을 것으로 생각되는데, 그런 이름들은 어디에서 연유한 것인가요?

우아르자자트는 모로코에 있는 도시 이름입니다. 벨로캉에 대해서 말씀드리지요. 벨로캉 하면 뭐 떠오른 게 없나요? 없지요? 그럴 겁니다. 먼저, 내가 문자들이 갖는 수의 의미에 많은 관심을 가지고 있다는 것을 말씀드려야겠군요. 벨로캉 (Bel-O-Kan)이라는 말은 샤르트르 성당과의 대응 관계에서 나온 말입니다(웃음). 다시 말하면 샤르트르 성당의 규모를 나타내는 수치를 알아낸 다음, 그 수치에 각각 하나의 문자를 대응시키는 것이지요. 예컨대 B는 2, F는 6이라는 식으로 말이지요. 그 문자들을 모아서 〈Bel-O-Kan〉이라는 단어를 만든 겁니다. 고대 건축술의 비법을 빌려 본 겁니다. 그런데 나중에 언어를 연구하는 어떤 친구를 통해서 안 것입니다만 공교롭게도 벨로캉이라는 단어가 고대 수메르 말로는 〈여기에 그 장소가 있다〉라는 뜻이라더군요.

『개미』를 세상에 내놓기까지 아주 오랜 세월 동안 준비를 해왔다고 들었는데요.

『개미』를 쓰는 데 12년이 걸렸습니다. 열여섯 살에 시작해서 서른 살에 끝냈습니다. 하나의 집, 하나의 건물과도 같은 완벽한 조화를 이루려고 노력했지요. 150번을 고쳐 썼어요. 좋은 문체를 찾아내려고 다시 쓰고 다시 쓰고는 했습니다. 아주아주 길고 엄청난 작업이었지요.

당신 소설의 주요 인물인 에드몽 웰스는 영국의 과학 소설가 허버트 조지 웰스[10]를 암시하고 있나요?

그렇습니다. 나는 그 작가를 대단히 높이 평가하고 있습

10 Herbert George Wells(1866~1946). 영국의 미래 소설가. 심오한 과학적 지식과 해학적 기질을 바탕으로 쓴 『타임머신』, 『투명 인간』, 『두 세계의 전쟁』과 3부작인 『세계사 대계』, 『생명의 과학』, 『인류의 노동과 부와 행복』 등이 있다.

니다. 나는 그가 최초의 현대적인 작가라고 생각합니다.

당신이 만화라는 예술 장르를 무척 좋아한다고 들었습니다. 지금도 만화를 그리는지요?

마땅한 만화가를 찾지 못해서 지금은 만화 시나리오를 쓰지 않습니다. 그러나 스무 살 때는 만화 시나리오를 썼습니다. 영화 시나리오 공부도 했고요.

언제부터 곤충에 관심을 갖게 되었는지요? 개미에 관심을 갖게 된 특별한 동기 같은 것이 있습니까?

아마 열두 살 무렵부터 개미에 관심을 가졌던 것 같습니다. 모든 아이들이 대여섯 살 때부터 개미를 가지고 장난을 하는 거나 마찬가지죠. 처음엔 그것을 만화로 표현했지요. 그런데 그것만으로는 부족하다는 생각을 하게 되었어요. 내 생각을 표현할 수 있는 아주 유력한 방법을 찾아내지 않으면 안 된다고 생각한 것이죠. 그것은 고전적인 방식으로 쓰고, 쓰고 또 쓰는 것이었습니다. 그러느라고 13년이 걸린 겁니다. 처음에는 1천 페이지가 넘는 방대한 분량이었는데, 사람들이 좀 더 읽기 쉽게 만드느라고 그것을 줄였지요. 그런데, 왜 하필이면 개미 이야기냐고요? 그것은 내 생각에 개미가 지구의 진정한 주인이기 때문이지요.

당신의 소설이 엄청난 성공을 거두고 나서 당신 삶에 변화가 생겼다면 어떤 것이 있나요?

특별히 달라진 게 있다고는 할 수 없고요. 다만 한 가지 변한 게 있다면 예전에는 두 가지 직업을 갖지 않을 수가 없었는데, 이제는 그러지 않아도 된다는 점입니다. 즉, 나는 생계를 위해서 10년 동안 과학 저널리스트로 일을 했습니다. 저널리스트인 동시에 작가라는 이중의 직업을 가져야만 했었지요. 그러나 이제는 몇 권의 소설이 성공을 가져다주면서 내가 하고 싶어 하는 일, 즉 오로지 글만 쓰는 일을 가능하게 해주었습니다. 프랑스에 전업 작가는 많지 않습니다. 아마 20명쯤 될 겁니다. 그 20명 속에 들어간 것이 아주 기쁩니다.

그럼 이제 『VSD』에서는 일하지 않나요?

예, 저널 일은 그만두었습니다.

바쁜 시간 내주어서 감사합니다.

감사합니다.

옮긴이 **이세욱** 1962년에 태어나 서울대학교 불어교육과를 졸업하였으며, 현재 전문 번역가로 활동하고 있다. 옮긴 책으로 베르나르 베르베르의 『제3인류』(공역), 『웃음』, 『신』(공역), 『인간』, 『나무』, 『상대적이며 절대적인 지식의 백과사전』(공역), 『뇌』, 『타나토노트』, 『아버지들의 아버지』, 『천사들의 제국』, 『여행의 책』, 움베르토 에코의 『프라하의 묘지』, 『로아나 여왕의 신비한 불꽃』, 『세상의 바보들에게 웃으면서 화내는 방법』, 『세상 사람들에게 보내는 편지』(카를로 마리아 마르티니 공저), 장클로드 카리에르의 『바야돌리드 논쟁』, 미셸 우엘벡의 『소립자』, 미셸 투르니에의 『황금 구슬』, 카롤린 봉그랑의 『밑줄 긋는 남자』, 브램 스토커의 『드라큘라』, 파트리크 모디아노의 『우리 아빠는 엉뚱해』, 장자크 상페의 『속 깊은 이성 친구』, 에리크 오르세나의 『오래오래』, 『두 해 여름』, 마르셀 에메의 『벽으로 드나드는 남자』, 장크리스토프 그랑제의 『늑대의 제국』, 『검은 선』, 『미세레레』, 드니 게즈의 『머리털자리』 등이 있다.

개미 2

발행일	1993년 6월 25일	초판	1쇄
	2000년 7월 30일	초판	105쇄
	2001년 1월 30일	2판	1쇄
	2013년 2월 25일	2판	87쇄
	2013년 5월 30일	3판	1쇄
	2022년 5월 30일	3판	31쇄
	2023년 6월 15일	특별판	1쇄

지은이   베르나르 베르베르
옮긴이   이세욱
발행인   홍예빈·홍유진
발행처   주식회사 열린책들

경기도 파주시 문발로 253 파주출판도시
전화 031-955-4000 팩스 031-955-4004
www.openbooks.co.kr